LECTURAS DEVO

LAS ORACIONES
más PODEROSAS
DE LA BIBLIA

RICARDO BENTANCUR

GEMA EDITORES

LAS ORACIONES MÁS PODEROSAS DE LA BIBLIA

Agencia de Publicaciones México central, A. C.
Uxmal 431, Col. Narvarte, 03020 Ciudad de México.
Tel.: 5687 0941 • pedidos@hotmail.com

Diseño de la portada: Steve Lanto
Fuente de las ilustraciones: iStock Photo
Diseño del interior: Diane Aguirre

A no ser que se indique de otra manera, todas las citas de las Sagradas Escrituras están tomadas de la versión Reina-Valera © 1960 Sociedades Bíblicas en América Latina; © renovado 1988 Sociedades Bíblicas Unidas. Utilizado con permiso. Las citas marcadas con DHH han sido tomadas de La Santa Biblia, Dios Habla Hoy®, tercera edición, © Sociedades Bíblicas Unidas, 1966, 1970, 1979, 1983, 1996. Utilizado con permiso. Las citas marcadas con JBS han sido tomadas de Stendal, Russell Martin, *The Jubilee Bible*, Abbotsford, Wisconsin: Life Sentence Publishing, 2010. Las citas marcadas con LBLA han sido tomadas de *La Biblia Latinoamericana*, © Editorial San Pablo y Verbo Divino, 2004. Todos los derechos reservados. Las citas marcadas con NTV han sido tomadas de la *Santa Biblia*, Nueva Traducción Viviente, © Tyndale House Foundation, 2010. Todos los derechos reservados. Las citas marcadas con NVI han sido tomadas de la *Santa Biblia*, Nueva Versión Internacional® NVI®, © 1986, 1999, 2015 por Biblica, Inc. Utilizado con permiso. Derechos reservados. Las citas marcadas con TLA han sido tomadas de la *Santa Biblia*, Traducción en lenguaje actual, © Sociedades Bíblicas Unidas, 2000. Utilizado con permiso. El autor se responsabiliza de la exactitud de los datos y textos citados en esta obra.

ISBN: 978-0-8163-9186-8

Impreso en México por:
Litografía Magno Graf, S. A. de C. V.

Agosto, 2018

DEDICATORIA
A Emilia, nuestra primera nieta

Gracias, Padre, por Emilia.

Te alabamos por el milagro de la vida. ¡Tus ojos velaron por ella desde que era apenas un frágil embrión (Sal. 139:16)!

Te la entregamos, para que guíes sus pasitos desde sus primeros años, ¡y en toda su vida! Señor, te pedimos que crezca bajo tus alas, que sea feliz, que conozca tu amor, ¡para que su alma sienta siempre tu gracia!

Te pedimos que le des un corazón puro, para que sea una luz en la oscuridad de este mundo, que alivie el dolor de los que sufren. Si una sombra roza y aun cubre su vida, que tu amor la fortalezca. Que sepa discernir entre el bien y el mal. Que el amor a ti, a sí misma y al prójimo sea el motor de su vida.

Te pido que la busques siempre; y si se aparta de ti, que insistas en tu búsqueda. Nuestra vida pasará, pero tu amor y tu cuidado son eternos.

En la humanidad de Emilia están incluidos todos los niños del mundo, ¡y también en esta oración! Jesús, tú, que eres el Amigo de los niños, protege a los más chiquitos. ¡La única riqueza en esta Tierra son los niños! ¡Todos tienen derecho a ser felices!

Confiamos en tus manos a Emilia, y nuestra frágil humanidad.

En tu nombre, Amén.

Florencia y Ricardo

AGRADECIMIENTO

Agradezco profundamente al pastor y doctor Oscar Hernández por acompañarme de principio a fin en el largo proceso de elaboración de este manuscrito. Su trabajo de corrección, sus sugerencias exegéticas, para una mejor comprensión del texto bíblico, y homiléticas, para una aplicación más pertinente de las oraciones en la vida del lector, han sido invaluables. Su trabajo le ha dado solidez a este devocional. Dios recompense su esfuerzo dedicado a esta tarea.

¡Gracias, Jesús, porque me has sostenido e inspirado en esta larga jornada!

INTRODUCCIÓN

La Biblia registra 650 oraciones, e informa de 450 respuestas de Dios.

Este libro es un recorrido por las oraciones más poderosas e inspiradoras de la Biblia. Repite el clamor silencioso de muchos corazones angustiados, lacerados por los golpes de la vida. Consigna las peticiones de quienes suplicaron a Dios por ayuda, orientación y consejo a lo largo de la historia bíblica, y recoge también las aclamaciones de quienes expresaron su gratitud a Dios por los favores recibidos.

Hay oraciones escritas con las notas más alegres y vivaces del pentagrama del Espíritu. Y hay oraciones escritas con sangre y lágrimas. Las lágrimas son la sangre del alma, que se derraman en oraciones para que el alma no se desangre en silencio. Dios lleva la cuenta de nuestras lágrimas (Sal. 56:8).

Así, podemos decir que este devocional contiene básicamente nueve clases de oraciones: de alabanza (ver, por ejemplo, 1 Sam. 2:1), de adoración (1 Crón. 29:20), de súplicas (Sal. 86:1), de imprecación (Sal. 119:126), de confesión (Dan. 9:3, 4), de consagración (Mat. 26:42), de gratitud (Luc. 17:15-17), de comunión (Hech. 2:42) y de intercesión (2 Tim. 2:1). Las oraciones incluidas siguen el recorrido cronológico del relato bíblico y las reflexiones que nacen de ellas son deudoras, en parte, de la inspiración de Alexander Maclaren, teólogo escocés de fines del siglo XIX.

El doble propósito de esta obra es elevarnos a las cumbres del Espíritu a través de las alas de la oración, y a la vez bucear en las profundidades de las Sagradas Escrituras. Como un breve comentario bíblico, nos ayudará a entender, predicar y enseñar la Palabra mediante el hilo conductor de la oración. Al final, hay una lista de todas las oraciones de la Biblia y un plan sugerente para el Año Bíblico: una guía para leer toda la Biblia en un año. La lectura simultánea del año bíblico llenará los vacíos de información que dejan necesariamente los textos estudiados.

En este devocional hay tres ideas que son el eje de conducción de todas las oraciones. La primera idea: Así como la nota de un instrumento de cuerda vibra cuando es alcanzada por las ondas sonoras de la misma nota de otro instrumento, afinado en el mismo tono, nuestro corazón emite un tintineo musical como respuesta a la nota del amor divino pulsada en las cuerdas del cielo. ¡La oración es la respuesta a la búsqueda que Dios hace a nuestro corazón mediante su Espíritu (ver Rom. 8:26)!

La segunda idea: La oración es el primer y el último recurso del alma humana para salir de su propio encierro y comunicarse con el Infinito. Ora todo religioso, y aun el ateo ante la muerte. Tal es la necesidad del hombre de salir de sí que inventó el confesionario, una falsa "oración horizontal".

Finalmente: Las intenciones más sublimes del corazón elevan las oraciones más puras. Si Dios está en el centro de la vida, Jesús estará en el núcleo de nuestras oraciones.

CLAVE DE ABREVIATURAS

BJ	*Biblia de Jerusalén*
CBA	*Comentario bíblico adventista*
CC	*El camino a Cristo*
CS	*El conflicto de los siglos*
DHH	La Biblia, *Dios habla hoy*
DTG	*El Deseado de todas las gentes*
Ed	*La educación*
Ev	*El evangelismo*
HC	*El hogar cristiano*
HAp	*Los hechos de los apóstoles*
JBS	*Jubilee Bible 2000*
LBLA	*La Biblia Latinoamérica*
LO	*La oración*
MGD	*La maravillosa gracia de Dios*
MC	*El ministerio de curación*
NB	*Notas biográficas de Elena G. de White*
NTV	Nueva Traducción Viviente
NVI	Nueva Versión Internacional
OE	*Obreros evangélicos*
PP	*Patriarcas y profetas*
PR	*Profetas y reyes*
TLA	Traducción en Lenguaje Actual

Oración primera

Entonces los hombres comenzaron a invocar el nombre de Jehová.
Génesis 4:26.

P adre,
Gracias por buscarnos sin que te hubiéramos buscado, pues así buscaste a nuestros primeros padres cuando se escondieron en el Jardín. Gracias por buscarnos antes de que te invoquemos. Gracias, porque por la obra del Espíritu Santo en el corazón, "los hombres comenzaron a invocar tu nombre".

Hoy estamos ante un nuevo año. Queremos pedirte que nos busques cada día, y que mediante el fuego del Espíritu enciendas en nosotros el incienso de nuestras plegarias. No hay incienso sin fuego, ni oración sin llama. Solo tu fuego les dará alas, energía y aceptación a nuestras súplicas. Ninguno de nuestros talentos, ni el esfuerzo de la voluntad más férrea, pueden sustituir los diálogos contigo. ¡Es la única arma que tenemos para luchar en este mundo!

Padre, te necesitamos como la indefensa criatura necesita el pecho materno para ser alimentada y cobijada. Sola no puede vivir. Somos tan indefensos ante el mundo, ¡"como ovejas en medio de lobos"! Somos vulnerables antes las fuerzas de nuestra propia naturaleza que combaten en nuestro interior. Somos débiles, sinceros, hipócritas, errantes, ignorantes, valientes, cobardes, sabios, afligidos, tristes, alegres. Somos contradictorios, demasiado humanos. Solo tú puedes darnos poder para levantarnos cada día y luchar, para vivir con esperanza. Solo tú puedes sentir los latidos de un corazón quebrantado. Solo tú puedes recibir nuestras lágrimas amargas. Solo tú nos pones en la delicada frecuencia para escuchar el gemido de nuestro prójimo que está solo; que busca ser escuchado, comprendido, aceptado.

Padre, hoy se inicia nuestro viaje. Derramaremos nuestras almas en cada una de las muchas plegarias registradas en la Biblia. ¡Son tantas! Verás nuestro rostro en esas oraciones, ¡pero es tu rostro el que queremos ver en ellas! Nuestras plegarias pueden ser como el humo que se pierde llevado por el viento, pero sabemos que tú tienes memoria de la oración humilde y sincera del hijo anónimo cuyo nombre está escrito en el Libro del Cordero.

Padre, como la vida, nuestros días en este año serán claros y oscuros; a veces tendremos sol, y habrá noches sin luna ni estrellas. Pasaremos por "valles de sombra", y aun de muerte, pero confiamos en que tú estarás a nuestro lado. Por eso, Padre, danos fuerza para no soltarnos de tu mano.

En el nombre de Jesús, Amén.

Oración de fe

Y respondió Abram: Señor Jehová, ¿qué me darás, siendo así que ando sin hijo, y el mayordomo de mi casa es ese damasceno Eliezer? Génesis 15:2.

Mientras escribo estas líneas, recibo un mensaje de texto en mi celular. Nuestra hija menor, Mariela, me confirma una preciosa sospecha: "Vas a ser abuelo". Su bebé ya mide ¡tres centímetros! No sé si será nieta o nieto, pero desde este momento amo estos "tres centímetros". Mariela anhelaba tener un hijo. Lo buscó. Luchó. Y finalmente, en ella está creciendo nuestra descendencia.

Un hijo es un préstamo divino para que aprendamos a amar a otro ser más que a nosotros mismos. Para que aprendamos a transformar nuestros peores defectos en virtudes y ejemplos de vida. Ser madre o padre es el mayor acto de valentía, porque es exponerse al dolor, a los miedos y a los riesgos de las malas decisiones. Un hijo es una preocupación fecunda. Es un acto de fe. Es un préstamo divino a cuenta del futuro.

Dios conoce el valor de un hijo. Y quiso bendecir a Abraham y a Sara con un descendiente que asegurara el futuro de su pueblo y el de la humanidad (Gén. 12:1-3). Pero pasaron 25 años, y la promesa no se cumplía. Entonces, cuando Dios renovó su promesa de darle una gran recompensa, Abraham preguntó: "¿De qué me sirve que me des recompensa, si tú bien sabes que no tengo hijos?" (Gén. 15:2, DHH). Eliezer, su principal mayordomo, era su único heredero. Dios le contestó: "Tu heredero va a ser tu propio hijo, y no un extraño" (vers. 4, DHH).

Dice la Biblia que "Abraham *creyó a Jehová*, y le fue contado por justicia" (vers. 6; énfasis agregado). Es muy interesante que, en hebreo, el término "creer" tiene la misma raíz que "amén", y significa "me apoyo en". Es decir, Abraham puso su esperanza en Dios. Se apoyó en Dios. No en sí mismo, ni en las leyes de la biología ni en lo que veía. Y esto le fue "contado por justicia". Dios cumplió su promesa en Isaac, y de su descendencia vino Jesús, el Salvador del mundo.

Hoy, quizá la vida te esté golpeando; ¿tienes un pedido a Dios en tu corazón? Apóyate en él. ¡Qué bueno que puedas hablar con Jesús! Él te dará siempre lo que realmente necesites. Él quiere que te afirmes en él, que lo tomes en cuenta. Y, maravillosamente, ¡eso te hace justo (Rom. 4:3)!

Oración: Gracias, Señor, por los hijos, y ayúdanos a criarlos.

Oración de un padre amante

Y dijo Abraham a Dios: Ojalá Ismael viva delante de ti. Génesis 17:18.

¿Te condena tu pasado?

Hay teólogos que afirman que esta oración jamás debió haber sido elevada a Dios, pues expresa "un deseo petulante de Abraham". Ismael fue el "hijo del pecado", un recordatorio viviente de la falta de confianza de Abraham en la promesa divina. ¿Estás de acuerdo con este pensamiento?

Creo que esta oración manifiesta toda la humanidad del patriarca, su profunda sensibilidad de padre. ¿Quién no desea que su hijo "viva siempre delante de Jehová"? Ismael fue también alguien que Dios le prestó para que hiciera un curso intensivo de cómo cambiar sus peores defectos por virtudes. Con Ismael, Abraham aprendió lo que significa depender de Dios, para recibirse luego de padre, primero de Isaac, el hijo de la promesa, y luego de un pueblo incontable como "las estrellas del cielo".

¿Qué nos enseña más en la vida: el placer y la bonanza o el dolor y el sufrimiento? Esta oración no es un "deseo petulante" de Abraham. Pensar así es desconocer nuestra naturaleza humana y, consecuentemente, desconocer el amor de Dios.

Ser padre es el acto de mayor coraje que alguien pueda tener, porque es exponerse a todo tipo de dolor, al miedo de perder algo tan amado. Y Abraham perdió a Ismael a causa de su propia desobediencia. Sara le pidió que lo echara del campamento con su madre. Y "el patriarca se llenó de angustia. ¿Cómo podría desterrar a Ismael, su hijo, a quien todavía amaba entrañablemente? En su perplejidad, Abraham pidió la dirección divina... Y el ángel le dio la promesa consoladora de que, aunque estuviera separado del hogar de su padre, Ismael no sería abandonado por Dios; su vida sería conservada, y llegaría a ser padre de una gran nación... Su corazón de padre se llenó de indecible pesar al separar de su casa a Agar y a su hijo" —*PP* 142, 143. Como beduino, Abraham conocía la soledad del desierto que esperaba a su hijo. ¡Cuánta soledad!

Ismael es la humanidad errada y errante ¡alcanzada por el amor de Dios! Todos llevamos dentro un Ismael, ¡"un hijo del error"!

¿Sientes que tu pasado te condena? Dios te ama como amó a Ismael.

Oración: Gracias, Dios, porque me amas a pesar de mis errores.

Oración por una misión casi imposible

Oh Jehová, Dios de mi señor Abraham, dame, te ruego, el tener hoy buen encuentro, y haz misericordia con mi señor Abraham. Génesis 24:12.

¿Te enamorarías de alguien por recomendación de un tercero, y a la distancia?

Esta es la oración de Eliezer, siervo de Abraham. Sacada de contexto, parece una oración egoísta: "Dios, que hoy me vaya bien". Pero no lo es. Al contrario, es una oración llena del amor de un hombre que intercede por otro. Abraham llamó a Eliezer y lo envió a una misión muy difícil: buscar esposa para su hijo Isaac. Para esto, debía viajar en camello 720 kilómetros (450 millas) a la zona donde Abraham había crecido. Y allí debía buscar y elegir una mujer idónea entre los familiares lejanos del patriarca, que calificara como esposa de su primogénito. Es una costumbre que perdura hasta hoy en algunas culturas, no solo de Medio Oriente.

Después de encontrar a esa mujer, debía convencerla de que se casara con Isaac, un hombre al que jamás había visto. Era una misión que parecía imposible. Pero no para Dios. ¡Dios la contestó inmediatamente! Dice el texto bíblico: "Todavía no había terminado de orar, cuando vio que una muchacha venía con su cántaro al hombro. Era Rebeca" (vers. 15, DHH). La que cumplía las condiciones de la búsqueda de Eliezer. ¡Y estuvo dispuesta a hacer el largo viaje hacia el encuentro con su potencial amado!

Ahora Eliezer tenía su propia historia para contar. Dios ya no era el Dios de su amo, sino también el suyo propio. Por eso testificó de todo lo que Dios había hecho por él al hermano de Rebeca (vers. 34-48).

Hoy, puedes orar a Dios para "que te vaya bien" en todo lo que emprendas. No es una oración mezquina. Él busca testigos de su poder entre los hombres.

Es posible que tengas tu alma herida, y te sientas cansado de orar sin recibir respuesta. ¿Y si le preguntaras a Dios por qué no tienes lo que tanto pediste? Finalmente, la oración es ¡la única arma que tenemos en este mundo! Dile: "Señor, haz lo que parece imposible para mí". Y quédate en silencio delante de él. Persevera en el silencio. Disfruta su presencia. Cuando te levantes de esa oración, tú ya no serás la misma persona. Así comienza Dios a responderte.

Oración: *Gracias, Señor, porque quieres siempre mi bien.*

Oración en huida

E hizo Jacob voto, diciendo: Si fuere Dios conmigo, y me guardare en este viaje en que voy... Jehová será mi Dios. Y esta piedra que he puesto por señal, será casa de Dios. Génesis 28:20-22.

¿Es tu vida una búsqueda de sentido o una huida hacia ningún sitio? Cuando Jacob elevó esta oración, estaba huyendo de su hermano. La huida no ha llevado a nadie a ningún sitio. Toda huida es inútil, porque siempre se vuelve al mismo lugar. En relación con nuestro deber, es más saludable volver herido de la batalla que sano por haber huido. Esto lo sabía Jacob. También sabía que luego de haber engañado a su hermano solamente le esperaba el destierro. Y nada es peor que el destierro. Elena de White describe la huida de aquel hombre: "Dominado por su remordimiento y timidez, trató de evitar a los hombres, para no ser hallado por su airado hermano. Temía haber perdido para siempre la bendición que Dios había tratado de darle" —*PP* 182.

El temor de "haber perdido para siempre la bendición" de Dios fue un sentimiento que el mismo Señor puso en el corazón de Jacob. Y así, en aquella noche de angustia, su huida se convirtió en una señal de esperanza. Rogó a Dios, y él le respondió en un sueño: una escalera por la que subían y descendían ángeles fue la gran señal (Gén. 28:12). Jesús se refirió a la misma escalera en el diálogo con Natanael (Juan 1:51). Jacob despertó con la convicción de que Dios no lo abandonaría. En el sueño, Dios le había revelado el plan de salvación. Avizoró su salvación y la de todos los mortales. Por eso, con la piedra que usó para reposar su cabeza, erigió "un monumento a la misericordia de Dios" —*Ibíd.*, p. 184.

Huimos de nuestro pasado, porque no queremos enfrentarlo. Huimos del dolor, de la frustración, de lo que nos incomoda. Y también huimos de la justicia. Pero Dios siempre nos busca y nos espera, para restablecer las relaciones.

Quizás hoy estés huyendo de alguien o de algo, porque no quieres enfrentarlo. Pero de Dios jamás podrás huir. ¡Qué bueno que puedes contarle todo a él! Escucha su respuesta. Luego, ya no huirás, porque tendrás fuerzas para enfrentar, a su tiempo, lo que sea.

Oración: Señor, ayúdame a no huir de ti, a volver siempre.

Oración por bendición

Y Jacob le respondió: No te dejaré, si no me bendices. Génesis 32:26.

Jacob estaba en graves problemas. Veinte años antes había engañado a su padre y se había quedado con la bendición destinada para su hermano mayor, Esaú. Este, que había vendido los derechos de su primogenitura por un plato de lentejas, se arrepintió rápidamente de haber entregado su futuro al reclamo de su estómago. Entonces aborreció a Jacob, quien huyó de aquel lugar para preservar su vida (Gén. 27:41).

Los años y la distancia habían leudado el rencor y la venganza en el corazón de Esaú. Ser vengativo requiere la disciplina de mantener las heridas abiertas, por lo cual Esaú se ocupó día tras día de que así fuera. Nunca son tan peligrosos los hombres como cuando se vengan de los errores que ellos mismos han cometido. A Esaú no le importó la bendición de su padre ni los derechos de la primogenitura (Gén. 25:32-34). Por eso la vendió, y luego quiso vengarse. A Esaú nunca le importó Dios. Y ahora solo le importaba saciar su sed de venganza. Ahí estaba, con cuatrocientos hombres, esperando que llegara su hermano, quien había decidido volver a la casa de su anciano padre Isaac por consejo divino (ver Gén. 31:3).

En el camino, Jacob tuvo temor y angustia (Gén. 32:7). Sabía que con una mentira se puede ir muy lejos, pero sin esperanzas de volver. Y entonces reclamó el perdón y la promesa divinos. En su noche de angustia, luego de haber peleado con el Ángel del Señor, le dijo: "No te dejaré, si no me bendices" (Gén. 32:26). Y Dios lo bendijo: en lugar de matar a su hermano, Esaú corrió hacia él, lo abrazó y lo besó, y los dos lloraron juntos (Gén. 33:4). Dios había hecho lo que parecía imposible. Esa oración cambió muchas vidas.

Dios tiene un compromiso contigo como lo tuvo con Jacob, porque él te ama antes de que tú lo amaras (1 Juan 4:19). Dios siempre te dará lo que necesites, y en el momento oportuno. Él te bendecirá siempre, ¡si ruegas como Jacob! No importa cuán lejos hayas llegado con tu mentira o tu error, Dios siempre te recibirá para bendecirte.

Oración: *Gracias, Señor, ¡sé que siempre me bendices!*

Oración de desconfianza

Y él dijo: ¡Ay, Señor! envía, te ruego, por medio del que debes enviar.
Éxodo 4:13.

¿Quién eres tú?

El tercer capítulo de Éxodo relata el momento en que Dios se le aparece a Moisés en una zarza para encomendarle la misión de liberar a su pueblo oprimido en Egipto. "Entonces Moisés respondió a Dios: ¿Quién soy yo para que vaya a Faraón, y saque de Egipto a los hijos de Israel?" (Éxo. 3:11). Ya en el primer encuentro con el Altísimo, Moisés expresó desconfianza en sí mismo y luego desconfianza en Dios. Aún no sabía que la confianza en el poder de Dios es el primer secreto del éxito.

¿Qué soledad es más solitaria que la desconfianza? Nada expresa mejor nuestra debilidad e inseguridad que la desconfianza en los demás y en Dios. Los capítulos 3 y 4 de Éxodo registran un diálogo entre el Gran Psicólogo y un Moisés desconfiado. A un pedido de Dios, Moisés responde con desconfianza.

Si leemos los primeros versículos del capítulo 4, vemos que, ante la negativa del patriarca, Dios realizó varios milagros con la vara que Moisés tenía en la mano. Luego enfermó con lepra aquella mano, para volver a curarla. El deseo del Altísimo era usar las manos de Moisés para liberar a su pueblo. Pero antes, Moisés debía entregar su corazón. Así como una persona actúa según los dictados de la mente y el corazón (Luc. 6:45), Dios quería el corazón de Moisés para hacer milagros y liberar a su pueblo. Las manos debían estar en armonía con su corazón, para que mano y corazón estuvieran en armonía con la voluntad del Todopoderoso.

Más aún: Dios quería también la boca de Moisés. Pero este le dijo: "No, los labios no; no sé hablar. Envía a Aarón, que él sí sabe hablar" (ver Éxo. 4:10-13.) Finalmente, Dios aceptó el pedido de Moisés y le dio instrucciones de cómo se presentaría ante el faraón (vers. 15-17).

Hoy, Dios te dice lo mismo que a Moisés: "Dame todo tu ser; no te guardes nada. No necesito tu dinero ni tu elocuencia sin tu corazón. Por eso dame tu corazón, para que tus manos sirvan y tu boca testifique. Y todo tu ser, manos, lengua y corazón, cuerpo, mente y espíritu, haga mi voluntad".

Oración: *Señor, te doy todo mi ser: corazón, manos y boca.*

Oración clamorosa

*Entonces Moisés se volvió a Jehová, y dijo: Señor,
¿por qué afliges a este pueblo? Éxodo 5:22.*

¿Estás pasando por algún tipo de sufrimiento?

Nos cuesta aceptar, como cristianos, que no aprendemos tanto en la bonanza como en las crisis. No hay razón para buscar el sufrimiento; pero si intenta meterse en nuestra vida porque queremos ser fieles a Dios, ¡no temamos! Podemos enfrentarlo mirándolo a la cara, con la frente bien levantada, porque puede que ese dolor profundo esconda el secreto de una bendición. Tu sufrimiento puede ser una caricia bondadosa de Jesús, para que aprendas que todo está bajo su dominio, y que es fiel a sus promesas.

Quien no ha sufrido por ser fiel a Jesús ¿puede comprender el sentido de las pruebas? ¿Puede discernir entre el bien y el mal? ¿Puede conocer cuán débil es el ser humano? ¿Puede conocerse a sí mismo, y conocer a Dios?

Una vez que Moisés se presentó al faraón en el nombre de Dios para pedirle que liberara a su pueblo, comenzó el verdadero sufrimiento de los esclavos. Y, con el sufrimiento, comenzaron las quejas contra Moisés. Moisés le reclamó a Dios, y Dios respondió: "Ahora verás lo que yo haré a Faraón; porque con mano fuerte los dejará ir, y con mano fuerte los echará de su tierra" (Éxo. 6:1).

Aquel sufrimiento no tenía sentido para quienes se habían acostumbrado a la esclavitud de Egipto, para los que habían abandonado su fe en Jehová (ver *PP* 264). Esclavos de la injusticia, los israelitas no querían pagar el precio de la libertad. Porque no comprendían su dolor ni lo aceptaban. ¡Solo se quejaban! Entonces Dios utilizó la situación para manifestar todo su poder. Y finalmente se cumplió su promesa, y el faraón le rogó a Moisés que sacara a su pueblo de Egipto (Éxo. 12:31).

Quizás hoy tu corazón se esté desangrando por alguna injusticia. Puede que desconfíes de las promesas de Dios, y que ya no quieras luchar. Puede que estés al borde de la resignación. ¡No te rindas! ¡Tu prueba no es en vano! El Señor te dice: "Y olvidarás tu miseria, o te acordarás de ella como de aguas que pasaron. La vida te será más clara que el mediodía; aunque oscureciere, será como la mañana" (Job 11:16, 17).

Oración: Gracias, Señor, porque me enseñas en las pruebas.

Oración intercesora

Entonces volvió Moisés a Jehová, y dijo: Te ruego, pues este pueblo ha cometido un gran pecado, porque se hicieron dioses de oro, que perdones ahora su pecado, y si no, ráeme ahora de tu libro que has escrito. Éxodo 32:31, 32.

"**M**i memoria es magnífica para olvidar", dijo cierta vez el conocido escritor Robert Louis Stevenson. Los seres humanos olvidamos fácilmente. ¡Amar es más difícil que olvidar! Tú y yo volvemos a tropezar una y otra vez con la misma piedra, porque olvidamos con ligereza las lecciones que aprendimos de nuestros errores.

El pueblo de Israel no fue una excepción al olvido fácil: solo unos pocos días bastaron para olvidar el pacto solemne con Dios (Éxo. 19:8). Los hebreos habían temblado de terror ante el monte cuando escucharon las palabras: "No tendrás dioses ajenos delante de mí" (Éxo. 20:3). Pero fue suficiente que Moisés se tardara en el monte unos días para que no recordaran su promesa y le pidieran a Aarón otros dioses (Éxo. 32:1).

¡Cómo no se iba a airar Moisés al ver semejante espectáculo de idolatría en Israel (Éxo. 32:18-22)! Sí, se llenó de ira, "pero no pecó" (ver Efe. 4:26), porque amaba entrañablemente a su pueblo. Entonces fue ante el Señor, y en su confesión dijo: "Te ruego... que perdones ahora su pecado, y si no, ráeme ahora de tu libro que has escrito".

Dice Elena de White: "La intercesión de Moisés en favor de Israel ilustra la mediación de Cristo en favor de los pecadores" —*PP* 337.

Dios conoce nuestra frágil memoria, por eso nos insta una y otra vez a recordar: "Acuérdate del día de reposo para santificarlo... porque en seis días hizo Jehová los cielos y la tierra... y reposó en el séptimo" (Éxo. 20:8-11). "Acuérdate que fuiste siervo en tierra de Egipto, y que Jehová tu Dios te sacó de allá con mano fuerte y brazo extendido" (Deut. 5:15). "Acuérdate de Jehová tu Dios, porque él te da el poder para hacer las riquezas" (Deut. 8:18). "Acuérdate de los tiempos antiguos" (Deut. 32:7). Y finalmente: "Acuérdate, pues, de lo que has recibido y oído; y guárdalo" (Apoc. 3:3).

¿Recuerdas tu primer encuentro con Jesús? ¿Recuerdas aquella oración cuya respuesta te cambió la vida? ¿Recuerdas cómo te sentiste en aquel momento? ¡Qué grande es Dios!

Oración: Señor, ayúdame a recordar.

Oración por seguridad

Si tu presencia no ha de ir conmigo, no nos saques de aquí. Éxodo 33:15.

¿Te sientes seguro? ¿Estás seguro?

Moisés le pide seguridad a Dios. Quiere que el Señor lo acompañe en la travesía por el desierto para llegar a Canaán. Y Dios le promete: "Mi presencia irá contigo, y te daré descanso" (Éxo. 33:14).

La palabra *seguridad* es ambigua. Puede expresar tanto un valor positivo como un obstáculo para el crecimiento personal. Los israelitas, que ya se habían acostumbrado a vivir en la esclavitud de Egipto, valoraban la seguridad por sobre todas las cosas, ¡aun por encima de la libertad! Se quejaban de Dios y de Moisés. Preferían ser esclavos, pero estar seguros. Pero estos esclavos que cedían su libertad esencial para adquirir una pequeña seguridad temporal ¿estarían realmente seguros?

La seguridad es un riesgo de muerte. La sociedad te da certidumbre, pero puede esclavizarte. Sus leyes te dictan cómo tienes que vivir, qué debes consumir, qué debes hacer. Y, cuando entregas tu alma a la opinión de la mayoría, arriesgas tu vida.

Conocedor de la naturaleza humana, Jesús le preguntó al paralítico si realmente quería ser sano (Juan 5:6). ¡Porque es fácil vivir sin luchar! ¡Es fácil escuchar la Palabra de Dios pero no permitir que penetre en el corazón! ¡Es fácil vivir en la comodidad del pecado! Pero lo único seguro en este mundo es la muerte. Hay quienes no arriesgan nada, ni su corazón ni su bolsillo, para salir de "Egipto" y aventurarse a una nueva vida con Dios.

Por otra parte, hay una seguridad sana: la que proviene del compañerismo con Jesús, forjado en la oración sincera y cotidiana. La compañía de Dios da confianza y seguridad. Y esa serena confianza interior eleva nuestra autoestima, nos da dignidad, y es la fuerza interior que permite que nos amemos a nosotros mismos. No podemos amar a otros sin antes amarnos a nosotros (Mat. 22:39).

¡Qué bella oración de sabiduría y humildad! Moisés sabe que solo Dios podrá guiar a aquel pueblo a través del inhóspito desierto. Entonces, el Señor le dice: "Toma mi mano, y si colocas tus pies sobre mis huellas, podrás caminar seguro".

¡Cuánto necesitamos esta clase de seguridad para andar por el desierto de la vida!

Oración: *Gracias, Señor, porque contigo me siento seguro.*

Oración por compañía

Moisés respondió: Si tu presencia no ha de ir conmigo,
no nos saques de aquí. Éxodo 33:15.

¿De dónde sacó Moisés poder para guiar a esa horda de esclavos en las condiciones más adversas de vida? ¿Cómo guio a esa gente a través de los peligros del desierto hasta la Tierra Prometida sin que acabaran con él?

Pobre Moisés. ¡Qué paciencia para soportar a su pueblo! El líder más extraordinario de la historia de la humanidad tuvo que sacar de Egipto a un millón de esclavos quejumbrosos y guiarlos a través del desierto hasta Canaán. Para liberar a los hebreos, peleó con el faraón, arriesgó su vida, y finalmente, entre portentos y milagros divinos, salió camino a un destino desconocido.

La vida es paradójica: la paciencia es la fortaleza del que se sabe débil; y la impaciencia, la debilidad del que se cree fuerte. Moisés se sabía débil, por eso buscaba al Todopoderoso. Y, aunque la Biblia relata que tuvo un momento de flaqueza cuando golpeó la roca (Núm. 20), en el largo viaje hacia la Tierra Prometida, Moisés fue amigo de Dios.

Moisés oraba. Hablaba con su Dios. Tenía un lugar donde se reunía con él: "la tienda del encuentro con Dios" (Éxo. 33:7). ¡Jesús desea reunirse cada día contigo! Ahí está el secreto del poder interior. Moisés sabía que todo su esfuerzo sin Dios se reduciría a una trágica pesadilla. Por eso, le dijo a su Señor: "Si tú mismo no vas a acompañarnos, no nos hagas salir de aquí" (Éxo. 33:15, DHH). Y Dios le respondió: "Está bien, haré lo que me pides, pues cuentas con mi favor y te considero mi amigo" (vers. 17, DHH). ¡Jesús es nuestro amigo!

Moisés no fue el único ser humano con una necesidad imperiosa de la presencia de Dios. ¡Cuánto bien nos hace hablar con Dios cada día para enfrentar la vida!

En tus días grises, en tus soledades, cuando tu corazón desfallece, cuando tu alma está hambrienta de esperanza, recuerda esta frase: "Yo estoy contigo" (Gén. 28:15). Dios te promete protección (vers. 15, 20), transformación (1 Cor. 15:51), prosperidad en la adversidad (Gén. 39:2), poder para triunfar (1 Sam. 18:14), valor para vencer el miedo (Deut. 31:6, 8), ánimo y confianza (1 Crón. 28:20).

Oración: Gracias, Señor, porque me buscas cada día y me fortaleces.

Oración de bendición

Jehová te bendiga, y te guarde; Jehová haga resplandecer su rostro sobre ti,
y tenga de ti misericordia; Jehová alce sobre ti su rostro, y ponga en ti paz.
Números 6:24-26.

Aún recuerdo aquellos domingos cuando mi madre sintonizaba a las nueve de la mañana la emisora El Espectador, de Montevideo, en el Uruguay. El pastor Braulio Pérez Marcio, orador de *La Voz de la Esperanza*, tenía siempre un mensaje para ella.

Cuando estaba por terminar el programa, ella se acercaba a la radio, subía un poco el volumen, arrimaba su oído al parlante y cerraba los ojos para escuchar la bendición de Números 6:24 al 26. Muchas veces vi que sus ojos se abrían húmedos luego de esas palabras. Esa oración de Moisés tenía una fuerza en el espíritu de mi madre que a mí me sorprendía. Y hasta me despertaba cierta molestia infantil: ¿Cómo podía escuchar y emocionarse siempre con la misma letanía? Con los años, comprendí que toda la fuerza de mi madre, que criaba sola a sus dos hijos, provenía del poder de estas palabras. En su lucha diaria para educarnos, en sus fatigas y en sus soledades, con sus lágrimas, que Dios juntaba "en un frasquito" (Sal. 56:8), mi madre se aferraba a esa bendición. Aún hoy me emociono cuando leo este texto. Estoy seguro de que, si de joven o de niño has escuchado esta bendición, tú también te emocionas cuando la lees o la escuchas.

Estas benditas palabras surgieron del seno de Dios. Expresan su carácter, su amor, su deseo más profundo para ti y para mí. Es una forma poética del texto de Jeremías 31:3: "Con amor eterno te he amado; por tanto, te prolongué mi misericordia".

¡Atesora esta bendición en tu corazón! Dila a tus hijos, repítela a tus padres, exprésala a tus compañeros de trabajo, a quienes te acompañan de cerca o de lejos en el viaje de la vida. Di: "Dios te dé larga vida y protección. Que su gloria te ilumine y te envuelva. Que tenga de ti misericordia, porque ninguno de sus atributos es más precioso que su gracia. Que te mire, y que jamás se oculte, para que no te sientas solo o sola. Y finalmente, que en el camino te dé salud; y cuando llegues al destino, te dé paz".

Oración: *Señor, tu bendición me dice cuánto me amas.*

Oración por ayuda divina – 1

*Cuando el arca se movía, Moisés decía: Levántate, oh Jehová, y sean
dispersados tus enemigos... Y cuando ella se detenía, decía: Vuelve, oh Jehová,
a los millares de millares de Israel. Números 10:35, 36.*

¿Cargas la Ley de Dios sobre tus hombros?
En el peregrinaje de Israel por el desierto desde el Sinaí hasta Cades, en la frontera con Canaán, "el arca del pacto de Jehová fue delante de ellos camino de tres días, buscándoles lugar de descanso" (Núm. 10:33). El Arca contenía la Ley de Dios, e iba a la vanguardia de la marcha (ver *PP* 347). Cargar la Ley de Dios por el desierto es una metáfora de la vida de aquel pueblo y de nuestra propia vida.

Ellos sabían que sin Ley perecerían. Y creían que obedeciéndola obedecerían al Dios de la Ley. "Nosotros oiremos y haremos", le dijeron a Moisés (Deut. 5:27). Pero, cuán lejos estaban de entender el sentido profundo de la voluntad de Dios. Ni oyeron, ni obedecieron ni hicieron.

¿Qué significaban los Diez Mandamientos para los que "cargaban" con la Ley? Un manual de instrucciones. Pero la Ley de Dios es infinitamente más profunda. Se expresa en los Diez Mandamientos, pero no se agota en ellos. La Ley de Dios es el carácter de Dios, expresado en su amor infinito (ver Mat. 22:37-40). Abarca toda la Biblia, pero no se agota allí. En el contexto de la eternidad, los Diez Mandamientos podrían considerarse como un desarrollo tardío, una adaptación de la eterna Ley de Dios a la condición caída del hombre (ver *MGD* 131).

Ni tú ni yo podemos cargar la Ley sin morir cada día en Cristo (1 Cor. 15:31), pues "con la mente sirvo a la ley de Dios, mas con la carne a la ley del pecado" (Rom. 7:25).

La Ley de Dios es el horizonte que te guía en la vida. Así como el horizonte geográfico define tu espacio físico, la Ley define tu espacio espiritual. Nunca llegarás al horizonte (ver Fil. 3:13), pero sin él estás perdido. Cuanto más obedeces la Ley, más consciente serás de tu pecaminosidad. Al sentir el peso de las tablas de piedra en tu corazón, di: "Gracias doy a Dios, por Jesucristo Señor nuestro" (Rom. 7:25). Jesús es tu poder y tu paz.

Oración: Jesús, ayúdame a mirarte para hacer la voluntad de Dios.

Oración por ayuda divina – 2

Cuando el arca se movía, Moisés decía: Levántate, oh Jehová, y sean dispersados tus enemigos... Y cuando ella se detenía, decía: Vuelve, oh Jehová, a los millares de millares de Israel. Números 10:35, 36.

¿Anhelas la presencia de Dios en tu corazón?

El Arca era el símbolo de la presencia de Dios en su pueblo. Y, mil años después de que se elevara la plegaria de Moisés, David pronunció exactamente la misma oración en circunstancias muy diferentes (ver Sal. 68:1). Las situaciones cambian, el tiempo pasa, pero no cambia el sentido de la oración. Porque la súplica no se oxida con el paso de los siglos. Permanece pertinente en todo momento para el corazón humano.

Hoy, tú puedes elevar esta misma plegaria. En circunstancias muy diferentes de las de Moisés y David, puedes tomar estas palabras inmortales, antiguas, pero no anticuadas, y puedes decir, al comenzar y al terminar cada día, al principio y al final de cada tarea emprendida: "Ve, y haz que huyan mis enemigos. Vuelve, oh Señor, a mi vida". Esta es la oración que pide la presencia divina al comienzo del esfuerzo, y ruega por esta misma presencia al final de la tarea.

Pero, hay algo más: Moisés recibe la respuesta divina antes de elevarla. Porque, allí, ya estaba la presencia de Dios. ¿No era el arca en movimiento la señal de que Dios estaba con ellos? El Señor solamente esperaba que se expresara en oración el deseo de su pueblo. Así, el salmista pidió algo que ya se había realizado mil años antes, pero que se volvería a realizar por tan solo desearlo y expresarlo.

Esta es la paradoja de la oración: así como la presencia de Dios estaba antes de que Moisés pidiera por ella, el don divino está y se concede antes de que pidamos por él. ¡Pero Dios espera que lo pidamos! Solo recibes a Dios si lo deseas; y solo lo deseas ¡si antes está contigo!

Deseamos tener a Dios en nuestro corazón, ¡porque él nos buscó antes de que lo invoquemos! Y, cuando lo invocamos, fluye poderoso en nuestra vida. Y, mientras más experimentamos ese poder omnipotente y apacible, más seguramente lo anhelamos. Por eso, Dios dice mediante el profeta: "Y antes que clamen, responderé yo; mientras aún hablan, yo habré oído" (Isa. 65:24).

Cuando siembras tu oración, ya cosechas.

Oración: Te alabo, Señor, porque siempre estás conmigo.

Oración de queja

Y oyó Moisés al pueblo, que lloraba por sus familias, cada uno a la puerta de su tienda... y dijo Moisés a Jehová: ...No puedo yo solo soportar a todo este pueblo, que me es pesado en demasía. Números 11:10-14.

Cuán fácil es empujar a la gente, pero cuán difícil es guiarla. Moisés está cansado de las quejas de aquel pueblo, y le reprocha a Jehová: "¿Concebí yo a todo este pueblo? ¿Lo engendré yo, para que me digas: Llévalo en tu seno, como lleva la que cría al que mama, a la tierra de la cual juraste a sus padres?" (Núm. 11:12).

La queja de Moisés no es de la misma naturaleza que las de los israelitas. Como líder, el profeta había sido intachable, humilde, consagrado, preocupado por su pueblo más que por sí mismo; pero su paciencia se había agotado. La queja continua de los eternos disconformes era más fuerte que las fatigas y el dolor del desierto. El dolor duele menos que la queja. Ahora querían carne, como comían en Egipto (Núm. 11:4, 5). ¡En el desierto!

Ningún necio se queja de serlo; por eso creían que no les iría mal si se quejaban. Pero les fue mal: comieron carne hasta que se hartaron, y muchos enfermaron y murieron (Núm. 11:33, 34). Nadie se queja de tener lo que no merece. Pero ellos se quejaban, aunque no merecían nada. Los esclavos no merecen nada. Pero ¡la gracia de Dios nos trata como si todo lo mereciéramos! ¡Nunca olvidemos esto!

Aquellos hebreos habían nacido llorando, habían vivido quejándose, y estaban muriendo desilusionados en el desierto.

Esto también nos puede ocurrir a nosotros: ir por la vida quejándonos porque no valoramos lo que Dios nos da, y olvidamos de dónde hemos sido liberados. Estábamos muertos, y ¡Dios nos dio vida en Jesús! (ver Efe. 2:5).

Acabo de cortar una llamada telefónica con una chica que llenó casi media hora de conversación con sus quejas. Remató su discurso con: "Dios sabrá cuándo cambiará mi vida". Le dije: "Dios ya lo sabe, pero es necesario que tú lo sepas".

No esperes que Dios haga lo que tú tienes que hacer. Él pone sueños en tu corazón, y te *ayuda* a darles vida. Tú eres el que toma las decisiones, pagas el precio, luchas y perseveras. ¡Sin quejarte!

Oración: *Ayúdame, Señor, a ser agradecido.*

Oración interrogativa

Entonces dijo Moisés: Seiscientos mil de a pie es el pueblo en medio del cual yo estoy; y tú dices: ¡Les daré carne, y comerán un mes entero! ¿Se degollarán para ellos ovejas y bueyes que les basten? Números 11:21, 22.

¿Quieres que se cumplan siempre tus deseos? Los israelitas deseaban carne. Y Dios satisfizo su deseo. Pero ¿a qué precio?

Aristóteles afirmaba que "el deseo es la principal fuerza motriz de la vida". Creo que tenía bastante razón. Es imposible vivir sin desear algo. Alguien dijo que al alma se la mide por la amplitud y la dignidad de sus deseos, del mismo modo que se juzga la elegancia de un árbol por la altura de su copa.

Pero, cuando tú y yo deseamos algo, corremos riesgos, porque el deseo es peligroso. Más aún: ¡Quizá tengamos la desdicha de alcanzarlo! No se trata de desear, sino de saber qué deseamos. ¡Qué fácil es el autoengaño! ¡Cuántas veces la satisfacción de un deseo significó una maldición! Por eso, Pablo dice: "De igual manera el Espíritu nos ayuda en nuestra debilidad; pues qué hemos de pedir como conviene, no lo sabemos, pero el Espíritu mismo intercede por nosotros con gemidos indecibles" (Rom. 8:26).

Ahí estaban "seiscientas mil" personas pidiendo carne en el desierto. Moisés le hizo a Dios una pregunta muy prudente: ¿De dónde sacarás tanta carne? Y, mira cómo Dios le respondió: "Y vino un viento de Jehová, y trajo codornices del mar, y las dejó sobre el campamento" (Núm. 11:31). Y el pueblo comió codornices de día y de noche, y tal fue la indigestión que murieron miles (vers. 33).

Los israelitas recibieron "lo que no era para su mayor beneficio, porque habían insistido en desearlo; no querían conformarse con las cosas que mejor podían aprovecharles. Sus deseos rebeldes fueron satisfechos, pero se les dejó que sufrieran las consecuencias" —*PP* 401.

No pretendamos que las cosas ocurran como queremos. A veces es mejor que no se cumplan nuestros deseos. Deseemos, más bien, que ocurran de acuerdo con la voluntad de Dios, y estaremos en paz.

Dios está dispuesto a cumplir tus deseos más profundos. ¡Que Dios nos dé sabiduría para entender qué necesitamos realmente! Jesús pondrá en tu corazón los mejores deseos para tu bien.

Oración: Señor, haz que conozca tus deseos para mi vida.

Oración abnegada

*Entonces Moisés clamó a Jehová, diciendo: Te ruego, oh Dios,
que la sanes ahora. Números 12:13.*

Un proverbio árabe reza con sabiduría: "Castiga a los que tienen envidia haciéndoles bien". Esto fue lo que hizo Moisés con María.

El capítulo 12 de Números describe la rebelión de María y Aarón, dos dirigentes encumbrados de Israel, contra Moisés. Y, aunque este "era muy manso, más que todos los hombres que había sobre la tierra" (vers. 3), se enteró de la sedición por medio del propio Dios. Sabemos que se puede engañar a algunos todo el tiempo, y a todos algún tiempo, pero no a todos todo el tiempo. ¡Jamás podremos esconder nuestras verdaderas intenciones ante los ojos del Señor! Así que, Dios llamó a los sediciosos y les preguntó: "¿Por qué, pues, no tuviste temor de hablar contra mi siervo Moisés?" (vers. 8). Al final del capítulo, nos encontramos con un Aarón profundamente arrepentido y a María con lepra en todo su cuerpo. En esas circunstancias, Moisés intercede por ella.

Comentando este texto, Elena de White dice que la envidia fue lo que encendió en los corazones de María y Aarón el fuego de la sedición (ver *PP* 405).

La envidia es más terrible que el hambre física, porque jamás se sacia. El envidioso es un cadáver que muerde, pero no come. Jamás se sentirá satisfecho, pues la envidia no le da nada, a diferencia de la virtud. Cuando nos fijamos en lo que tienen o hacen los demás, perdemos el sentido de lo que debemos hacer nosotros mismos. La envidia es fatal para el corazón que la anida, y dura más que la dicha del envidiado.

Las quejas de María y Aarón contra Moisés mostraban cuán desdichados se sentían consigo mismos. Su envidia era un signo de inferioridad ante el espíritu superior de un hombre que respondió buscando a Dios e intercediendo por ellos.

Quizá tú hayas sido víctima de la envidia y de su hija, la calumnia. Pero no soples contra el viento. Persevera en el cumplimiento de tu deber y guarda silencio. Dios pone todas las cosas en su lugar en su debido tiempo. "Vence con el bien el mal" (Rom. 12:21).

"Oremos no solo por nosotros mismos sino también por los que nos han hecho daño y continúan perjudicándonos" —3 *CBA* 1.160.

Oración: Señor, oro por los que me hacen daño.

Oración intercesora

Perdona ahora la iniquidad de este pueblo según la grandeza de tu misericordia, y como has perdonado a este pueblo desde Egipto hasta aquí.
Números 14:19.

¿Por qué Dios perdona nuestros pecados?

El pueblo de Israel estaba en Cades Barnea, a las puertas de la tierra prometida a sus antepasados. Para cerciorarse de que no exponía a su pueblo a peligro alguno, Moisés envió doce espías a reconocer la región. Hubo dos informes: diez espías vieron la riqueza de la tierra, pero temieron el precio que debían pagar por la conquista, mientras que Josué y Caleb vieron posibilidades donde nadie las veía (13:27-30). Entretanto el pesimista tiene una excusa, el optimista tiene un proyecto. Los diez espías vieron obstáculos en las posibilidades; en cambio, Josué y Caleb vieron, por la fe, posibilidades en los obstáculos.

Y, como el pesimismo es tóxico y contagioso, después del informe de aquellos diez hombres, el pueblo se airó y se rebeló contra Dios. Tal fue la ira que Moisés y Aarón temieron por su vida. En esas circunstancias, una vez más Moisés intercedió por aquella gente rebelde. Y Dios respondió: "Yo lo he perdonado conforme a tu dicho" (Núm. 14:20).

¿Cuál fue el dicho por el que Dios perdonó a su pueblo?

Moisés no apeló a los sacrificios para aplacar a Dios. Tampoco pidió el perdón porque había gente que aún creía. Ciertamente, la fe es una condición para recibir el perdón divino, pero no es la causa por la que se concede. Moisés fue más allá, y apeló, con sublime confianza, a la naturaleza divina: perdona "según la grandeza de tu misericordia".

Esta es la razón del perdón divino, que inspira la más poderosa súplica que labios humanos puedan elevar. Sí, ¡Dios es amor! ¡Misterio de la gracia infinita que llena la Tierra! Dios redime porque su esencia es la misericordia. Esa es la verdad fundamental. Es la fuente desde donde se elevan todas las corrientes del perdón. La obra de Cristo es la consecuencia, no la causa, del amor de Dios hacia nosotros. Cristo es el fruto de su misericordia infinita.

Lo que fue verdad cuando Moisés oró por los rebeldes, hoy también es verdad para ti: Dios te ama de acuerdo a su naturaleza infinita. Su capacidad de perdonar jamás se agota.

Oración: Señor, disfruto de tu gracia infinita.

Oración por justicia

Entonces Moisés se enojó en gran manera, y dijo a Jehová:
No mires a su ofrenda; ni aun un asno he tomado de ellos,
ni a ninguno de ellos he hecho mal. Números 16:15.

¿Te enojas a menudo? ¿Qué sientes después de enojarte? ¿Has resuelto algo bajo el impulso de la ira?

De joven, yo me enojaba a menudo. Con los años, ya no me enojo tan seguido, no porque no tenga ganas, sino ¡porque el cuerpo ya no aguanta! Por eso, antes de enojarme pienso dos veces. Si de joven hubiera seguido este principio, habría sufrido menos y hubiese herido a menos personas. Un proverbio tibetano dice que "la paciencia en un momento de enojo evitará cien días de dolor".

El enojo puede ser tu peor enemigo, porque, bajo la ira, tu primera reacción suele ser equivocada. Puede, además, ser muy injusto, porque nos enojamos más fácilmente con nuestros seres queridos, con los más cercanos, con los que nos cuidan y nos aman, que con terceros lejanos.

Sin embargo, hay un enojo diferente. El apóstol Pablo lo expresa de esta manera: "Airaos, pero no pequéis" (Efe. 4:26). ¿Cuándo está justificado el enojo? Muy pocas veces. Cuando Jesús expulsó del Templo a los cambistas y vendedores de animales, manifestó una gran emoción e ira (Juan 2:13-22). La emoción de Jesús fue descrita como "celo" por la casa de Dios (Juan 2:17; ver Sal. 69:9). En otra ocasión, cuando los fariseos se rehusaron a responder las preguntas de Jesús, "[los miró] con enojo, entristecido por la dureza de sus corazones" (Mar. 3:5). Este sentimiento fue el que tuvo Moisés: tristeza por la traición y la rebelión organizada por Coré, un primo hermano del profeta y un alto dirigente de Israel.

Cuando te enojas dignamente por amor a la verdad de Jesús, Dios se ocupa, a su tiempo, del motivo de tu enojo, así como se ocupó de Coré (Núm. 16:23-32).

Pero, si te enojas y te avergüenzas por tus reacciones, y has producido "cien días de dolor" en personas inocentes, ¿qué mejor que llevar este asunto al Señor?

La oración constante, sincera, secreta, profunda y diaria te hará de a poquito, hora tras hora, día tras día, transitar por el camino de la mansedumbre.

Oración: Señor, enséñame la senda del manso.

Oración de arrepentimiento – 1

Entonces el pueblo vino a Moisés y dijo: Hemos pecado por haber hablado contra Jehová, y contra ti; ruega a Jehová que quite de nosotros estas serpientes. Y Moisés oró por el pueblo. Números 21:7.

Siempre recuerdo a don Roberto Cuneo, un anciano inmigrante italiano que vivía frente a mi casa. De niño, yo pasaba horas en la vereda de la calle escuchando sus aventuras de marino; no sé si las inventaba, pero para mí daba igual. Hablaba cinco idiomas, y me enseñaba a presumir: cuando hablaba inglés, me decía: "Solo tú di *all right*. Van a creer que sabes mucho inglés". Yo lo admiraba.

Una tarde, le pregunté si creía en Dios. Me miró y se quedó pensando. No me respondió, pero balbuceó un pensamiento, que aparentemente no tenía nada que ver con mi pregunta: "La gente se arrepiente no tanto por el mal que hizo como por el temor a las consecuencias". Don Roberto dudaba de Dios, porque no había visto arrepentimiento en los hombres.

Algo de razón tenía don Roberto. Me pregunto si los hebreos no temían más a las serpientes que a sus pecados. Muchos nos entristecemos por haber pecado, y aun cambiamos exteriormente, porque les tememos a "las serpientes", a las consecuencias de nuestras acciones. Pero esto no es arrepentimiento, sino remordimiento.

El verdadero arrepentimiento es muy escaso. También lo es la fe. No porque Dios no quiera darla en abundancia, sino porque somos muy "testarudos" con nuestros pecados. ¡Preciosa fe que cambia la manera de mirarnos (ver Mar. 1:15)!

¿Para qué sirve el arrepentimiento, si no puede borrar lo que ocurrió? Sí, no borra el pasado, pero transforma el corazón. No hay pecado tan grande que no se borre con genuino arrepentimiento (Mat. 9:13). Lo que no puede el amor, ¡nada lo puede!

Este don es el fruto del Espíritu Santo en tu corazón. Es la operación de Dios en tu interior antes de que tus labios eleven una oración de pena por ti mismo. Es la mejor medicina para tu alma.

No necesitamos arrepentirnos para ir a Cristo; al contrario: "La Biblia no enseña que el pecador deba arrepentirse antes de poder aceptar la invitación de Cristo: '¡Venid a mí todos los que estáis cansados y agobiados!' (Mat. 11:28). La virtud que viene de Cristo es la que guía a un arrepentimiento genuino" —*CC* 24.

Oración: Jesús, te entrego mi corazón.

Oración de arrepentimiento – 2

Entonces el pueblo vino a Moisés y dijo: Hemos pecado por haber hablado contra Jehová, y contra ti; ruega a Jehová que quite de nosotros estas serpientes. Y Moisés oró por el pueblo. Números 21:7.

¿**Q**uieres hoy la salvación?

Don Roberto Cuneo desconfiaba de la naturaleza humana; por eso no creía en el arrepentimiento. En un sentido, esto es un signo de sabiduría. Nuestro humano arrepentimiento ¡no tiene las alas del Espíritu! Porque, "como son más altos los cielos que la tierra, así son mis pensamientos más altos que vuestros pensamientos" (Isa. 55:9). El arrepentimiento genuino es un pensamiento divino en el corazón humano.

Mira cuántos arrepentimientos hay en la Biblia. Por ejemplo, hay uno que yo llamaría *desesperado*. Es el caso del Faraón, que se arrepintió de haber retenido al pueblo de Dios únicamente por la desesperación que le produjeron las plagas (Éxo. 12:31). Es mi arrepentimiento cuando le digo a Dios: "Si me libras de este problema, te prometo que cambiaré mi vida".

También está el arrepentimiento *desesperanzado*. Judas Iscariote se arrepintió de traicionar a Jesús cuando se vio sin esperanza. Sintió remordimiento; reconoció que pecó, pero no se arrepintió (ver Mat. 27:3-5). "Salió, y fue y se ahorcó" (vers. 5).

El arrepentimiento *dudoso* es aquel que intenta sacar ventaja de una determinada situación. Por ejemplo, el muchacho que se "arrepiente y se bautiza" solamente para casarse con la chica creyente que sabe que jamás tendrá de otro modo. Pronto se arrepiente de haberse arrepentido.

El arrepentimiento de David fue *tardío*, aunque genuino. Por eso, pagó un alto precio físico y psicológico, por esa demora (ver Sal. 32). Aun así, más vale tarde que nunca, porque nunca es tarde para el arrepentimiento y la reparación.

Finalmente está el arrepentimiento *verdadero y a tiempo*: "Entonces Zaqueo, puesto en pie, dijo al Señor: He aquí, Señor, la mitad de mis bienes doy a los pobres; y si en algo he defraudado a alguno, se lo devuelvo cuadruplicado" (Luc. 19:8).

Zaqueo cumplió con las tres condiciones del verdadero arrepentimiento: renunció al pecado (Prov. 28:13); se reconcilió con Dios y con su prójimo (Mat. 5:23, 24); y restituyó su pecado (Luc. 19:6-8). Por eso, Jesús le dijo: "Hoy ha venido la salvación a esta casa" (vers. 9).

¿Quieres hoy la salvación?

Oración: Gracias, Señor, por el milagro del arrepentimiento.

Oración como último recurso

Y Moisés oró por el pueblo. Y Jehová dijo a Moisés: Hazte una serpiente ardiente, y ponla sobre una asta; y cualquiera que fuere mordido y mirare a ella, vivirá. Números 21:7, 8.

Rodeados de serpientes, los hebreos buscaron a Dios como último recurso: "Entonces el pueblo vino a Moisés y dijo: Hemos pecado por haber hablado contra Jehová, y contra ti; ruega a Jehová que quite de nosotros estas serpientes (vers. 7).

Es muy humano buscar a Dios en el límite, cuando empezamos a padecer las primeras consecuencias de nuestros errores, como esos primeros síntomas que prenuncian una enfermedad grave. Pero, cualquier momento es oportuno para buscar a Dios. Finalmente, uno descubre que está solo en este mundo. ¡Y que la oración es lo único que tenemos!

Dios siempre tiene la respuesta a nuestras miserias y desgracias.

La recomendación de Dios a Moisés alcanza a todas las edades.

Haciendo referencia a este texto, Jesús le dijo a Nicodemo: "Y como Moisés levantó la serpiente en el desierto, así es necesario que el Hijo del Hombre sea levantado, para que todo aquel que en él cree, no se pierda, mas tenga vida eterna" (Juan 3:14, 15).

La cruz de Cristo nos da el significado más profundo de aquella serpiente levantada en el desierto. Jesús es la "Serpiente", porque se hizo pecado para llevar nuestros pecados (2 Cor. 5:21). Jesús fue "levantado" en la Cruz, y al elevarse muestra tanto el triunfo absoluto sobre el poder del pecado (Col. 2:15) como la fuerza que atrae a todos hacia él: "Y yo, si fuere levantado de la tierra, a todos atraeré a mí mismo" (Juan 12:32).

Pero, no basta con saber que Cristo fue levantado en la Cruz. Él fue levantado también para que elevemos nuestra mirada al Calvario. Es más fácil mirar nuestras propias obras, o mirar a cualquier lugar, antes que al abismo que se abre delante de nosotros. No queremos encontrarnos con nuestras miserias. Por eso las negamos, las reprimimos. Es tan imposible mirarse a uno mismo como lo es mirar nuestras espaldas sin un espejo. Y la Ley es nuestro espejo. ¡Y la cruz, nuestra salvación! Que podamos ver nuestra necesidad es obra del Espíritu Santo; satisfacerla es la obra de Cristo. ¡Jesús es tu único recurso!

¡Fija tus ojos en Cristo! ¡Él es tu esperanza!

Oración: Señor, ayúdame a mirarte cada día.

Oración por los que han de venir

Ponga Jehová, Dios de los espíritus de toda carne, un varón sobre
la congregación... para que la congregación de Jehová no sea
como ovejas sin pastor. Números 27:16, 17.

¿Estás pensando en los que vienen detrás de ti?

El Señor le dijo a Moisés que se acercaba el tiempo señalado para que Israel tomara posesión de Canaán. Mientras la mirada del anciano profeta se extendía nostálgica más allá del río Jordán, su corazón se proyectó a la herencia que recibiría su pueblo cuando él ya no estuviera allí. Él sabía que no traspasaría la frontera (Deut. 3:27). A cierta edad, la única preocupación es cómo quedarán los que han de proseguir el viaje. Moisés rogó a Dios por un líder fuerte y consagrado a su causa. Y el Señor oyó la oración y respondió inmediatamente: "Toma a Josué" (vers. 18-20).

Pero Dios no hizo solo eso: le dijo al patriarca que le contara al pueblo la historia de la liberación de Egipto y les recordara la ley promulgada en el Sinaí (ver *PP* 495). Es emocionante el discurso de Moisés registrado en los capítulos 4 al 7 de Deuteronomio. Haríamos bien en recordar estas palabras: "No por ser vosotros más que todos los pueblos os ha querido Jehová y os ha escogido, pues vosotros érais el más insignificante de todos los pueblos; sino por cuanto Jehová os amó" (Deut. 7:7, 8).

Dios le ordenó a Moisés que le recordara a su pueblo la historia de la liberación, porque quien conoce el pasado aprende de él, y se proyecta con esperanza hacia el futuro. Llega un día cuando el recuerdo de cómo Dios nos guio en el pasado es nuestra única riqueza. Hay que sembrar hoy para ese día.

La memoria es el centinela del corazón. ¡Qué privilegio es tener memoria! ¡Qué bueno que cada día podamos recordarles las obras de Dios a nuestros hijos, para que ellos prosigan con fe el camino de la vida! El recuerdo de las grandes bendiciones de Dios en nuestra vida es ¡el único paraíso del que no podemos ser expulsados!

¿Estás pensando qué herencia de fe dejarás a tus descendientes? ¿Estás sembrando tu testimonio en el corazón de tus hijos, para que sea una guía en su vida cuando tú ya no estés?

Oración: Señor, dame fe y sabiduría para dejar la mejor herencia.

Oración sin aparente respuesta

Pase yo, te ruego, y vea aquella tierra buena que está más allá del Jordán, aquel buen monte, y el Líbano. Deuteronomio 3:25.

¿Por qué Dios no te responde como esperas?

El Señor había anunciado a Moisés que se acercaba el tiempo señalado para que Israel tomara posesión de Canaán; y mientras el anciano profeta se hallaba en las alturas que dominaban el río Jordán y la Tierra Prometida, miró con profundo interés la herencia de su pueblo. ¿No revocaría Dios la sentencia pronunciada contra él a causa de su pecado en Cades? Con hondo fervor imploró a Dios para que lo dejara entrar en Canaán. Y la respuesta de Dios fue inmediata: "Basta, no me hables más de este asunto... porque no pasarás el Jordán" (Deut. 3:26, 27) (ver *PP* 439).

Parece una respuesta injusta. ¿Había olvidado Dios el abnegado sacrificio de Moisés su siervo durante cuarenta años de peregrinación?

La esperanza que iluminó el corazón de Moisés, durante las tinieblas de sus peregrinaciones por el desierto, se frustró ante el lacónico mensaje divino. Una tumba en el desierto fue el fin de aquellos años de trabajo y congoja pesada. Sin embargo, Dios respondió de otra manera la oración de su siervo: "Moisés pasó bajo el dominio de la muerte, pero no permaneció en la tumba. Cristo mismo le devolvió la vida. Satanás, el tentador, había pretendido el cuerpo de Moisés por causa de su pecado; pero Cristo, el Salvador, lo sacó del sepulcro. En el monte de la transfiguración, Moisés atestiguaba la victoria de Cristo sobre el pecado y la muerte. Representaba a aquellos que saldrán del sepulcro en la resurrección de los justos" —*DTG* 390.

¿Has orado por tu hijo que ha abandonado la fe durante muchos años y no has recibido ninguna respuesta de Dios? ¿Has orado por un enfermo y no ha sanado? ¿Cuántas frustraciones carga tu corazón, cuántos deseos no cumplidos? ¿Ves que pasa la vida y el Señor se tarda en venir (Luc. 12:45)?

La vida es dura e injusta. Hay deseos profundos que jamás serán satisfechos. Pero Dios todavía no ha terminado contigo. "Aquel que es poderoso para hacer todas las cosas mucho más abundantemente de lo que pedimos o entendemos" (Efe. 3:20) te responderá en su debido tiempo.

Oración: Gracias, Señor, porque aún no has terminado tu obra en mi vida.

Oración por Dios

Y oré a Jehová, diciendo: Oh Señor Jehová, no destruyas
a tu pueblo y a tu heredad que has redimido con tu grandeza,
que sacaste de Egipto con mano poderosa. Deuteronomio 9:26.

En esta oración, Moisés parece orar por el pueblo, pero también en favor de Dios: "No sea que digan los egipcios que nos sacaste para matarnos en el desierto" (Deut. 9:28). ¡Moisés se preocupa por la reputación de Dios entre los paganos egipcios!

"Entonces Jehová dijo: Yo lo he perdonado conforme a tu dicho" (Núm. 14:20). Nuevamente, ¿cuál fue ese dicho? "La grandeza de tu misericordia" (Núm. 14:19). La misericordia es la esencia del carácter de Dios. Es la única garantía de todo perdón. Pero, además, Dios vio en Moisés vislumbres del amor infinito.

El Señor se conmovió por la oración ferviente y desinteresada de su siervo. Dios no podía rechazar los ruegos de alguien que pensaba más en su pueblo que en su propia vida. ¡Qué revelación del amor de Dios en el corazón de Moisés! "Nadie tiene mayor amor que este, que uno ponga su vida por sus amigos" (Juan 15:13).

Decir que "Jehová se arrepintió" (Éxo. 32:14) de lo que quería hacer es un intento débil de expresar los hechos divinos en palabras humanas. En realidad, Dios no cambia de propósito, porque conoce el porvenir desde el principio (ver 1 Sam. 15:29). Sin embargo, cuando tú y yo nos arrepentimos, y por la influencia del Espíritu Santo abandonamos el pecado que nos va carcomiendo como termitas que devoran silenciosas el floema de un árbol hasta que lo derrumban, Dios también se "arrepiente" y nos libra del poder de ese pecado. La gracia de Dios es infinita. No cambia. Y, aunque nosotros somos nuestro peor enemigo, ¡Cristo nos libera de nuestra vocación autodestructiva!

El amor de Dios inspiró esta oración intercesora en el corazón de Moisés. Es un amor que se despoja totalmente. Como el de Cristo (Fil. 2:6-8).

Pero nosotros, ¿cómo despojarnos? ¿Cómo negarnos a nosotros mismos? ¡Nos duele! Sin embargo, cada día, gradualmente, poquito a poco, podemos donarnos más a nuestra familia, a nuestros amigos, a nuestros compañeros de trabajo, a los desconocidos. Es un aprendizaje. Un camino por recorrer que hoy puedes comenzar a transitar.

¡Que tu día comience con el espíritu de la oración de Moisés!

Oración: Señor, quiero donarme más a la vida.

Oración en la derrota

Y Josué dijo: ¡Ah, Señor Jehová! ¿Por qué hiciste pasar a este pueblo el Jordán, para entregarnos en las manos de los amorreos, para que nos destruyan? Josué 7:7.

....

¿**N**o crees que en este mundo el "éxito" tapa todos los pecados, y la fama cubre todos los defectos morales? ¿No has sido tentado alguna vez a hacer trampa en el juego de la vida para ganar la partida? ¿No has querido alguna vez "manotear" el éxito, alcanzar una victoria inmerecida?

Luego de que vagaran cuarenta años por el desierto, Moisés había muerto y había sido enterrado allende el Jordán (Deut. 34). Pero Dios le había prometido a su pueblo que Josué lo conduciría a la Tierra Prometida (ver Deut. 31:7, 8; Jos. 3). Una vez que cruzaron el río, ya en Canaán, Israel enfrentó la primera batalla contra los amorreos, en Jericó, y salió victorioso. Luego subió a Hai, y cayó vencido. Josué se quejó a Dios por la derrota, y la respuesta no se hizo esperar: "Levántate... Israel ha pecado... y también han tomado del anatema, y hasta han hurtado, han mentido, y aun lo han guardado entre sus enseres" (Jos. 7:10, 11).

Dios había dado específicas instrucciones de que no tomaran nada del enemigo en batalla, pero Acán, de la tribu de Judá, desobedeció. Creyó que podía engañar a Dios. La derrota contra los amorreos comenzó a gestarse antes de la batalla, en el corazón codicioso de Acán. Los laureles del triunfo hubieran ocultado el pecado, e Israel no habría aprendido de la derrota. Por eso Dios permitió la caída.

¡Cuánto podemos aprender de la experiencia de Acán! Las pequeñas deshonestidades, las diminutas mezquindades, son las termitas cotidianas que nos devoran desde adentro. No por pequeñas son insignificantes. Los laureles de una vida aparentemente exitosa jamás ocultan el engaño delante de Dios.

Cuando perdemos en buena ley, la derrota tiene una dignidad que no tiene la victoria. Es mejor una derrota bien "peleada" que una victoria inmerecida. Hay éxitos que rebajan y derrotas que engrandecen. Tomados de Dios, siempre triunfamos, aun de la derrota.

Hoy puedes tener en tu boca el sabor amargo de la derrota. Si aprendes de ella, ¡no serás vencido! Ya triunfaste: Porque Dios pelea contigo la batalla (Sal. 144:1).

Oración: Ayúdame, Señor, a ser honrado en la batalla de la vida.

Oración audaz

Entonces Josué habló a Jehová el día en que Jehová entregó al amorreo
delante de los hijos de Israel, y dijo en presencia de los israelitas: Sol,
detente en Gabaón; y tú, luna, en el valle de Ajalón. Josué 10:12.

¡Qué oración atrevida! Por lo menos, así pensaba un teólogo que escribió acerca de ese fenómeno: "En términos de la ciencia moderna y la teología moderna, es tan imposible que Dios obedezca a un hombre como que el Sol permanezca inmóvil" (*Nueva Enciclopedia Católica*, 1967, t. XIII, p. 795).

¿Pudo haber acontecido este fenómeno astronómico?

El verbo que se vierte al español por "detente" tiene varias acepciones; entre ellas, "guardar silencio" y "no te muevas", de acuerdo a cómo se lo aplique. Puesto que esta orden se dirige al Sol y a la Luna, cuyos "sonidos" no podemos escuchar desde la Tierra, naturalmente tiene el segundo sentido. Lo cierto es que el autor inspirado habla de un fenómeno astronómico con lenguaje cotidiano. Obviamente, no está haciendo una declaración científica. Simplemente, dice que "el sol se detuvo" (Jos. 10:13). Esto significa que describe el fenómeno, pero no lo explica. Cómo se "detuvo" el Sol, no lo sabemos. La Biblia no explica científicamente cómo Dios creó el mundo. Simplemente, dice que lo creó. "¿Conoces tú las leyes que gobiernan el cielo?" (Job 38:33, DHH). La respuesta es ¡No! ¿Pudo haber sido un fenómeno de refracción de la luz? No lo sabemos. Quizá la ciencia alguna vez pueda explicarlo. Lo que sabemos es que nunca más ocurrió (Hab. 3:11-13). Si hubiera habido un ataque cardíaco solo una vez hace varios miles de años, ¿no parecería tan increíble a los fisiólogos modernos ese síncope, como que el Sol se detenga para los científicos de hoy?

De la oración de Josué aprendemos que el expediente de nuestras oraciones se convierte en el libreto de nuestra vida. El modo en que oras y por lo que oras determinarán las cosas que verás en tu vida. Si oras con fe, puede ocurrir un milagro. Además, aprendemos que la medida de nuestras oraciones determina la medida del Dios al que adoramos. Nada es más difícil, y a su vez más fecundo, que la transformación de un corazón. Pero, para Dios "nada es imposible" (Luc. 1:37).

¡Prueba a Dios! Si oras por alguien, y Dios transforma su corazón, ¿dudarás de ese milagro?

Oración: Señor, haz el milagro de cambiar mi corazón.

Oración por orientación divina

Aconteció después de la muerte de Josué, que los hijos de Israel consultaron a Jehová, diciendo: ¿Quién de nosotros subirá primero a pelear contra los cananeos? Jueces 1:1.

El libro de los Jueces recibe el nombre del título bajo el cual gobernaron los líderes de las distintas tribus de Israel luego de la muerte de Josué. Moisés había dado instrucciones acerca de quiénes debían gobernar una vez que llegaran a Canaán (ver Deut. 16:18). No se sabe a ciencia cierta quién escribió este libro. Una antigua tradición judía dice que fue el profeta Samuel, pero esto es solo una conjetura. Sabemos que Samuel se oponía a la idea de un rey para Israel (1 Sam. 8:6), y el libro está lleno de declaraciones que insinúan la importancia de un rey para establecer el orden (Juec. 17:6; 18:1; 19:1; 21:25).

Lo cierto es que el libro describe un tiempo de decadencia moral y espiritual del pueblo de Dios. Los hechos descritos van desde la muerte de Josué, el gran líder nacional, hasta poco antes del tiempo de Samuel, en cuyos días surgió la monarquía, y datan de entre los 1400 y 1050 a.C., aproximadamente.

La pregunta "¿quién de nosotros subirá primero?" expresa la incertidumbre de ese pueblo, que ya no tenía quien lo dirigiera. Israel era un amasijo de tribus sin identidad nacional ni fuerza espiritual, sin un dirigente que expresara la voluntad de Dios. Rodeado de enemigos, el pueblo se sentía intimidado, solo. Como oveja sin pastor, sentía el sabor amargo de la apostasía, la decepción y la confusión. En esa situación, clamaron a Dios, y él los escuchó (ver Juec. 1:2).

¡Cuánto podemos identificarnos con el sentir de aquel pueblo! La vida es un viaje fatigoso, lleno de fracasos y decepciones, de tristezas y de lágrimas. A veces parece imposible sobrellevarla. Y nos sentimos decepcionados de todo y de todos, incluso de Dios. Sin embargo, una frustración profunda puede abrirnos a una nueva oportunidad de vida, porque puede aclararnos el panorama, ubicarnos en la realidad de quiénes somos y de quiénes estamos rodeados.

Quizá hoy te sientas triste, confundido, pero puedes convertir este estado de ánimo en un don divino. Un corazón confundido, en sincera oración, está abierto a la posibilidad del cambio. ¡Tu decepción puede ser la gran oportunidad de Dios!

Oración: *Señor, gracias porque en la tristeza clamo a ti, y tú me escuchas.*

Oración de una fe trémula – 1

Yo te ruego que si he hallado gracia delante de ti, me des señal de que tú has hablado conmigo. Jueces 6:17.

¿**P**ides señales a Dios?

El capítulo 6 de Jueces es apasionante. Israel se encuentra cautivo en manos de los madianitas. Estas tribus nómadas habían sometido a los hebreos durante siete años, atacándolos constantemente y destruyendo sus sembradíos (vers. 1-6). Empobrecidos y esclavos de la voluntad de esos salvajes, anhelaban la liberación de esa "plaga de langostas" (vers. 5). En esas circunstancias, el Ángel del Señor visita a Gedeón, uno de los jueces de Israel, y le dice que él liberará a su pueblo. Gedeón lucha con su fe, duda de la identidad del mensajero celestial, y le pide una señal para confirmar que es realmente quien dice ser (vers. 17). Entonces, el Ángel comprende el sufrimiento de Gedeón y de su pueblo, y escucha la súplica de su hijo, y fortalece su fe trémula y vacilante con una señal (vers. 22).

También nosotros pedimos señales. Cuando las cosas van bien, sentimos que Dios sopla en favor de la nave de nuestra vida, pero cuando los vientos soplan en contra, aparece la desconfianza, la inseguridad, la duda y la incertidumbre. Entonces nuestra fe puede tornarse tan débil como la llama de una vela frente a una ventana abierta. Entonces nos damos cuenta de que necesitamos más que nunca una señal, algo que nos dé la seguridad de la presencia de Dios. ¡Necesitamos conocer su voluntad!

Tienes a Cristo y al Espíritu, y con ellos tienes "la palabra profética más segura" (2 Ped. 1:19), que te ilumina en la oscuridad hasta que el día esclarezca. Tu fe trémula y vacilante, que tiembla mientras se eleva en oración, mueve el corazón del Padre de la misericordia infinita a responderte en tu hora de prueba. Si abres tu corazón en sincera oración, si lo buscas en su Palabra, si deseas hacer su voluntad, verás que la respuesta está ahí, antes de que ofrezcas tu súplica. "Lo que queráis, os será hecho" (Juan 15:7). Puede que tus ojos no vean esa señal, o sí, pero un susurro interior y secreto, que solo tú podrás sentir, te dará la seguridad de que Dios está a tu lado.

Oración: *Gracias, Señor, por Jesús, la gran señal de tu amor y cuidado por mí.*

Oración de una fe trémula – 2

Yo te ruego que si he hallado gracia delante de ti, me des señal
de que tú has hablado conmigo. Jueces 6:17.

E s fácil manejar por un camino derecho y pavimentado, pero difícil es hacerlo por el camino sinuoso y angosto de un desfiladero.

No siempre tenemos la seguridad de la presencia de Dios a nuestro lado, ni sabemos fácilmente cuál es su voluntad para nosotros en una circunstancia específica. Podemos saber si mañana lloverá o no, pero muchas veces no sabemos qué nos depara el mañana luego de tomar una decisión importante, como emigrar, abandonar un trabajo, o continuar o cortar una relación afectiva. Todas las decisiones tienen consecuencias; por eso queremos estar seguros de que lo que hacemos es la voluntad de Dios. Pero, no siempre tenemos la respuesta que nos deje tranquilos. Hay respuestas a ciertas preguntas que requieren tiempo y sabiduría. Y hay preguntas que jamás serán respondidas.

La voluntad de Dios para nuestra vida puede ser malinterpretada a causa de nuestras propias limitaciones humanas. Un enfermo puede creer que se enfermó porque así Dios lo quiso. Es común ver señales de la voluntad de Dios en las cosas negativas que nos ocurren. Y también es común convertir la voluntad de Dios en algo banal, infantil y egoísta. Como la oración de una ancianita que pedía, en tiempos de sequía, que no lloviera para no mojarse los zapatos. La voluntad de Dios no coincide necesariamente con nuestros deseos (ver Isa. 55:8).

¿Qué ocurre cuando una desgracia azota nuestra vida, y no vemos señal de Dios? Como la muerte de un niño o un joven. A veces, la vida es inexplicable. La fe no pretende explicarlo todo. Pero la fe nos impulsa a buscar a Dios, y saber que él aún no ha terminado en nosotros su obra redentora. ¡La oración es todo lo que tenemos en esta vida!

Escucha: "Somos reconfortados al saber que Dios está dispuesto y listo para escuchar y responder nuestras sinceras plegarias sin importar las circunstancias. Él es un Padre amante que se interesa cuando las cosas van bien y cuando las vicisitudes de la vida nos propinan los golpes más devastadores. Cuando el clamor de nuestro corazón es '¿Dónde estás, Dios?', él se encuentra a la distancia de una oración" —*LO* 5.

Oración: Te alabo, Señor, porque siempre estás cerca de mí.

Oración por una señal

Gedeón dijo a Dios: Si has de salvar a Israel por mi mano, como has dicho,
he aquí que yo pondré un vellón de lana en la era; y si el rocío estuviere en el
vellón solamente, quedando seca toda la otra tierra, entonces entenderé que
salvarás a Israel por mi mano. Jueces 6:36, 37.

Había llegado el momento decisivo cuando Gedeón estaba a punto de hundirse con su ejército en la llanura para enfrentarse a fuerzas inmensamente superiores, entrenadas en la guerra. No es de extrañar que su corazón saltara de su pecho por la expectativa de la batalla. Su mano temblaba al asir su espada. Y las fuerzas opuestas de la razón y la fe combatían en su interior. Necesitaba otra señal de Dios más contundente. Ante la inminencia de la batalla, necesita confirmar que no luchará solo, que Dios está a su lado. Por eso pide otra señal.

En su misericordia, Dios le permite a Gedeón que elija la señal que lo convenza. Como hombre de campo, observador de la naturaleza y de sus leyes inmutables, pide un milagro que confirme su fe. Toda la expectativa de Gedeón recae sobre el vellón. Y el vellón de lana amaneció tan mojado que "un tazón llenó de agua" (vers. 38).

El rocío de la gracia divina, esa humedad formada en el silencio, que no procede aparentemente de ninguna fuente, y que refresca durante la noche tu vida marchitada por el sol del desierto, cae abundantemente sobre ti cada día. Esa gracia no es un fenómeno natural ni proviene del medio ambiente. Proviene de lo Alto. El rocío del Espíritu, que solo Dios puede darte, reaviva tu alma en tierra seca. El rocío de la gracia divina te consuela en medio del dolor, evita que las pruebas te destruyan y te da esperanza en medio de un mundo indiferente al Agua de vida.

¿Cómo sentirnos plenos en este mundo? Aunque tengamos todo lo que deseemos aquí y ahora, sin la gracia divina, que nos trajo a la existencia, nada que provenga de la "tierra seca" llenará nuestra alma. ¿Por qué cavar "cisternas rotas que no retienen agua" (Jer. 2:13)? El Rocío es un regalo que jamás podremos pagar. La gracia de Dios es belleza en movimiento. Revitaliza. Refresca. Sacia plenamente.

Oración: Señor, te alabo por tu gracia.

Oración invertida

Mas Gedeón dijo a Dios: No se encienda tu ira contra mí, si aún hablare esta vez; solamente probaré ahora otra vez con el vellón. Te ruego que solamente el vellón quede seco, y el rocío sobre la tierra. Jueces 6:39.

¿Fue la oración de Gedeón la voz de la presunción?

Miremos el vellón de lana. Todo el símbolo recae en él. El vellón húmedo en el suelo seco no solo fue una revelación del poder milagroso de Dios, sino también un símbolo del testimonio del creyente en el mundo. Así lo expresa el profeta Miqueas: "El remanente de Jacob será en medio de muchos pueblos como el rocío de Jehová, como las lluvias sobre la hierba, las cuales no esperan a varón" (5:7); es decir, no dependen del hombre. La gracia viene de lo Alto, pero necesita de ti, como canal, para derramarse como bendición a los demás. Para convertir la tierra seca de tu corazón y el de los que te rodean en tierra fértil.

El vellón se distingue de la era, como la iglesia del mundo. A la vez que es bañado por la gracia divina, permanece seco, intocable, puro, como la flor del loto en medio del pantano.

Si estás bañado de la gracia divina en medio de un mundo "seco" del Agua de la vida, y luego permaneces "seco" a la corrupción del mundo, la gente que te rodea se preguntará qué produce en ti esa diferencia. De dónde sacas poder para sobrellevar con gozo las pruebas de tu vida. Por qué tienes esperanza en medio del dolor y la muerte. Qué poder hay en ti que no te someten el engaño, ni los vicios ni la corrupción. Qué fuerza te levanta cuando pecas y caes. Y así, muchos de entre "el pueblo de la tierra" querrán conocer a Cristo, que es tu Rocío sobrenatural, el único secreto del poder de tu vida. Y así, muchos querrán unirse a las filas de tu iglesia.

Dice Pablo: "No os conforméis a este siglo, sino transformaos por medio de la renovación de vuestro entendimiento" (Rom. 12:1).

La fe de Gedeón enfrentó una crisis, pero era genuina. Dios escuchó su oración y confirmó su fe mediante una señal. Así responderá tu oración secreta y profunda, y confirmará tu fe con señales ante los desafíos que la vida te depare.

Oración: Señor, confirma mi fe cada día.

Oración de un peleador

Y el Espíritu de Jehová vino sobre Jefté...
Y Jefté hizo voto a Jehová. Jueces 11:29, 30.

¿Recuerdas a Jefté?

Era el hijo de una prostituta y de un adúltero. No tuvo padres que se amaran ni que lo amaran, ni que se preocuparan por él (ver Juec. 11:1, 2). Durante su infancia triste, Jefté jamás escuchó que alguien dijera: "¡Qué parecido eres a tu madre!" Le esperaba un futuro sombrío.

Cuando falleció su padre, el odio y el desprecio de sus medios hermanos se desenfrenó contra él, y lo echaron de la casa. Tuvo que vivir como un desheredado (vers. 3). En la "tierra de Tob", Jefté no tenía trabajo, y se juntó con hombres "ociosos", literalmente, "hombres vacíos". Una horda de mercenarios (vers. 3).

Un día, los ancianos de Galaad le pidieron ayuda para pelear contra los amorreos. Jefté les reprochó: "¿No me aborrecisteis vosotros, y me echasteis de la casa de mi padre? ¿Por qué, pues, venís ahora a mí cuando estáis en aflicción?" (vers. 7). Y los ancianos respondieron: "Por esta misma causa volvemos ahora a ti" (vers. 8). ¡Dios estaba enderezando el destino de Jefté! Lo estaba llamando para que fuera juez de su pueblo. Y Jefté "hizo votos a Jehová": alabó y obedeció el llamamiento de Dios.

El nombre Jefté significa: "Dios abre". Que podemos traducirlo: ¡Dios concede segundas oportunidades! Jefté se convirtió en uno de los grandes jueces de Israel, y llegó a ser miembro de la galería de los héroes de la fe (Heb. 11:32).

¡Grande es Dios, que no se detiene ante los orígenes o la procedencia de una persona! ¡Ni se deja influir por las circunstancias! No hay para él caso perdido. No importa qué pienses de ti mismo, ni que te sientas indigno, perdedor, inútil, excluido, maltratado o desechado. Tampoco importa cómo te ven los demás. Lo único importante es el futuro que Dios ve en ti, y cómo responderás tú a la mirada divina.

Quizá creas que tu pasado te condena, ya sea porque no procedes de una buena familia, o porque no tuviste la oportunidad de educarte, o simplemente porque no crees en ti. Pero, ¡qué bueno que Dios no juzga tu futuro por tu pasado!

Jesús te llama hoy a que "hagas votos con él".

Oración: Señor, ayúdame a escucharte en este día.

Oración precipitada

Y Jefté hizo voto a Jehová, diciendo: Si entregares a los amonitas en mis manos, cualquiera que saliere de las puertas de mi casa a recibirme, cuando regrese victorioso de los amonitas, será de Jehová, y lo ofreceré en holocausto.
Jueces 11:30, 31.

¿**H**aces promesas a Dios a menudo?

Una vez que el rey de Amón rechazó el mensaje de Jefté (vers. 28), el líder de Israel guio a su ejército contra los amonitas. Pero, cuando pasó por la tierra del enemigo, es posible que haya sentido una profunda inseguridad. No forzamos el texto si pensamos que este hombre, que había pasado años en el exilio, y que de pronto le fue concedida la máxima responsabilidad de guiar a Israel, haya sentido una emoción tan profunda que lo llevó a hacer una promesa precipitada.

Habiendo vivido como pagano entre paganos, pensó que podía mover la voluntad de Dios mediante una promesa. Dios no requiere una promesa para actuar en favor de sus hijos (ver Ecl. 5:2). La victoria no sería una recompensa a las mejores acciones de Jefté. Dios lo había conducido hasta allí, había enderezado su camino, "y el Espíritu de Jehová" estaba con él (vers. 29).

Pero, cuando Jefté volvió a Mizpa, a su casa, su hija salió a recibirlo con panderos y danzas (vers. 34). Ella era todo lo que él tenía. "Y cuando él la vio, rompió sus vestidos, diciendo: ¡Ay, hija mía!, en verdad que me has abatido, y tú misma has venido a ser causa de mi dolor, porque le he dado palabra a Jehová, y no podré retractarme" (vers. 35).

El capítulo termina con la hija llorando su virginidad. Esto significa que la hija de Jefté no se casó. No hay indicio en el texto que sugiera un sacrificio humano. Más bien, el texto sugiere virginidad perpetua sin hijos, sin descendencia. ¡Qué injusta la suerte de esta chica!

Nadie ofrece tanto como el que no va a cumplir. Quien promete rápidamente se arrepiente lentamente. Una promesa es un cheque librado contra el porvenir. Por eso, Jesús dijo: "Sea vuestro hablar: Sí, sí; no, no; porque lo que es más de esto, de mal procede" (Mat. 5:37).

¡Gracias a Dios que no necesitamos prometer nada a nadie a cambio de nuestra salvación! Jesús ya nos aceptó.

Oración: *Gracias, Señor, porque no necesito prometerte nada para que me ames.*

Oración de sana preocupación

Entonces oró Manoa a Jehová, y dijo: Ah, Señor mío, yo te ruego que aquel varón de Dios que enviaste, vuelva ahora a venir a nosotros, y nos enseñe lo que hayamos de hacer con el niño que ha de nacer. Jueces 13:8.

Seguramente no hay noticia más emocionante para una mujer que desea un hijo que saber que está embarazada. Y seguramente no hay mayor alegría para un hombre que desea ser abuelo que saber que su hija espera un bebé. Cuando Mariela, mi hija menor, quedó embarazada, marqué ese día en el calendario como uno de los tres días más felices de mi vida; los otros dos son los nacimientos de mis dos hijas. Mientras escribo estas líneas, la nena —¡ya conocemos el género!— aún no ha nacido. Pero ya la amamos profundamente. Con emoción vamos siguiendo cada día su crecimiento en el vientre de Mariela. Con Florencia hemos aprendido mucho de biología en las últimas semanas: ¡la naturaleza es maravillosa!

Con qué ansiedad Manoa, cuyo nombre significa "descanso", esperaba un hijo. La esposa de Manoa padecía una de las más terribles maldiciones que podía padecer una mujer judía: era estéril, como lo habían sido Sara, Rebeca, Raquel y Ana, la madre de Samuel, y como lo sería Elisabet, la madre de Juan el Bautista. ¡Y la culpa la llevaban ellas! La esposa de Manoa (¿no tenía nombre, para el autor bíblico?) recibió la visita del Ángel del Señor, el mismo que se les apareció a Moisés y a Josué, y le dio la buena noticia de que concebiría un niño. Y con la noticia, le dio muy buenas recomendaciones (mujeres embarazadas, por favor lean Juec. 13:7).

Es interesante la preocupación de Manoa que se expresa en nuestra oración. Nuestros hijos no son solo nuestra descendencia, sino "herencia del Señor".

Si no tienes hijos o sobrinos, sabrás lo que significa la palabra "emoción" cuando los tengas. Si ya los tienes, sabes lo que significa la palabra "preocupación". ¡Qué bendito el interés de Manoa por aprender cómo criar a su niño, para que sea "herencia de Jehová"!

La oración es la mejor respuesta a la preocupación por nuestros hijos: "Confiad vuestros hijos al Señor en oración. Obrad por ellos fervorosa e incansablemente. Dios oirá vuestras oraciones y los atraerá a sí mismo" —*HC* 485.

Oración: Señor, escucha mi oración por mis hijos.

Oración de un muchacho confundido

Entonces clamó Sansón a Jehová, y dijo: Señor Jehová, acuérdate ahora de mí, y fortaléceme... para que de una vez tome venganza de los filisteos por mis dos ojos. Jueces 16:28.

En la meditación de ayer vimos que el Ángel del Señor visitó a la esposa de Manoa para anunciarle que tendría un hijo, a quien Dios había designado para salvar a Israel de la opresión filistea (ver Juec. 13:5). Este niño fue Sansón, que significa "el que sirve a *Elohim*". Consagrado *nazareo* ("separado" para Jehová) desde su nacimiento, Sansón no debía cortarse el pelo ni tomar bebidas embriagantes, ni comer alimentos inmundos ni acercarse a muertos, como señal de entrega de su vida al servicio de Dios (ver Núm. 6).

Sansón había nacido con un destino prefijado: servir y librar a su pueblo del enemigo (ver Juec. 13:5). Quizás haya sido la carga de un destino manifiesto lo que tornó rebelde al muchacho con el paso de los años. Su fuerza física era prodigiosa, pero inversamente proporcional a su fuerza mental. Ya joven, el nazareo dio varios pasos en falso. Y un mal paso preparó el camino a otro: se casó con una pagana, contraviniendo la voluntad de sus padres; amó a las prostitutas; y remató su vida pletórica de sensualidad enamorándose de Dalila, una bella filistea de cabellos largos y de ánimo corto. Ella lo llevó a la muerte.

¿De dónde surgen las pasiones repentinas de un varón por una mujer? Cuando en una mujer convergen la levedad, cierta altanería interior y una vulnerabilidad que invita "a ser rescatada", el alma del varón se desborda, y queda conmovido y desafiado en un mismo instante. En ese punto, se pierde.

"Día tras día Dalila lo fue instando con sus palabras hasta que 'su alma fue reducida a mortal angustia'... Vencido por último, Sansón le dio a conocer el secreto" —*PP* 610. Y, ya vencido, elevó la oración de nuestro texto.

No obstante su pecado, Dios jamás abandonó a Sansón. La promesa de Dios de que comenzaría "a salvar a Israel de manos de los filisteos se cumplió; pero ¡cuán sombría y terrible es la historia de esa vida que habría podido alabar a Dios y dar gloria a la nación!" —*Ibíd.*, p. 612.

¡Qué bueno que Dios jamás nos abandona! ¡Sirvámoslo con alegría!

Oración: Señor, ayúdame a no soltarme de tu mano.

Oración y promesa – 1

Si te dignares mirar a la aflicción de tu sierva, y... dieres a tu sierva un hijo varón, yo lo dedicaré a Jehová todos los días de su vida. 1 Samuel 1:11.

¿Tienes un anhelo profundo en tu corazón?

Ahí está Ana en el Templo de Jehová, llorando su tristeza y expresando el anhelo más profundo de su alma. Balbucea palabras incomprensibles. El sacerdote la observa, y la juzga: "¿Hasta cuándo estarás ebria?" (1 Sam. 1:14). Ana se siente sola. El sacerdote no la comprende. Su esposo le reprocha las lágrimas que derrama por ser estéril: "¿No te soy mejor yo que diez hijos?" (vers. 8). Y Penina, la otra mujer de Elcana, la humilla (vers. 6). Pero Dios, que ve lo que el hombre no ve, escucha su clamor secreto (1 Sam. 16:7).

Ana se siente sola, pero no está sola. No hay peor soledad que la que te hacen sentir los que supuestamente te aman. Pero aun para esa clase de soledad Dios es la respuesta.

Ana hace lo que miles de años después el Maestro de Nazaret aconsejara a sus discípulos: "Busca a Dios en lo secreto de su alma". Cuando te sientas solo, angustiado, desesperado, apártate y "ora a tu Padre que está en secreto; y tu Padre que ve en lo secreto te recompensará en público" (Mat. 6:6). La plegaria secreta, la oración a solas con Dios, da calor al alma en la más fría de las soledades.

Luego de orar, Ana se fue "por su camino, y comió, y no estuvo más triste... Y Jehová se acordó de ella" (1 Sam. 1:18, 19).

¡Cuán grato es saber que Dios puede recibir nuestras lágrimas amargas! Solo Dios puede entender nuestro corazón entristecido. Solo Dios puede darnos la serena convicción de que su voluntad siempre es buena para nosotros.

No sé cuál es el anhelo más profundo de tu alma. Solo tú lo sabes. Pero mira a Ana: Ella "oró, comió y no estuvo más triste". Descansó en el Señor. ¡Nada es más hermoso que llevar a Jesús todo anhelo profundo del corazón! ¡Nada es más sublime que descansar en nuestro "Padre que está en secreto"! Ese Padre que solo tú conoces, y que ve lo que otro no puede ver, siempre te responderá. ¡Descansa en él!

Oración: Gracias, Señor, porque recibes mi anhelo más profundo.

Oración y promesa – 2

Si te dignares mirar a la aflicción de tu sierva, y... dieres a tu sierva un hijo varón, yo lo dedicaré a Jehová todos los días de su vida. 1 Samuel 1:11.

¿Fue justo que Ana determinara el destino de su hijo antes de que fuera concebido?

Yo nací un viernes otoñal del hemisferio sur a las tres de la madrugada. Allí estaba mi madre, en el departamento 1 del 1418 de la calle Pedro Campbell, Montevideo, en el Uruguay. No había celular ni Internet para enviar un mensaje. Mi madre estaba sola con un niño de apenas dos años y medio a su lado: mi hermano, Orlando. Sin dinero para un taxi, con dolores de parto, solo atinó a golpear la pared contigua del departamento 2. Y se presentó "doña Margarita" para ayudar a mi madre a darme a luz en aquella madrugada. Ella era una enfermera adventista. El parto tenía sus riesgos, porque mi madre tenía cuarenta años. En su hora más oscura, ella clamó a Dios: "Si mi bebé nace sano, te lo entrego a ti". Esto lo supe veinte años después, en momentos cuando yo estaba alejado de Dios. Le di poca importancia a la promesa de mi madre.

Pero, luego de un tiempo de que mi madre me contara este episodio de mi vida, comprendí que mi libertad es nada ante la soberanía divina. ¡Dios escribe derecho en líneas torcidas! La semilla que aquella enfermera adventista sembró en el corazón de mi madre dio fruto años después en su vida, ¡y en mi vida! Hace cuarenta años que soy pastor adventista. La oración de mi madre fue respondida.

Dice Pablo: "Bendito sea el Dios y Padre de nuestro Señor Jesucristo, que... nos escogió en él antes de la fundación del mundo" (Efe. 1:3, 4). Esta convicción le dio fuerza para enfrentar todo tipo de adversidad: "Estamos atribulados en todo, mas no angustiados; en apuros, mas no desesperados (2 Cor. 4:7, 8).

¡Qué bueno que Dios te ha elegido! ¡Cuánta luz derrama esta convicción! ¡Cuánta fuerza te da para enfrentar la vida!

Dios te ha elegido para la salvación y para que lo sirvas dondequiera que te encuentres. Tu libertad no es nada ante su amor infinito. Eres un ser privilegiado. Di hoy en oración: "Señor, ¿qué quieres que haga?"

Oración: *Señor, quiero hacer tu voluntad.*

Oración de alabanza – 1

Y Ana oró y dijo: Mi corazón se regocija en Jehová, mi poder
se exalta en Jehová; mi boca se ensanchó sobre mis enemigos, por cuanto
me alegré en tu salvación. 1 Samuel 2:1.

En medio de su dolor, cuando Penina la hostigaba, Ana oraba a Dios. En lo secreto de su corazón, confió al Señor la carga que no podía compartir ni siquiera con su esposo (ver 1 Sam. 1:8). Y pidió que Dios le quitara "su oprobio" y le diera un hijo varón, a fin de criarlo y educarlo para él. Dios le dio a Samuel, a quien entregó de niño a Jehová.

Ahora encontramos a Ana cumpliendo su promesa. En la ceremonia de entrega a Dios de aquella criatura, Ana irrumpió en medio del Templo con una oración de alabanza y gratitud.

Las palabras de Ana fueron proféticas, tanto en lo referente a David, quien habría de reinar como soberano de Israel, como al Mesías, el Ungido de Dios (ver 1 Sam. 2:1-10). En su canto, Ana toma como punto de referencia su dolor por "las palabras arrogantes" de Penina (vers. 3), para elevarse al momento en que serán destruidos los enemigos de Dios y sus hijos serán redimidos.

Un proverbio chino dice: "Cuando bebas agua, recuerda la fuente". Ana recordó a Dios luego de su prueba. El corazón de Ana había sido quebrantado por la injusticia de un esposo insensible y una mujer celosa y contenciosa. Como su dolor había sido muy amargo, su gratitud fue muy dulce.

La alabanza de gratitud de Ana fue su mejor tributo al Señor. José Martí, poeta cubano, habla acerca del terreno donde germina este don: "La gratitud, como ciertas flores, no se da en la altura, y reverdece mejor en la tierra buena de los humildes". La voz de Ana es tu voz trémula y secreta a Dios, que solo él escucha.

¡Qué alegría saber que Dios nos escucha aun en el silencio de nuestros pensamientos!

"Presenta a Dios tus necesidades, tristezas, gozos, cuidados y temores. No lo agobiarás ni lo cansarás... Su amoroso corazón se conmueve por tus tristezas... Llévale todo lo que confunda tu mente. Ninguna cosa es demasiado grande para que él no la pueda soportar, pues sostiene los mundos y rige todos los asuntos del universo" —*CC* 100.

Oración: Te alabo, Señor, porque tú escuchas aun mis silencios.

Oración de alabanza – 2

Y Ana oró y dijo: Mi corazón se regocija en Jehová, mi poder se exalta en Jehová; mi boca se ensanchó sobre mis enemigos, por cuanto me alegré en tu salvación. 1 Samuel 2:1.

Ana cumple su voto. Su tributo a Dios se expresa en alegría, gratitud y generosidad. Ana entrega su único hijo a Dios.

Un voto es una obligación asumida voluntariamente, ya sea por un don recibido o una bendición por recibir. El Señor no ordenó a los judíos que hicieran votos, pero sí que los cumplieran si los habían hecho (Núm. 30:2). Y Ana cumplió. Nuestra oración expresa su gratitud y generosidad.

En el momento en que Ana hace el mayor sacrificio de su vida, entregando a su único hijo, con el que no viviría más en su casa, ¡se regocija en Jehová! Ella no se regocija ni puede regocijarse en dejar a su hijo, pero sí puede regocijarse "en Jehová". En las situaciones más adversas de la vida, cuando no tenemos nada de qué alegrarnos, ¡aún podemos alegrarnos en Jesús!

¡Profundo fue el anhelo de Ana por Dios! ¡Porque más profundo fue el anhelo de Dios por Ana! Dios en nosotros. Dios con nosotros. Ana se gozaba en Dios, antes de que él satisficiera su deseo de tener un hijo. Dios respondió la oración de aquella mujer, porque el anhelo más profundo de su corazón era Dios mismo. Dios amaba a Ana.

Muchas de nuestras oraciones no son respondidas porque anhelamos más el don que al Dador del don. Ana confiaba en Dios; por eso oró, se levantó de su tristeza y descansó en paz en las manos del Dador de la vida.

En lo profundo de tu alma están grabados a fuego los deseos que le dan fuerza a tu vida. Mientras que los deseos están conectados con tus necesidades básicas, tanto biológicas como afectivas, hay un anhelo profundo que descansa en el lecho de tu ser, que es la fuente de la vida y la condición de la satisfacción de todos tus deseos. ¡Es tu anhelo por Dios! ¡Reflejo del anhelo de Dios por ti! Solo Dios puede satisfacer tu sed de eternidad. Solo él puede darte alegría permanente. Ana se regocijó en Jehová. ¡Alégrate en tu Señor!

Oración: Señor, mi alma goza tu anhelo por mí.

Oración de alabanza al poder divino

*Y Ana oró y dijo... No hay santo como Jehová; porque no hay ninguno
fuera de ti, no hay refugio como el Dios nuestro. 1 Samuel 2:1, 2.*

Ana irrumpe en el Tabernáculo con esta oración testimonial y profética. Ella
conoce a su Dios. Conoce a su "Padre que está en secreto", que escuchó el
clamor de su corazón y respondió a su llamado. Su oración exalta el carácter
de Dios y culmina con un anuncio profético.

Todos los atributos de Dios están presentes en esta plegaria, tanto los
comunicables, que se entienden por analogía con el mundo y las criaturas,
como los *incomunicables*, que enfatizan la distinción absoluta entre Dios y
la Creación. Ana entremezcla en su oración esos atributos divinos: santidad,
amor, justicia, bondad, misericordia, omnipotencia, omnipresencia y omnisciencia. Ana se maravilla del Dios a quien adora. Y son esos atributos el
fundamento de su fe.

Comienza diciendo: "No hay santo como Jehová" (vers. 2). "No hay
ninguno fuera de ti". "No hay nadie como tú". Su santidad es la gloria de su
nombre. No solo no hay ningún ser igual a él, sino tampoco hay nada ni nadie
aparte de él. Sin él, nada somos. Su sabiduría es infinita: "No multipliquéis
palabras de grandeza y altanería... Porque el Dios de todo saber es Jehová"
(vers. 3). Y también su justicia, porque "a él toca el pesar las acciones" de los
hombres (vers. 3). Y, a la vez que humilla a los poderosos de este mundo,
exalta a los débiles (vers. 4). Jehová es la voz de los "sin voz". Es el escudo de
los indefensos: "Defiende al débil y al huérfano", y hace "justicia al afligido
y al menesteroso" (Sal. 82:3).

La oración de Ana termina con un anuncio profético: "Jehová juzgará los
confines de la tierra, dará poder a su Rey, y exaltará el poderío de su Ungido".
Cristo es el cumplimiento de esta profecía.

¡Qué maravilloso es nuestro Dios! ¡¿Verdad?! ¡Puedes confiarle tus fuerzas! "Porque nadie será fuerte por sus propias fuerzas" (vers. 9).

Busquemos a Dios en la fresca oración de la mañana, muy temprano,
para que él sea nuestra fuerza y nuestro refugio durante todo el día. ¡Nadie
es como él!

Oración: Señor, nadie es como tú.

Oración sin respuesta – 1

Y Saúl consultó a Dios: ¿Descenderé tras los filisteos? ¿Los entregarás en mano de Israel? Mas Jehová no le dio respuesta aquel día. 1 Samuel 14:37.

¿Administras recursos de tu iglesia?

Todos los que tenemos una responsabilidad de liderazgo administrativo en el pueblo de Dios deberíamos leer este capítulo de la Biblia con "temor y temblor". Saúl había sido ungido rey por Jehová, y con esa distinción le concedió poder sobre los demás (1 Sam. 10:1). Dios quería trabajar en el corazón de Saúl y utilizarlo para liberar a su pueblo de la amenaza filistea. Los filisteos eran los enemigos más acérrimos de los israelitas.

Dios no respondió la oración de Saúl, a causa de su pecado. Atento siempre a satisfacer la formalidad religiosa (1 Sam. 14:33, 34), su corazón no obedecía a Dios. Saúl era hipócrita. En 1 Samuel 14:44, vemos que no escatima en tratar de matar a su propio hijo con tal de cuidar su honor, mancillado por su declaración temeraria de castigar a quien se alimentara durante la batalla, y comiera "carne con sangre" (vers. 24, 34). El corazón de Saúl era de piedra. Dios no responde la oración de quien esconde su corazón egoísta en las formas religiosas. Custodio de las "normas", su corazón estaba lejos de Dios. Los capítulos 13 al 16 de 1 Samuel son el relato del proceso descendente de un hombre que había sido ungido por Jehová pero que persistió en creer más en sí mismo que en Aquel que lo había llamado. Por eso, cuando consultó al Cielo, Dios hizo silencio (vers. 37). La prueba suprema de virtud consiste en poseer un poder ilimitado sin abusar de él. Saúl no pasó esta prueba.

Quiera Dios responder siempre nuestras oraciones. Que no esconda su rostro de nosotros, porque hayamos escondido nuestro corazón de él.

Si Dios te ha llamado para una tarea administrativa específica en su causa, en cualquier nivel de servicio de la iglesia, tienes en tu mano una determinada cantidad de recursos que te dan poder sobre un grupo de personas. Dios te llamó y te prestó esos recursos, ¡para que los uses en favor de los demás y para la gloria de él! ¡Gloria a Dios por tus talentos! ¡Entrégalos con corazón puro al pueblo de Dios!

Oración: Señor, dame humildad para administrar el poder que me concedes sobre los demás.

Oración sin respuesta – 2

Y Saúl consultó a Dios: ¿Descenderé tras los filisteos? ¿Los entregarás en mano de Israel? Mas Jehová no le dio respuesta aquel día. 1 Samuel 14:37.

¿Cómo es tu religión?

Los capítulos 14 y 15 de 1 Samuel revelan la hipocresía y las mentiras de Saúl para salvar su pequeño honor ante el profeta. Además de estar más atento a las normas religiosas respecto de la comida que al hambre de su pueblo, miente cuando es confrontado con su pecado (1 Sam. 14:34). Es típico de quien usa la religión para intentar esconder su condición. Nada es más peligroso en este mundo que una religión ritualista, vacía de significado, porque crea personas hipócritas y autoritarias, para quienes es más importante una tradición y una norma que las personas mismas (vers. 34).

Cuando Samuel confrontó a Saúl respecto de su desobediencia por tomar los animales del campamento enemigo, el rey no fue perezoso en responderle: "el pueblo tomó del botín ovejas y vacas... para ofrecer sacrificios a Jehová tu Dios" (1 Sam. 15:21). La respuesta del profeta no se hizo esperar: "¿Se complace Jehová tanto en los holocaustos y víctimas, como en que se obedezca a las palabras de Jehová? Ciertamente el obedecer es mejor que los sacrificios" (vers. 22). "Lo que le faltaba [a Saúl] en piedad verdadera, quería suplirlo con su celo en las formas religiosas" —PP 673. En ese mismo instante, Saúl fue desechado como rey.

Una religión formal es veneno para el alma, porque crea legalistas ciegos como murciélagos para ver la belleza, y duros como una piedra para sentir la necesidad y el dolor ajenos. La religión sin corazón destruye la fe.

¡Con qué facilidad medimos a los demás con nuestra pequeña regla, y los juzgamos por cuestiones de comida o vestimenta! Cuando nuestra religión se reduce a las formas, nos olvidamos de la gracia divina, que sin invalidar nada nos permite ver las cosas desde la perspectiva del amor.

Pero Dios ve el corazón y lee nuestras verdaderas intenciones. Él no nos condena por nuestras debilidades, como no condenó a David que hizo cosas muy reprobables. Nos condenamos a nosotros mismos cuando le mentimos, cuando huimos de su presencia, cuando "obstinados" por el poder despreciamos a los otros (vers. 23).

Oración: Señor, dame una fe lúcida y un corazón sensible.

Oración por la dirección divina

David consultó a Jehová, diciendo: ¿Perseguiré a estos merodeadores?...
Y él le dijo: Síguelos, porque ciertamente los alcanzarás,
y de cierto librarás a los cautivos. 1 Samuel 30:8.

David se encontraba privado de todo apoyo humano. Había perdido todo lo que apreciaba en la Tierra. Saúl lo había expulsado de su país. Los filisteos lo habían echado de su campamento. Los amalecitas habían saqueado su ciudad. Su familia estaba prisionera. Y sus propios amigos y algunos familiares se habían unido contra él para matarlo. En esta hora de soledad, David, en lugar de permitir que su mente se espaciara en sus circunstancias dolorosas, imploró vehementemente la ayuda de Dios. Recordando estos días, escribió: "En el día que temo, yo en ti confío" (Sal. 56:3). Dios era su amparo y fortaleza en todo momento (Sal. 46:1-11).

David consultaba a Dios en todo momento, tanto en las pequeñas como en las grandes decisiones. En nuestro texto, lo vemos nuevamente consultando a Dios, y Dios respondiéndole inmediatamente y asegurándole la victoria sobre los amalecitas (1 Sam. 30:18).

En ese momento, David no sabía, como a veces tampoco lo sabemos nosotros, que el punto más bajo de nuestro camino puede tornarse súbitamente en el más alto. Cuando creemos que nos está yendo realmente mal, puede que en realidad nos esté yendo muy bien, por desgraciadas que sean las circunstancias.

En aquel momento de soledad, David recibió la noticia que le allanaría el camino al trono: su peor enemigo había muerto. Pero no la recibió con alegría. Su corazón lloró profundamente la muerte de Saúl (2 Sam. 1). Sus lágrimas revelaron su nobleza de espíritu.

No necesitamos ser nobles para ir a Dios. Necesitamos ir a Dios para ser nobles. La oración profunda y cotidiana es como el riego por goteo que hace crecer y dar frutos a una planta aun en el desierto. A pesar de las circunstancias adversas, perseveremos en oración, porque no sabemos cuándo el punto más bajo de nuestro camino puede tornarse en el más alto. Puede que, a la vuelta del recodo, veamos algo que nos muestre el sentido que tuvieron todas esas etapas desgraciadas de nuestra vida. Y veremos que una desgracia fue el paso que debimos dar para recibir lo que Dios tenía preparado para nosotros.

Oración: Señor, dame fuerzas para no soltarme de tu mano.

Oración por consejo

Después de esto aconteció que David consultó a Jehová, diciendo: ¿Subiré a
alguna de las ciudades de Judá? Y Jehová le respondió: Sube. David volvió a
decir: ¿A dónde subiré? Y él le dijo: A Hebrón. 2 Samuel 2:1.

David aprendió a pedir el consejo divino (ver 1 Sam. 27-30). Luego de la
muerte de Saúl, se abría una oportunidad para dejar el exilio y volver a su
patria. En ese importante recodo del camino, su primera preocupación fue
saber qué querría Dios que él hiciera. Quizá consultó por medio del sacerdote
Abiatar (ver 1 Sam. 23:6, 9-12; 30:6-8). "¿Subiré?" Todo indicaba que había
llegado el tiempo para que volviera. La respuesta de Dios fue: "Sube". ¿A
dónde? "A Hebrón". ¿Por qué a Hebrón?

Hebrón está a 40 kilómetros (25 millas) al noroeste de Beerseba, en un
hermoso valle rodeado de colinas verdes y tierras fértiles. Sus viñedos eran
los mejores de Palestina. Era un buen lugar para establecer la capital provi-
sional del nuevo reino meridional: un valle rodeado de montañas seguras,
en la región de Judá, con una población amiga. David había tejido buenas
relaciones con los habitantes de esa región cuando aún vivía Saúl. Era también, Hebrón, un lugar con historia: ahí descansaban Abraham, Sara, Isaac
y Jacob, sepultados en la cueva de Macpela.

Por eso, apenas entró la caravana en Hebrón, "los hombres de Judá la
aguardaban para dar la bienvenida a David y saludarlo como al futuro rey
de Israel. Enseguida se hicieron arreglos para su coronación. 'Y ungieron allí
a David por rey sobre la casa de Judá' (2 Sam. 2:4)" —*PP* 754. David no se
sentó en el trono como un traidor: una vez coronado como rey, lo primero
que hizo fue honrar la memoria de Saúl y Jonatán. Fue un rasgo de sabiduría.

David administró el poder con sabiduría y templanza. Y cuando no lo
hizo tuvo la valentía de reconocerlo. Se veía a sí mismo solo como una pieza
en un rompecabezas mucho más grande. Por eso supo honrar la memoria de
sus antecesores.

¡Qué bueno que podamos consultar a Dios en todos los momentos de
la vida! Tú eres una pieza importante en el rompecabezas de Dios. Pero solo
una pieza. Tu sabiduría consistirá en preguntarle a Dios cuál es tu parte en
ese cuadro mayor.

Oración: Gracias, Señor, porque soy un eslabón en la cadena de la salvación.

Oración y recuerdo – 1

Y entró el rey David y se puso delante de Jehová, y dijo: Señor Jehová,
¿quién soy yo, y qué es mi casa, para que tú me hayas traído hasta aquí?
2 Samuel 7:18.

"¿Quién soy yo?", pregunta David. Imagino al rey sentado en su alcoba, contemplando las fértiles colinas. Ya en paz, luego de años turbulentos, seguramente recordaba los años idos, cuando era un humilde pastorcillo que vagaba por las montañas y hablaba con el Señor. Eran años de frescura, cuando había horizonte en su mirada y se relacionaba con los simples.

"Vale más ser de baja condición y codearse alegremente con gente humilde que encontrarse muy encumbrado, con una resplandeciente pesadumbre y llevar una dorada tristeza", escribió William Shakespeare. Esto lo supo David años después cuando, siendo ya rey, tuvo que lidiar con los asuntos del reino. También habrá recordado los tiempos de fugitivo, cuando huía por las colinas de Judá, perseguido por Saúl, sin saber cada día qué peligro le sobrevendría al siguiente. Ahora disfrutaba de paz, y de la promesa de Dios acerca del futuro de su reino. Ante la revelación divina de ese futuro glorioso, David quedó abrumado (2 Sam. 7:16). Y, con profunda humildad, declaró: "Quién soy yo para que tú me trates así". "Me has mirado como a un hombre excelente" (1 Crón. 17:17). "Tú sabes que no lo soy".

Fue precisamente este concepto de sí mismo lo que mantuvo abierta la puerta de la misericordia divina.

Si consideramos que no merecemos nada, que somos frutos del amor divino, todo lo que recibimos será motivo de alegría y gratitud a Dios. Cuando he sentido el sabor amargo del fracaso, me ha hecho bien recordar de dónde vine, y cómo Dios me ha guiado hasta aquí.

¡Cuánta riqueza hay en los buenos recuerdos! Es bueno que mantengamos viva la memoria. Porque una memoria viva, además de ayudarnos a recordar nuestros errores del pasado, para no volver a cometerlos, nos hace entender por qué llegamos adonde llegamos, y qué podemos esperar del futuro.

Si miramos nuestro pasado y presente, sin pensar que algo merecemos, veremos cuántos motivos tenemos para decirle a Dios: "¿Quién soy yo para que tú me hayas dado tanto?"

Oración: *Gracias, Señor, porque me das más de lo que espero.*

Oración y recuerdo – 2

Y entró el rey David y se puso delante de Jehová, y dijo: Señor Jehová,
¿quién soy yo, y qué es mi casa, para que tú me hayas traído hasta aquí?
2 Samuel 7:18.

¿**N**o te ha pasado que a veces te faltan palabras para agradecerle a Dios por algo recibido?

La pregunta de David, "¿Quién soy yo?", fue la respuesta a la abrumadora revelación de su futuro que aparece dos versículos antes. Cuando David escuchó el anuncio de Natán, quedó asombrado ante el honor que Dios le confería, y le faltaron palabras para expresar su gratitud.

Para David, ser contado como parte del pueblo de Dios era el privilegio más excelso. ¿No es este también tu gran privilegio? ¿Qué nación podía recibir más honra que la que había sido escogida por el Señor como suya? (ver Deut. 4:7, 32-34). ¿Quién puede ser más honrado que tú, que has sido elegido por el Señor desde antes de la fundación del mundo? (Efe. 1:3, 4).

Como David había deseado construir una casa para Dios, y le fue negado (ver 1 Crón. 22:8-10), Dios le hizo esta promesa: "Yo levantaré después de ti a uno de tu linaje, el cual procederá de tus entrañas, y afirmaré su reino... Y será afirmada tu casa y tu reino para siempre delante de tu rostro, y tu trono será estable eternamente" (2 Sam. 7:12, 16). Hay en estas palabras un anuncio profético de proyección universal. Es probable que David haya captado allí mismo, ante Natán, el privilegio de saber que de su simiente vendría el Mesías, el Salvador del mundo. Esta profecía de Natán se cumplirá en ocasión de la segunda venida de Cristo, cuando Dios establezca su Reino eterno (ver Isa. 9:6, 7; Luc. 1:32, 33; Apoc. 11:15; 20:1-10).

Cuando Dios revela en nuestro corazón la promesa de que en su Hijo tendremos vida eterna, se eleva un cántico de gratitud desde lo más profundo de nuestro ser. No tenemos palabras para agradecer a Dios, como no las tuvo David.

"Gracias" es la primera palabra que pronunciamos cuando nos sentimos salvos. Y la gratitud es la primera virtud que le da sentido a todas las otras virtudes que vienen en el camino de la salvación.

¿Estás agradecido a Dios por tan buenas noticias?

Oración: Gracias, Señor, por la promesa de la vida eterna.

Oración de gratitud

¿Y qué más puede añadir David hablando contigo? Pues tú conoces a tu siervo, Señor Jehová. Todas estas grandezas has hecho por tu palabra y conforme a tu corazón, haciéndolas saber a tu siervo. 2 Samuel 7:20, 21.

¿Cómo está tu capacidad de agradecimiento?

Mediante el profeta Natán, Dios le transmite a David cuál sería su voluntad para él y quién edificaría el templo de Jerusalén. La revelación del profeta abrumó a David, quien expresó humildemente las palabras de nuestro texto. La pregunta de David expresa el reconocimiento del exclusivo poder de Dios y de su absoluta sabiduría. "Tú conoces a tu siervo". Tú lo sabes todo. Resuena el eco de las palabras de Pedro, cuando se vio como realmente era (Juan 21:17). Solo la humildad nos da una medida más real de quiénes somos.

Para el humilde, todo lo que recibe es motivo de agradecimiento. David vivía el servicio a Dios como expresión de gratitud al Dios de Israel. Sabio es el consejo de Pablo de que seamos agradecidos por todo, "porque esta es la voluntad de Dios para con vosotros en Cristo Jesús" (1 Tes. 5:18).

Ninguna virtud es más adecuada que la gratitud para conocer el estado de salud interior, espiritual y moral de una persona. La gratitud no es un simple acto, ni se agota en un "gracias"; es una manera de ser, una actitud de vida. Por eso, el agradecimiento comienza con Dios, el Dador de la vida. Cuando al amanecer elevas una oración de gratitud al Creador, el corazón se ilumina como tu habitación con los primeros rayos del sol. En su exhortación a la gratitud, el salmista David dice: "Cantad alegres a Dios, habitantes de toda la tierra" (Sal. 100:1).

¡Gracias, Señor, por nuestra familia y nuestros hermanos de fe! Hay hermanos de fe que están más cerca de nuestro corazón ¡que los propios hermanos de sangre (Mat. 12:50)!

La gratitud nos convierte en historiadores de las bondades del pasado, no de las desdichas. La gratitud es como el viento que arrastra las oscuras nubes de tormenta. La gratitud es la lente que ve lo que el alma mezquina no ve.

Agradezcamos por todo. Por los días claros y los oscuros. Y por las adversidades y los adversarios. Porque ellos también nos enseñan.

Oración: *Gracias, Señor, por todas las cosas.*

Oración retributiva

Vive Jehová, que el que tal hizo es digno de muerte. Y debe pagar la cordera con cuatro tantos, porque hizo tal cosa, y no tuvo misericordia. 2 Samuel 12:5, 6.

El mismo David fijó su sentencia. Ahora sí se cumple la ley de la siembra y la cosecha: "Todo lo que el hombre sembrare, eso también segará" (Gál. 6:7). Si alguien decide tirarse de un décimo piso, y luego de saltar se arrepiente, pagará de todos modos las consecuencias de su decisión.

El doble pecado de adulterio y asesinato destruyó los diques de los principios morales de la casa de David, dejando una descendencia que perfeccionó la lujuria y la violencia. Aunque David tuvo 19 hijos y una hija, Tamar, "sin contar los que tuvo con las concubinas" (1 Crón. 3:1-9), la Escritura solo nos habla de la vida trágica de tres de ellos: Amnón, el primogénito, Tamar y Absalón, el tercero de sus hijos (2 Sam. 13). Amnón violó a Tamar, y Absalón lo mató por haber violado a su hermana. Absalón y Adonías, el cuarto hijo, se disputaron el poder hasta que corrió sangre (2 Sam. 15).

La galería de monstruos que rodearon a David se completa con dos personajes siniestros: Ahitofel, abuelo de Betsabé, que odiaba a David, y que fue el cerebro de la conspiración de Absalón; y Joab, que fue el tormento de los últimos días de David. Fue el mismo hombre que el rey usó como instrumento para asesinar a Urías.

Un proverbio dice que "los dioses hacen látigos con nuestros vicios para azotarnos".

En alguna medida, somos los arquitectos de nuestro propio destino. Nuestras decisiones siempre tienen consecuencias. No podemos escapar de las consecuencias de nuestras faltas. Pero Dios puede usar aun nuestros pecados para que aprendamos obediencia. ¡Mejor es el castigo divino que la maldición de la impunidad!

Todos cargamos sobre nuestros hombros la cruz del daño que nos infligimos a causa de nuestros pecados. Un estilo de vida intemperante tiene consecuencias. Algunas enfermedades que padecemos las hemos adquirido por derecho propio. Pero la misericordia de Dios nos alcanza siempre: para perdonarnos, para restaurarnos y para darnos paz en el recuerdo de nuestros pecados pasados.

¡Dulce gracia que nos consuela por los errores que cometimos, y cuyas consecuencias aún padecemos!

Oración: *Señor, gracias porque tu misericordia nos alcanza siempre.*

Oración de confesión – 1

Pequé contra Jehová. 2 Samuel 12:13.

Si deseas expresar tu anhelo de pureza más intenso, y los sentimientos más profundos de gratitud y alabanza a Dios, encontrarás que hace tres mil años alguien ya los había expresado con sensibilidad poética. ¡Gracias, David, por tus escritos! Y gracias, preciosa Escritura, ¡porque nunca ocultas los graves pecados de tus hombres más nobles!

Tú ya conoces esa historia vergonzosa. No necesito escribirla nuevamente (2 Sam. 11). La Biblia la entrega con todo su cruel realismo.

"¿Este es el hombre conforme al corazón de Dios?" (ver 1 Samuel 13:14), dicen los cínicos cuando un creyente cae en pecado. David fue el hombre "conforme al corazón de Dios", no porque expiara el adulterio y el asesinato cantando salmos, sino porque, habiendo caído en pecado, aprendió a aborrecerlo; y con muchas lágrimas y voluntad férrea, confiando profundamente en Dios, dirigió ¡su rostro hacia el rostro de Dios! Esta es una lección que debemos aprender.

David no se convirtió en un hipócrita por haber caído de ese modo. Todo pecado nos separa de Dios. Todo pecado es inconsistente con la oración. Cuando oras, no pecas. Y si pecas, no oras. Pero, gracias a Dios, no podemos decir cuán oscuro debe ser el pecado para que Dios no nos acepte. No importa cuán bajo hayas caído y qué cosas malas haya albergado tu corazón, si tu tendencia es abrirte al influjo divino, finalmente te encontrarás con Dios.

Las peores transgresiones no son los arrebatos apasionados, contradictorios, de una vida cuyo cauce principal siempre fluyó hacia Dios, sino los pecados cotidianos, habituales, aunque sean mucho más pequeños. Las hormigas limpiarán mejor que un león la osamenta de un animal muerto. Y muchos de los que nos consideramos cristianos corremos el riesgo de alejarnos de Dios cada día con pecados mucho más "insignificantes" que el de David. Los pequeños y crónicos actos de codicia, de mezquindad, de mala intención, de deshonestidad en los negocios seculares y en los del Señor, pueden ser más peligrosos que el monstruoso pecado de David.

Son estas pequeñas hormigas las que van matando tu anhelo de Dios, tu deseo de pureza.

Pero la lección principal de la experiencia de David es que ¡el pecado más tóxico se disuelve en el ácido de la confesión y el arrepentimiento!

Oración: *Señor, quiero serte fiel en lo poco, para serlo en lo mucho.*

Oración de confesión – 2

Pequé contra Jehová. 2 Samuel 12:13.

Qué bella sencillez hay en las palabras de nuestro texto: "Pequé contra Jehová". Esto es todo. Tres palabras bastan para cambiar toda la vida de un ser humano, y para alterar todas sus relaciones con la justicia divina. No es fácil decirlo. A David le costó un buen tiempo poder expresarlo. Había pasado un año desde su transgresión. ¿Cómo fueron esos días para él? "Mientras callé, se envejecieron mis huesos en mi gemir todo el día" (Sal. 32:3, 4).

Hubo largos meses de silencio sombrío, de una tortuosa experiencia espiritual, a causa de la desaprobación divina, que, como los dientes de una serpiente, inyectaba veneno en sus venas. Su cuerpo sufrió. Su corazón sufrió. Y el verdor de su alma se convirtió "en sequedades de verano" (vers. 4). Esto fue lo que obtuvo por su pecado. Un momento de turbio deleite animal, y largos días de agonía. Durante meses, su conciencia estuvo en llaga viva, hasta que, finalmente, todo ese malestar interior encontró su cauce en las dulces lágrimas del arrepentimiento. La visita del profeta Natán abrió los diques para que el dolor del rey fluyera como un río.

Cuando escuchó la tierna, ingeniosa y poderosa parábola de Natán (12:1-4), un destello de generosa indignación caló el corazón del rey (vers. 5, 6), mostrando su nobleza, aunque aún no había reconocido que él era a quien estaba condenando. Y el profeta, con una triple palanca, derribó la estructura de la persistente negación de David: en primer lugar, la apelación al amor de Dios (vers. 7, 8). Dios te otorgó todo lo que tienes (vers. 7, 8). Él te ama y busca tiernamente tu arrepentimiento. En segundo lugar, la revelación del pecado. Tu pecado tiene nombre y apellido: "adulterio y asesinato" (vers. 9). Y, en tercer lugar, la solemne advertencia de sus consecuencias (vers. 10, 14).

Dios te busca pacientemente con su Espíritu para quitar el velo con que cubres tus pecados. El amor infinito de Dios disuelve toda resistencia. Dios te busca pacientemente con su Espíritu para que le pongas nombre y apellido al pecado. Dios te busca pacientemente con su Espíritu, para que veas las consecuencias de tus errores. Dios te busca pacientemente para darte la paz de la salvación.

Oración: *Señor, no dejes de buscarme como buscaste a David.*

Oración de confesión – 3

Pequé contra Jehová. 2 Samuel 12:13.

¿Qué significa "Pequé contra Jehová"?

Es el reconocimiento, esencial para toda verdadera confesión, de no haber hecho simplemente un daño a terceras personas, en este caso Betsabé y Urías, sino haber ofendido a Dios. Esto parece demasiado abstracto, ¿verdad? Cuando hacemos un mal, siempre creemos que el primer afectado es aquel contra quien lo hicimos, y luego nosotros por haberlo hecho. No pensamos que ofendimos primeramente a Dios. Los seres humanos cometemos todo tipo de faltas contra los demás, pero sabemos que hicimos mal al prójimo porque hay un Legislador divino, hay una ley en la conciencia de cada uno de nosotros que nos dice qué es bueno y qué es malo. No podemos dañar a nadie sin antes dañar nuestra relación con Dios. Aquí está el secreto del pecado. La misma noción de pecado implica la existencia de Dios. Pecamos cuando borramos a Dios de nuestra existencia.

Jesús dice que el primer mandamiento es amar a Dios con todas las fuerzas, y el segundo es amar a nuestro prójimo (Luc. 10:27). Así, análogamente, al primero que ofendemos con nuestros pecados es a Dios, luego al prójimo.

La confesión es algo más profundo que el mero reconocimiento de una acción mala, de la indignidad de esa acción. Es más que un reconocimiento de la violación de la moral. Es más que el reconocimiento de que hemos cometido una falta contra nuestro prójimo. La verdadera confesión es: "Pequé contra Jehová". Es el reconocimiento de haber traicionado a Jesús. Cuando Pedro vio su pecado, se vio a sí mismo, y dijo: "Apártate de mí, Señor, porque soy hombre pecador" (Luc. 5:8).

Somos frágiles. Nuestra libertad es apenas un hálito de vida que vamos perdiendo con los años. Cargamos en nuestro cuerpo la tendencia al pecado heredada de nuestros padres. Nuestra infancia nos condiciona para toda la vida. Pasan los años y somos los mismos. No cambiamos. Herimos a los que más amamos. Somos destructivos. ¡Somos nuestro peor enemigo!

Pero allí está Jesús esperándonos. Si en un momento de la vida nos vemos tal cuál somos, es porque el Espíritu Santo está gimiendo dentro de nosotros. Solo Dios nos muestra el pecado, y solo él nos redime. Digamos: "Señor, he pecado contra ti".

Oración: Señor, perdona mis pecados contra ti.

Oración de esperanza

Pequé contra Jehová. Y... Jehová
ha remitido tu pecado; no morirás. 2 Samuel 12:13.

¿Crees que cometiste un pecado imperdonable? ¿No puedes levantar tu vista por la vergüenza?

La primera lección que extraemos de este texto es que a la confesión le sigue el perdón divino inmediatamente. Tú puedes tener esta experiencia ahora mismo. Para recibir el perdón, solo necesitas la confesión.

Solo una palabra sincera, o un pensamiento que se eleva de una conciencia que desea escapar de las garras del mal, trae rápidamente a tu corazón la plenitud del amor perdonador de Jesús. Y esa confesión es el punto de inflexión de tu vida. Borra todo tu pasado pecaminoso, y abre una nueva página del libro de tu vida. Así como la Cruz divide la historia en un antes y un después de Cristo, también redime todos tus pecados pasados y futuros, siempre que medie la confesión. Si en algún momento le preguntas a Jesús si recuerda tus pecados confesados, él te dirá: "No los recuerdo".

Con el simple toque divino, cualquier obstáculo entre Dios y el hombre desaparece como si fuera vapor. Y así, el cielo queda claro y soleado para que la luz y el calor divinos se derramen sobre tu corazón.

Hay quienes piensan que el perdón es una "misión imposible", porque "todo lo que el hombre sembrare eso también segará". Pero esta es una ley que se aplica a las consecuencias del pecado, no al pecado. Las consecuencias de nuestros errores pueden permanecer, ¡pero el perdón será inmediato y total!

El perdón era algo difícil de comprender para los judíos. No comprendían la armonía entre el perdón y la justicia retributiva, sobre la que descansaba todo su sistema religioso. A nosotros también nos resulta difícil entender el perdón de Dios en nuestros corazones. Pensamos que algo tenemos que hacer para recibirlo. Pero tú y yo, que hemos alcanzado el fin de los siglos, tenemos más luz que Natán y David. Mientras que ellos sacrificaban animales con la vista puesta en el Cordero que vendría a redimirlos, nosotros miramos un hecho consumado. Un Cordero que ya derramó su sangre y obtuvo la victoria. Ellos y nosotros somos redimidos porque Cristo venció en la cruz del Calvario.

¡Gracias, Señor, porque tu sangre me limpia de todo pecado!

Oración: *Gracias, Jesús: por tus llagas "hemos sido curados".*

Oración de cierre

David rogó a Dios por el niño; y... viendo a sus siervos hablar entre sí,
entendió que el niño había muerto... Entonces David se levantó de la tierra,
y se lavó y se ungió, y cambió sus ropas, y entró a la casa de Jehová, y adoró. 2
Samuel 12:16, 19, 20.

Terminar una etapa en la vida no es lo mismo que cerrarla.

Hace unos días me llamó una mujer que se había separado cuando se enteró de que su esposo la engañaba con su mejor amiga. La depresión había consumido sus últimos cuatros años de vida. Me dijo que quería mirar conmigo las fotos de su matrimonio para que la ayudara a cerrar ese capítulo de su vida.

Había guardado aquellas fotos que nunca quiso mirar en un cofre cerrado con una llave que tiró al río. Sabía que no soportaría la imagen de los recuerdos. ¡Pero nada es peor que una imagen nítida de un pasado confuso! Y también sabía que alguna vez debía romper ese cofre para enfrentar la realidad y cerrarla. Una foto puede abrir la puerta al pasado, para poder luego echar un vistazo al futuro.

El capítulo 12 de 2 Samuel describe el proceso final de la crisis de David en pocas líneas. El profeta Natán le muestra la foto: confronta al rey con la verdad; este se arrepiente e intercede ante Dios por su hijo; el niño muere, y finalmente David cierra esa etapa de su vida con estas palabras: "Ahora que ha muerto, ¿para qué he de ayunar? ¿Podré yo hacerle volver? Yo voy a él, mas él no volverá a mí" (2 Sam. 12:23).

A muchos nos resulta difícil cerrar historias de dolor. Por eso circulamos, damos vueltas sobre nosotros mismos, y no avanzamos. Los hechos confusos del pasado deben quedar claros, para poder superar el recuerdo y seguir adelante.

¿Has padecido la pérdida de un ser querido? ¿Te abandonó tu cónyuge? ¿Has perdido a un amigo para siempre? Quizá nunca hayas aceptado cerrar una etapa dolorosa de tu vida, porque creías que serías infiel a tus sentimientos, y seguiste soñando con el ser que amaste y perdiste. Si no rompes el cofre de tu pasado, jamás te restaurarás.

La oración será tu auxilio en la tribulación: te dará discernimiento, consuelo, y poder para cerrar una etapa y renacer a una nueva vida.

Oración: *Señor, ayúdame a soltar lo que se fue.*

Oración desesperada

Y clamó a Jehová y dijo: Jehová Dios mío, te ruego que hagas volver
el alma de este niño a él. 1 Reyes 17:21.

La historia de Elías se inicia de manera súbita y violenta. Irrumpe en el palacio del rey Acab para lanzar con voz de trueno una profecía terrible: "Vive Jehová Dios de Israel, en cuya presencia estoy, que no habrá lluvia ni rocío en estos años, sino por mi palabra" (1 Rey. 17:1). Fue una palabra de denuncia y castigo divinos por la conducción impía del rey y las maldades de su infame esposa, Jezabel.

Luego de irrumpir en el palacio, inmediatamente Dios envió a Elías al exilio para que el rey no lo asesinara (vers. 3). Así, la escena se trasladó del palacio real a un arroyuelo, y de allí a la intimidad de una humilde vivienda de una viuda y su hijo, con quienes convivió durante el exilio.

En aquella casa ocurrieron dos hechos milagrosos que muestran que Dios provee en medio de la crisis. Primero fue el hambre, que puso a la mujer y a su hijo al borde de la muerte. En esa situación extrema, Elías les enseñó a vivir por fe, mostrando que, aunque arrecien los vientos de la adversidad, Dios proveerá día a día el alimento para sus hijos fieles (vers. 13-16). La prueba siguiente fue incluso más horrenda. El hijo, el único bien que poseía la pobre viuda, enfermó gravemente hasta que falleció. Y nuevamente Elías intervino con un prodigio: resucitó al niño. El milagro demuestra que nada hay imposible para Dios, y que el mismo Dios que denuncia la injusticia en el palacio se ocupa de una viuda desesperada en estado de duelo: "Padre de huérfanos y defensor de viudas es Dios en su santa morada" (Sal. 68:5).

Quizá llevas en tu alma el dolor por la muerte de un hijo, que jamás has podido enterrar. ¡Cuántas lágrimas! ¡Dios cuenta tus lágrimas! Muchos duelos cargamos en nuestra vida. Un matrimonio se rompe. Una familia naufraga. Un hijo deja la fe.

Dale tu duelo a Dios cada día en oración. Porque "él lleva la cuenta de todas tus angustias y ha juntado todas tus lágrimas en su frasco; y ha registrado cada una de ellas en su libro" (ver Sal. 56:8, NTV).

Oración: Gracias, Señor, porque en la desesperación tú siempre respondes.

Oración atormentada

Respóndeme, Jehová, respóndeme. 1 Reyes 18:37.

La irrupción súbita de Elías en el palacio para denunciar la corrupción del rey y anunciar el castigo divino suscitó acontecimientos impactantes en Israel. Todo sucedió con la fuerza y la violencia con las que caen las aguas del Niágara.

Acab había hecho "lo malo ante los ojos de Jehová, más que todos los que reinaron antes de él" (1 Rey. 16:30). Su maldad solo era superada por la de su esposa, Jezabel, una sacerdotisa fenicia, hija de un dictador, que llegó a Israel bajo el régimen de política exterior que refrendaba acuerdos internacionales mediante casamientos, y que pretendía destruir la religión hebrea. Para eso debía desmantelar el sistema de culto y de educación vigente. Y así comenzó a perseguir y matar a los profetas de Jehová, para sustituirlos por los de Baal y Asera, dioses fenicios. Para entonces, el pueblo vivía en apostasía, dudando del Dios verdadero (1 Rey. 18:21).

Una sequía de tres años y medio fue el recurso didáctico que empleó la Providencia para demostrar la inoperancia de aquellos dioses. Pasado aquel período, Dios le dijo a Elías que haría llover sobre las sedientas llanuras de Israel (vers. 1), y que para eso convocara en el Monte Carmelo a toda la nación y a los 850 profetas: 450 de Baal y 400 de Asera (vers. 19). La controversia acerca del verdadero Dios se dirimiría por medio de una prueba milagrosa: se sacrificaría un buey sin intervención humana, ¡solo con la acción divina!

¡Parecía una lucha desigual! Pero Elías sabía que con Dios somos mayoría. Durante horas, los sacerdotes paganos clamaron a Baal para que cayera fuego del cielo, pero fracasaron. Cuando le tocó el turno a Elías, clamó con desesperación: "Respóndeme, Jehová". ¡Y se produjo el portento! Un acontecimiento único en la historia: un estampido violento hizo temblar el monte, y cayó fuego sobre el altar y consumió al animal, la leña y aun las piedras (vers. 38). Entonces, el pueblo, que dudaba de Dios (vers. 21), postrado de pavor dijo: "¡Jehová es el Dios!" (vers. 39).

Hay momentos en la vida que sientes que libras una lucha desigual, solo, rodeado de gente que no acepta tu fe, o desea tu mal. Pero no estás solo. Di: "Jehová está conmigo; no temeré lo que me pueda hacer el hombre" (Salmo 118:6). Ninguna mayoría es más que Dios.

Oración: Gracias, Señor, porque tú eres Dios por sobre todos los dioses.

Oración de humilde adoración

Y Elías subió a la cumbre del Carmelo, y postrándose en tierra,
puso su rostro entre las rodillas. 1 Reyes 18:42.

¿Quieres "lluvias" del Espíritu en tu corazón?

Es interesante que el texto no dice que Elías clamó a Jehová por lluvia, sino que "puso su rostro entre las rodillas", en posición de adoración, y luego le dijo al criado "sube y mira hacia el mar" (vers. 43). La posición de Elías reflejó su humildad. Dios lo escuchó, y abrió las compuertas del cielo para derramar abundante lluvia sobre las sedientas colinas de Israel (vers. 45). Recién entonces se hizo evidente la verdad.

La política del imperialismo fenicio dirigida por Jezabel no culminó con la destrucción del sistema religioso educativo de Israel, sino que a esa etapa le siguió otra de proselitismo en favor de Baal y Astarté, los dioses de la nueva religión. Baal era adorado como la fuente de vida y bendición, como el gran dios de las tormentas que daba humedad a la tierra y la hacía producir. Asimismo, Astarté fue conocida como representante del amor, el cielo, la Luna y la primavera. El espectáculo primaveral de las verdes colinas, que exhalaban una fragancia exquisita, y los bosques húmedos, surcados por arroyos serpenteantes, era, según la religión fenicia, regalo de los nuevos dioses. La acción inesperada e impetuosa de Elías en el palacio de Acab, decretando el principio de la sequía (1 Rey. 17:1), buscó desbaratar el engaño. A partir de ese momento, la vegetación se marchitó, los arroyos se secaron y las tierras florecientes se transformaron en arenales. Ahora todo el pueblo entendió la señal divina: en vano los sacerdotes y los profetas habían herido sus cuerpos con cuchillos clamando por agua. Solo el Dios creador de los cielos y de la Tierra tiene poder para controlar la naturaleza (ver 1 Rey. 18:41-46). ¡Solo él tiene poder sobre la vida!

Sin Dios, somos como aquel desierto seco y triste de los días de Israel. Si dejamos de "claudicar entre dos pensamientos" (vers. 21), y entregamos decididamente nuestro corazón a Jesús, la vida se nos "complicará" para bien. ¡Porque tendremos algo que hacer con ella! Jesús limpia nuestro pasado y transforma nuestra mente, para comenzar a escribir una nueva historia. ¡Nada hay más valiente y dichoso en este mundo que entregar el corazón a Jesús!

Oración: Señor, ábreme a una nueva vida.

Oración de un deprimido

Y vino y se sentó debajo de un enebro; y deseando morirse, dijo:
Basta ya, oh Jehová, quítame la vida. 1 Reyes 19:4.

¿Estás en la cueva? Después del éxito del monte Carmelo, Elías, agotado por el estrés y el esfuerzo enorme que le demandó esa intensa jornada, e informado de que Jezabel lo buscaba para matarlo, cayó abatido en una profunda depresión y huyó camino a Beerseba, en Judá (ver 1 Rey. 19:1-3). En medio del desierto buscó la sombra de un enebro, "y deseando morirse, dijo: Basta ya, oh Jehová, quítame la vida" (vers. 4). El Señor envió un ángel para alimentarlo, lo dejó descansar, y luego le dijo que continuara su camino.

Luego de caminar cuarenta días y cuarenta noches hasta Horeb, el monte de Dios, cerca del lugar donde Moisés había recibido las tablas de la Ley, Elías se metió en una cueva. Sumido en la oscuridad, en medio de su angustia y pesadumbre, se sintió solo (vers. 10, 14). En esas circunstancias críticas lo alcanzó la voz de Dios con un mensaje esperanzador: "Ve, vuélvete por tu camino" (vers. 15). Dios le dijo que no estaba solo, como él creía: Aún había "siete mil, cuyas rodillas no se doblaron ante Baal" (vers. 18).

Cuando tu horizonte parece desdibujarse, cuando no ves salida alguna, cuando los problemas te agobian, cuando te hundes en la desesperación, puede que busques "una cueva" para huir de la realidad y dejarte morir. ¿Cuál es tu cueva? Hoy, como a Elías, Dios te pregunta: "¿Qué haces aquí?" (vers. 9). Y te dice: "Levántate y come, porque largo camino te resta" (vers. 7).

Siempre me ha ocurrido que, cuando caigo "en el pozo", siento que se me ha terminado el camino. El problema es creer esto durante mucho tiempo. El Dios de Elías abre caminos en el desierto y en la noche más oscura.

Cuando no ves más allá de tus posibilidades, él dispone de gente que te ayuda, y acomoda las circunstancias más difíciles para tu bien (Rom. 8:28).

Puede que hoy mires el camino y no veas tus pies, sino solo el abismo, pero Dios está a tu lado. Extiende tu mano y aferra la suya, y con el tiempo verás que te dirigió de la mejor manera.

Oración: *Gracias, Señor, porque eres mi auxilio en la tribulación.*

Oración de confianza – 1

Y oró Eliseo, y dijo: Te ruego, oh Jehová, que abras sus ojos para que vea.
2 Reyes 6:17.

¿Qué ven tus ojos?

El rey de Siria, en guerra con los hebreos, había sido burlado varias veces porque Eliseo le revelaba a Joram, el joven rey de Israel, el lugar donde los sirios acampaban, para que no pasara por allí (vers. 9). Luego de que fracasara varias veces su estrategia, el rey sirio pensó que había un traidor entre sus filas. Pero uno de sus siervos le dijo que Eliseo era el "espía" hebreo (vers. 12). Entonces, ciego de ira, mandó a buscar al profeta, y rodeó la ciudad de Dotán, un pequeño pueblo a unos 16 kilómetros (10 millas) al noreste de Samaria. A la mañana, el criado del profeta vio aquel despliegue del poder enemigo, y se preocupó (vers. 15). Entonces Eliseo le dijo: "No tengas miedo, porque más son los que están con nosotros que los que están con ellos" (vers. 16).

Cuán notable es la calma de Eliseo en contraste con la ansiedad del criado. Es fácil decirle "quédate tranquilo" a alguien que está ansioso, y no darle las razones por las cuales debe tranquilizarse. Esto es todo lo que un incrédulo puede hacer para consolar o alentar a una persona afligida ante su muerte inminente. Pronunciar solo la primera frase: No temas. Pero Eliseo dijo algo más: "Abre tus ojos. Mira".

¡La fe nos ayuda a ver más allá de las circunstancias adversas! El único remedio para el miedo razonable es una confianza aun más razonable: "Si Dios es por nosotros, ¿quién contra nosotros?" (Rom. 8:31).

La oración nos da visión. Nada hay más terrible que tener ojos y no tener visión. Eliseo no oró para que llegaran los guardias celestiales, porque ya estaban allí. Le dijo al joven: "Abre tus ojos". Y ¡qué espectáculo vio el criado afligido! Donde había visto solamente rocas estériles y algunos arbustos secos, vio un "monte lleno de gente de a caballo" (vers. 17).

Puede que nuestros ojos estén tan llenos de las cosas que nos rodean, que nuestro corazón esté tan ansioso por las circunstancias, que no podamos ver el mundo invisible. Pero Dios está ahí, a la distancia de una oración, para serenarnos, y para darnos, en silencio, la respuesta que estamos buscando.

Oración: Señor, abre mis ojos en mi oración.

Oración de confianza – 2

Y oró Eliseo, y dijo: Te ruego, oh Jehová, que abras sus ojos para que vea.
2 Reyes 6:17.

La realidad de Israel había comenzado a cambiar en los días tempestuosos de Elías. A Eliseo se lo ve frecuentemente en la capital, como consejero del joven rey Joram. El rey había aprendido a obedecer al profeta, y su pueblo y sus enemigos habían aprendido que Eliseo era profeta de Dios (vers. 12). En gran medida, las buenas relaciones entre los profetas y la corona se debieron a las denuncias y a los reclamos de justicia que años antes había hecho Elías. Gracias a que las tormentas de invierno llegan a su tiempo, el sol primaveral hace brotar las flores.

Hay que rendir honor a los héroes que comienzan la lucha y no ven la victoria. Tal fue el caso de Elías, que sembró, con voluntad indomable, la semilla que germinara en la gran obra de Eliseo, tanto en favor del rey de Israel como de los "hijos de los profetas" (vers. 1-4).

Lo cierto es que aquel gran educador Eliseo nos deja una enseñanza imperecedera a causa de su fe: no hay situación en la vida, por grave o peligrosa que sea, que la vivamos solos. Los ángeles de Dios ministran a nuestro lado. Pero, para verlos, necesitamos "abrir los ojos".

Nuestros ojos pueden estar cerrados para las cosas de Dios. Miramos, y nos guiamos tanto por las cosas que están a la vista que no tenemos visión para lo invisible. Pero la vida espiritual del creyente no depende de la razón, que se alimenta de lo que ve, sino de la fe. "Porque por fe andamos, no por vista" (2 Cor. 5:7). La mundanalidad, el pecado, el escepticismo, el limitado entendimiento humano, la fatiga por el paso del tiempo, ciegan los ojos de nuestro espíritu. ¡Que se cierren los ojos físicos para que se abran los del espíritu!

El "colirio divino" aclara nuestra visión, para que no nos engañe el "espejismo" del mundo, que los sentidos ponen a nuestra disposición. Jesús revela "la verdadera Luz de todo nuestro ver".

La oración silente te acompañará, y te dará una seguridad serena y profunda, superior a la que ofrece la vista más aguda bajo el sol más brillante de la inteligencia.

Oración: Señor, pon colirio en mis ojos.

Oración de confianza – 3

Y oró Eliseo, y dijo: Te ruego, oh Jehová, que abras sus ojos para que vea.
2 Reyes 6:17.

¿Puede un ciego ver más que alguien que ve?

La oración es el medio más poderoso para "ver" a Dios en medio de la prueba: "Si consultamos nuestras dudas y temores, o antes de tener fe procuramos resolver todo lo que no veamos claramente, las perplejidades no harán sino acrecentarse y ahondarse. Pero si nos allegamos a Dios sintiéndonos desamparados y necesitados, como realmente somos, y con fe humilde y confiada presentamos nuestras necesidades a Aquel cuyo conocimiento es infinito, y que ve toda la creación y todo lo gobierna por su voluntad y su Palabra, él puede y quiere atender nuestro clamor, y hará resplandecer la luz en nuestro corazón. Por la oración sincera nos ponemos en comunicación con la mente del Infinito. Quizá no tengamos al instante alguna prueba notable de que el rostro de nuestro Redentor se inclina hacia nosotros con compasión y amor; y sin embargo es así" —*CC* 97.

La realidad no es visible a los ojos. Con nuestros ojos solo vemos las circunstancias inmediatas que nos rodean. Los "ojos" de la fe nos abren la visión al sentido que tienen esas circunstancias; y nos permiten ver, como el criado de Eliseo, que Dios lucha en nuestro favor. La fe nos permite comprender que, para los que aman a Dios, aun las circunstancias más adversas ayudan a bien (ver Rom. 8:28). A menos que Dios abra nuestra visión, recorreremos el camino de la vida como ciegos espirituales, sin entender lo que nos ha pasado, sin captar que Dios siempre estuvo a nuestro lado.

El miedo siempre empuja para estar un escalón más arriba de tu dignidad y de tu fe. ¡No lo permitas! La resignación puede ser tu tentación en tiempos de dolor. Es posible que creas que ya no puedes con tu carga, y quieras entregarte al destino. Pero la "ceguera del destino" es, en realidad, miopía del corazón.

Quizás hoy, en medio de tus dolores, no veas la salida, porque el camino se ha oscurecido y andas a tientas. La oración secreta, sincera y profunda te iluminará progresivamente, día a día. Te dará poder, templanza y paciencia, paz y sabiduría. ¡Visión!

Oración: *Señor, abre mis ojos para que pueda ver.*

Oración contra la soberbia

Y oró Ezequías delante de Jehová, diciendo: ...Oye las palabras de Senaquerib, que ha enviado a blasfemar al Dios viviente... Sálvanos, te ruego, de su mano, para que sepan todos los reinos de la tierra que solo tú, Jehová, eres Dios. 2 Reyes 19:15-19.

¿Conoces las consecuencias de la soberbia? El engrandecimiento y la caída del Imperio Asirio abundan en lecciones para las naciones contemporáneas, y también para ti y para mí.

La Inspiración divina comparó poéticamente la gloria de Asiria con un noble árbol del huerto de Dios: "He aquí era el asirio cedro en el Líbano, de hermosas ramas, de frondoso ramaje y de grande altura, y su copa estaba entre densas ramas" (Eze. 31:3).

Pero los gobernantes de Asiria no emplearon sus recursos para beneficiar a la humanidad, sino que llegaron a ser el azote de muchas naciones. Despiadados, sin consideración para con Dios ni para con sus semejantes, los consumió la corrupción: "¡Ay de ti, ciudad sanguinaria, toda llena de mentira y de rapiña, sin apartarte del pillaje! (Nah. 3:1). ¿Algún parecido con la actualidad?

Dios los llamó al arrepentimiento mediante el profeta Jonás, pero su soberbia sobrepasaba el sentido de su realidad. La soberbia distorsiona la realidad, y es el principio de todo mal. Nunca baja sola de su pedestal, ¡pero siempre cae de las alturas! Sofonías profetizó la caída de Asiria (ver Sof. 2:14). Era inevitable. Dios respondió a su tiempo el pedido de Ezequías (ver 2 Rey. 19:35).

Todos pasamos por este mundo muy rápidamente. Toda nación se precipita al olvido por el simple movimiento de la historia, pero la soberbia apura los tiempos de la caída y arruina la herencia. La obra del soberbio no dura mucho tiempo, pero la obra de los justos permanece para siempre (ver Apoc. 14:13).

La soberbia no es grandeza, sino hinchazón. Hace que nos veamos grandes, ¡cuando en realidad estamos enfermos! ¡Solo Jesús nos sana! La oración sincera nos hace ver nuestra realidad. ¡Y nos da sabiduría para soportar al soberbio!

Dios ve los grandes actos de soberbia de las naciones, pero también los pequeños actos cotidianos de abuso de poder, de los que podemos llegar a ser víctimas. "Muchas son las aflicciones del justo, pero de todas ellas le librará Jehová (Sal. 34:19).

¡Guárdanos, Señor, de la soberbia!

Oración: Señor, hazme humilde.

Oración por un poco más de vida – 1

En aquellos días Ezequías cayó enfermo de muerte... Entonces él volvió su
rostro a la pared, y oró a Jehová... y lloró Ezequías con gran lloro.
2 Reyes 20:1-3.

¿**H**as visto la muerte de cerca? En medio de su reinado próspero, el rey de Judá, Ezequías, "cayó enfermo de muerte". Humanamente, no tenía remedio. Aún suspiraba por una mejor suerte, cuando el profeta Isaías dilapidó el último vestigio de esperanza: "Ordena tu casa, porque morirás, y no vivirás" (2 Rey. 20:1). "Y lloró Ezequías con gran lloro" (vers. 3).

Desde los tiempos de David, no había habido un rey que hubiera procedido tan poderosamente en favor de Israel en tiempos de apostasía, corrupción y desaliento generalizados. Ezequías, ahora moribundo, había servido fielmente al Señor y había fortalecido la confianza del pueblo en Jehová como Gobernante supremo. Por eso pudo apelar a sus "méritos": "Te ruego, oh Jehová, te ruego que hagas memoria de que he andado delante de ti en verdad y con íntegro corazón, y que he hecho las cosas que te agradan" (vers. 3).

Entonces, Dios le respondió: "Vino palabra de Jehová a Isaías, diciendo: Vuelve, y di a Ezequías, príncipe de mi pueblo: Así dice Jehová, el Dios de David tu padre: Yo he oído tu oración, y he visto tus lágrimas; he aquí que yo te sano; al tercer día subirás a la casa de Jehová. Y añadiré a tus días quince años" (vers. 4-6).

Pero, basta leer unos versículos más de ese capítulo de la vida de Ezequías para saber que el rey pronto olvidó las promesas hechas a Dios. Mostró las riquezas que Dios le había concedido, y así despertó la envidia y preparó el terreno para la caída de Israel en manos enemigas (ver 2 Rey. 20:12-18). Dios lamentó haberle concedido más años de vida (ver 2 Crón. 32:25). La vanidad de Ezequías fue más destructiva que su enfermedad.

Por vanidad, podemos traicionar la prudencia, y aun el propio interés y el de la familia. ¡La vanidad es la hinchazón del yo! Nos saca de la realidad. La más segura cura para la vanidad es la soledad con Dios.

La oración sincera, secreta y diaria te ayuda a conocerte, te conecta con la realidad y te da fuerzas para enfrentarla.

Oración: Señor, enséñame quién soy.

Oración por un poco más de vida – 2

En aquellos días Ezequías cayó enfermo de muerte... Entonces él volvió
su rostro a la pared, y oró a Jehová... y lloró Ezequías con gran lloro.
2 Reyes 20:1-3.

Cada persona muere a su manera. Sin embargo, por lo que nos dice hoy la ciencia, los seres humanos reaccionamos ante la noticia de la muerte de un modo bastante parecido y previsible. La psicología habla de distintas etapas en el proceso de aceptación de la idea de la muerte. En tal sentido, podemos reconstruir el proceso que vivió el rey Ezequías cuando supo que pronto moriría.

Seguramente, al principio Ezequías *negó* la muerte. Los seres humanos nos negamos a afrontar lo inevitable; necesitamos tiempo para madurar la idea de que tenemos los días contados. Luego, se habrá enojado con Dios, e imagino que le pudo haber dicho: "Justo ahora me vienes con esta noticia, cuando el reino nunca fue tan próspero". A la *ira* la siguió la culpa, como si la muerte fuera consecuencia de sus pecados: "Jehová, ten memoria de mí, que no fui tan malo" (vers. 3). Luego, el rey habrá llegado a la fase del pacto, y empezó a *negociar* y a regatear la vida. Hizo promesas y pidió señales (vers. 8). Es la experiencia religiosa, pero asumida en forma mágica: "Si Dios me cura, prometo cambiar. ¿Qué señal me enviará Dios?" Y finalmente, Ezequías se *deprimió* profundamente, y oró a Jehová "con gran lloro" (vers. 3).

Por lo que nos dice el texto bíblico, Ezequías no llegó a la fase de la *aceptación*, la más rica espiritualmente, cuando la vida adquiere otro sentido. Al no llegar a la aceptación por habérsele añadido quince años más de vida, el rey no se preparó para su muerte. Y lo mató su vanidad (vers. 15), porque rápidamente olvidó el favor recibido del Cielo (ver 2 Crón. 32:25).

La muerte no se improvisa. Tú y yo nos vamos preparando a lo largo de los distintos actos que van escribiendo el libro de nuestra vida. La vanidad de la vida consume nuestros días. La oración diaria y secreta con Dios es la única cura para la vanidad.

¿Cuál es nuestra verdad? "Dios desea que vayamos a él en oración para que él pueda alumbrar nuestras mentes. Solo él puede darnos una clara comprensión de la verdad" —*LO* 91.

Oración: Señor, gracias por la vida.

Oración por un poco más de vida – 3

En aquellos días Ezequías cayó enfermo de muerte... Entonces él volvió su rostro a la pared, y oró a Jehová... y lloró Ezequías con gran lloro.
2 Reyes 20:1-3

¿Cómo está tu vida con Dios?

A veces la vida nos pone en el lugar equivocado y en el momento equivocado. Al menos, eso creemos los mortales.

Daniel, de padre desconocido, había nacido de una madre drogadicta. No tuvo defensas para enfrentar tanta adversidad en su infancia y su adolescencia; y la droga lo atrapó en los primeros años de su juventud. Lo conocí en el Hospital Muñiz, de Buenos Aires, un centro especializado en enfermedades infectocontagiosas. Daniel tenía solo veinte años, y el sida lo estaba matando. Alguien me pidió que lo visitara. Entonces yo era un ministro joven, ilusionado con la vida y entusiasmado con mi fe.

Cuando llegué a la sala general aquella tarde plomiza de junio de 1994, donde Daniel me esperaba, sentí que la vida se detuvo. Se trataba de una sala de enfermos terminales. Me hallaba en la frontera de la muerte. Recuerdo la escena, que mi memoria reproduce como en cámara lenta: Daniel yacía solo en una cama que estaba a la izquierda, al final de una de las tres filas de camas que había en la sala, debajo de una ventana que apenas dejaba entrar un poco de luz. Su rostro demacrado esbozó una sonrisa cuando me vio. Le tomé la mano y, no sé por qué, me puse a orar. Tampoco sé por qué, en mi oración recordé el pedido de Ezequías: "Dame un poco más de vida". Quizá fue el mismo hecho de haberlo visto tan joven, no merecedor de una muerte prematura. ¡Toda muerte es precoz! Le dije a Dios, quizás imprudentemente: "Estoy seguro de que le vas a dar más años de vida, como a Ezequías". Cuando terminé de orar, lo abracé y Daniel lloró sobre mi hombro.

Dios no le dio más años de vida. Daniel murió unos meses después de aquella visita. Pero jamás pensé que Dios no había contestado esa oración. Daniel se convirtió a Cristo en la frontera de la muerte.

¿Cómo está tu vida con Dios?

Oración: Señor, que la vida que me concedas sea para tu gloria.

Oración por superación – 1

E invocó Jabes al Dios de Israel, diciendo: ¡Oh, si me dieras bendición,
y ensancharas mi territorio, y si tu mano estuviera conmigo!...
Y le otorgó Dios lo que pidió. 1 Crónicas 4:10.

El capítulo 4 del primer libro de Crónicas comienza con la genealogía de los hijos de Judá. Estas genealogías tenían el propósito de dejar documentada la historia del pueblo de Dios para la posteridad. Siempre dejan enseñanzas, por aburridas que parezcan, porque demuestran que Dios interactuó con personas reales, de carne y hueso, con defectos y virtudes, e hizo maravillas con ellas. Al transitar el capítulo cuatro y detenernos en la estación del versículo 9, aparece una joya dejada por alguien en el camino: Jabes. Esto es común en las genealogías.

¿Quién era Jabes? El capítulo 4 comienza dando los nombres de los jefes de familia: tal es padre de tal, etc. Pero, al llegar al versículo 9 hay una omisión que es clave para saber lo que está pasando en este texto: Jabes es introducido sin que se mencione nada de su padre. Es un joven sin herencia. También se sabe que nació en condiciones traumáticas para su madre, por eso recibió el nombre de "Aflicción", o "Dolor" (vers. 9).

Es muy posible que Jabes fuera hijo de una familia pobre, en contienda con sus hermanos por una parcela de tierra. Por eso, ora: "Ensancha mi territorio". En Israel, la tierra era dividida por lotes entre las tribus y las familias; y la herencia pasaba de generación en generación. La ley del jubileo requería que cada cincuenta años la tierra vendida, o perdida por alguna razón, pasara al dueño original. Seguramente algo de esa tierra debía ir a Jabes, pero para los oficiales del Templo él era un joven sin padre ni herencia. En su necesidad, Jabes buscó a Dios.

La necesidad es maestra y tutora de la vida. ¡Es la fuente de la superación! Nace de la privación, de algo insatisfecho, que solo puede ser saciado por una idea y un deseo. ¡La idea de Dios en el corazón es la mayor fuerza de la vida!

Si te identificas con Jabes, por la razón que fuere, esta oración es para ti. Dios responde rápida y poderosamente el clamor de sus hijos que más lo necesitan.

Oración: Señor, ensancha mi corazón para que te pueda conocer.

Oración por superación – 2

E invocó Jabes al Dios de Israel, diciendo: ¡Oh, si me dieras bendición,
y ensancharas mi territorio, y si tu mano estuviera conmigo!...
Y le otorgó Dios lo que pidió. 1 Crónicas 4:10.

¿Qué significa para ti la expresión "ensancha mi territorio"? Lejos de ser una oración de ambición, es un clamor de fe y sabiduría. A la vez que pedía a Dios que ensanchara su territorio, Jabes le pidió que lo bendijera y que su mano estuviera con él. Él se sabía importante para su familia y su pueblo, pero era humilde. Sabía que sin Dios no podemos ensanchar ningún territorio, ni espiritual ni material.

Jabes se sabía ilustre, pero no era presumido. El problema no es que reconozcamos en nosotros los talentos que Dios nos ha dado, sino que pensemos de nosotros mismos más de lo que realmente somos. Pablo nos insta a tener una justa idea de lo que somos, mediante la sabiduría de la fe (ver Rom. 12:3). Algunos se creen mucho y se saben poco. Otros saben mucho y se creen poco. Los primeros buscan atajos para escalar, los segundos son humildes y dependen de Dios. La humildad es la antesala de la bendición. En ella descansa el secreto de la sabiduría, del poder y del conocimiento de Dios.

La oración de Jabes termina con estas palabras: "Líbrame del mal para que no me dañe" (1 Crón. 4:10). Es la séptima petición de Jesús en el Padrenuestro. Imagino a Jabes como un joven sin padre, nacido del dolor, de familia pobre, pero profundamente sabio; con la fuerza del que viene de abajo, con el poder del que sabe que solo Dios lo ampara y con una humildad labrada en la adversidad. Lo imagino sabio para identificar el mal. Sufrió, lloró en soledad, y por eso clamó "líbrame del mal para que no me dañe". Y Dios le concedió lo que pidió.

En la vida, nos sentimos solos. Pero no estamos solos: en oración, Jesús nos abriga siempre.

¿Cuáles son los territorios que Dios quiere y puede ensanchar en tu vida? ¿Cuáles son las fronteras interiores que tienes que superar para conquistar esos nuevos territorios? "Ensancha mi territorio" significa: "Dame, Señor, sabiduría para usar los talentos y los recursos que me has dado".

Oración: *Gracias, Señor, porque estás a mi lado en la conquista de la vida.*

Oración por superación – 3

E invocó Jabes al Dios de Israel, diciendo: ¡Oh, si me dieras bendición,
y ensancharas mi territorio, y si tu mano estuviera conmigo!...
Y le otorgó Dios lo que pidió. 1 Crónicas 4:10.

¿**C**uáles son las fronteras que aún no has cruzado en la conquista de tu vida? "Ensanchar el territorio" también significa migrar. El pueblo de Dios es un pueblo de migrantes. Migraron Abraham, Isaac, Jacob, Moisés, Jesús. La lista es larga. Toda la historia bíblica es una historia de movimiento hacia el futuro, un dejar el pasado. La fe es el motor del migrante, como lo fue para Abraham cuando recibió la orden de salir de su tierra (Gén. 12:1). La vida es un camino migratorio hacia la eternidad.

Pero, "ensanchar el territorio" no es solo dejar un país para llegar a otro. Migrar es también cruzar nuestras propias fronteras interiores. Migrar significa moverte, crecer y transformarte espiritualmente. La vida es movimiento. El planeta donde asientas tus pies es una nave que se mueve a miles de kilómetros por minuto dentro de la Vía Láctea, la que a su vez se mueve en una expansión infinita. Ese movimiento no tiene como destino la nada. El movimiento de tu vida tiene un sentido que descubres con los ojos de la fe.

¿En qué estación de tu vida te encuentras? ¿Piensas quedarte allí para siempre? ¿Estás cómodo? Jesús te invita a avanzar. Quizás hacia un nuevo desafío laboral. O a superar ciertos hábitos de vida dañinos, para alcanzar más salud física y mental. O a recuperar la frescura de una relación que se fue marchitando con el tiempo. Solo tú sabes qué "territorios" quiere Jesús ensanchar en tu vida.

La oración de Jabes se eleva en cada corazón sensible que desea progresar, que anhela prosperidad material para servir, para ayudar al pobre (ver Sal. 72:12). Es también la oración de los que buscan trabajo, y claman: "Ayúdame, Señor, a llevar el pan a mi familia".

Esta oración es particularmente para ti si te sientes mal porque no puedes cruzar tus propias fronteras interiores, y no le encuentras sentido a tu vida. Dios quiere "ensanchar" los límites de tu mente y tu corazón. ¡Tu oración sincera y profunda guarda el secreto de un mañana mejor!

Oración: *Gracias, Señor, porque ensanchas el horizonte de mi vida.*

Oración por superación – 4

E invocó Jabes al Dios de Israel, diciendo: ¡Oh, si me dieras bendición,
y ensancharas mi territorio, y si tu mano estuviera conmigo!...
Y le otorgó Dios lo que pidió. 1 Crónicas 4:10.

¿**S**omos realmente cristianos sin ganar un alma para Cristo? Finalmente, la oración de Jabes se eleva hasta alcanzar la más excelsa y sublime dimensión ética: el deseo profundo de llevar un alma a los pies de Jesús.

"Ensanchar el territorio" también significa alcanzar con el evangelio a los miembros de nuestra familia, de nuestra comunidad, de nuestro país, y hasta los confines de la Tierra. Dice la Palabra de Dios: "Recibiréis poder, cuando haya venido sobre vosotros el Espíritu Santo, y me seréis testigos en Jerusalén, en toda Judea, en Samaria, y hasta lo último de la tierra" (Hech. 1:8).

En Hebreos 11, Pablo habla de las mujeres y los hombres que se sometieron a toda clase de aflicciones para extender el territorio de la fe: "Fueron apedreados, aserrados, puestos a prueba, muertos a filo de espada; anduvieron de acá para allá cubiertos de pieles de ovejas y de cabras, pobres, angustiados, maltratados; de los cuales el mundo no era digno; errando por los desiertos, por los montes, por las cuevas y por las cavernas de la tierra. Y todos estos, aunque alcanzaron buen testimonio mediante la fe, no recibieron lo prometido; proveyendo Dios alguna cosa mejor para nosotros, para que no fuesen ellos perfeccionados aparte de nosotros" (Hebr. 11:34-40).

¡Qué profundas estas últimas palabras! La obra de esos hombres y mujeres que extendieron el territorio de la misión mediante la fe y el sacrificio no será vana, porque *nosotros* la continuaremos hasta el día de la Redención, cuando todos juntos, ellos y nosotros, recibiremos la recompensa de la vida eterna.

El texto de Hechos 1:8 dice que nuestra misión empieza por "Jerusalén": ¡Nuestra familia! ¡Es más fácil ganar a un desconocido para el evangelio que llevar a un ser amado a los pies de Jesús! ¡Es más fácil dar dinero a la misión que dar ejemplo de cristianismo genuino a nuestros seres más cercanos! Nuestro primer compromiso es con nuestros amados.

Que Jesús "ensanche el territorio" de nuestro corazón, para que, por nuestro ejemplo silencioso, permanente y poderoso, haya frutos de vida eterna en nuestra propia familia.

Oración: *Señor, quiero ser parte de tu misión en este mundo.*

Oración de alabanza

Dijo David: Bendito seas tú, oh Jehová, Dios de Israel nuestro padre, desde el siglo y hasta el siglo. Tuya es, oh Jehová, la magnificencia y el poder, la gloria, la victoria y el honor; porque todas las cosas que están en los cielos y en la tierra son tuyas. 1 Crónicas 29:10, 11.

Desde el comienzo de su reinado, David quiso erigir un templo a Jehová (ver 1 Crón. 17:1). A pesar de que no se le permitió levantar ese templo, porque había sido un hombre de guerra, con sangre en sus manos (ver 1 Crón. 22:8-10), Dios no alejó la idea del rey con enojo o desdén, como si David hubiera tenido un deseo indigno. El Señor honró a su siervo incluso cuando declinó su oferta: su hijo lo construiría. Contando sus últimos días sobre esta Tierra, David pensó nuevamente en la casa de Dios, que no sería su herencia sino obra de la siguiente generación, y se dispuso a reunir los materiales más costosos para ella (vers. 1-11). Y ahora, estos tesoros debían ser entregados a otros. ¡Qué lección de vida nos deja el gesto de David! Hay un momento cuando solo debemos pensar y actuar por los que han de continuar nuestra labor, por la siguiente generación que ha de tomar la antorcha.

En este contexto, ya anciano, recordando el modo en que Dios había guiado al pueblo en las generaciones que lo precedieron y el modo en que lo había guiado a él, David prorrumpe en una oración de alabanza.

Tú y yo, hoy mismo, tenemos muchos motivos para alabar a Dios. ¡Alabémoslo! "El alma puede elevarse hacia el Cielo en alas de la alabanza... Presentémonos, pues, con gozo reverente delante de nuestro Creador, con 'acciones de gracias y voz de melodía' " —*CC* 104.

Tu alma siente a Dios tan naturalmente como el cuerpo siente el calor del sol o el perfume de una flor. Todo lo que te rodea puede ser motivo de alabanza a Dios, aun las pruebas. ¡Cuánto bien le hace al corazón la alabanza mañanera para enfrentar la fatiga del día! Tu oración puede ser inaudible para otros, porque brota desde lo profundo y más secreto de tu corazón, pero será siempre audible para Dios.

Oración: Señor, te alabo por todo lo que haces en mi vida.

Oración de despedida – 1

Porque nosotros, extranjeros y advenedizos somos delante de ti, como todos nuestros padres; y nuestros días sobre la tierra, cual sombra que no dura.
1 Crónicas 29:15.

Esta es la oración de despedida de David antes de morir.

Es hermosa la metáfora de nuestra oración: "somos como la sombra que no dura". Hoy nos detendremos en una declaración impactante, que está al final de capítulo, que nos deja lecciones de vida, y viene a completar el sentido de nuestro texto: "El tiempo pasó sobre David, Israel y todos los reinos del mundo" (vers. 30). Somos pasajeros, efímeros, como "la sombra que no dura"; sin embargo, "el tiempo pasa sobre nosotros con un sentido".

¿Qué significa esta rara declaración? "El tiempo pasó sobre David" hace referencia al catálogo de extrañas vicisitudes y hechos fortuitos que caracterizaron, de manera tan dramática y notable, la vida del rey. De niño, pastor de ovejas; de joven, soldado, favorito de la corte, proscrito; de adulto, rey, adúltero, asesino, rebelde, fugitivo, santo, pecador, poeta, penitente. Vivió una vida llena de etapas fuertemente marcadas por sus pasiones, y "los tiempos que pasaron sobre él" fueron singularmente distintos y diferentes entre sí. Muy pocos hombres en este planeta han tenido una vida semejante.

"El tiempo de David" se parece a esos amplios campos de cosecha que suelo visitar en verano, cuando colporto en California. Están formados por largos surcos de tierra sembrada con diferentes cultivos. Aquí, un surco; un poco más allá, otro; y así, de diferentes tamaños y colores, van conformando un escenario aparentemente irregular. Pero, desde las alturas, se ve una armonía perfecta.

La vida de David estuvo marcada por estos girones de tierra, que no son simplemente momentos sucesivos, sino épocas bien diferenciadas, cada una de las cuales tuvo su propio carácter, sus propios desafíos, sus propias responsabilidades y oportunidades. En cada una hubo un trabajo que hacer. Desde el cielo, la vida de David se vio armoniosa, porque Dios siempre lo buscó, y él siempre se dejó encontrar.

Los tiempos pasan sobre nosotros, y cada etapa de la vida tiene su propio desafío. A menos que estemos despiertos, si dejamos escapar las oportunidades, estas se irán para no volver.

Sembremos y cosechemos con Dios, para que nuestra vida conforme una unidad que guarde armonía para el Cielo.

Oración: *Señor, que el tiempo no pase sobre mí en vano.*

Oración de despedida – 2

Porque nosotros, extranjeros y advenedizos somos delante de ti, como todos
nuestros padres; y nuestros días sobre la tierra, cual sombra que no dura.
1 Crónicas 29:15.

¿Quién mueve la corriente del tiempo?

Somos pasajeros. Pero podemos ser pasajeros de un tren cuya estación final es el cielo. El tiempo fluye sobre nosotros como un río. Pero nada es más triste que contemplarlo como un fluir hacia la nada.

Veo siempre una cierta melancolía en la mirada de muchos de mis colegas cuando están por jubilarse, como si todo hubiera pasado demasiado rápido, como si la vida les dijera: "Tu tiempo está terminando de pasar como el sol que esconde sus rayos detrás del horizonte". Harían bien los jóvenes en pensar que su tiempo también pasa. Hay sabiduría en la melancolía que genera el paso de los días, si nos lleva a darnos cuenta de que hay un tiempo para cada cosa, y perder ese tiempo de oportunidad tiene consecuencias eternas; porque lo que se perdió se fue para siempre (Ecl. 3).

David tenía una convicción permanente que marcó su vida: "En tu mano están mis tiempos" (Sal. 31:15). Así, el paso de nuestro tiempo no es simplemente el flujo sin rumbo de un río, sino el movimiento de una corriente que Dios dirige. Por lo tanto, si en algún momento va sobre nuestras cabezas y parece abrumarnos, podemos mirar a través del agua transparente y decir: "Un abismo llama a otro a la voz de tus cascadas; todas tus ondas y tus olas han pasado sobre mí" (Sal. 42:7). Es decir, mi vida ha sido abundante.

El paso de Dios por nosotros es profundo. Lo superficial no puede penetrar en la parte más honda de nuestro ser. Cuando Dios llega a nuestra vida, cala hasta lo más hondo. La oración hace que Dios penetre en nuestros abismos, para transformarnos. Solo "un abismo hace que otro abismo responda", porque lo más profundo de nosotros tocará lo más profundo del prójimo. Si nuestra religión es superficial, no conmoveremos el corazón de nadie más.

Permitamos que Dios entre en lo más hondo de nuestro ser mediante la oración diaria y sincera, para que nuestro testimonio de vida lleve a otros a los pies de Jesús.

Oración: *Señor, dale profundidad a mi oración.*

Oración de despedida – 3

Porque nosotros, extranjeros y advenedizos somos delante de ti, como todos nuestros padres; y nuestros días sobre la tierra, cual sombra que no dura.
1 Crónicas 29:15.

¡El tiempo tiene un mensaje para ti!
Nuestra vida en este mundo es como "la sombra que no dura". Pero si hay sombra es porque hay luz. La "sombra" de nuestros días son como las olas del mar que nos llevan hacia la otra orilla. El tiempo es el "siervo" de la eternidad.

Si pudiéramos sentir en medio de la fatiga y la ansiedad de la vida, aunque sea por un momento, que nuestros días en este mundo tienen un sentido eterno, todo sería diferente. Nuestro corazón tendría más alegría, más paciencia, más gracia, y más convicción de que nuestra "ciudadanía está en los cielos, de donde también esperamos al Salvador, al Señor Jesucristo" (Fil. 3:20).

El tiempo tiene un mensaje para ti: eres "extranjero y advenedizo", porque estás en camino al cielo. Tus días son "sombra de lo que ha de venir" (Col. 2:17). Todo se destruye en este mundo. Pero lo que se destruye jamás es una pérdida. Pérdida es despreciar lo que tiene valor eterno. Todo lo que perdemos en este mundo es ganancia (Fil. 3:7). Esta convicción te enseñará a confiar en medio de la oscuridad y a creer en la luz. No te dejes arrastrar por la corriente de la mediocridad, que no te permite ver en cada minuto y hora que pasan la gran oportunidad del Cielo. Es inadmisible el aburrimiento. Es un insulto a tu mente que intentes "matar el tiempo" porque no sabes qué hacer con él. La eternidad hace que cada instante sea solemne.

Cuando llega el invierno a Boise, la ciudad donde vivo, me pregunto si llegará algún día la primavera después de tantos días grises, jardines congelados y temperaturas muy bajas. Cuando nuestros días son grises y fríos, podemos creer que ya no hay Sol detrás de las nubes. Las pruebas nos golpearán como las olas que rompen contra el peñón, pero en cuanto las aguas vuelven, nos damos cuenta de que la roca de la fe permanece firme. La oración destila gotas de eternidad cada día, para que soportemos la fatiga de la vida.

Oración: Señor, ayúdame a ver lo eterno en el diario vivir.

Oración por rectitud y generosidad

Yo sé, Dios mío, que tú escudriñas los corazones, y que la rectitud te agrada;
por eso yo con rectitud de mi corazón voluntariamente te he ofrecido todo esto,
y ahora he visto con alegría que tu pueblo, reunido aquí ahora, ha dado para
ti espontáneamente. 1 Crónicas 29:17.

¿**C**aminas torcido?

"¡Qué importa saber qué es una línea recta si no se sabe lo que es la rectitud!", dijo cierta vez Séneca, filósofo y escritor romano. Esta virtud ha sido siempre escasa en este mundo.

Los humanos no somos "rectos" por naturaleza. Nos gustan las curvas abiertas y cerradas, los caminos sinuosos. Somos hormigas inquietas y curiosas. Amamos los laberintos. Nos escondemos de Dios, y nos perdemos. Y lo que vemos como camino recto, muchas veces termina en un precipicio.

¿Qué es la rectitud? La rectitud es hacer lo que es correcto, aunque no nos convenga, y aunque se desmorone el mundo. Es la honradez. Es no mentir ni mentirse. Es estar dispuesto a decirse la verdad a uno mismo. ¿Quién no se ha adulado a si mismo cuando los demás lo han alabado? Rectitud es también pedir perdón y cambiar.

¿Cómo la alcanzamos? Ejercitándola diariamente. Estando atento a las cosas más pequeñas. Pidiendo a Dios en oración una conciencia limpia, atenta, alerta. Y fuerza de voluntad para hacer lo que se debe hacer y no lo que le conviene al egoísmo. Dios responderá esta oración, porque le agrada la rectitud (vers. 17). Esta virtud es la pureza del corazón. La llevan las cristalinas corrientes subterráneas e incontaminadas de las capas más profundas del alma. Solo el amor de Dios en el corazón hace fluir esta clase de rectitud.

La rectitud sin amor puede convertirse en un vicio. Esta aparente virtud, sin compasión, es hiriente e implacable. Pero la rectitud de Dios hace que una persona sea honrada, generosa, amplia de mente, misericordiosa y comprensiva.

La brújula es un instrumento de orientación que utiliza una aguja imantada para señalar el norte magnético terrestre. Su funcionamiento se basa en el magnetismo terrestre, por lo que señala el norte magnético que corresponde con el norte geográfico.

Dios, en nuestra oración, es nuestra brújula espiritual. Es el norte celestial de tu vida. Te hace recto, generoso, comprensivo y justo con los que aman los laberintos.

Oración: Señor, hazme recto de corazón.

Oración en favor de un hijo – 1

Asimismo da a mi hijo Salomón corazón perfecto, para que guarde tus mandamientos. 1 Crónicas 29:19.

David veía que su fin se acercaba, así que llamó a los jefes de familia y a los príncipes de todas las tribus de Israel a fin de que recibieran su legado para la siguiente generación. Deseaba hacerles su última recomendación antes de morir, y obtener su acuerdo y su apoyo en favor de la gran obra que les esperaba: la edificación de la casa de Dios. A causa de su debilidad física, nadie esperaba que asistiera personalmente a la ceremonia de entrega de los materiales para el templo, pero Dios le dio fuerza física y mental para dirigirse a su pueblo con fervor e inspiración (ver PP 813). Expresó su deseo de que el templo se construyera en tiempos del reinado de su hijo Salomón, conforme a la promesa divina (1 Crón. 28:6). Y en aquella ocasión elevó la oración de nuestro texto.

¡Qué oración de padre!

A medida que uno va llegando al otoño o al invierno de la vida, se va preocupando menos por uno mismo y más por los que seguirán en el viaje. La mayor preocupación de un padre creyente es la herencia espiritual que les dejará a sus hijos. "He aquí, herencia de Jehová son los hijos; cosa de estima el fruto del vientre" (Sal. 127:3).

No sé si a ti, pero a mí me pasó que cuando llegué a la frontera de los sesenta hice una revisión de todo lo actuado con mis hijas en el aspecto espiritual. Te confieso que no salí bien parado. He tenido que pedir perdón a Dios y a mis hijas por mis errores, porque a medida que uno envejece es más sensible respecto de los errores que ha cometido en la educación y la formación espiritual de la familia. "Papi, eso ya pasó", me han dicho mis hijas varias veces en los últimos tiempos. Pero quedarse en la culpa no es bueno, porque lo hecho hecho está.

Ahora comprendo mejor por qué mi madre, a medida que iba envejeciendo, oraba más por mí. Queridos padre y madre, es posible que comprendas lo que digo, porque estás viviendo lo mismo que yo. Querido joven, ¿entiendes por qué tus padres oran tanto por ti?

Oración: *Señor, que nuestros hijos te encuentren.*

Oración en favor de un hijo – 2

*Asimismo da a mi hijo Salomón corazón perfecto, para que guarde
tus mandamientos. 1 Crónicas 29:19.*

En los años de mi juventud, amaba más el espíritu crítico, la duda del científico y del filósofo, que la convicción del santo. Me encantaba la frase del escritor italiano Umberto Eco en su libro *El nombre de la rosa*: "El diablo es la arrogancia del espíritu, la fe sin sonrisa, la verdad jamás tocada por la duda". Claro, tú dirás, está bien dudar, porque para eso está la razón. Una fe que pretende tener todas las respuestas de la vida se parece más a la presunción y a la soberbia que a la misma fe. Pero, ahora, con los años, he aprendido del valor de la convicción en la sagrada tarea de la oración. Valoro más la serena seguridad interior que me da la fe que la duda a la que me empuja la razón. Cuando uno es joven confía demasiado en sus fuerzas.

La oración no pertenece al ámbito de la duda ni del intelecto, sino que pertenece al corazón, una instancia más profunda de nuestro ser. Hemos sido llamados a orar en todo tiempo; y esto no es solo válido para cada momento del día, sino también en cada etapa de la vida (ver Efe. 6:18).

Los creyentes sencillos sienten a Dios tan naturalmente como sienten la brisa matinal o el perfume de una flor; pero el mismo Dios que fácilmente se revela al corazón que lo sabe amar se oculta para el que no lo sabe comprender. A Dios se lo comprende desde el amor del corazón. No pretendamos alcanzarlo por la simple razón humana, sino mediante la razón santificada, la revelación que él hace de sí mismo y la oración.

Sin el oxígeno que insufla la oración en nuestros pulmones espirituales nos ahogaremos entre las cosas. La oración es el aire fresco y matinal del alma. Dios nos espera cada día, porque tiene sed de nosotros. "La oración es el encuentro de la sed de Dios y la sed del hombre", escribió Agustín de Hipona. Si clamas "como el ciervo brama por las corrientes de las aguas", es porque antes Dios clamó por ti (Sal. 42:1).

¡Clamemos en oración por nuestros hijos!

Oración: *Gracias, Señor, porque tu Espíritu brama por mí.*

Oración de adoración – 1

Después dijo David a toda la congregación: Bendecid ahora a Jehová vuestro Dios. Entonces toda la congregación bendijo a Jehová Dios de sus padres, e inclinándose adoraron delante de Jehová y del rey. 1 Crónicas 29:20.

¿Alguna vez has sabido de una tribu que no adore? Adorar es entrar en comunicación con Dios para conocerlo.

El escritor argentino Jorge Luis Borges pensaba que había "demasiados libros en el mundo". Decía eso porque quien lograba publicar un libro en la antigüedad era un genio. Desde Johannes Gutenberg (siglo XV), que inventó la imprenta, cualquier mortal publica un libro. ¡Qué decir de nuestros días de Internet! Hoy, hay demasiados autores. Y se notan los autores que escribieron más libros de los que leyeron. Tenía razón el sabio Salomón: "No hay fin de hacer muchos libros" (Ecl. 12:12).

La cuestión es que vivimos en un mundo con muchos libros y con fácil acceso a la información, pero no hay conocimiento de Dios. El conocimiento de Dios no es libresco. A Dios lo conocemos por su Palabra y por la oración. La Palabra de Dios es el alimento por el que la oración es nutrida y se hace fuerte. La Palabra hace sabia la oración y la vida. La oración hace comprensible la Palabra de Dios mediante el Espíritu Santo. Debemos amar la oración, porque la oración dilata el corazón hasta el punto de hacerlo capaz de contener el don de la Palabra.

La necesidad de adoración es universal. Todas las culturas adoran. Sin adoración nos sentimos miserables. Todos los seres humanos buscan adorar, pero no todos adoran como Dios espera ser adorado. El primer Mandamiento es claro: "No tendrás dioses ajenos delante de mí" (Éxo. 20:3). El estudio de la Palabra de Dios mediante la oración nos pone en la verdadera adoración: conocer a Dios es adorarlo, y adorarlo es conocerlo.

Adoremos a Dios mediante el estudio de su Palabra y la oración ferviente. Insistamos con la oración, pues la insistencia pone de manifiesto la fe. No dejemos que las muchas cosas que tengamos que hacer nos quiten este tiempo de adoración, porque todo lo que hayamos hecho en el día, sin oración, no tendrá mucho sentido.

Oración: Señor, te adoro en mi oración y en la lectura de tu Palabra.

Oración de adoración – 2

Después dijo David a toda la congregación: Bendecid ahora a Jehová vuestro Dios. Entonces toda la congregación bendijo a Jehová Dios de sus padres, e inclinándose adoraron delante de Jehová y del rey. 1 Crónicas 29:20.

En la meditación de ayer dijimos que no podemos dividir a los seres humanos entre los que adoran y los que no adoran. La adoración es un impulso natural del ser humano. Es algo universal. Todo el mundo adora. La cuestión es qué o a quién adoramos y servimos.

Jesús dijo: "La hora viene, y ahora es, cuando los verdaderos adoradores adorarán al Padre en espíritu y en verdad; porque también el Padre tales adoradores busca que le adoren" (Juan 4:23). La verdadera adoración instala a Jesús en el centro. Y a Jesús lo conocemos mediante la oración y el estudio de la Palabra de Dios. Por eso, dijo: "Escudriñad las Escrituras; porque... ellas son las que dan testimonio de mí" (Juan 5:39). La oración ubica a Jesús en el centro del corazón.

A veces pensamos que la oración se reduce a tocar la puerta del cielo para "abrir sus almacenes". Tomamos esto muy literalmente. Pero la oración es más que pedir y recibir respuestas inmediatas a necesidades que creemos urgentes. Es verdad que Jesús dijo: "Pedid, y se os dará", pero la idea central de esta frase de Lucas 11:9 es enfatizar el amor de Dios, que siempre provee a nuestras necesidades. Dios no siempre nos da lo que pedimos. No responde siempre nuestras oraciones como esperamos, porque si lo hiciera nos convertiría en seres egoístas. Si Dios hubiera contestado todas las oraciones caprichosas que he hecho en mi vida, ¿dónde estaría yo ahora? Si Dios hubiera respondido todas mis oraciones egoístas, me habría convertido en un narcisista incurable e incorregible. El propósito esencial de la oración es vincularnos con Dios y disfrutar su presencia. La oración no es para cambiar los planes de Dios para mi vida a fin de que haga lo que yo quiera. Es para confiar y descansar en su soberana voluntad.

¡Que no se apague el fuego de Dios en nuestra vida! Avivámoslo diariamente con la oración. Pidamos la llama del Espíritu, porque, así como no hay incienso sin fuego, no hay oración sin llama.

Oración: Señor, enciende mi oración con la llama de tu Espíritu.

Oración por sabiduría – 1

Y Salomón dijo a Dios: Tú has tenido con David mi padre gran misericordia, y a mí me has puesto por rey en lugar suyo... Dame ahora sabiduría y ciencia, para presentarme delante de este pueblo. 2 Crónicas 1:8, 10.

¿Cómo administras el poder que Dios te ha dado? Este es un texto pleno de enseñanzas. Tiene dos partes bien diferenciadas: el reconocimiento por parte de Salomón de la misteriosa soberanía divina que lo elige rey de Israel y un pedido de sabiduría para gobernar a su pueblo.

Esta oración destila la humildad de un hombre que sabe reconocer que hay un poder supremo por encima de su propio poder. Casi no hay rey que, teniendo fuerza suficiente, no esté siempre dispuesto a convertirse en un ser absoluto. Esto es válido en todos los ámbitos de la vida, tanto para los que se dedican a la función pública, los políticos, los funcionarios de un Gobierno, como los que manejan una empresa, pastorean una comunidad religiosa o administran una casa. Todos tenemos una porción de poder para administrar. ¡Qué fácil es caer en el resbaladero de creernos absolutos! Dios es soberano y bondadoso, nos coloca en lugares y circunstancias especiales, y nos dota de talentos, pero no siempre recordamos para qué recibimos esos talentos.

Casi todos podemos soportar la adversidad, pero el carácter de un hombre se prueba cuando sustenta poder. Salomón comenzó bien: humilde y reflexivo. Pidió sabiduría, y Dios se la otorgó en abundancia. Con esa humildad inicial, consolidó el reino, las conquistas de su padre, trajo paz, edificó el Templo, y escribió miles de proverbios y poemas que hasta hoy son patrimonio de la humanidad (ver 1 Rey. 3, 4, 7, 9).

Pero la sabiduría no permanece en un cuerpo sometido a la lujuria. Aquellas mujeres que conformaron su harén, y a través de las cuales intentó hacer alianzas con otros reinos paganos, introdujeron la idolatría que erosionó la fe de Israel y debilitó su poder político (ver 1 Rey. 11:1-43; Deut. 17:16-20). Con los años, Israel se dividió y nunca más se unió.

El hombre más poderoso es dueño de sí mismo.

Dios nos ha dado poder para que gobernemos nuestra vida y administremos nuestra casa. Si sabemos administrar ese poder, sabremos controlarnos, y podremos gobernar una casa y un reino.

Oración: Señor, dame humildad.

Oración por sabiduría – 2

Y Salomón dijo a Dios: Tú has tenido con David mi padre gran misericordia,
y a mí me has puesto por rey en lugar suyo… Dame ahora sabiduría y ciencia,
para presentarme delante de este pueblo. 2 Crónicas 1:8, 10.

Si Dios te visitara esta noche en tu habitación y te dijera: "Pídeme lo que quieras", ¿qué le pedirías? A ver, piensa. ¿Le pedirías aprobar esa materia difícil que está atrasando tu carrera? ¿Le pedirías que echen a tu jefe, o que desaparezca tu peor enemigo en el trabajo? ¿O le pedirías una novia o un novio para casarte? ¿Pedirías dinero para asegurar el futuro de tu familia, o poder y fama? ¿Qué pedirías?

Salomón pidió sabiduría, ¡porque era un joven sabio! Los sabios son los que buscan sabiduría; los necios piensan ya haberla encontrado.

Salomón tenía que gobernar una familia y un pueblo bastante complicados. Él fue el segundo hijo de la fatídica unión entre su padre, David, y Betsabé. Nació manchado. Mira qué linda familia tenía el futuro rey: cinco madrastras y algunos hermanastros bastante salvajes. Amnón violó a su hermanastra Tamar; y Absalón, el otro hermano, se vengó de aquel y lo mató (2 Sam. 13). Y tuvo un padre, el rey David, mezcla de héroe y villano, que de joven había sido pastor de ovejas, leyenda militar, poeta y líder espiritual. Pero ya adulto, en pleno ejercicio del poder real, se tornó en un Don Juan (2 Sam. 11). No fue fácil para Salomón haber sido hijo de un grande, y menos cargar con la historia de su familia. Creo que en ese ambiente familiar germinó la semilla que más tarde dio el fruto amargo de un Salomón desbordado por las mujeres (1 Rey. 11:1, 2).

Pero Salomón pudo sobrellevar su historia porque se acordó de su Creador en los días de su juventud (ver Ecl. 12:1). Así comenzó a escribir su propia historia. Fue sabio. No pidió nada para sí, ni "riquezas, bienes o gloria" (2 Crón. 1:11, 12). Fue humilde y buscó al Señor (ver 2 Crón. 7:14).

Levanta los ojos al cielo, ¡para que veas que no eres el punto más alto del planeta! Quizá tu pasado no fue fácil. ¡No elegimos la familia! Pero Dios no hipotecará tu futuro por tu pasado. No importa de dónde vengas, hoy puedes comenzar a escribir tu propia historia de la mano de Dios. Esto es lo más maravilloso de tu fe en Cristo: ¡cada día es un nuevo amanecer!

Oración: Señor, dame sabiduría.

Oración de consagración

*He edificado una casa de morada para ti, y una habitación
en que mores para siempre. 2 Crónicas 6:2.*

¿Cómo es tu oración en el templo?

Spurgeon, el gran predicador inglés del siglo XIX, dijo que la oración de nuestro texto "es la más amplia y completa de la Biblia, como si estuviera destinada a ser el resumen de todas las oraciones futuras ofrecidas en un templo".

Las primeras palabras de Salomón se dirigen a Dios, a quien reconoce como el que habita "en la espesa nube" (2 Crón. 6:1, TLA), en referencia a la nube de la gloria de Dios que acompañó el peregrinar de su pueblo. Salomón siente que la presencia de la nube significa que Dios moraría en el Templo de un modo especial. Aunque solo Jesús es el Dios encarnado, el verdadero Templo, el templo de Israel era una estación de la presencia divina, una señal de que Dios en todo su ser se había comprometido a vivir entre su pueblo. Dios quiso que el hombre construyera un templo para encontrarse con él (vers. 2).

Luego, el texto nos dice que el rey, mirando a su pueblo, bendice a "Jehová Dios de Israel, quien con su mano ha cumplido lo que prometió con su boca a David mi padre" (vers. 4). La "mano" divina significa que las acciones de Dios han confirmado sus palabras; como si las manos invisibles de Dios fueran las mismas que las de los hombres que construyeron el Templo.

En su oración, Salomón reconoce a Dios como el Creador del universo y guardián de las promesas (vers. 15-17). Su oración se aferra a las promesas de Dios. Dios te envía promesas con el propósito de que las uses. Si recibieras un cheque de una herencia millonaria de un familiar desconocido, ¿no intentarías ir al banco para cobrarlo? Nada promueve más la causa de Dios que hacer circular sus promesas.

Luego, Salomón le pidió a Dios que inclinara su oído y escuchara a su pueblo en el Templo, y que le perdonara sus pecados (vers. 21). Remata su oración con una expresión de profunda humildad: "No rechaces a tu ungido" (vers. 42). La oración del templo debe ser ungida por el aceite de la humildad.

¡Dios tiene una cita con nosotros en el templo! No faltemos.

Oración: Señor, unge mi oración con tu Espíritu.

Oración por ayuda divina

¡Oh Jehová, para ti no hay diferencia alguna en dar ayuda
al poderoso o al que no tiene fuerzas! 2 Crónicas 14:11.

Asa, nieto de Roboam, quien a su vez fue hijo de Salomón, gobernó Judá durante 41 años (de 911 a 870 a.C.). Y el Registro Sagrado dice que "hizo lo bueno y lo recto ante los ojos de Jehová su Dios... y mandó a Judá que buscase a Jehová el Dios de sus padres, y pusiese por obra la ley y sus mandamientos (vers. 2-4).

Además de esa gran obra reformadora en materia religiosa, "edificó ciudades fortificadas en Judá", y hubo cierta paz en su tiempo (vers. 6). Pero no duradera. En menos de lo que hubiera deseado, Asa vio cómo se acercaban sobre el cielo de Judá nubes oscuras que prenunciaban una gran tormenta. Ahora, la amenaza venía de un tal Zera etíope, a quien lo respaldaba un enorme ejército con fuerzas libias, provenientes de Egipto, donde gobernaba una dinastía de ese pueblo (ver 2 Crón. 16:8).

Como hombre sabio, Asa puso primero sus tropas en orden, y luego cayó de rodillas y habló con Dios. Su oración son las palabras que debemos pronunciar cuando nos sobrepasan los problemas de la vida.

Al ejército de Asa lo sobrepasaban sus enemigos. Las fuerzas de Judá eran la mitad de las de Zera (vers. 8, 9). El rey no necesitó mucho cerebro para convencerse de que no tenía poder. Por eso, oró: "¡Oh Jehová, para ti no hay diferencia alguna en dar ayuda al poderoso o al que no tiene fuerzas!" (vers. 11). Es decir, Dios es más poderoso que el más poderoso; y pone en equilibrio la balanza del poder, dándole fuerzas al más débil.

Si te enfrentas a una persona más poderosa que tú, ten la seguridad de que Dios es más poderoso que esa persona. Si enfrentas situaciones tan complicadas que no ves la salida, ten la seguridad de que para Dios siempre la hay.

Cuanto más humilde seamos al evaluar nuestras fuerzas, más sabiamente pensaremos en el poder de Dios. Y, cuanto más veamos el poder de Dios a nuestro lado, más confianza tendremos. Para el mundo, la autosuficiencia es la virtud conquistadora. Para Jesús, la desconfianza en uno mismo es la condición de toda victoria.

Oración: *Señor, gracias porque en Jesús me das la victoria.*

Oración de confianza en Dios

Ayúdanos, oh Jehová Dios nuestro, porque en ti nos apoyamos.
2 Crónicas 14:11.

Tienes a Dios a tus espaldas. ¿Lo sabes?

Un creyente con Dios a sus espaldas siempre es mayoría. Y, por muchos que haya del otro lado, "no tengas miedo, porque más son los que están con nosotros que los que están con ellos" (2 Rey. 6:16). Estas palabras de Eliseo alientan a quienes luchan en el mundo por causas impopulares, a quienes se han acostumbrado a ser minoría en su sociedad, a ser unos pocos en medio de una "generación perversa" (ver Hech. 2:40). No importa los números: asegúrate de que Dios está detrás de ti, y ve "al campo de batalla" con confianza. La humildad te dará una clara visión de tus pobres recursos para enfrentar desafíos inmensos, y levantará tu mano para que te aferres al brazo del Todopoderoso. En cuanto Asa vio que sus enemigos duplicaban su fuerza, se preguntó: "¿Qué puedo hacer?" Y la respuesta interior no se hizo esperar: "Me tomaré del brazo de Jehová".

Cuanto más débil te sientas, más fuerte es Cristo. Con él jamás tendrás miedo. No digas: "No podré hacer esto. No tengo fuerzas ni posibilidades". Con el Señor, di más bien: "Oh, Dios, nadie sino tú puede equilibrar la balanza entre el poderoso y el débil". ¡Ayúdame, oh Jehová, Dios mío!

Así como esos pequeños y ermitaños cangrejos desprotegidos, que ves en la orilla del mar, convierten los caparazones vacíos de los crustáceos en su fortaleza, tú, vulnerable, expuesto, sin defensa ante las olas de la vida, puedes encontrar tu refugio en Dios.

Mira la forma en que Asa convocó a Dios en su oración: "En ti nos apoyamos". La palabra traducida como "apoyamos" no se usa frecuentemente en la Biblia. Es la misma palabra que describe la muerte trágica de Saúl. El único testigo que dibuja ante David el cuadro patético del monarca cansado, desesperado, herido, quebrantado por la derrota usa esta palabra para describir exactamente cómo murió. Dice: "Pues de pura casualidad estaba yo en el monte Guilboa, y vi a Saúl *apoyándose* en su lanza" (2 Sam. 1:6; énfasis agregado). Saúl se apoyó en su lanza porque no se había apoyado en Dios (1 Crón. 10:13, 14).

Hoy, el Señor te dice: "Apóyate" en mí en todo momento y lugar.

Oración: Señor, quiero apoyarme en ti siempre.

Oración valiente

Oh Jehová, tú eres nuestro Dios; no prevalezca contra ti el hombre.
2 Crónicas 14:11.

¿Desconfías de ti?
La desconfianza en las propias fuerzas no es baja autoestima. Es conciencia de nuestra realidad humana ante los tremendos desafíos de la vida. Es humildad y sabiduría. La humildad nos ayuda a reconocer nuestros limitados recursos. Y esto es el principio de la sabiduría.

Es más importante conocer nuestras debilidades y defectos que nuestras virtudes. Porque la ilusión de nuestra mente siempre nos engaña. Es posible que lo que creemos que es una virtud en realidad sea un defecto; y viceversa. Puede que creas que tu capacidad de cálculo y prudencia sea una virtud que te lleve a minimizar los riesgos ante cualquier empresa, por lo cual no te aventuras a muchas cosas, pero en realidad eso que consideras virtud no es más que mezquindad de espíritu, falta de pasión y de fe, inseguridad y miedo. Nos cuesta reconocer en nosotros lo que no nos gusta de otros.

Por eso, la humildad te ayudará a reconocer tus limitaciones, y abrirá la puerta a la fuerza de la fe. Y la fe, puesta en acción, abrirá las compuertas de muchas virtudes que desconocías en ti. Hay un caudal rico de dones en tu interior que clama por ser desatado. Y solo lo librarás del yugo del miedo cuando avances sin temer el fracaso. El fracaso puede ser tu mayor maestro, pues nadie aprende del éxito.

A veces tendrás que tomar decisiones arriesgadas, porque si no las tomas, la vida las tomará finalmente por ti. El rey Asa dijo: "Ayúdanos, porque confiamos en ti. Y en tu nombre vamos contra esta multitud" (ver 2 Crón. 4:11).

La prudencia y el cálculo son importantes, pero solo con "atrevimiento" se realizan los sueños. Hay mucha cobardía y falta de fe detrás de lo que llamamos "prudencia".

En nuestra oración, el rey pide que el hombre débil que hay en él no prevalezca sobre Dios. Esta oración cubre dos cosas. Podemos estar muy seguros de que si Dios es nuestro Dios, no seremos heridos de muerte. Y podemos estar absolutamente seguros de que, si hemos hecho de la causa de Dios nuestra propia causa, él hará suya la nuestra.

¿Cuál es tu sueño? ¿Qué ideal te empuja? ¿Qué desafíos te plantea la vida? ¡Aférrate de la mano de Dios!

Oración: *Gracias, Señor, porque haces tuyos mis sueños y mis desafíos.*

Oración ante fuerzas superiores – 1

Oh Dios nuestro... en nosotros no hay fuerza contra tan grande multitud que viene contra nosotros; no sabemos qué hacer, y a ti volvemos nuestros ojos.
2 Crónicas 20:12.

Una formidable coalición de naciones vecinas amenazaba a Judá. El rey Josafat se asustó cuando le dijeron que venía una gran multitud del otro lado del mar, y de Siria, que se escuchaba como estruendo de muchas aguas (vers. 2).

El enemigo acampaba a orillas del Mar Muerto, a corta distancia de Jerusalén. Parecía tiempo de luchar, no de orar. Pero, en ese momento crítico, el rey "Josafat humilló su rostro para consultar a Jehová, e hizo pregonar ayuno a todo Judá" (vers. 3). Nuestro texto es el punto culminante de la oración de Josafat. Esa plegaria se constituyó en el arma más poderosa que pudo haber sido empleada para enfrentar al enemigo.

Nuestro capítulo cuenta la historia más extraña que jamás se haya escrito acerca de una campaña militar: no se blandió ninguna espada. El relato bíblico es vibrante: "Josafat, estando en pie, dijo: Oídme, Judá y moradores de Jerusalén. Creed en Jehová vuestro Dios, y estaréis seguros; creed a sus profetas, y seréis prosperados... Y cuando comenzaron a entonar cantos de alabanza, Jehová puso contra los hijos de Amón, de Moab y del monte de Seir, las emboscadas de ellos mismos que venían contra Judá, y se mataron los unos a los otros" (vers. 19-22). ¡Dios confundió las filas del enemigo! En cuestión de horas, aquella multitud amenazante, que se escuchaba como estruendo de muchas aguas, se convirtió en miles de cadáveres que forraban el valle, como la resaca que arrastra el mar luego de una gran tormenta.

La profundidad misma de la impotencia hizo que el rey y su pueblo saltaran a la cima de la confianza. ¡Bendita es la debilidad que atrapa la mano de Dios! ¡Sólida es la confianza que nace de la insuficiencia!

Cuando los muros de la seguridad, que hemos levantado con sacrificio en torno de nuestra familia, se caen por esas desgracias propias de la vida, puede que la desesperación toque la puerta del corazón. Pero, cuando las circunstancias nos ahoguen en la impotencia, digamos con Josafat: "A ti vuelvo mis ojos". Nuestra desesperación se convertirá en la gran posibilidad de Dios.

Oración: *Gracias, Señor, porque mi gran necesidad es tu gran oportunidad.*

Oración ante fuerzas superiores – 2

Oh Dios nuestro... en nosotros no hay fuerza contra tan grande multitud que viene contra nosotros; no sabemos qué hacer, y a ti volvemos nuestros ojos.
2 Crónicas 20:12

Josafat era un rey valiente. Durante años había fortalecido su ejército y sus ciudades. Estaba bien preparado para enfrentar a casi cualquier enemigo; sin embargo, en esta crisis no confió solo en sus soldados, porque la realidad lo sobrepasaba. Con fuerzas humanas no podía enfrentar a "tan grande multitud". Sabía que solo Dios podía ayudarlo. Por eso, dijo: "Oídme, Judá y moradores de Jerusalén. Creed en Jehová vuestro Dios, y estaréis seguros".

Cuando enfrentamos problemas, nuestra mejor arma es la oración y la alabanza. Es más probable que logremos la victoria, en cualquier área de nuestra vida, si alzamos la voz de agradecimiento a Dios antes de la batalla. Cuando alabamos a Dios por adelantado, la victoria está asegurada, porque confiamos en él. Tarde o temprano, eso lo sabremos.

El pánico que se apoderó del enemigo solamente se explica porque eran hordas indisciplinadas. Una vez que se encendió la chispa, "el viento de Jehová" sopló la llama de la confusión, y el fuego consumió a los enemigos como hierba seca de desierto. No es de extrañar que en el momento en que Judá llegó al campo de batalla, todo había terminado. ¡Con qué frecuencia nos ocurre lo mismo! Nos estremecen con aprensión los problemas que nunca nos atacan. Y, cuando llegamos al campo, Dios ya los había consumido.

Tú y yo "no tenemos lucha contra sangre y carne, sino contra principados, contra potestades, contra los gobernadores de las tinieblas de este siglo" (Efe. 6:12). Pero Dios te dice que la victoria "no depende del ejército, ni de la fuerza, sino de mi Espíritu" (Zac. 4:6, DHH).

Quizás en tus luchas espirituales hayas sido derrotado muchas veces. Pero las derrotas tienen algo positivo: nunca son definitivas. La oración destilará gotas de poder en tu vida. El arte de vencer se aprende en las derrotas. Nadie podrá transformar en derrota el triunfo del que se ha vencido a sí mismo con oración perseverante.

Cuando nos sentimos débiles, somos fuertes. Porque "Dios es nuestro amparo y fortaleza, nuestro pronto auxilio en las tribulaciones. Por tanto, no temeremos, aunque la tierra sea removida" (Sal. 46:1, 2).

Oración: Señor, eres mi amparo y fortaleza.

Oración de gratitud

Bendito Jehová Dios de nuestros padres, que... inclinó hacia mí
su misericordia delante del rey y de sus consejeros, y de todos
los príncipes poderosos del rey. Esdras 7:27, 28.

Esdras era un descendiente de Finees, que había sido nieto de Aarón (Esd. 7:5). Pertenecía, por lo tanto, a la línea de descendencia sacerdotal. Si hubiera habido un templo en Jerusalén, seguramente habría ejercido como sumo sacerdote. Pero, no lo vemos ejerciendo su labor en el Templo, porque este había sido destruido. Isaías había profetizado la destrucción del Templo a causa de la apostasía de Israel (2 Rey. 20:17; 24:10). Las tropas del rey caldeo Nabucodonosor destruyeron el Templo en 586 a.C., y llevaron cautivos a Babilonia a gran parte de los habitantes del reino de Judá, entre ellos a Esdras.

Cuando Artajerjes, rey de Persia, le dijo a Esdras que volviera a Jerusalén a fin de reconstruir el Templo (Esd. 7:11-26), el sacerdote exclamó: "¡Bendito Jehová"!

Decir "bendito" es decir ¡gracias!

La gratitud es el principio de la alabanza a Dios y de las relaciones humanas saludables. Es una manera de ser, una actitud de vida. Comienza con Dios: es una oración elevada al amanecer y al anochecer del día, y en las distintas estaciones de la vida. Y culmina con nuestros amados: debe fluir como agua cristalina por las corrientes del hogar.

El tiempo hace más estragos con la ingratitud en el corazón que con la belleza y la salud en el cuerpo. ¡Si tan solo pudiéramos recuperar aquel corazón de niño agradecido! Con qué facilidad uno agradece a la llama de la luz, y se olvida del pie del candil que paciente la sostiene. ¡Alguien te ha sostenido en la vida! Búscalo y agradécele. Quizá sea tu cónyuge o un amigo. Las raíces del árbol que se hunden en la tierra no esperan recompensa por el fruto que dan las ramas. Por eso, agradece a las raíces. ¡Agradece a tus padres por la vida!

Alabemos a Dios por la vida en esta mañana. ¡Qué bien le hace al corazón la gratitud! Haz una lista de cosas por las cuales estás realmente agradecido a tus seres amados. Si al principio no se te ocurre nada, insiste, busca en tu memoria, y verás que la gratitud comenzará a fluir. Y con ella, fluirá la vida.

Oración: *Señor, ¡bendito seas!*

Oración ministerial – 1

Dios mío, confuso y avergonzado estoy para levantar, oh Dios mío, mi rostro a ti, porque nuestras iniquidades se han multiplicado sobre nuestra cabeza.
Esdras 9:6.

D ebió de haber transcurrido un tiempo considerable desde la llegada de Esdras a Jerusalén hasta el momento en que los príncipes se quejaron de que los hebreos se estaban "uniendo en yugo desigual" con mujeres paganas, que introducían cultos idolátricos. Esdras había llegado a Jerusalén el primer día del quinto mes (7:9), y esta cuestión de los matrimonios mixtos recién aparece el decimoséptimo día del noveno mes (10:8, 9). Es obvio que Esdras no recibió información de este problema en cuanto llegó a Jerusalén, si no lo hubiera encarado inmediatamente.

Es interesante que esta cuestión, que pertenecía al orden religioso, fue encarada por "los príncipes", las autoridades seculares. Los dirigentes religiosos permitían esta práctica entre el pueblo porque ellos mismos se mezclaban con mujeres paganas (10:18). Como los altos dirigentes religiosos estaban implicados, los subalternos guardaban silencio. Como muchas veces, el reclamo contra la conducta de algunos religiosos llega de parte de las autoridades seculares.

Cuando se corrompe el ministerio, se produce un daño enorme en toda la comunidad. Una de las ironías del ministerio es que la misma persona que trabaja en nombre de Dios no encuentre tiempo para Dios. Los padres de Jesús lo perdieron en la iglesia, y no fueron los únicos que lo perdieron allí. Desde la antigüedad, todo el que es llamado a ministrar corre el riesgo de perder a Jesús "en el templo", y terminar sirviendo a la obra del Señor y no al Señor de la obra.

Cuando Esdras recibió la información de lo que estaba ocurriendo, "rasgó sus vestiduras" como expresión de dolor y vergüenza (ver Gén. 37:29, 34). Esdras no era culpable, pero intercedió ante Dios porque amaba a su pueblo. El verdadero ministro jamás se desentiende de los pecados de su comunidad. Dios respondió la oración de Esdras (cap.10).

Eres "linaje escogido, real sacerdocio" (1 Ped. 2:9), y si has sido llamado a "ministrar en el Santuario" tiempo completo, tienes más responsabilidad ante Dios y la iglesia.

En tiempos de confusión y vergüenza, la oración es tu fuente de poder. Es la sala de encuentro con tu Dios, quien te llamó a tan digna tarea, y te habilitará a realizarla para su gloria.

Oración: Señor, bendice a nuestros ministros.

Oración ministerial – 2

Dios mío, confuso y avergonzado estoy para levantar, oh Dios mío, mi rostro a ti, porque nuestras iniquidades se han multiplicado sobre nuestra cabeza.
Esdras 9:6.

E sdras estaba tan angustiado que "arrancó pelo" de su cabeza y de su barba (Esd. 9:3). No se encuentra otra mención de esta práctica en la Biblia. Pero Dios responde maravillosamente la oración de Esdras. Muchas personas que habían ido al Templo a presenciar el sacrificio habitual de la tarde se sintieron conmovidas por la sinceridad de su sacerdote. A tal grado se sintieron tocadas por el estado de su dirigente que "hombres, mujeres y niños" lloraron amargamente (10:1).

Al principio, Esdras se había arrodillado para orar con las manos extendidas hacia arriba, como era la costumbre (9:5), pero a medida que su espíritu comprendía las consecuencias del mal que había hecho su pueblo cayó en tierra en señal de humillación. Entonces Secanías, un líder del pueblo, le habló: "Nosotros hemos pecado... [pero] aún hay esperanza para Israel... Levántate... nosotros estaremos contigo" (10:2, 4). Esdras siguió el consejo de Secanías, y juzgó a "todos aquellos que habían tomado mujeres extranjeras" (vers. 17, 44), e hizo separar a las mujeres con sus hijos de la comunidad de Israel. Esdras sabía que la destrucción del Templo y de la nación judía en 586 a.C. se debió a la idolatría. Actuó en armonía con las leyes del Antiguo Testamento.

Hoy, en nuestra era, bajo la ley de la gracia de Cristo, pensando en aquellas mujeres paganas y en sus hijos, esa depuración racial nos parece injusta, porque "ya no hay judío ni griego; no hay esclavo ni libre; no hay varón ni mujer; porque todos vosotros sois uno en Cristo Jesús" (Gál. 3:28). Sin embargo, de la experiencia de Esdras aprendemos que siempre "hay esperanza" cuando hay confesión sincera. Y además aprendemos que el pueblo se "contagia" cuando sus dirigentes buscan a Dios sinceramente.

La oración de confesión de los pecados siempre es respondida. "Si confesamos nuestros pecados, él es fiel y justo para perdonar nuestros pecados, y limpiarnos de toda maldad" (1 Juan 1:9). "Cuando pronuncia su primera expresión de penitencia y súplica de perdón, Cristo acepta su caso y lo hace suyo, presentando la súplica ante su Padre como su propia súplica" —*LO* 240.

Oración: *Señor, que tu Espíritu me redarguya siempre de mi pecado.*

Oración inspirada en un ideal

Te ruego, oh Jehová, esté ahora atento tu oído a la oración de tu siervo,
y a la oración de tus siervos... Concede ahora buen éxito a tu siervo,
y dale gracia delante de aquel varón. Nehemías 1:11.

¿Cómo te llevas con la adversidad?

El autor de nuestra oración es Nehemías, un hebreo, probablemente de la tribu de Judá, cuya familia debió de haber sido natural de Jerusalén. Vivió durante la dominación persa de Judea, y fue copero en la corte del rey Artajerjes I. Completó las obras del escriba Esdras antes de volver a su posición en la corte persa.

Instruido y con una habilidad natural como administrador y organizador, cuando se enteró de la grave situación que estaba soportando la capital de su pueblo, quedó muy preocupado (1:1-4). Elaboró un plan para ayudar a la ciudad, y pidió permiso al rey para ejecutarlo (2:1-6). El rey Artajerjes aprobó la propuesta, y le entregó cartas para que el gobernador de la provincia bajo la cual estaba Jerusalén le proporcionara transporte, maderas y lo necesario para reconstruir la muralla de la ciudad (vers. 6-8). Provisto de las credenciales oficiales y los recursos, viajó a Jerusalén en 444 a.C.

Parecía que estaban dadas todas las condiciones para que Nehemías pudiera cumplir exitosamente su misión; sin embargo, se encontró con una oposición inesperada, de una astucia y vehemencia inusitadas. Sanbalat, el gobernador de Samaria, región al norte de Jerusalén; Tobías, encumbrado funcionario noble de Amón; y Gesem, el gobernador de los árabes liyanitas de Dedán, todos personajes sombríos, desplegaron una amplia gama de malicias para impedir que Nehemías y su gente concretaran el propósito de proteger la ciudad (vers. 10, 19). ¿Qué hizo Nehemías? Buscar a Dios en oración.

Grande o pequeña, toda persona se convierte en un ser extraordinario si sabe ver el ideal más allá de sus actos. Pero la medida del ideal tendrá la medida de las adversidades por enfrentar.

Si la adversidad se olvida de ti, eres desafortunado, pues no tienes oportunidad de ponerte a prueba. Quien no ha afrontado adversidades no conoce su propia fuerza. Los golpes de la adversidad son muy amargos, pero jamás estériles.

Así como las estrellas guían al navegante, Jesús te guiará cuando enfrentes oposición a causa de tus ideales. Él te señalará el camino que debes seguir y pondrá una oración en tus labios.

Oración: *Señor, te busco en la adversidad.*

Oración por justicia ante el enemigo

Oye, oh Dios nuestro, que somos objeto de su menosprecio,
y vuelve el baldón de ellos sobre su cabeza. Nehemías 4:4.

¡Cuánta adversidad enfrentó Nehemías! Debía reconstruir los muros abatidos de la ciudad, ¡pero además enfrentar las maquinaciones de los enemigos! Los ardides de quienes lo odiaban afligían el ánimo del hombre de Dios más que las dificultades propias de la construcción del muro. Pero, aunque la inteligencia de sus perseguidores para hacer el mal era notable, la capacidad de Nehemías para desbaratar cada una de las trampas que le tendieron fue extraordinaria. Su conducta es un manual práctico de cómo enfrentar las situaciones críticas.

Antes de iniciar la obra, padeció la burla, el menosprecio y la amenaza (2:19). Pero Nehemías jamás se amedrentó, y les contestó a sus enemigos con osadía y firmeza: "El Dios del cielo nos dará el éxito" (vers. 20, DHH).

Así, la obra se inició de acuerdo con una programación bien organizada, utilizando todos los recursos y las habilidades del pueblo (cap. 3). Cuando Sanbalat (cuyo nombre significa "el dios luna da vida") supo que estaban reconstruyendo la muralla, se enfureció y "comenzó a burlarse de los judíos diciendo ante sus compañeros y el ejército de Samaria: '¿Qué se creen estos judíos muertos de hambre?' " (Neh. 4:1, 2, DHH). Nehemías oró a Dios y continuó la obra (vers. 4-7).

A la agresión verbal siguió la real. Entonces, los enemigos complotaron para atacar la ciudad (vers. 8-11). Y muchos judíos quisieron rendirse, pero Nehemías los animó: "No les tengan miedo. Recuerden que el Señor es grande" (vers. 14, DHH).

¿Eres objeto del menosprecio de quienes se creen superiores a ti? ¿Sientes que en tu trabajo te subestiman? ¿Sufres por ser inmigrante, venido de otra cultura, con diferente color de piel? ¿Padeces las miradas de lástima o desprecio de quienes se relacionan contigo cada día? ¿Sientes que, por el solo hecho de ser mujer, tienes que esconder tu inteligencia? No es fácil vivir en comunidad, y menos aún si uno quiere vivir a la altura de sus derechos y de sus ideales.

¡Qué gran ejemplo el de Nehemías! Firmeza en su ideal y perseverancia en la oración. Esta fue el arma que él usó en todos los momentos de su crisis.

Oración: Señor, ayúdame a ser fuerte ante las adversidades.

Oración por ayuda

Ahora, pues, oh Dios, fortalece tú mis manos. Nehemías 6:9.

¿Quién tiene tus manos?

Nuestra oración dice: "Fortalece tú mis manos". Todo lo humano de la Tierra es hecho por las manos. Las manos de un hombre pueden ser la extensión de Dios en este mundo.

Sanbalat y sus secuaces continuaron sus esfuerzos por detener el trabajo. Advirtiendo que la idea de la guerra también había fracasado y que Nehemías constituía el alma de la empresa, elucubraron un proyecto siniestro: eliminarlo. Fingiendo que deseaban un armisticio, lo invitaron a celebrar una conferencia en una aldea de la llanura de Ono, con el fin de secuestrarlo y asesinarlo (6:1, 2). Pero Nehemías, sospechando el complot, rehusó asistir.

Entonces, trataron de ser más astutos: enviaron una carta abierta que lo acusaba, según testimonio de los propios judíos, de conspirador. Era una estrategia basada en el chantaje y en sembrar la discordia entre los judíos contra su líder. Pero Nehemías no se detuvo en las calumnias, sino que siguió orando y trabajando (vers. 8).

Luego, Sanbalat recurrió a otra estrategia más sutil y peligrosa. Sobornó a un amigo de Nehemías, el profeta Semaías, para que lo atemorizara con una supuesta conspiración contra su vida, sugiriéndole que profanara el Templo para salvarse (vers. 10-13). Pero, nuevamente Nehemías salió airoso al descubrir las maquinaciones del enemigo. "Pero yo le respondí: 'Los hombres como yo no huyen ni se meten en el templo para salvar el pellejo. Yo, al menos, no me meteré'" (vers. 11, DHH). Dios respondió su oración, fortaleciendo sus manos y su corazón.

La esclavitud del corazón ata las manos, pero la entrega del corazón a Dios ¡las libera para hacer que el mundo sea mejor! El que entrega sus manos a Dios tiene un corazón puro (ver Sal. 24:4). Dios le pidió a Moisés sus manos para liberar a su pueblo cautivo (Éxo. 17:11). Jesús le ofreció las manos a su Padre, y esas manos benditas fueron crucificadas. Por el contrario, Pilato "se lavó las manos" (Mat. 27:24), pero su corazón quedó atrapado en la culpa, pues la sangre que él trató de lavar era la única que podría haberle dado un corazón inocente.

¡Jesús sabrá qué hacer con tu corazón y tus manos para bendecir a los demás!

Oración: *Señor, dame un corazón puro y fortalece mis manos.*

Oración por recompensa

Acuérdate de mí, oh Dios, en orden a esto, y no borres mis misericordias
que hice en la casa de mi Dios, y en su servicio. Nehemías 13:14.

¿Quién dijo que para Dios tus obras no cuentan? Muchas reformas religiosas dependen de la vitalidad de un solo hombre, y decaen cuando desaparece su influencia. Así ocurrió con la labor de Nehemías. Él trabajó durante doce años en Jerusalén, y luego regresó a la corte persa. No sabemos cuánto duró su ausencia de Palestina, pero fue lo suficiente como para que la mayor parte de su trabajo se desvaneciera. Cuando Nehemías volvió de Babilonia y vio la idolatría del pueblo hebreo, y la profanación del sábado, elevó la oración de nuestro texto.

Albert Camus, escritor francés, nos da una vislumbre, en su ensayo filosófico *El mito de Sísifo*, de cuán absurda puede ser la vida. Según el mito griego, los dioses habían condenado a Sísifo a empujar sin cesar una roca hasta la cima de una montaña, desde donde la piedra volvería a caer por su propio peso. Los griegos pensaban que no había castigo más terrible que el trabajo inútil y sin esperanza.

Cuando Nehemías eleva su oración, ve que la pesada piedra que fue puesta en la cima cae nuevamente al lugar original. La evanescencia del trabajo de los grandes hombres de Dios es parte esencial de la tragedia humana. ¡Pero todo esfuerzo noble deja su huella para siempre!

Yo no sé cuál es la roca que has cargado hasta la cima, y que viste caer con impotencia. Puede que se haya caído tu matrimonio. O quizá la conducta de un hijo te deshonró, y en un instante ves que tu esfuerzo de toda una vida se desvaneció. Quizá tu vida se despeñó cuando tu médico te diagnosticó una enfermedad terminal. A veces, la vida parece absurda; pero si la miras con pesimismo, te tratará con indiferencia.

Puede que en tu vida no quede otra cosa que la buena obra que hiciste. Eso no es poco. ¡Tu obra deja una huella en otros! Dios te dice: "No te canses, pues, de hacer bien; porque a su tiempo segarás, si no desmayas" (ver Gál. 6:9). Dios lo sabe todo; y en su venida, "pagará a cada uno según lo que merezcan sus obras" (Rom. 2:6, NVI).

Oración: Señor, quiero que el mundo sea mejor después de mi paso por él.

Oración por el recuerdo de Dios

Acuérdate de mí, Dios mío, para bien. Nehemías 13:31.

Algunas cosas se hacen tan nuestras, están tan cercanas, que terminamos olvidándolas. Esto también sucede a menudo con nuestros seres amados. Los recordamos solo cuando ya no están.

Los seres humanos olvidamos con mucha facilidad. Pero, así como olvidamos, somos olvidados. El futuro lo borra todo; no hay nivel de fama o genialidad que te permita trascender el olvido. La oración de Nehemías expresa esa necesidad profunda que todos tenemos de ser recordados por Dios. Todo ser humano necesita la mirada del otro, y también su recuerdo. Todos buscamos dejar una huella entre las cosas de nuestro paso fugaz por este mundo.

El salmista expresa su angustia y temor por el olvido de Dios cuando dice: "He sido olvidado de su corazón como un muerto; he venido a ser como un vaso quebrado" (Sal. 31:12). El olvido es la ingratitud del mezquino. Recuerda al jefe de los coperos, "que no se acordó de José, sino que le olvidó" (Gén. 40:23).

Llevaré en mi corazón mientras viva esa última mirada de mi madre, que pareció un clamor contra el olvido. Una tarde plomiza de diciembre viajé desde Buenos Aires, donde yo vivía, a Montevideo, para visitarla en el hospital, sin saber que esa iba a ser la última vez que la vería. Luego de conversar con ella durante unas horas y acompañarla en el silencio, me despedí: tomé su mano, hice una oración, acerqué mis labios a su frente, le di un beso, y busqué la puerta de salida de aquella sala que ella compartía con otros enfermos. Antes de perderla de vista, me di vuelta sin querer y me encontré con su mirada, que parecía decirme que esa noche se iba. Aquella mirada fue un clamor contra el olvido.

En nuestro paso fugaz por este mundo cargamos un corazón que anhela eternidad. La fe en las promesas de Dios que están en su Palabra y la oración son nuestro último recurso ante el olvido.

Hoy, Dios te dice que jamás te olvidará. "¿Acaso una madre olvida o deja de amar a su propio hijo? Pues, aunque ella lo olvide, yo no te olvidaré" (Isa. 49:15, DHH).

Por la oración sincera, te pones "en comunicación con la mente del Infinito... Para que su mano se extienda sobre ti con amor y piadosa ternura" —*CC* 97.

Oración: *Gracias, Señor, porque no me olvidas.*

Oración de alabanza

Desnudo salí del vientre de mi madre, y desnudo volveré allá. Jehová dio,
y Jehová quitó; sea el nombre de Jehová bendito. Job 1:21.

Víctor Hugo, el gran escritor francés, dijo cierta vez: "Si mañana fuera destruida toda la literatura y me fuese permitido conservar una sola obra, yo elegiría el libro de Job". Es verdad. El libro de Job es la obra clásica de literatura universal más extraordinaria que he leído en toda mi vida. Del texto emergen reflexiones profundas sobre el sentido de la existencia, el significado del dolor y la bendición de la esperanza en la vida del ser humano.

En el cementerio Rock Creek, de Washington DC, Estados Unidos, está la famosa estatua "El Dolor", con la que Augusto Saint-Gaudens intentó personificar todas las aflicciones humanas. Es una expresión artística, sencilla y profunda, del drama del sufrimiento. En la Biblia, la "personificación del dolor" es el patriarca Job. Nada es más dramático que el relato de su vida.

El libro comienza diciendo que "hubo en tierra de Uz un varón llamado Job; y era este hombre perfecto y recto, temeroso de Dios y apartado del mal". En Uz, seguramente cerca de Edom (ver Lam. 4:20, 21), había un hombre perfecto (en hebreo, *tam*, íntegro, maduro) delante de Dios. Pues bien, este hombre perfecto y bendecido por Dios fue probado por Satanás (1:6-12), y cayó sobre él toda suerte de maldiciones y tragedias (vers. 13-19). De la noche a la mañana, Job pasó de ser un hombre sano, rico y con familia, a ser una criatura pobre, enferma y sola.

El éxito no nos enseña, más bien nos envanece. Aprendemos de los fracasos, del dolor y el sufrimiento. Aprendemos del dolor, que es el golpe que recibimos; y del sufrimiento, que es el modo en que reaccionamos y asimilamos ese golpe. La oración nos ayuda a asimilar los golpes de la vida. Aunque la desgracia no tiene virtud, y nos puede destruir, es el camino más efectivo para ir a Dios.

Las personas felices son todas iguales, pero las que sufren lo son cada una a su manera. Tu dolor es único, como tu huella digital. Entregado a Dios, tu dolor será tu mejor escuela. Te llevará a la oración sincera y secreta, a una relación más profunda con Cristo.

Oración: Señor, que mis quebrantos no me alejen de ti.

101

Oración desesperanzada – 1

Acuérdate que mi vida es un soplo, y que mis ojos no volverán a ver el bien.
Job 7:7.

A menudo pensamos que Job es el hombre "perfecto": paciente en el dolor, justo, íntegro y temeroso de Dios en toda circunstancia. Sin embargo, cuando recorremos las páginas de su historia, vemos a un Job decepcionado y herido por la enfermedad, la soledad y la incomprensión, que busca desesperadamente una respuesta del Ser supremo. En el dolor, Job es un hombre que no se resigna, que protesta, se rebela e incluso quiere "hacer cuentas con Dios" (ver 7:11).

En los primeros catorce capítulos de su libro, vemos a un Job quebrantado por la pena y la depresión, que experimenta temores, angustia, ansiedad y pesimismo, y que mira el futuro sin esperanza. Este don brillará con fuerza en la segunda parte del libro (caps. 15-42).

Al extinguirse para siempre todas las cosas queridas de su mundo —hijos, bienes, salud—, Job pierde toda expectativa de recuperación (7:6; 10:21; 14:1, 2). Aparece la muerte como un bálsamo para sus sufrimientos (3:13-19); como la solución para darle fin a su vida terrenal (Job 7:6-10) y a toda alegría (10:21, 22). Hundido en las tinieblas del abismo, exclama poética y dramáticamente: "Mis días son más ligeros que la lanzadera del tejedor, y fenecieron sin esperanza... Los ojos de los que me ven, no me verán más; fijarás en mí tus ojos, y dejaré de ser. Como la nube se desvanece y se va, así el que desciende al Seol [sepulcro], no subirá; no volverá más a su casa, ni su lugar le conocerá más (Job 7:6-10).

Su oración desesperanzada expresa la autenticidad del corazón de Job. Él estaba limpio. Su libro jamás se habría escrito si su sufrimiento hubiese sido fruto de su maldad. En su dolor, Job expresó el misterio del mal: ¿Por qué sufren los inocentes?

Quizás hoy te toca sufrir, y no sabes por qué. La oración destilará gotas de consuelo en tu corazón dolorido. Iluminará tu alma en la oscuridad. Dios no escucha las palabras vacías (Mat. 6:7), pero inclina su oído ante tu clamor (Esd. 7:27). Solo Dios puede recibir tus lágrimas amargas. Solo él puede sanar tu corazón quebrantado.

Oración: Señor, gracias porque en la noche oscura del sufrimiento iluminas mi camino.

Oración desesperanzada – 2

Acuérdate que mi vida es un soplo, y que mis ojos no volverán a ver el bien.
Job 7:7.

La crisis vital que atraviesa Job es un angustioso movimiento anímico entre los extremos de la desesperación y la esperanza. A veces logra alcanzar un equilibrio frágil y precario, que pronto se desvanece como el vapor que sube del desierto en las mañanas.

Sin embargo, en estas sombrías profundidades de la desesperación y el abatimiento, aprendemos algo de Job. En su dolor, Job no se detiene en las circunstancias, sino que se eleva a Dios aun en la queja: "Por tanto, no refrenaré mi boca; hablaré en la angustia de mi espíritu, y me quejaré con la amargura de mi alma" (Job 7:11).

Todo lo que sufre Job —el fallecimiento de sus hijos, la pérdida de sus bienes, los dolores de su cuerpo y el repudio social— no lo atribuye tanto a la malevolencia humana sino a la desprotección de Dios o a una acción directa del Todopoderoso. Lo expresa claramente cuando dice: "Porque Dios desató su cuerda, y me afligió, por eso se desenfrenaron [los amigos y aun la esposa] ante mi rostro" (Job 30:10, 11). No toma los males como algo personal, como resultado de la ingratitud o maldad de la gente; e incluso no expulsa a sus amigos que lo atormentan y fastidian, sino que todo lo ve como resultado de que "Dios me ha agarrado por el cuello, y con fuerza me sacude la ropa" (vers. 18, DHH).

Job exterioriza su dolor. ¡Es mejor quejarnos ante el Señor que ante los hombres! El compromiso de Job con Dios es profundo y auténtico. Job deposita todo su dolor en Dios, porque Dios es todo para él.

¡Qué alivio para el alma es contar con Jesús! Solo él puede recibir tus palabras tristes. Solo él puede comprender tu sufrimiento. Jesús no se enoja con tu sinceridad. Pero, si temes importunarlo, es posible que termines cansándote de tu pequeño dios.

El hipócrita no reconoce ninguna crisis en su vida. Por eso busca las mejores palabras para orar (Mat. 6:7). Pero, los grandes hombres de Dios dudan y padecen crisis, y oran en consecuencia. No buscan palabras huecas "como los hipócritas" (Mat. 6:5). ¡Llenan su corazón con Jesús!

Oración: Señor, gracias, porque en mis crisis me comprendes.

Oración de culpa

¿Y por qué no quitas mi rebelión, y perdonas mi iniquidad? Job 7:21.

¿Había pecado Job para merecer tanto sufrimiento?

Job se culpa. Pero su libro no estaría en la Biblia si solo relatara el sufrimiento merecido de un mortal. La reflexión profunda de este libro descansa en el hecho de que Job, siendo inocente (Job 10:7), sufría amargamente, y no podía encontrarle un sentido a su drama.

El sufrimiento está en el fondo de la reflexión teológica acerca del misterio del mal. En esto tenía razón el filósofo alemán Friedrich Nietzsche: la cuestión no es tanto acerca de la presencia del sufrimiento en el mundo como de la ausencia de respuesta a la pregunta: ¿Por qué sufrimos?

A esta cuestión se han abocado la teodicea, que es una rama de la teología racional, también llamada teología natural, y la filosofía. Pero no hay respuesta. En su afán de "defender" a Dios ante la presencia del mal en el mundo, la teología ha ensayado muchas teorías. Desde San Agustín hasta Santo Tomás, los teólogos han manejado la doctrina del crimen y el castigo. Es decir, hay sufrimiento porque hay una falta. En otras palabras, si alguien sufre, es porque de alguna manera se lo merece. Si tú no eres la causa directa de tu sufrimiento, puede que lo sean tus antepasados.

Jesús enfrentó esta teología. Cuando le preguntaron "¿quién pecó, este o sus padres, para que haya nacido ciego?" (Juan 9:2), él respondió: "No es que pecó este, ni sus padres, sino para que las obras de Dios se manifiesten en él" (vers. 3). El mal no se explica. ¡Es la ocasión para que se manifieste la gloria de Dios! No queramos entender el sentido del sufrimiento. El dolor del mundo nos alienta a no bajar los brazos, a luchar por un mundo mejor, más justo.

Cuando el dolor nos asuste, y digamos "¿qué he hecho para merecer esto?", no nos culpemos ni culpemos a Dios. La culpa es mala. Solo es buena cuando la despierta el Espíritu Santo. Porque solo Dios puede quitarla.

La oración derrama frescas lluvias de consuelo al corazón sediento. Cuando la razón se agote, cuando la noche de la inteligencia no tenga luna, cuando no entiendas por qué sufres, aun te queda la oración. Es el único poder que tienes en este mundo.

Oración: *Señor, que el dolor de este mundo no me aleje de ti.*

Oración descreída

He aquí que él pasará delante de mí, y yo no lo veré;
pasará, y no lo entenderé. Job 9:11.

¿**P**odemos entender todas las cosas de Dios, y aun el misterio del mal? Es obvio que pecar produce sufrimiento. Pero, según me ha enseñado la vida, no toda la gente mala sufre necesariamente por sus pecados (ver Ecl. 8:14). Lo que sí sabemos es que el sufrimiento no siempre es consecuencia directa de una falta cometida. Por ejemplo, una enfermedad no es necesariamente la consecuencia de transgredir la Ley de Dios. ¿Podemos acaso pensar que la muerte de un niño se debió a un pecado personal? La sola idea es repugnante. El sufrimiento que padece toda la humanidad es la consecuencia de la presencia del mal en el mundo. De esta presencia del mal ni tú ni yo somos responsables. Por eso, "no envió Dios a su Hijo al mundo para condenar al mundo, sino para que el mundo sea salvo por él" (Juan 3:17). Todos padecemos las consecuencias del mal.

Es tan absurdo pensar que el sufrimiento es solo el resultado directo de una falta cometida como considerar que la muerte del victimario puede pagar la deuda por la muerte de la víctima. El mal jamás tendrá su pago en este mundo. Jamás habrá justicia. La justicia humana es un ideal imposible de alcanzar, porque jamás habrá una correspondencia justa entre el crimen y el castigo. Jamás un castigo podrá resarcir la pérdida producida por una violación, un asesinato, los "efectos colaterales" de una guerra, con muerte de niños, mujeres y hombres inocentes. Jamás. Así como la entrada del mal en un universo creado por el Dios bueno y omnipotente es inexplicable para la mente humana, el castigo perfecto a los actos de injusticia humana es imposible.

Pero, el poder de tu vida espiritual no descansa en tu razón, sino en tu corazón esperanzado. Eres creyente contra toda lógica. Eres un "loco" para el mundo: porque, como "el mundo no conoció a Dios mediante la sabiduría, agradó a Dios salvar a los creyentes por la locura de la predicación" (1 Cor. 1:21). Tu "locura" es la fe y la esperanza, que no te "avergüenza; porque el amor de Dios ha sido derramado en nuestros corazones por el Espíritu Santo que nos fue dado" (Rom. 5:5).

***Oración:** Gracias, Señor, por la fe y la esperanza.*

Oración por justicia divina

Si yo dijere: Olvidaré mi queja, dejaré mi triste semblante, y me esforzaré,
me turban todos mis dolores; sé que no me tendrás por inocente.
Yo soy impío; ¿para qué trabajaré en vano? Job 9:27-29.

S i la vida no perdona, ¿quién perdona?

La oración de Job es pesimista. El pesimismo es la realidad vista por una persona destrozada. El dolor nos culpabiliza. Nuestra conciencia doliente establece un vínculo directo entre el sufrimiento y la culpa. La idea de que a todo sufrimiento le corresponde una culpa está enfáticamente presente en los argumentos de los amigos de Job. Ellos lo acusaban a causa de su dolor (Job 5:8-27; 8:1-6).

Hace unos días visité a una hermana de iglesia en el hospital. Ella no sufría tanto por sus padecimientos físicos como por la idea de que ese sufrimiento se lo mandaba Dios a causa de sus pecados. "Ya le pedí perdón a Dios por todo lo malo que hice, y sigo sufriendo", me dijo. No fue fácil sacarle esa idea de la cabeza. La idea pasa demasiado rápidamente de la proposición "El hombre peca, y sufre" a la proposición "El hombre peca, por lo tanto, sufre".

Pero en realidad no solo sufren los que pecan, sino también los inocentes (Job 9:22). El sufrimiento está más allá de la conciencia moral. Es un dato de la condición caída de este mundo. La hermana que visité en el hospital era una mujer religiosa, muy buena persona, pero ningún sufrimiento la hubiera redimido. Es solo el sufrimiento de Cristo lo que la redimió. Nuestra justicia no alcanza para redimirnos, ni nuestro dolor nos salva. Nunca.

¿Piensas que Dios te está haciendo sufrir por tus pecados? Cristo ya sufrió por ti: "Cristo, habiendo ofrecido una vez para siempre un solo sacrificio por los pecados, se ha sentado a la diestra de Dios... Pues donde hay remisión de estos [los pecados], no hay más ofrenda por el pecado" (Heb. 10:12, 18).

Jesús es tu ofrenda. Puede que sufras las consecuencias de tus pecados. La vida no perdona. Pero Dios sí perdona. En medio de las consecuencias dolorosas de tus errores, puede haber paz en tu corazón. Porque Cristo ya sufrió por ti. Pagó la deuda de tu pecado y del mío, para que vivamos en paz.

Oración: *Gracias, Jesús, porque eres la ofrenda de Dios en mi vida.*

Oración de impotencia

Aunque me lave con aguas de nieve, y limpie mis manos con la limpieza misma, aun me hundirás en el hoyo, y mis propios vestidos me abominarán.
Job 9:30, 31.

¿**N**o te has sentido alguna vez abandonado por Dios? ¿No has creído, con justa razón, que Dios es injusto contigo?

En nuestro texto, Job está profundamente deprimido, y capta el abismo, la asimetría, entre la criatura y el Creador: "Porque [Dios] no es hombre como yo, para que yo le responda" (Job 9:32). Remata su razonamiento con una declaración lapidaria: "Una cosa resta que yo diga: Al perfecto y al impío él los consume" (vers. 22). "Si yo le invocara, y él me respondiese, aún no creeré que haya escuchado mi voz" (vers. 16).

En su depresión, Job no ve la justicia divina en la sociedad humana. Él mismo no merece su sufrimiento, y no entiende cómo Dios lo trata así, aun cuando él es recto. Salomón expresa el mismo escepticismo: "Hay vanidad que se hace sobre la tierra: que hay justos a quienes sucede como si hicieran obras de impíos, y hay impíos a quienes acontece como si hicieran obras de justos" (Ecl. 8:14).

En realidad, Job está diciendo que su mente no puede entender el mal y el consecuente sufrimiento para la humanidad. No hay ningún orden moral por el cual una persona pueda ser justificada delante de Dios por sus buenas obras, y así, luego, esperar que le vaya bien en todas las cosas de la vida. Dios es bueno, y hace salir el sol y caer la lluvia para justos e injustos (ver Mat. 5:45). Esto, mientras dure este mundo de pecado.

Es posible que hayan ocurrido cosas muy malas en tu vida para las que no tengas explicación. Quizá, como Job, oras, ruegas, te quejas, y aún no tienes respuesta. Hay asuntos que hay que dejarlos en las manos del tiempo. Porque el tiempo contesta nuestras preguntas, o hace que ya no nos interesen las respuestas. Pero hay preguntas que solo Dios puede contestar. Lleva tu carga al Señor. La oración no tiene como único propósito que Dios provea todas las respuestas a tus interrogantes. Tu oración, más bien, afirmará tu corazón en la soberanía divina con el fin de conformar tus deseos y propósitos a su voluntad y a su gloria.

Oración: Señor, quiero disfrutarte siempre.

Oración de queja

Está mi alma hastiada de mi vida; daré libre curso a mi queja, hablaré con amargura de mi alma. Diré a Dios:
...Hazme entender por qué contiendes conmigo. Job 10:1, 2.

¿Te quejas a menudo? ¿Cuál era la condición de Job antes de sus desgracias? ¿Cuáles eran sus gestos? ¿Cómo era su mirada, su voz, su cuerpo, el movimiento de sus manos, su rostro? ¿Era fuerte, alto, con un gran tórax o, por el contrario, de constitución débil y frágil?

No sabemos cómo era antes de la prueba, pero tenemos una vislumbre de su condición cuando lo visitaron sus amigos. Su figura era desagradable y repulsiva, tanto que cuando lo vieron desde lejos no lo pudieron reconocer, y "lloraron a voz en grito", y estuvieron siete días sin hablarle (Job 2:12, 13), espantados por su estado deplorable y horroroso. ¿Cómo imaginar un cuadro de tormento más penoso? ¿Cómo dibujaría un pintor a Job mientras dialogaba con sus proverbiales amigos? Quizás impresionaba la voz sonora y cavernosa, que lenta y fatigosamente salía de sus labios descarnados; palabras que intentaban ser acompañadas por el movimiento de manos tumefactas de dedos largos y roídos por la enfermedad. Posiblemente su cuerpo encorvado se movía lentamente al ritmo de los fuelles pulmonares, mientras su cuerpo despedía un olor fétido y nauseabundo, por su carne descompuesta y agusanada. En esa condición, Job se queja.

La queja de Job era justa, porque él era "hombre perfecto y recto" (Job 1:1), y expresa una verdad de su vida: Dios era todo para él. Para Job, era preferible quejarse ante Dios que ante los hombres.

Todo el mundo se queja de su mala memoria, pero nadie de su poco entendimiento. Se queja el necio que no comprende cuántas bendiciones tiene su vida. Si nacemos llorando, y vivimos quejándonos, morimos desilusionados. Cuando criticamos o nos quejamos, es porque de algún modo algo o alguien ha tocado algún nervio en nosotros. Generalmente, las quejas son estornudos de nuestras frustraciones.

¿Cómo es nuestra queja? Miremos a nuestro alrededor. Puede que nos quejemos sin razón, pero si nos quejamos con justa razón, recordemos que "no será vana la petición de los que buscan a Dios en secreto, confiándole sus necesidades y pidiéndole ayuda" —*LO* 83.

Oración: *Gracias, Señor, porque tú eres grande y recibes mis lamentos.*

Oración interrogativa

Diré a Dios: No me condenes; hazme entender por qué contiendes conmigo.
Job 10:2.

¿**P**iensas que por tus méritos te está yendo bien en la vida?
Job no entendía por qué le estaban ocurriendo tantas desgracias. Pero sus amigos creían tener "toda la verdad" acerca de lo que le estaba pasando. Dios no pensaba como ellos (ver Job 38:2). No son pocos los creyentes que juzgan a otras personas diciendo "por algo le ocurre esto".

La doctrina del crimen y el castigo sostenida por los amigos de Job (Elifaz, Bildad, Zofar y Eliú; ver los capítulos 4, 5, 8, 11, 32) tiene como contracara otra idea no menos venenosa: la de que nuestros méritos deben ser recompensados. En otras palabras, si "hacemos con sacrificio" lo que Dios pide, debemos esperar el premio. Así, la religión se convierte en un esfuerzo para acumular méritos de salvación, y terminamos dando las ofrendas en el templo como el pago de un impuesto para ganar el cielo. Juzgamos a los demás con nuestra pequeña reglita; y nos sentimos satisfechos con nuestra propia justicia, disfrutamos cuando les va mal a quienes consideramos malos... y sufrimos cuando les va bien a los buenos. ¿No son estos los sentimientos que nos convierten en verdaderos impíos? Jesús dijo: "Id, pues, y aprended lo que significa: Misericordia quiero, y no sacrificio (Mat. 9:13).

Hay muchos cristianos que no deberían ser tan "religiosos". El amor trasciende la religiosidad. Lo que realmente cuenta es estimar a una persona pura y simplemente por lo que es, no por lo que cree.

No es sabio esperar que nuestros méritos sean recompensados en esta Tierra. Este no es el sentido de nuestra vida. Jesús dijo: "Así también vosotros, cuando hayáis hecho todo lo que os ha sido ordenado, decid: Siervos inútiles somos, pues lo que debíamos hacer, hicimos" (Luc. 17:10). Pero enfocarnos en la gracia infinita de Dios, que se recibe por fe, se vive con gozo y se sostiene con la oración, le da brillo a la vida: "El alma que se vuelve a Dios en ferviente oración diaria para pedir ayuda, apoyo y poder tendrá aspiraciones nobles... Al mantenernos en relación con Dios, podremos derramar sobre las personas que nos rodean la luz, la paz y la serenidad que imperan en nuestro corazón" —*LO* 83.

Oración: Señor, ayúdame a orar sin egoísmo.

Oración confiada

He aquí, aunque él me matare, en él esperaré. Job 13:15.

¡Cuánto poder hay en la esperanza para resistir las pruebas! He aquí el secreto del poder de resistencia de Job: ¡Esperar en Dios! Confiar es sinónimo de esperanza.

En el Antiguo Testamento, las palabras "esperar", "paciencia" y "confianza" provienen de la misma raíz hebrea, *yahal*, que ha sido traducida como "aguardar perseverante, con confianza". En cambio, Job 8:13 declara que el impío no tiene esperanza, ya que carece de la confianza en Dios. En la versión griega de los LXX, la palabra hebrea "confianza" (de la raíz *bth*) ha sido traducida 47 veces con el verbo "esperar" (*elpízein*), pues ese término significa tanto descansar como esperar en Dios.

Con esta confianza en Dios, Job puede decir: "Todos los días de mi edad esperaré... Entonces llamarás, y yo te responderé" (Job 14:14, 15).

En nuestra oración, Job expresa el sentido más profundo de la esperanza. Vivir esperanzado significa estar listo en todo momento para lo que aún no ha nacido, sin desesperarnos si el nacimiento no ocurre en el lapso de nuestra vida. La esperanza trasciende los límites del tiempo y se ancla en la eternidad.

Por esta clase de esperanza, tú sabes que aun las cosas malas que te ocurran "ayudan a tu bien" (ver Romanos 8:28). Tu esperanza es mucho más que optimismo, porque no es la convicción de que todo te va a salir bien, sino la certeza de que lo que te ocurre tiene un sentido, independientemente de las circunstancias de la vida. Tu esperanza es como el sol que te alumbra de frente y deja detrás las sombras. Es el mayor don que Dios te ha dado en esta vida, porque cuando has perdido todo, aún no has perdido la esperanza.

El mar de la vida jamás descansará, y sus olas te cubrirán, pero la esperanza te ayudará a navegar contra viento y marea.

"Pedid, pues; pedid y recibiréis. Pedid humildad, sabiduría, valor, aumento de fe. Cada oración sincera recibirá una contestación. Tal vez no llegue esta exactamente como deseáis, o cuando la esperéis, pero llegará de la manera y en la ocasión que mejor cuadren a vuestra necesidad" —*LO* 7.

Oración: Señor, resistiré y confiaré en ti. Tú eres mi única esperanza.

Oración de esperanza

Todos los días de mi edad esperaré... Entonces llamarás, y yo te responderé.
Job 14:14, 15.

¿**H**a sido la muerte alguna vez atractiva para ti?

En el momento de más hondo pesimismo, Job percibe la muerte como algo atractivo (3:13; 6:9); y la vida, con fastidio y cansancio (7:1-7; 10:21, 22). Pero su ánimo oscila entre dos extremos. Luego de esa vocación necrofílica, aparece la esperanza. El texto de hoy marca ambas fronteras.

Luego de su elegía acerca de la brevedad de la vida y las miserias humanas (14:1-6), estalla en un canto de esperanza: "Porque si el árbol fuere cortado, aún queda de él esperanza; retoñará aún, y sus renuevos no faltarán. Si se envejeciere en la tierra su raíz, y su tronco fuere muerto en el polvo, al percibir el agua reverdecerá, y hará copa como planta nueva" (vers. 7-9). Compara al hombre con el árbol, y remata: "Si el hombre muriere, ¿volverá a vivir? Todos los días de mi edad esperaré, hasta que venga mi liberación. Entonces llamarás, y yo te responderé; tendrás afecto a la hechura de tus manos" (vers. 14, 15). No es más asombroso nacer dos veces que una sola, pues todo en la naturaleza es un permanente renacer.

¡Preciosa metáfora del árbol muerto que reverdece "al percibir el agua"! El agua es la vida del árbol. Y, Jesús, el Agua de vida, nos hace renacer. Este texto reafirma la fe de Job en la esperanza de la resurrección, que luego expresará con toda claridad en el texto del capítulo 19 (vers. 25-27). ¡La vida triunfa finalmente sobre la muerte!

Pero también puede aplicarse a nuestra vida, aquí y ahora. Todos necesitamos morir para renacer. Cerrar etapas para comenzar otras. Las crisis nos atemorizan, porque son pequeñas muertes, pero tras el duelo siempre viene el amanecer de un nuevo día.

En diálogo con la mujer samaritana, Jesús le dijo: "El que bebiere del agua que yo le daré, no tendrá sed jamás; sino que el agua que yo le daré será en él una fuente de agua que salte para vida eterna" (Juan 4:13, 14).

¡Jesús te ayuda a renacer cada día!

La oración derrama corrientes de Agua viva en tu corazón fatigado por el desierto de la vida. ¡Bendita oración profunda, sincera y secreta!

Oración: Señor, quiero ser como renuevo que reverdece.

Oración de interrogación

¿Dónde, pues, estará ahora mi esperanza? Job 17:15.

¿En quién descansa tu esperanza?

Job habla con Dios y le formula la pregunta de nuestro texto. Su oración surge como un clamor cuando parece que todo se ha confabulado en su contra, cuando su vida transita por "valles de sombra y de muerte", y no ve la luz de salida en medio del túnel.

El sentido más profundo de esta oración es la pregunta de si hay esperanza ante la acción del mal en este mundo, que es el tema central de su libro. La vida, como las mareas, sube y baja. Cuando te arrastra la ola del mal, pierdes la esperanza. El mal que te aqueja cada día es dual: hay un mal que cometes con tus faltas, contra otros y aun contra ti mismo, porque en cierto sentido nosotros somos nuestros peores enemigos. Y hay un mal que sufres porque vives en un mundo de pecado. Para el mal que cometes existe el perdón; y para el mal que padeces está la esperanza.

Tu tendencia humana a la venganza y a la desesperación son la contracara del perdón y la esperanza. Son la expresión de tu impotencia para enfrentar el mal. El perdón y la esperanza pertenecen a una justicia superior, y son los dones de Dios dados al creyente para cubrir la brecha infinita que existe en la justicia humana: el desfase entre la falta y el castigo. Si has hecho un daño irreparable, solo te queda recibir el perdón; si te han hecho un daño irreparable, solo te queda la esperanza. La justicia humana nunca podrá reparar lo irreparable.

Cristo es nuestra esperanza. "Lo único que nos permite obtener una comprensión más perfecta de la verdad consiste en que mantengamos nuestro corazón enternecido y sojuzgado por el Espíritu de Cristo. El alma debe ser limpiada de la vanidad y el orgullo... y Cristo debe ser entronizado en ella... La ciencia de la salvación no puede ser explicada; pero puede ser conocida por experiencia. Solamente el que ve su propio carácter pecaminoso puede discernir la preciosidad del Salvador —*DTG* 457, 458.

Mediante la oración, Cristo muestra tu necesidad más profunda, satisface esa necesidad y te da poder para vencer el mal.

Oración: Señor, que tu luz alumbre el camino en la noche oscura de mi vida.

Oración de confianza

Yo sé que mi Redentor vive, y al fin se levantará sobre el polvo; y después de deshecha esta mi piel, en mi carne he de ver a Dios. Job 19:25, 26.

Este es el testimonio en oración más profundo del corazón de Job en todo el vía crucis de su vida. Es una oración de confianza y de esperanza. Es una convicción profunda que lo ayudó a transitar el camino de su Calvario.

La palabra "Redentor", del texto de hoy, es *Go'el*, en hebreo. ¿A quién aludía este término? Podríamos traducirlo también como el "Rescatador". Se trataba del pariente más cercano que podía rescatar al hebreo que cayera en desgracia.

El capítulo 25 de Levítico explica en detalle algunas de las leyes de redención, o rescate. Estas son cuatro de las obligaciones básicas del *Go'el*: 1) redimir la propiedad que había tenido que entregar un pariente pobre (Lev. 25:25); 2) rescatar al pariente que se había vendido a sí mismo como esclavo (Lev. 25:47, 48); 3) vengar la sangre de un pariente asesinado (el *Go'el haddam* era el "vengador de la sangre"); 4) intervenir en un juicio para garantizarle justicia al pariente (ver Prov. 23:11).

Si un israelita no tenía un *Go'el*, porque lo había perdido todo, aun le quedaba una esperanza: Jehová, el Señor, sería su *Go'el* cuando llegara el año del jubileo. Cada siete ciclos de siete años, Dios intervenía en favor de todos. En el año del jubileo, el propio Jehová asumía su derecho legal de ser el *Go'el*. ¡Todos eran liberados!

Desde la eternidad, Jesús es nuestro *Go'el* (Rom. 9:5). Así, desde el mismo origen de todas las cosas, la Creación y la Redención estuvieron vinculadas.

Un video publicado en las redes sociales estremeció mi corazón: en un supermercado de la ciudad de Hernando, Florida, Estados Unidos, una madre peleó hasta la sangre para evitar que su hija de trece años fuera secuestrada. Las cámaras del supermercado registraron la violenta pelea en los pasillos entre la madre amante y el secuestrador. Prevaleció la mujer, y el secuestrador huyó. Ella fue el *Go'el* de su hija.

Jesús es tu *Go'el*. Él te defiende, te rescata siempre. Cuando eres esclavo de tus propias pasiones, maltratado por el mal, y tu destino es la muerte, Cristo te rescata y te libera.

Oración: *Señor, gracias por ser mi Rescatador viviente.*

Oración de reclamo – 1

Yo era ojos al ciego, y pies al cojo. Job 29:15.

¿Estás haciendo algo para ayudar a otra persona?

Nuestro texto es parte de una oración de reclamo al Señor, en la que Job añora su bienestar perdido, lamenta su presente y le pregunta a Dios por qué lo ignora (Job 30:20).

El patriarca recuerda sus actos de bondad que caracterizaron su vida. En el contexto del tema de su libro, que plantea si hay esperanza ante la presencia del mal en este mundo, las palabras de Job tienen mucha significación. Él dice: "Yo era ojos al ciego, y pies al cojo".

¡Qué manera más poderosa para responder al mal que nos acecha!

Pablo aconseja: "No seas vencido de lo malo, sino vence con el bien el mal" (Rom. 12:21). La respuesta al mal es el bien. Al mal no se lo enfrenta con palabras sino con hechos. La religión no puede ser un ramillete de flores y hojas muertas, de ritos y símbolos vacíos. El cristianismo alcanza su máximo poder cuando apunta a satisfacer las necesidades humanas. ¡Pero no podemos satisfacerlas todas! A veces sentimos que lo que hacemos es tan solo una gota en el mar, pero ¿qué es el mar sino la suma de esas pequeñas gotitas?

Con cada pequeña acción podemos incrementar el bien en el mundo. Cada minuto, cada hora, cada día podemos ser "ojos al ciego y pies al cojo".

Los desposeídos de este mundo están ahí "para que las obras de Dios se manifiesten en" ellos (Juan 9:3). La oración intercesora más poderosa de Job fue su obra bondadosa en favor de los necesitados. Él mismo lo dice: "Los oídos que me oían me llamaban bienaventurado, y los ojos que me veían me daban testimonio, porque yo libraba al pobre que clamaba, y al huérfano que carecía de ayudador" (Job 29:11, 12).

¡Qué poderosa es la oración silenciosa de la bondad! Mira a tu alrededor, y verás a alguien que necesita tu ayuda: una persona abandonada que lucha sola con sus hijos, una adolescente desorientada que le falta amor y dirección, un preso que espera una visita, un anciano olvidado o un enfermo que se está muriendo solo en un hospital.

Alguien espera hoy por ti.

Oración: *Señor, que mi oración sea ayudar a los que sufren.*

Oración de reclamo – 2

Yo era ojos al ciego, y pies al cojo. Job 29:15.

¿**C**rees que tus buenas obras no serán recompensadas?
Es verdad que no debemos esperar recompensa por nuestras buenas obras. Hacer buenas obras para esperar la recompensa envenena la vida espiritual. Esta idea genera religiosos orgullosos de sus logros, espías de sus hermanos, jueces de los otros. También alimenta la envidia, porque cuando vemos que alguien que a nuestro pobre juicio no se merece un bien, y lo recibe de gracia, nos enojamos. Esto enciende la hoguera de las disputas en nuestras iglesias.

También es verdad que las obras no nos salvan. Sin embargo, el apóstol Santiago afirma, inspirado por el Espíritu Santo: "La fe, si no tiene obras, es muerta" (Sant. 2:17). ¿A qué clase de obras se refiere Santiago? A las que nacen de un corazón recto como el de Job (ver Job 29): las obras que Dios pone en un corazón transformado diariamente por el poder de la oración y la Palabra de Dios (Fil. 2:13).

La salvación se manifiesta en una transformación y no en una lista de obras. Pero el arrepentimiento no se demuestra con lágrimas, sino con cambios. El mundo cambia con tu ejemplo, no con tu opinión; no con palabras, ni lágrimas ni buenas intenciones, sino con acciones. La acción más pequeña vale más que la intención más grande.

Las obras buenas que surgen de una vida transformada están a la vista de Dios. Pablo aprueba "la fe que obra por el amor" (Gál. 5:6). Felicita a los tesalonicenses por "la obra de vuestra fe, [el] trabajo de vuestro amor" (1 Tes. 1:3). Parte de su tarea fue llamar a los gentiles a "la obediencia a la fe" (Rom. 1:5; 16:26). Estas obras, en su momento, serán recompensadas: "Tu Padre que ve en lo secreto te recompensará en público" (Mat. 6:4). Porque Dios es justo, Job fue recompensado en esta vida (Job 42:10-17). Pero pudo no haberlo sido, y aun así conservar la esperanza de ver a su Redentor (Job 19:25).

La obra buena será nuestra mejor oración, porque nada es más elocuente que una buena acción. La mejor vida no es la más larga sino la más rica en buenas acciones. Recordemos a Job: "En mi nido moriré, y como arena multiplicaré mis días" (Job 29:18).

Oración: Señor, que mi vida no sea estéril.

Oración ante el abandono

Clamo a ti, y no me oyes; me presento, y no me atiendes. Job 30:20.

¿Nunca te sentiste olvidado por Dios?

Como hombre religioso, lo que realmente le angustiaba a Job no era tanto el dolor atroz que consumía sus huesos y destrozaba su carne, ni los agravios de sus amigos, ni las burlas de los sirvientes, ni la impertinencia irrespetuosa de Eliú, ni la incomprensión de su esposa, sino el hecho de que Dios parecía haberlo abandonado. Esa era la gran inquietud e incógnita del patriarca.

En la oración de hoy se esconde la verdadera búsqueda de Job. Su clamor expresa su necesidad profunda de saber que Dios lo está escuchando, que no está solo en el universo. Es también tu clamor y el mío.

Job resiste con heroísmo la idea de que Dios no existe. No quiere abandonarse al dolor sin resistir. No quiere huir de su destino ni desea atacar a los demás por su suerte. Quiere negociar con Dios, pero no puede: "No hay entre nosotros árbitro que ponga su mano sobre nosotros dos" (Job 9:33).

Tres son las reacciones humanas ante el dolor: huir, atacar o negociar. La huida es una forma de suicidio. Es abandonar el campo de batalla sin haber luchado. No hay peor abandono que abandonarse a sí mismo. Otra reacción es atacar al otro, echarle la culpa por su sufrimiento. Fue lo que hicieron los amigos de Job y su propia mujer: "Maldice a Dios, y muérete" (2:9). Esto es cobarde y cruel. Finalmente, queda el camino de la negociación con Dios. Fue lo que Job intentó. Por eso pide un mediador. Sus palabras expresan la necesidad que toda la humanidad tiene de un Salvador.

"Hay un solo Dios, y un solo mediador entre Dios y los hombres, Jesucristo hombre" (1 Tim. 2:5). Jesús es la más dulce y poderosa oración. Desde su humanidad, se eleva como incienso fragante ante el Padre. Te presenta ante él. Te convierte en su hijo. Y por él desciende la gracia infinita de Dios para sostenerte en la vida.

¡No estás solo! Jesús padeció el abandono del Padre para que tú jamás te sientas abandonado (ver Mat. 27:46). Fue solo al desierto para que tú jamás te sientas solo. La oración sincera y secreta destila el aroma de su presencia a tu lado.

Oración: Señor, necesito saber que me estás escuchando.

Oración respondida

Entonces respondió Jehová a Job desde un torbellino, y dijo: ¿Quién es ése que oscurece el consejo con palabras sin sabiduría? Ahora ciñe como varón tus lomos; yo te preguntaré, y tú me contestarás. Job 38:1-3.

¿**H**as escuchado las respuestas de Dios a tus demandas?

Dios no defendió a Job de las acusaciones de sus amigos, aunque luego se las vio con ellos (ver Job 42:7), ni explicó las causas de sus sufrimientos. Tampoco reveló por qué prosperan los impíos y sufren los justos. Nada dijo en cuanto al mundo futuro ni sobre las recompensas venideras por las injusticias de este mundo. En otras palabras, no entró en la polémica suscitada por los amigos de Job de buscar las causas del mal y el dolor. Dios habló de su poder creador, manifestado en la naturaleza, para revelar lo que puede hacer en la vida del hombre (vers. 10-17).

Más que focalizarse en el pasado, Dios puso el énfasis en el presente y en el futuro. La estrategia divina para sanar a Job fue presentar un nuevo relato, muy diferente del narrado por los protagonistas hasta ese momento. Una narración que destacara su poder creador, su omnipotencia y su capacidad providente. Esa expresión excelsa y descomunal de la sapiencia divina produjo efectos notables sobre Job, quien quedó anonadado, reconoció su iluso intento de querer discutir con Dios, se sintió indigno y se arrepintió "en polvo y en ceniza" (Job 42:6). En resumen, todo el discurso divino es un relato de esperanza que abre nuevos horizontes de saber y confianza (Job 38-41).

Narra la parte final del relato: "Y Jehová aceptó la oración de Job. Y quitó Jehová la aflicción de Job, cuando él hubo orado por sus amigos; y aumentó al doble todas las cosas que habían sido de Job" (Job 42:9, 10).

La oración sanó a Job. La oración nos eleva por encima de nuestra humanidad. Por ella recibimos el poder que trajo los mundos a la existencia.

"¿Estáis tentados a ceder a presentimientos ansiosos o al abatimiento absoluto? En los días más sombríos, cuando en apariencia hay más peligro, no temáis. Tened fe en Dios. Él conoce vuestra necesidad. Tiene toda potestad. Su compasión y amor infinitos son incansables. No temáis de que deje de cumplir su promesa. Él es la verdad eterna" —*PR* 121.

Oración: Señor, ayúdame a descansar en tu poder.

Oración de confesión – 1

He aquí que yo soy vil; ¿qué te responderé? Mi mano pongo sobre mi boca.
Una vez hablé, mas no responderé; aun dos veces, mas no volveré a hablar.
Job 40:4, 5.

¿Cómo te sientes cuando Dios se revela en tu corazón?

En el capítulo 39 de Job, Dios habló. Y todos callaron, incluso Job. La respuesta de Job es nuestro texto. Luego de que Dios hablara, Job tuvo una conciencia profunda de su condición pecaminosa. Como si el dolor lo hubiera hecho más recto de lo que era (Job 1:1). Es paradójico, pero cuanto más cerca de Dios estamos, más conscientes somos de nuestra pecaminosidad. En esto consiste la santidad.

El pecado es más que un acto; es una actitud. Pecamos no solo por lo que hacemos sino por lo que somos. David dijo: "He aquí, en maldad he sido formado, y en pecado me concibió mi madre" (Sal. 51:5). Si le preguntamos a Jesús acerca de la fuente de nuestros pecados, él nos dice: "Lo que sale del corazón es lo que contamina al hombre" (ver Mat. 15:18).

¿Cuál es la diferencia entre Job y David? ¿Por qué ambos se sienten viles delante de Dios, aun cuando Job era inocente y David culpable?

Con Job, podemos decir: "Señor, nosotros no manejamos nada, no sabemos que hay situaciones que en poco tiempo pueden arrollarnos y mostrar nuestra total impotencia". Con David, podemos decir: "Señor, sabemos que si escondemos nuestros pecados nuestra situación empeora". ¡Cuán miserable fue la suerte de David, quien aun queriendo amar a todos se sintió obligado, por el miedo, a mentir y asesinar para salvarse a sí mismo! Somos víctimas y victimarios del pecado.

Job fue una víctima del pecado, pero en contacto con la grandeza de Dios vio toda su insignificancia. Su error fue dudar de Dios cuando las cosas no fueron bien. David fue un victimario. Y con él llegamos al nivel más bajo de nuestra condición humana: convertirnos en homicidas con tal de salvar nuestra reputación.

Nosotros somos víctimas y victimarios en el reino del mal. Pero, cuando renunciamos a nuestra pretendida honestidad y reconocemos nuestra maldad natural, la fe nos recupera.

¡Gracias, Jesús; aunque soy insignificante, significo mucho para ti!

Oración: Señor, soy vil. Pero me amas.

Oración de confesión – 2

He aquí que yo soy vil; ¿qué te responderé? Mi mano pongo sobre mi boca.
Una vez hablé, mas no responderé; aun dos veces, mas no volveré a hablar.
Job 40:4, 5.

¿**C**rees que eres una buena persona?

Puede que seamos buenos, y que aun la gente crea que somos buenos, como creían de Job sus contemporáneos (ver Job 29), pero la cercanía de Cristo nos revela ese ser secreto que somos tú y yo, y que permanece oculto aun para nuestra conciencia natural. Job se calló la boca cuando percibió su verdadero ser (Job 40:5).

Hay, en nuestra fragilidad humana, la posibilidad de pasar de la luz del día a la oscuridad de la noche sin la mediación de un atardecer; de una situación controlable a una crisis inmanejable. Fue la situación de Job y de David, por diferentes razones. A Job lo sorprendió la desgracia; y a David, la concupiscencia por una mujer.

Si le preguntamos a Jesús acerca de nuestro corazón humano, nos dirá: "Porque de dentro, del corazón de los hombres, salen los malos pensamientos, los adulterios, las fornicaciones, los homicidios, los hurtos, las avaricias, las maldades, el engaño, la lascivia, la envidia, la maledicencia, la soberbia, la insensatez" (Mar. 7:21, 22).

La vida es como un huevo: si lo rompes desde afuera, termina; pero si se rompe desde adentro por una fuerza interior, comienza. Los grandes cambios de tu vida comienzan de adentro hacia afuera. La obra de la salvación que genera esta clase de transformación es de origen absolutamente divino, porque los muertos no tienen nada que ofrecer ni pueden hacer nada para tener vida: "Y él os dio vida a vosotros, cuando estabais muertos en vuestros delitos y pecados" (Efe. 2:1).

¿Cómo vencer esta natural tendencia al mal que anida en nuestro corazón? Pablo escribió: "Cada día muero" (1 Cor. 15:31). Es el sublime bautismo del Espíritu en medio del trajinar diario.

Aunque no quieras, aunque no lo desees, aunque creas que no lo necesitas, cada día Jesús te llama a la oración. Y te dice: "Deja que te salve; reconoce que solo no puedes, ni aun cuando te juntes con otros y hagas todos los cultos imaginables, y repartas millones en ofrendas y diezmos. Yo solo soy la salvación".

Oración: Señor, despierta cada día en mí la sed de ti.

Oración triunfal – 1

De oídas te había oído; mas ahora mis ojos te ven. Job 42:5.

¿Cuál es la fuente de tu esperanza?

El centro de toda la confesión de Job está en nuestra oración. Sus palabras contrastan el conocimiento que tenía de Dios antes y después de la prueba. Job tiene, gracias a la cercanía a Dios, que alcanzó de la mano del dolor, una comprensión más clara de la gracia infinita de Dios. Tiene un conocimiento de primera mano, que no viene de afuera, de un cúmulo de información externa, sino de una conciencia directa, de una experiencia espiritual plena y emocionante, que hace que todas las palabras humanas sean pobres para referirse al Altísimo.

Job se curó en la cercanía con Dios. Mientras que su razón buscó respuestas, su corazón sintió la presencia de la Providencia. El corazón tiene razones sublimes que la razón no entiende. Con la luz de Dios en el corazón, las cosas que parecen grandes se reducen, y los peligros se derriten.

La geografía es la misma de noche que de día. Pero, cuando sale el sol el paisaje cambia. La luz revela y dona una escena de belleza indescriptible que estaba escondida bajo la sombra de la noche. La nieve de la montaña brilla, y el contraste de los colores del cielo azul y el verde de los pinos es más nítido. Así, cuando Dios ilumina nuestra alma oscurecida por el dolor, todo el paisaje interior se embellece. Su gracia nos aliviana no solo de las presiones propias de la vida, sino también de las demandas de la religión. Vivir con Jesús se torna una delicia, aun en el dolor.

La confianza inquebrantable de Job se nutrió en su esperanza. Por eso exclama: "Aunque él me matare, en él esperaré" (13:15).

¿Cuál es la fuente de tu esperanza?

¡Jesús es tu esperanza! "Y esa esperanza no acabará en desilusión. Pues sabemos con cuánta ternura nos ama Dios, porque nos ha dado el Espíritu Santo para llenar nuestro corazón con su amor" (Rom. 5:5, NTV).

Tu esperanza es la presencia del amor divino en la persona del Espíritu Santo, caudal de vida que te lleva a exclamar con Job: "De oídas te había oído; mas ahora mis ojos te ven" (Job 42:5).

Oración: *Señor, ayúdame a verte en la noche oscura de la prueba.*

Oración triunfal – 2

De oídas te había oído; mas ahora mis ojos te ven. Job 42:5.

Esta declaración es el fruto del aprendizaje de Job. Es la esencia del perfume que dejó su aflicción.

¿Cómo fue el proceso de curación de Job? Veamos qué hizo Dios para sanarlo y retribuirle todas sus bendiciones (ver Job 42:10).

En primer lugar, Job externalizó su drama. Lo puso en Dios. Acudió a él. No le echó la culpa a nadie. Buscó a Dios. Y así, Dios fue proveyéndole recursos espirituales para vencer la depresión. Cuando sufras, pon tu mirada en el Cielo, de donde viene el poder (ver Mat. 6:9).

Luego, Job no se quedó en los mejores días del pasado. Aunque su espíritu lo llevó muchas veces a la nostalgia, siempre se impuso al ayer: "Todos los días de mi edad esperaré, hasta que venga mi liberación" (Job 14:14). Aprendió que lo peor a veces es padre de lo mejor; y perseveró en la idea de esperar lo mejor, aun después de muerto: "Aunque él me matare, en él esperaré... y él mismo será mi salvación" (Job 13:15, 16).

La esperanza te lleva a desear lo nuevo en medio del dolor. ¡A no bajar los brazos! Te da fuerzas y cierta seguridad íntima de que, a pesar de las apariencias, la situación intolerable en que te encuentras no será definitiva, que aún hay una salida. La esperanza confía en que "lo que es imposible para los hombres, es posible para Dios" (Luc. 18:27). Concibe siempre una salida para los problemas. Y en sí misma constituye una dicha. Aunque la esperanza se vea muchas veces decepcionada, ninguna decepción es más horrible que perderla.

"En cada hombre hay un mito", dijo el escritor estadounidense William B. Yeats. Job es un símbolo del sufrimiento y un paradigma de la esperanza. Toda la humanidad está en él. Desde el infierno más horrendo, y en lucha constante con las penurias del cuerpo, su existencia solitaria y heroica no cedió a la desesperación. Job consiguió reafirmar la esperanza y la fe en Dios, de quien en un momento se sintió desterrado. La vida de Job es el triunfo sobre la adversidad más cruel gracias al poder de una certeza inquebrantable.

Job nos ha enseñado el derecho al desánimo, pero no a perder la esperanza.

Oración: Señor, que podamos decir con Job: "Mis ojos te ven".

Oración triunfal – 3

De oídas te había oído; mas ahora mis ojos te ven. Job 42:5.

En su discurso, Dios no explicó las causas de los sufrimientos de Job ni reveló por qué prosperan los impíos y sufren los justos. Dios simplemente habló de su poder creador.

¿Qué "vio" Job en las palabras de Dios? Primero veamos lo que no vio. Job no vio que su sufrimiento se debía a un castigo divino, o que su inocencia le daba el derecho a no sufrir. Aquí está el secreto de la riqueza de su libro: si yo fuera culpable y se me castigara, o inocente y se me premiara, entonces podría suponer que mi vida está sujeta a un orden y a una regla moral que puedo manejar para cambiar mi destino. Esto es legalismo, que adjudica un poder sobrenatural a la obra humana. En cambio, si Dios me salva por su gracia, entonces me encuentro expuesto a un orden superior. Job vio ese orden superior de un Dios todopoderoso en quien podía confiar absolutamente. Confió en su gracia y en su juicio.

Por eso, sometió su vida a Dios, consciente de que había un orden infinitamente superior a su voluntad, y que no podía controlar su felicidad o desdicha. En esto consistió su humildad.

La humildad nos permite tomar la vida tal como viene, confiando en que Dios lo sabe todo. La humildad te permite ser feliz mientras dure esa felicidad, y también te da fuerzas para que enfrentes los tiempos difíciles, y aun la propia muerte, cuando te toquen. La humildad te hace consciente de que tú no eres quien determina a Dios, sino que es Dios quien determina tu vida.

El Señor te toma, te lleva, te deja caer, siguiendo leyes cuyo secreto no puedes llegar a comprender totalmente. Pero la humildad te permite someterte a él en los días claros y oscuros. Te da la sensibilidad para ayudar a las víctimas inocentes del mal, cosa que no hicieron los amigos de Job. Y no permite que te victimices, porque aceptas lo que Dios te ha dado. La vida hay que tomarla como viene. ¡Con alegría!

"Cuando Job alcanzó a vislumbrar a su Creador, se aborreció a sí mismo y se arrepintió en el polvo y la ceniza. Entonces el Señor pudo bendecirlo abundantemente" —*PP* 120.

Oración: *Señor, eres todo para mí.*

Oración al revés

Jehová dijo a Elifaz temanita: Mi ira se encendió contra ti y tus dos compañeros; porque no habéis hablado de mí lo recto, como mi siervo Job.
Job 42:7.

¿Cómo es tu religión? Ya se está terminando el libro de Job, y ahora es Dios el que habla. Sus palabras suenan como una oración al revés. Son una amonestación a quienes hablaron con necedad. A lo largo del relato, el gesto del hombre dolorido, espantado, desesperado y quejumbroso contrastó con la actitud ostentosa y solemne de sus amigos, que satisfechos con la vida fueron a consolar al patriarca con discursos de culpa y condenación.

Pero podemos aprender de los amigos de Job, y hacer todo lo contrario cuando nos toque consolar al sufriente.

En primer lugar, Elifaz, Bildad, Zofar y Eliú no respondieron a las necesidades del patriarca, sino que lo "molieron con palabras" (Job 19:2, 3). Para ellos era más importante su ideología que su amigo. Se concentraron más en expresar bien sus ideas y creencias que en el propio dolor de Job (ver caps. 4, 15, 22). La teología de la retribución, que entiende el sufrimiento como un castigo de Dios por los pecados cometidos, envenenó el diálogo, y echó por tierra toda posibilidad de consuelo y ánimo. Argumentaron que la "tribulación y angustia" es propia del impío por haber alzado "su mano contra Dios" (vers. 25).

Y así, porque jamás empatizaron con el dolor, y solo exhibieron una insensibilidad asombrosa, Job se sintió solo e incomprendido. Y, aunque les expresó su soledad y hastío por su vida (Job 10:1), ninguno de ellos lo hizo sentir acompañado. Peor aún, lo hicieron sentir solo en la cercanía física. ¡La peor soledad es la que te hace sentir el que está más cerca de ti!

Finalmente, todo este cóctel de egoísmo, palabras y discursos vacíos terminó en insultos y crítica. Job fue tremendamente agredido verbalmente (Job 4:8; 8:2; 11:3). ¡Quienes fueron a consolarlo, terminaron desalentándolo!

¡Cuánto podemos aprender de los amigos de Job!

¿Cómo es tu religión? ¿Te inspira miedo? ¿Es más importante lo que crees y piensas que la compasión? ¿O la gracia divina en tu corazón te impulsa a la obediencia y al amor?

Oración: Señor, ayúdame a ver a Jesús en el dolor ajeno.

Oración profética

Jehová me ha dicho: Mi hijo eres tú; yo te engendré hoy. Salmo 2:7, 8.

Salmos, el himnario del pueblo de Israel, es una colección de cinco libros con varios autores. El tema de cada libro coincide con el contenido de cada libro del Pentateuco, los primeros cinco libros de la Biblia. Así, el primer libro hace hincapié en la humanidad (Sal. 1-41). El segundo trata sobre la liberación de Egipto (Sal. 42-72). El tercer libro aborda el Santuario (Sal. 73-89). El cuarto habla del Reino de Dios (Sal. 90-106). Y el tema principal del quinto libro es la Palabra de Dios (Sal. 107-150).

Muchas de las oraciones del Antiguo Testamento tienen como objeto exclusivo asuntos temporales, pero la mayoría de las oraciones de los Salmos son cantos de alabanza y mensajes proféticos que reafirman la fe del creyente. Este es el caso de la oración del Salmo 2 (ver, además, los salmos 21, 45, 72 y 110). Es un canto mesiánico. El tema sobre el que gira es la elección del rey como ungido de Jehová. El texto acentúa el aspecto "guerrero del ungido" como instrumento de acción divina. A la vez que se remarca el carácter y el destino del rey como persona "consagrada", intocable e inviolable, se anuncia la llegada al mundo del verdadero Ungido de Dios, el Mesías.

En Mateo 3:17, escuchamos el eco del Salmo 2: "Y hubo una voz de los cielos, que decía: Este es mi Hijo amado, en quien tengo complacencia" (Mat. 3:17). En Hechos 4:26, Lucas, anunciando la pasión y la muerte de Cristo, cita el versículo 2 de este Salmo. Siglos antes de que el Hijo de Dios pisara solo el lagar de la ira divina, el rey David "publicó el decreto" de tu salvación (Sal. 2:7).

¿Qué significa esta oración para ti? Dios te engendra como hijo en Jesús (Gál. 3:25, 26). Saber que eres hijo de Dios tiene un tremendo impacto en tu vida. No eres la misma persona con o sin Jesús en el corazón. Si Jesús está vivo, nada importa. Y si Jesús no está vivo, nada importa. Esta es la paradoja que él instala en tu vida: o lo recibes, y nada temerás; o lo rechazas, y nada tendrá significado en tu vida.

Hoy, antes de salir de tu casa, asegúrate de que Jesús te acompañe.

Oración: Señor, te alabo porque me engendras en tu Hijo.

Oración al borde del abismo

¡Oh Jehová, cuánto se han multiplicado mis adversarios!
Muchos son los que se levantan contra mí. Muchos son los que dicen de mí:
No hay para él salvación en Dios. Salmo 3:1, 2.

Siempre una lágrima de dolor tiene un origen más profundo que una sonrisa. Pero la desesperación hunde sus raíces en el abismo. Muchas veces, la vida nos desespera, y no sabemos adónde ir, no vemos la salida.

Muchas pueden ser las causas de tu aflicción: ¿Estás enfermo? ¿Perdiste el trabajo? ¿Te acabas de divorciar? ¿Hay gente que intenta destruirte? Aun esa historia de ausencias y de necesidades insatisfechas, que quizá arrastres desde tu infancia, puede empujarte secretamente al abismo de la desesperación. Casi todos vivimos en una silenciosa desesperación.

¿Qué hacer cuando creemos que no hay salida? Encerrado por candados de desesperanza, la única solución de David fue exponerle a su Señor cuál era su situación. Y desafiarlo: "Muchos son los que dicen de mí: No hay para él salvación". Como si le dijera a Dios: "Demuéstrales por medio de mí que eres poderoso para salvar".

David no desesperó ante la aflicción, porque había experimentado el poder de Dios: "Con mi voz clamé a Jehová, y él me respondió desde su monte santo" (vers. 4). ¡Qué bella seguridad! Si clamamos a Dios, él nos responderá desde las alturas en la llanura de nuestra cotidiana desesperación.

David continúa: "Yo me acosté y dormí, y desperté, porque Jehová me sustentaba" (vers. 5). Cuando descansamos en Dios, huyen los fantasmas nocturnos que se disfrazan de ansiedad y recuerdos insoportables. No hay seguridad de este lado de la tumba; por eso, nada es más bello en este mundo que la seguridad de que Dios nos concede su compañía de día y de noche.

La desesperación te dice: "Corre. Haz algo. No sé qué, pero haz algo. Y pronto". La angustia te dice: "No hagas nada. No puedes hacer nada". La fe te dice: "Confía en Dios. Él hará en su momento lo que tú no puedes hacer".

¡La oración es tu arma más poderosa! Te da visión cuando el camino se oscurece. Con ella, bendices a quienes están enfrentando adversidades. Eres bendecido por la oración de los que te aman. Y por tu oración bendices al mundo.

Oración: Señor, gracias porque día y noche estás a mi lado.

Oración por ayuda divina

Respóndeme cuando clamo, oh Dios de mi justicia... Ten misericordia de mí, y oye mi oración. Hijos de los hombres, ¿hasta cuándo volveréis mi honra en infamia, amaréis la vanidad, y buscaréis la mentira? Salmo 4:1, 2.

No sabemos a ciencia cierta cuál fue la situación que atravesaba David cuando escribió este salmo. Hay eruditos que piensan que los Salmos 3 y 4 fueron escritos durante la rebelión de Absalón (2 Sam. 15-18), y afirman que expresan los sentimientos de un hombre perseguido por su propio hijo, exiliado de Jerusalén, su ciudad, y proscrito por el pueblo que él gobernaba.

Por otra parte, hay quienes sugieren que fue escrito unos años antes, durante las primeras escaramuzas que tuvo con Saúl. Independientemente de cuál fuera el contexto histórico en que fue escrito, este salmo deja un mensaje profundo de confianza en Dios en la hora de la prueba. En esos momentos, la oración se convierte en el arma más poderosa para el corazón humano que gasta su energía clamando y suplicando.

El Salmo 4 es un modelo de oración en busca de ayuda divina. En la prueba, David se pone demandante: "Respóndeme cuando clamo, oh Dios de mi justicia". Requería una respuesta inmediata a su angustia, porque conocía que "aún no está la palabra en mi lengua, y he aquí, oh Jehová, tú la sabes toda" (Sal. 139:4).

Puede que lo estés pasando muy mal, porque estás rodeado de gente ingrata, que no te ama ni ama a Dios, insensible, dura como las rocas y ciega como murciélagos para ver tu rostro (4:2-6). Puede que en tu propia casa no halles comprensión, como Job, cuya esposa le dijo: "Maldice a Dios, y muérete" (Job 2:9).

A menudo, ¡los vientos soplan contra nuestra nave! Pero, en tales circunstancias, David recibió una revelación de Dios mientras oraba: "Tú diste alegría a mi corazón" (Sal. 4:7). ¿En qué consistía la alegría de David? En saberse elegido por Dios: "Jehová me ha dicho: Mi hijo eres tú; yo te engendré hoy" (Sal. 2:7).

La oración sincera, profunda y secreta "roba" el secreto a los vientos, ¡a fin de que soplen a nuestro favor! Reafirma la seguridad de que Dios no nos abandona cuando estamos bajo el fuego de la hostilidad. ¡Porque somos sus hijos!

Oración: Señor, ayúdame a escuchar tu respuesta a mi oración.

Oración de seguridad

En paz me acostaré, y asimismo dormiré; porque solo tú, Jehová,
me haces vivir confiado. Salmo 4:8.

¿**D**uermes bien de noche?

Esta seguridad que expresa David en una de sus primeras oraciones la reafirma en uno de sus últimos salmos: "Si Jehová no edificare la casa, en vano trabajan los que la edifican; si Jehová no guardare la ciudad, en vano vela la guardia... A su amado dará Dios el sueño" (Sal. 127:1, 2). La cuestión es en quién depositamos nuestra confianza.

Durante su reinado, David tomó la fortaleza de Sion (2 Sam. 5:7) y extendió los dominios de Israel como ningún otro rey (2 Sam. 8). Un séquito de hombres valientes lo cuidaba a sol y a sombra (2 Sam. 23:8-39). Sin embargo, la confianza última de David no estaba en sus valientes ni en sus logros, sino en Dios. El éxito de David se debió a que Jehová Dios de los ejércitos estaba con él (2 Sam. 5:10). "Y Jehová dio la victoria a David por dondequiera que fue" (2 Sam. 8:14).

David estaba convencido de esto; por eso, una de las primeras oraciones que se registran fue: "En paz me acostaré, y asimismo dormiré; porque solo tú, Jehová, me haces vivir confiado" (4:8).

Ahora bien, David no dejó de edificar ni le dijo a la guardia que no velara por su seguridad. Pero él sabía que el cimiento último de su vida, por el que se sentía seguro y confiado, aun en las noches, no era el hombre, sino Jehová, que es el único Dios verdadero (Deut. 6:4), soberano absoluto (Dan. 4:35), todopoderoso (Luc. 1:37), grande en misericordia y verdad (Éxo. 34:6), el Padre celestial (Mat. 6:9), fortaleza eterna (Isa. 26:4).

¿En quién depositas tu confianza?

Es vano poner la confianza en este mundo, ¡porque hasta tu sombra te abandona cuando estás en la oscuridad! Así como un pájaro confía en sus propias alas, y no teme si se rompe la rama del árbol que lo sostiene, tú confías en tu oración sincera y secreta. Tus súplicas diarias son tus alas. Tu confianza no descansa en tus virtudes, sino en el amor y el poder de Dios para satisfacer tus verdaderas necesidades. La fuerza de tu oración no depende de tus méritos, sino de la entrega de tu corazón.

Oración: Señor, solo en ti puedo vivir confiado.

Oración de confianza – 1

Pero alégrense todos los que en ti confían; den voces de júbilo para siempre, porque tú los defiendes. En ti se regocijen los que aman tu nombre Salmo 5:11.

¿Qué significa para ti confiar en Dios?

Los versículos 11 y 12 conforman una unidad de pensamiento. Ambos textos son como la raíz, el tronco y la copa del árbol de la salvación. Nos hablan de la naturaleza de la fe cristiana. En el Salmo 5, y particularmente en estos versículos, se destacan tres palabras que nos queman las manos como carbones encendidos: confianza, amor y justicia (vers. 7, 8, 11, 12).

"Alégrense todos los que en ti confían". El sentido original de la palabra que se traduce como *confianza* es "huir al refugio". Podemos imaginar las paredes de la cueva, donde David encontraba refugio, arqueadas como las alas de un águila que protege a su cría. David corría con pies ansiosos, para ocultarse en la hendidura de la Roca eterna en la que descansaba seguro. Más tarde escribió: "Con sus plumas te cubrirá, y debajo de sus alas estarás seguro" (Sal. 91:4).

¿Qué te dicen estas palabras, y la escena en las que fueron escritas, acerca de la confianza en Dios? David no está pensando en la fuerza de su voluntad por la que huye y se arroja en confianza sobre Dios, sino en lo que representa simbólicamente ese lugar que lo acoge, esa cueva, esas alas del ave, ese Dios.

Confiar en Dios no es ni más ni menos que huir hacia él para refugiarse en él, y allí estar en paz. Confiar en Dios es más que la intención de correr. Confiar en Dios es lanzarse desesperadamente sobre él. La protección divina no está garantizada por tu intención, ni aun por el mismo hecho de correr, sino por el amor de Dios, que extiende sus alas para que encuentres refugio. La fe es más que una mera intención, es más que un asentamiento a una creencia. Es correr para hallar refugio en él.

Es posible que la vida hoy te esté pegando muy duro, que no te perdone. Pero Dios sí perdona. Corre hacia él. Te está esperando para protegerte. Jamás te dejará solo. Tus fuerzas son débiles. Tu seguridad no depende de tus piernas, sino de Aquel hacia quien huyes. No depende de tu velocidad, sino de la capacidad de Dios para recibirte. ¡Él es tu Refugio!

Oración: Señor, bajo tus alas estoy en paz.

Oración de confianza – 2

Pero alégrense todos los que en ti confían; den voces de júbilo para siempre, porque tú los defiendes. En ti se regocijen los que aman tu nombre Salmo 5:11.

¡Confiamos en Dios porque lo amamos! Ayer reflexionamos en la confianza como la raíz del árbol de la salvación. Hoy veremos el tronco de este árbol. Si quiero amar a Dios, debo estar seguro de que Dios me ama. Mi amor nunca puede ser otra cosa que una respuesta al suyo. Mi amor humano solo puede ser derivado del amor divino, un mero reflejo.

David dice: "Regocíjense los que aman tu nombre" (Salmo 5:11). El nombre de Dios expresa el carácter revelado de Dios. Amas a Dios porque él no se escondió en la oscuridad de su infinitud, sino que salió de sí y te dio algo a partir de lo cual puedes conocerlo. Las cuatro letras que nombran a Dios (YHWH) no significan nada, y no hay poder en ellas para mover el corazón de humano, ¡a menos que se conviertan en el nombre de Jesús! ¡Él es la acción del Padre en el mundo! El conocimiento de la revelación del Padre en Jesús nos impulsa a amar a Dios. Y no hay forma de obtener ese conocimiento sino a través de la fe, que precede al amor. Porque por la fe comprendemos el hecho de que Dios nos ama (ver 1 Juan 4:16).

Por la fe captamos que "nosotros le amamos a él, porque él nos amó primero (1 Juan 4:19). Por la fe experimentamos y comprendemos el amor divino en nuestros corazones. Tan seguramente como la luna plateada mueve las aguas de los océanos, el amor de Jesús atrae las aguas de nuestro espíritu hacia él. Los que creen contemplan y experimentan los efectos de ese amor divino, que siempre precede a nuestra respuesta humana.

Los estudiantes de acústica nos dicen que si tú tienes dos instrumentos de cuerda en dos habitaciones separadas, afinados en el mismo tono, la nota que suene en uno de ellos vibrará débilmente en el otro, tan pronto como las ondas de sonido hayan alcanzado la cuerda sensible. De la misma manera, tu corazón emitirá un débil tintineo musical como respuesta a la nota del profundo amor divino pulsada en las cuerdas del Cielo.

¡La oración afina tu corazón en la frecuencia celestial! ¡Que tu vida vibre hoy bajo el efecto del amor divino!

Oración: *Mi corazón vibra al sonido de tu amor.*

Oración del justo

Porque tú, oh Jehová, bendecirás al justo; como con un escudo
lo rodearás de tu favor. Salmo 5:12.

¿Quién es justo? ¡La justicia es el fruto de la confianza y del amor a Dios!

Este es el orden evangélico. Esta es la gran bendición y belleza del cristianismo, que tiene un fundamento absolutamente distinto de cualquier otro sistema religioso o filosófico cuyo propósito sea convertir al ser humano en una mejor persona.

En primer lugar, viene la fe, de la que nace el amor. Y del amor viene la obediencia. La fe conduce a la justicia, porque, en el mismo acto de confiar en Dios, salgo de mí mismo; y salir de uno mismo, abandonando todo egoísmo, es el principio de todo bien, y el germen de toda justicia.

Esto ¿es posible? Dios no espera que debilites tu yo. Al contrario, él quiere fortalecerlo. Tu yo es tu identidad. Pero la obediencia a Dios no es natural al corazón humano. Se requiere disciplina diaria en la oración. La oración reafirma tu yo humilde.

El apóstol Pablo sintoniza con el salmista. Lo que este dice en los Salmos lo confirma Pablo en sus epístolas. Para David, la obediencia es el fruto de la fe, que obra confianza y amor en el corazón humano. Y también para Pablo: "Estimo todas las cosas como pérdida por la excelencia del conocimiento de Cristo Jesús... y ser hallado en él, no teniendo mi propia justicia, que es por la ley, sino la que es por la fe de Cristo, la justicia que es de Dios por la fe" (Fil. 3:8).

Aquí está la prueba de nuestra fe y el sentido de la justicia: amar a los otros como son. Esto no es natural en nosotros. Solo aceptamos con "naturalidad" a quienes se nos parecen: a los de la misma raza, o de la misma religión, o de la misma educación o clase social. Por eso nos esforzamos en cambiar a los demás. Queremos meterlos en el cajón de nuestras creencias, ideas y gustos. Pero la prueba de la fe no es convencer a los otros de cuán equivocados están en sus creencias, sino amarlos tales cuales son. El amor de Dios es el único poder que te transforma y te hace justo.

Oración: Señor, solo tu amor convierte mi obediencia en un deleite.

Oración por misericordia

Ten misericordia de mí, oh Jehová, porque estoy enfermo; sáname,
oh Jehová, porque mis huesos se estremecen. Salmo 6:2.

Jamás la angustia se expresó en palabras y lágrimas como lo hizo en este salmo.

Escarnecido por sus enemigos, perseguido por su propio hijo Absalón, al borde de la muerte, abatido y cansado, David ruega indefenso por la misericordia divina. La oración de David es el latido agudo de un tormento espiritual que repercute en su cuerpo, como caja de resonancia. "Estoy enfermo", confiesa. Es Jesús en el Getsemaní, cuya agonía la expresó en gruesas gotas de sangre que bañaron su rostro.

La oración fue el recurso más preciado de este soldado de Dios debilitado en la lucha. Su clamor nos muestra el grado de compromiso que tuvo con la oración en medio de su dolor: "Me he consumido a fuerza de gemir; todas las noches inundo de llanto mi lecho" (Sal. 6:6). David necesitaba alivio físico y consuelo espiritual. Su angustia lo había enfermado. Pero no dejó de orar.

El sufrimiento nos culpabiliza; por eso, en la prueba del dolor jamás permitamos que la culpa nos venza. ¡Bendita oración, que nos consuela y alivia!

Pablo nos dice que aún no hemos sido probados "hasta la sangre", como Cristo en el Getsemaní, o los mártires en el Coliseo romano. Y nos insta a sacarle el secreto al dolor (Heb. 12:4-6). Es lo mismo que dice Pedro: "Para que sometida a prueba vuestra fe, mucho más preciosa que el oro, el cual aunque perecedero se prueba con fuego, sea hallada en alabanza, gloria y honra cuando sea manifestado Jesucristo" (1 Ped. 1:3-7). ¡La oración y el dolor maduran el fruto de la fe!

La disciplina divina nada tiene que ver con castigos por pecados que Jesús no pueda perdonarte. Puedes padecer las consecuencias de tus propios errores, de tus malos hábitos de vida, puedes sufrir por enfermedades de las que no eres responsable, ¡pero jamás padecerás la lejanía de Dios!

En medio de tu dolor, hay algo que te sostiene: la fe. Hay algo que te impulsa: la esperanza. Hay algo que te llena, y que no tiene fin: el amor de Dios. La oración consuela tu alma afligida y tu cuerpo dolorido.

Oración: Señor, escucha mi ruego y calma mi dolor.

Oración de adoración – 1

¡Oh Jehová, Señor nuestro, cuán glorioso es tu nombre en toda la tierra!
Has puesto tu gloria sobre los cielos. Salmo 8:1.

¿**R**ecuerdas quién eres?

Es posible pensar que David haya escrito esta oración cuando era joven, quizá cuando aún era pastor. Seguramente al abrigo de la gran bóveda celeste, en las noches tachonadas de estrellas, su alma se inspiró para escribir esta hermosa pieza lírica. Un sentimiento de profunda admiración y dignidad humana, nacido en el vínculo de David con el Creador, recorre todas las estrofas de esta oración.

Este es el primero de los Salmos que se refieren directamente a la naturaleza (ver Sal. 19, 29, 104). En este canto se revela la majestad y el poder de Dios manifestados tanto en la creación como en la vida del ser humano. "El cántico de la noche estrellada", como se lo ha llamado, testifica que el poeta no ve la naturaleza como un fin en sí mismo, sino como la expresión de un Dios que se expresa en ella, pero que no se agota en ella.

David experimenta un cierto arrebato místico cuando ve las estrellas, tan lejanas al ojo y tan cercanas al corazón. Los astros le hablaban de un Creador que habita en la lejanía de la eternidad (Sal. 103:19), pero cuya gloria se manifiesta en la cercanía de su creación.

El autor español Miguel de Unamuno escribió: "Hay ojos que miran,/ hay ojos que sueñan,/ hay ojos que llaman,/ hay ojos que esperan". Los ojos de David miraban, soñaban y esperaban en Dios. Él sabía, como escribiera el poeta Antonio Machado, que "el ojo que ves no es ojo porque tú lo veas; es ojo porque te ve". David se sentía mirado por Aquel cuya gloria se expresaba en las estrellas.

Quizá creas que no vales nada. ¡Pero vales mucho para Jesús! Tu dignidad nace del hecho de que eres creación divina. El respeto a uno mismo nace de esta dignidad. ¡Somos nuestro propio tribunal! Nada haremos que nos haga despreciables ante nuestros propios ojos.

Cuando tu corazón tenga sed de Dios, y tu alma se sienta perdida entre las cosas, eleva tu mirada al cielo. ¡Dios te está mirando! Y esa mirada te dignifica.

Oración: Señor, en medio de la gloria de la Creación, me siento mirado por ti.

Oración de adoración – 2

¡Oh Jehová, Señor nuestro, cuán glorioso es tu nombre en toda la tierra!
Has puesto tu gloria sobre los cielos. Salmo 8:1.

La gloria del Creador se manifiesta en su creación. Los cielos anuncian la obra de sus manos. Del cielo dimana el tiempo, como dimensión dentro de la cual ocurre nuestro pasado, presente y futuro. Mientras la Tierra es donde ocurren las cosas, el cielo determina cuándo ocurren estas cosas, pues de él provienen los ciclos que demarcan el curso del tiempo.

Al cielo pertenecen el día y la noche, la luz y las tinieblas, y el curso de las estaciones y de los años. El movimiento de rotación de la Tierra sobre su propio eje determina el ciclo del día, y el movimiento de traslación en torno del Sol determina el ciclo anual. De este modo, el cielo marca el tiempo de nuestra existencia, y por ello señala nuestra finitud y condición de seres mortales.

La profundidad abismal de una noche tachonada de estrellas revela la infinitud en la que nuestro mundo pareciera perderse. Fue este sentimiento de pequeñez humana lo que arrancó la pregunta del corazón de David: "¿Qué es el hombre, para que tengas de él memoria?" (Sal. 8:4). Este es el comienzo de la humildad.

Por otra parte, en su profundidad, el cielo nos arranca del encierro de la limitada existencia humana, y nos permite a su vez liberarnos de la atadura de la ansiedad de la vida, para captar la huella del Eterno. ¡Cuánto alivia la ansiedad del alma contemplar un cielo tachonado de estrellas!

La oración nos abre al Infinito.

La bóveda celeste es el altar que te espera cada día, para que derrames el alma en oración al Creador, como lo hacía David. La oración es el puente que te une con el Altísimo: "Es algo maravilloso que podamos orar eficazmente; que seres mortales indignos y sujetos a yerro posean la facultad de presentar sus peticiones a Dios. ¿Qué facultad más elevada podría desear el hombre que la de estar unido con el Dios infinito? El hombre débil y pecaminoso tiene el privilegio de hablar a su Hacedor" —*LO* 7.

Despleguemos cada día las alas de la oración, y volemos hacia el Creador.

Oración: Señor, mi oración te alcanza en lo alto.

Oración de humildad y dignidad

Cuando veo tus cielos, obra de tus dedos, la luna y las estrellas
que tú formaste, digo: ¿Qué es el hombre, para que tengas de él memoria,
y el hijo del hombre, para que lo visites? Salmo 8:3, 4.

La oración de David es una confesión de humildad y dignidad. A los pies de la Creación, el salmista se sorprende de que el Creador tenga memoria de la criatura. En contraste con la grandeza de la naturaleza, capta su propia insignificancia. Pero a su vez, esa misma humildad se convierte en dignidad cuando expresa que el hombre es obra de la mano divina. ¡Dios se ocupa de nosotros!

Tú y yo somos dignos delante de Dios porque somos obra de sus manos. Creados a su imagen, llevamos en nuestro corazón y cuerpo la huella del Eterno. En lo secreto de nuestro corazón, gemimos: "Señor, te extrañamos. Somos tus criaturas; y nuestro corazón jamás descansará hasta que descanse en ti. Solo tú nos das abrigo y paz".

Dios nos visita en la oración. El Padrenuestro es la máxima expresión del retorno a Dios por el que clama nuestra alma. En esta oración, al dirigirse a su Padre, Jesús usa el término arameo *Abba*, una forma cercana e íntima (ver Mat. 6:9-13). Significa "papá", o "papito". La palabra "Padre" puede hasta inspirar cierto miedo. Pero *Abba* es un ser personal y cercano.

La oración nos conecta con nuestro Papá todopoderoso, cercano. Es tu castillo fuerte y tu refugio en tiempo de prueba. Puedes decir con el salmista: "Jehová, roca mía y castillo mío, y mi libertador; Dios mío, fortaleza mía, en él confiaré; mi escudo, y la fuerza de mi salvación, mi alto refugio" (Sal. 18:2).

La oración te conecta con quien te ama y guía: "El Señor dice: Yo te instruiré, yo te mostraré el camino que debes seguir; yo te daré consejos y velaré por ti" (Sal. 32:8, NVI).

Aunque tú no tengas noticia de él, o estés alejado de sus caminos, no dejará de buscarte, para guiarte. ¡Te ha guiado sin que los supieras! Mira hacia atrás, y verás que todos los puntos inconexos de tu vida se unen para conformar un cuadro con sentido.

¿Quién eres tú para que Dios te recuerde? Eres su hijo, comprado por sangre.

Oración: *Señor, gracias porque eres mi refugio en la soledad del universo.*

Oración de acción de gracias

Te alabaré, oh Jehová, con todo mi corazón; contaré todas tus maravillas...
Porque has mantenido mi derecho y mi causa; te has sentado en el trono
juzgando con justicia. Salmo 9:1, 4.

¿Vives tus alabanzas?

Este es el primero de los Salmos acrósticos, o alfabéticos. Es decir, su composición poética está constituida por versos cuyas letras iniciales, medias o finales forman un vocablo o una frase. Pues bien, este Salmo, como otros (10, 25, 34, 37, 11, 112, 119, 145), comienza con la letra *álef*, primera letra del alfabeto hebreo. El acróstico le da belleza, sentido, forma y orden al mensaje. Las formas de la poesía hebrea expresan un mensaje teológico mediante la belleza lírica. La Escritura expresa la belleza que capta el poeta en el mensaje divino. Mientras el teólogo afirma fríamente que el hombre tiene el deseo inherente de conocer a Dios, el poeta exclama: "Como el ciervo brama por las corrientes de las aguas, así clama por ti, oh Dios, el alma mía (Sal. 42:1).

David era un poeta cuyos salmos contenían profundos mensajes teológicos. Por ejemplo, en este salmo, que ha sido llamado "Canto de acción de gracias", el salmista alaba a Dios porque es sensible al dolor y a la injusticia humana, y es Juez justo que defiende a los oprimidos: "Él juzgará al mundo con justicia, y a los pueblos con rectitud. Jehová será refugio del pobre, refugio para el tiempo de angustia" (vers. 8, 9).

¡Cuánto alegra al corazón saber que Dios ama la justicia y ampara al más débil y afligido (vers. 12)! ¡Señor, te alabo porque defiendes a los oprimidos!

Nuestra oración nos enseña a alabar a Dios ¡con todo el corazón! ¡Y con nuestras manos! La mejor alabanza al Dios de justicia ¡son nuestras obras en favor de los más desfavorecidos!

En la verdadera alabanza, nuestra alegría no está en el presente ni enfocada en nosotros, sino en Dios y en el prójimo. Nuestro corazón no se regocija más por el don recibido que por el Dador. Así como el triunfo del Redentor es el triunfo del redimido, nuestro testimonio ayuda a los que están a nuestro lado; a los que, caídos en desgracia, buscan una señal de esperanza manifestada en nuestra vida.

Oración: Señor, te alabo porque eres refugio del pobre y puedo confiar en ti en la angustia.

Oración por justicia

¿Por qué estás lejos, oh Jehová, y te escondes en el tiempo de la tribulación?
Salmo 10:1.

Este salmo, que en las Escrituras hebreas aparece unido al anterior como una sola pieza literaria, es una invocación a Dios en todo tiempo de injusticia. Su estructura es semejante a la de otros salmos: primeramente, el autor plantea un problema, luego interpela a Dios, para finalmente reafirmar su fe en Jehová.

Siguiendo esta estructura, podemos dividir en tres partes la oración de David. En primer lugar, presenta el caso para la interpelación, basado en sus propias pruebas y observación (Sal. 10:1-11); luego desafía e interpela a Dios para que no se borre del escenario humano (vers. 12, 13); y finalmente reafirma la fe en un Dios justo y poderoso (vers. 14-18).

Aunque escrito hace miles de años, este salmo por justicia tiene permanente vigencia. ¡Cuántas veces hemos hecho catarsis leyendo estos reclamos sinceros de David a Dios!

Más allá de la sociedad a la que pertenezcamos, la injusticia y la corrupción son el pan de cada día. El problema que ve David es precisamente este: mientras el mal crece entre los hombres sin que se haga justicia, mayor es el escepticismo hacia Dios. "El malvado cree que Dios se olvida, que se tapa la cara y que nunca ve nada" (vers. 11, DHH).

En los primeros once versículos, David comienza describiendo a los hombres de su tiempo con adjetivos que son trágicos sinónimos de nuestro tiempo: arrogancia, que es hinchazón y no grandeza; jactancia; altivez; incredulidad; mentira; engaño; fraude; acecho; arrebato. Cualquier semejanza con nuestra realidad no es casualidad. Esta es la condición humana.

El problema es el silencio aparente de Dios, y la consecuente pérdida de fe en él. David reclama: "Levántate, oh Jehová Dios, alza tu mano; no te olvides de los pobres" (vers. 12).

Pero David sabía por experiencia propia que los molinos de Dios muelen sin prisa, pero sin pausa; muelen muy fino, pacientemente, pero muelen todo (vers. 14, 15).

Nada será más sano y liberador para ti que esperar en Dios en todo tiempo. Él escucha atento "el deseo de los humildes" (vers. 17). La oración templará tu ánimo y madurará el fruto de tu paciencia. Te dará fuerzas para luchar en medio de la corrupción.

Oración: Señor, que la injusticia y la maldad no me alejen de ti.

Oración de confianza

El malo... dice en su corazón: Dios ha olvidado;
ha encubierto su rostro; nunca lo verá. Salmo 10:4, 11.

El hombre "malo", según nuestra oración, dice muchas cosas "en su corazón". Me atrevería a decir que este hombre podría ser perfectamente un buen judío de labios, que oraba en las plazas públicas, celoso de la Ley. Generalmente, quien tiene a Dios mucho tiempo en sus labios lo tiene poco tiempo en su corazón. Esas cosas que tenía en su corazón lo envenenaban, aunque no lo sabía. Lo iban matando poco a poco, muriendo como esa persona que, encerrada en una habitación, abstraída en sus cosas, no se da cuenta de que un silencioso escape de gas va consumiendo todo el oxígeno.

Aquel religioso piensa, en lo profundo de su corazón, que "nadie lo hará caer, que jamás tendrá problemas" (vers. 6, DHH). Porque "cree que Dios se olvida, que se tapa la cara y que nunca ve nada" (vers. 11, DHH). Es decir, Dios no existe.

Así que, este religioso eligió vivir dos vidas, como "sepulcros blanqueados, que por fuera, a la verdad, se muestran hermosos, mas por dentro están llenos de huesos de muertos y de toda inmundicia" (Mat. 23:27).

Es terrible la insensatez a la que puede llevarnos nuestra libertad: podemos elegir vivir en medio de un mundo lleno de dolor y tragedia, pensando que a nosotros jamás nos va a tocar el infortunio. Incluso, podemos ser malos, pensando que "Dios no ve". ¿Qué pasa con el destino de una persona cuya vida entera está construida sobre un error? ¿Acaso no nos espera la tumba, en algún momento, a todos los mortales?

El verdadero creyente también dice lo mismo que el malo: "Nada me hará caer". Pero la diferencia es esta declaración de fe: "Siempre tengo presente al Señor... Por eso, dentro de mí, mi corazón está lleno de alegría" (Sal. 16:8, DHH).

Hace unos días, caminando en un parque, mi esposa se sintió cansada, y pidió apoyarse sobre mi hombro. Le dije: "Si me amas, apóyate fuerte".

Jesús te dice: "Si me amas, apóyate fuerte". Si te apoyas en su hombro, no temerás las vueltas y los golpes de la vida. Porque no dependerás de tus fuerzas, sino de la fuerza del Dios sobre quien te apoyas.

Oración: *Señor, mora en mí, a fin de que sea una bendición para otros.*

Oración interrogativa y afirmativa

¿Hasta cuándo, Jehová? ¿Me olvidarás para siempre?
¿Hasta cuándo esconderás tu rostro de mí? Salmo 13:1.

¿Te has sentido alguna vez olvidado por Dios? ¿Te has enojado en algún momento con él? ¿Has orado como David en alguna circunstancia de tu vida? La riqueza de los salmos de David descansa en la autenticidad de su corazón. Sus escritos expresan esa relación sincera e intensa con Dios. A diferencia de la relación de Dios con el profeta Daniel, siempre luminosa, sin claroscuros, la relación de David con Jehová es un camino que transita todos los paisajes de la pasión humana. A veces ese camino parece perderse en la oscuridad de la noche, cuando el poeta se aparta de Dios, se olvida de él, y cae en el pecado más abyecto, despreciable y vil (ver 2 Sam. 12). Pero siempre David retorna al camino de la vida.

Más bien, el Camino siempre lo encuentra a él. David sabía esto: Dios lo amó antes de que él lo amara (1 Juan 4:19). Dios nos trae, nos lleva, nos deja caer, pero no tanto, y luego nos levanta, porque nos ha elegido desde antes de la fundación del mundo (Efe. 1:4).

Este sentimiento de confianza en Dios descansaba en lo más secreto del corazón de David, y lo expresó en su vida y en sus escritos. La estructura de sus salmos se repite: primero la pregunta, la interrogación, aun el cuestionamiento, para terminar siempre en la afirmación, la seguridad y la confianza en el Dios en el que ha creído. Siempre auténtico, David culmina sus salmos como culminó su vida: en las manos de Dios (ver 1 Rey. 2).

Escuchémoslo: "Mira, respóndeme, oh Jehová Dios mío; alumbra mis ojos, para que no duerma de muerte; para que no diga mi enemigo: Lo vencí. Mis enemigos se alegrarían, si yo resbalara. Mas yo en tu misericordia he confiado; mi corazón se alegrará en tu salvación. Cantaré a Jehová, porque me ha hecho bien" (Sal. 13:3-6).

Dios te trae, te lleva, te deja caer, te levanta, pero jamás te abandona. El Camino (Juan 14:6) te buscará dónde te encuentres, te tomará de la mano y te guiará "por sendas de justicia por amor de su nombre" (Sal. 23:3). Él ya te ha elegido. Tú solamente respondes.

Oración: Señor, no te escondas, necesito conocerte.

Oración por rectitud

Jehová, ¿quién habitará en tu tabernáculo?
¿Quién morará en tu monte santo? Salmo 15:1.

¿Quieres ser amigo de Dios?

Tremenda pregunta. Y, como respuesta, David menciona en este salmo diez virtudes morales que son el eco de los Diez Mandamientos.

El estilo de David en sus escritos es lanzar al corazón una pregunta desafiante, para luego responderla. La respuesta de David es una inspiración divina. Resume toda la tradición ética del pueblo hebreo (ver Sal. 24:3-6; Isa. 33:14-17). Es la fuente de la que abrevó el cristianismo. Escuchamos el eco de este salmo en las bienaventuranzas de Jesús (Mat. 5:1-11), y en sus palabras acerca del juicio a las naciones (Mat. 25:31-46).

No cualquier persona podrá "morar en el monte santo", disfrutar la presencia de Dios. "Porque tú no eres un Dios que se complace en la maldad; el malo no habitará junto a ti" (Sal. 5:4). ¡No "abaratemos" la gracia divina!

Por otra parte, este salmo es una amonestación a nuestra conciencia como creyentes. ¿Por qué razón los que no conocen a Dios, o los que se han apartado de él, responden al arrepentimiento más rápida y sinceramente que los propios creyentes? ¿Será que nuestra religión nos vuelve orgullosos, confiados y seguros en nuestras "verdades y doctrinas"? ¿Nos apoyamos más en nuestras creencias que en nuestra relación personal, sincera y secreta con Jesús?

Este salmo declara las condiciones de amistad entre el hombre y Jehová. ¿A quién se le otorga ese privilegio tan elevado? La respuesta es impactante, porque no descansa en una lista de requisitos rituales, tan propios del pueblo hebreo (ver Éxo. 19:10-15; 1 Sam. 21:4, 5), sino en las obras hechas al prójimo.

¿Quiénes son los amigos de Dios? Escucha a David: "Solo el que vive sin tacha y practica la justicia; el que dice la verdad de todo corazón; el que no habla mal de nadie; el que no hace daño a su amigo ni ofende a su vecino; el que mira con desprecio a quien desprecio merece, pero honra a quien honra al Señor; el que cumple sus promesas aunque le vaya mal; el que presta su dinero sin exigir intereses; el que no acepta soborno en contra del inocente. El que así vive, jamás caerá" (Sal. 15, DHH).

Oración: Señor, ayúdame a ser tu amigo.

Oración por integridad

Jehová, ¿quién habitará en tu tabernáculo? ¿Quién morará en
tu monte santo? El que anda en integridad y hace justicia,
y habla verdad en su corazón. Salmo 15:1, 2.

¿Te parece imposible alcanzar este ideal? La palabra hebrea *tamim*, traducida por integridad, significa lo que es entero, o de todo corazón, y está sano. Es lo absoluto, auténtico, completo, sin reserva, total, verdadero. Es la misma palabra que se traduce como "perfecto" con respecto a Noé (Gén. 6:9) y Abraham (Gén. 17:1). Con este contexto, podemos entender lo que dijo Jesús: "Sed, pues, vosotros perfectos, como vuestro Padre que está en los cielos es perfecto" (Mat. 5:48).

Integridad no significa impecabilidad, en el sentido de que ya no tenemos nada para mejorar. Todos somos pecadores. Somos humanos, limitados. Aprendices de la vida. Integridad significa tener una relación auténtica y sana con Dios y el prójimo.

El íntegro siempre "hace justicia" y "habla verdad". Ser correcto y decir la verdad es el dulce fruto de la integridad. Esta virtud se mide por la palabra comprometida y mantenida, y por las acciones justas. No se mide por el dinero, ni el conocimiento ni el estatus social de una persona.

¿Podemos realmente ser íntegros, perfectos, como nos pidió Jesús? Si yo pensara en mis posibilidades, me hundiría en mis debilidades. Pero si pienso en Cristo, "todo lo puedo" (Fil. 4:13). Poco a poco, el Señor nos va transformando.

Soy pecador, pero Jesús me recibe tal cual soy y me da poder cada día para caminar hacia el ideal. Para ello, él debe llevar cautivo mi pensamiento (2 Cor. 10:5).

La oración destila diariamente gotas de gracia divina y "lleva cautivo" nuestro pensamiento a Jesús. Poco a poco, día tras día, la oración madura el fruto de un carácter íntegro. Esto no ocurre de la noche a la mañana. Es un proceso de toda una vida.

Tú eres tus pensamientos. Ellos determinarán tus hábitos, costumbres, acciones, tu carácter y destino. Jesús guarda tu corazón, y con él guarda tus pensamientos, y con ellos guarda la vida para que pienses y hagas "todo lo que es verdadero, todo lo honesto, todo lo justo, todo lo puro, todo lo amable, todo lo que es de buen nombre" (Fil. 4:8).

¡Jesús te bendice siempre!

Oración: Señor, quiero morar en tu monte santo.

Oración por perfección

Jehová, ¿quién habitará en tu tabernáculo?... El que no calumnia con su lengua, ni hace mal a su prójimo, ni admite reproche alguno contra su vecino.
Salmo 15:1, 3.

La palabra de esta oración que quema nuestros labios como sopa caliente es *calumnia*, traducida del verbo hebreo *ragal*, cuyo eco escuchamos cuando el apóstol Santiago habla de los efectos mortíferos de la lengua (Sant. 3:2-11).

El calumniador no habitará con Dios.

La calumnia es un mal universal. William Shakespeare le dedicó uno de sus mejores libros, *Otelo*, a las consecuencias de la calumnia en el alma humana. No pasa de moda, porque es efectiva. Semejante al aceite, siempre deja una mancha.

Se adjudica al filósofo francés Voltaire una frase tristemente célebre en las relaciones humanas: "Calumniad, calumniad, que algo quedará". Tal es el poder de la calumnia que podrán cerrarse las heridas, pero no las cicatrices.

Es conocido el relato de un hombre que calumnió a un amigo por envidia, y luego visitó a un sabio para pedirle consejo de qué hacer para redimir su culpa. El sabio le dijo: "Toma un saco lleno de plumas pequeñas y espárcelas dondequiera que vayas". El hombre, muy contento por lo fácil de la tarea, tomó el saco lleno de plumas y al cabo de un día había terminado la tarea. Entonces, volvió al sabio para decirle: "Ya he cumplido con mi deber". Pero recibió esta respuesta: "Esa era la parte fácil de tu labor. Ahora debes volver a llenar el saco con las mismas plumas que desparramaste por las calles. Ve y búscalas".

Tal es el poder de este pecado que la tradición judía considera al calumniador alguien que niega la existencia de Dios. Negamos a Dios con nuestros labios.

El texto termina diciendo que el que pretende ser amigo de Dios no "hace mal a su prójimo, ni admite reproche alguno contra su vecino" (Sal. 15:3). Es decir, no calumnia ni admite calumnia.

Perseverar en el cumplimiento del deber y guardar silencio es la mejor respuesta a la calumnia. ¡Bendita oración, que nos refugia en la hora de la injusticia! La oración templa el espíritu para soportar la tormenta y dejar que pase el tiempo, que, como juez justo, siempre da su veredicto.

Oración: Señor, que no salga palabra ociosa de mi boca.

Oración por honradez

Jehová, ¿quién habitará en tu tabernáculo?... Aquel a cuyos ojos el vil es menospreciado, pero honra a los que temen a Jehová. El que aun jurando en daño suyo, no por eso cambia. Salmo 15:1, 4.

¿Quieres morar con Dios?

En nuestro texto de hoy aparecen tres de las diez virtudes que David menciona como condiciones para estar en la presencia de Dios: el que desaprueba al vil, el que honra a quienes deciden seguir el camino del Señor y el que cumple sus promesas sin estimar las consecuencias. ¡Qué hermosa oración!

Se destaca la palabra *honra* en este versículo. El latín, origen de nuestro idioma, nos aporta un dato enriquecedor: la palabra *honor* (*honos, honoris*), de donde provienen honra, honradez y honestidad, no describe tanto la virtud de la rectitud como el premio por ser justo y recto. En latín, *honos* significa la glorificación pública que se le da a quien se supone recto y justo. Y este *premio* suele ser un cargo público, de carácter político. Por eso, *honos* también significa cargo político.

¿No crees que hoy en día las palabras ya no significan lo que dicen? Nos hemos acostumbrado a la mentira pública. La política (¿y la religión?) es el arte de decir lo que conviene, jamás la verdad.

Tu alma se tiñe del color de tus pensamientos. La oración sincera y profunda a Jesús cada día pone en línea tus pensamientos con tus principios, para que puedan ver la luz del día. Tú eliges tu carácter. Lo que eliges, lo que piensas y lo que haces cada día es en lo que te conviertes. Tu carácter es tu destino. La honradez es la luz que guía tu camino.

El salmista nos dice quién es el que recibirá el premio de estar ante Dios: el de corazón íntegro, que ama la verdad, y por eso se aparta de los que no temen a Jehová, y honra a los que sí lo temen; y no cambia por las circunstancias.

Tu honradez será siempre digna de elogio, aun cuando no tenga utilidad ni provecho. Aun cuando implique un daño para ti. Esta virtud no es natural al corazón humano. Con la entrega del corazón a Jesús diariamente, la oración madura el fruto de la honradez.

Oración: Señor, ayúdame a tener una mente y un corazón puros.

Oración contra la avaricia – 1

Jehová, ¿quién habitará en tu tabernáculo?...
Quien su dinero no dio a usura. Salmo 15:1, 5.

¿**H**as sido tú alguna vez víctima del abuso financiero?

La usura es el cobro excesivo de intereses por un préstamo de dinero. Expresa avaricia, que es el pecado que nos hace perder todo por quererlo todo. La avaricia y la paz se excluyen violentamente. "Rompe el saco", dice un viejo refrán. Vacía la "bolsa" de los buenos sentimientos y recuerdos; nos vacía por dentro y nos deja solos, sin amigos.

Pablo nos advierte que "en los postreros días vendrán tiempos peligrosos. Porque habrá hombres... avaros" (2 Tim. 3:1, 2).

La avaricia, un pecado de todos los tiempos, hoy, como nunca, es el motor de la economía mundial. Ironizando acerca de los días en que vivimos, Bertolt Brecht, dramaturgo y poeta alemán (1898-1956), dijo: "Robar un banco es un delito, pero más delito es fundarlo". Los bancos han acompañado la historia de nuestra civilización: desde la antigua Fenicia (2000 a.C.), cuando hacían préstamos de granos a los agricultores, pasando por Asiria, Babilonia, Grecia, Roma, y hasta nuestros días. Pero nunca han sido tan protagonistas en nuestra vida cotidiana como ahora. Su mecanismo para hacer dinero es tan simple que la mente lo rechaza. Se trata de la usura, del dinero que tú y yo pagamos con sangre en intereses.

Jean Ziegler, vicepresidente del comité asesor del Consejo de Derechos Humanos de las Naciones Unidas, escribió: "Vivimos en un orden caníbal del mundo, en el que cada niño que muere de hambre muere asesinado. Debería constituirse un nuevo tribunal de Núremberg para juzgar por crímenes contra la humanidad a los que especulan en la Bolsa con el precio de los alimentos, y a los banqueros responsables de las crisis financieras".

¿Qué enseñanza nos deja este texto bíblico? La avaricia puede expresarse en una estructura económica, pero su causa descansa en el corazón humano. No podemos abstraernos de la injusticia del mundo, pero podemos contrarrestar toda esta corriente materialista que nos arrastra mediante el amor y la honradez. En nuestro pequeño círculo podemos ser solidarios, honestos, generosos. La relación constante con Dios mediante la oración nos advierte y nos previene del amor al dinero, "que es raíz de toda clase de males" (1 Tim. 6:10; DHH). Dios mira las manos limpias, no las llenas.

Oración: *Señor, ayúdame a superar mi natural egoísmo.*

Oración contra la avaricia – 2

Jehová, ¿quién habitará en tu tabernáculo?...
Quien su dinero no dio a usura. Salmo 15:1, 5.

Puede que tengamos una idea errónea de lo que significa triunfar en la vida. En nuestros días, fama y fortuna tienen muy buena prensa. No importa cómo se alcanzan, la cuestión es tenerlas. Hay un dicho muy osado que sentencia: "Un pillo tocado por la fortuna deja de ser un pillo para convertirse en un banquero, un político, un administrador, un comerciante; en fin, en un hombre que ha triunfado".

Dios tiene otros parámetros para medir el éxito de una persona. Mira lo que dice la Biblia: "Si alguno de tus compatriotas se queda en la ruina y recurre a ti, debes ayudarlo como a un extranjero de paso, y lo acomodarás en tu casa. No le quites nada ni le cargues intereses sobre los préstamos que le hagas; al contrario, muestra temor por tu Dios y acomoda a tu compatriota en tu casa. No le cargues interés al dinero que le prestes, ni aumentes el precio de los alimentos que le des... Si uno de tus compatriotas se queda en la ruina estando contigo, y se vende a ti, no lo hagas trabajar como esclavo; trátalo como a un trabajador o como a un huésped" (Lev. 25:35-40, DHH).

Jesús no se apartó ni un ápice de esta enseñanza, cuando dijo: "A cualquiera que te pida, dale; y al que tome lo que es tuyo, no pidas que te lo devuelva. Y como queréis que hagan los hombres con vosotros, así también haced vosotros con ellos. Porque si amáis a los que os aman, ¿qué mérito tenéis? Porque también los pecadores aman a los que los aman... Y si prestáis a aquellos de quienes esperáis recibir, ¿qué mérito tenéis? Porque también los pecadores prestan a los pecadores, para recibir otro tanto... Sed, pues, misericordiosos, como también vuestro Padre es misericordioso" (Luc. 6:30-36).

¿Qué significa para ti triunfar en la vida?

El amor y la honradez nos ayudan en la construcción de un mundo más justo. No por insignificante que parezca mi pequeña obra solidaria deja de tener efectos duraderos y de gran alcance para otros. Ni por insignificante que parezca una pequeñas gota de agua deja de sumar para conformar el mar insondable.

La relación profunda y cotidiana con Jesús mediante la oración pone los cimientos de una vida verdaderamente triunfadora.

Oración: *Señor, solo dame los triunfos que tú apruebas.*

Oración por pureza

Jehová, ¿quién habitará en tu tabernáculo... Quien su dinero no dio
a usura, ni contra el inocente admitió cohecho. Salmo 15:5.

¿Qué significa cohecho? El *Diccionario de la Real Academia Española* lo define como "el delito consistente en sobornar a un juez o a un funcionario en el ejercicio de sus funciones, o en la aceptación del soborno por parte de aquellos".

¿No te resulta familiar esta palabra difícil? Sí, es la tristemente célebre "mordida".

El que desea estar en la presencia de Dios no "muerde" al inocente. No acepta soborno. No se enriquece a expensas del desafortunado. El soborno es un perro rabioso que muerde las entrañas de la sociedad; es un ladrón que, sigilosamente, sin que te des cuenta, roba la confianza en los demás. Desangra a los pueblos: "Muchos de ellos, por complacer a tiranos, por un puñado de monedas, o por cohecho o soborno, están traicionando y derramando la sangre de sus hermanos", dijo el gran caudillo mexicano Emiliano Zapata (1879-1914) hace más de un siglo.

Sí, la corrupción derrama sangre inocente. Y pervierte la justicia. "El impío toma soborno del seno, para pervertir las sendas de la justicia" (Proverbios 17:23).

Hoy, la corrupción se ha hecho global: es una mancha de petróleo cada vez más extendida en el planeta, que cruza fronteras a la velocidad de la luz y va dejando a su paso un páramo donde ya no crece una flor. No hay Gobierno, ni organismos de Estado o privados que no estén manchados por la corrupción.

La corrupción del alma es más vergonzosa que la corrupción del cuerpo. Y, en lo profundo, nace cuando negamos a Dios: "Dice el necio en su corazón: No hay Dios. Se han corrompido... no hay quien haga el bien" (Sal. 14:1).

¡Con qué facilidad nos podemos corromper! Ni tú ni yo estamos libres de este mal.

La Biblia, que prohíbe expresamente el soborno (ver Éxo. 23:8), nos llama a alejarnos de la corrupción. La promesa divina es para todos: "Mas a ti agradó librar mi vida del hoyo de corrupción; porque echaste tras tus espaldas todos mis pecados" (Isa. 38:17).

La corrupción contamina y envenena la savia espiritual que corre por las venas del alma. La oración sincera, secreta y profunda nos mantiene alerta. ¡Es el único antídoto para este mal!

Oración: *Señor, hazme puro.*

Oración de súplica

Guárdame, oh Dios, porque en ti he confiado. Oh alma mía, dijiste a Jehová:
Tú eres mi Señor; no hay para mí bien fuera de ti. Salmo 16:1, 2.

Hechos 2:25 al 28 nos da una indicación de que este salmo fue escrito por David. Esta oración tiene un profundo sentido mesiánico. Pedro cita este salmo en el gran discurso de Pentecostés, en ocasión del derramamiento del Espíritu Santo sobre los discípulos. Repite esta oración para confirmar la profecía que había escrito el poeta de Israel siglos antes: "Pero [David] siendo profeta... habló de la resurrección de Cristo, que su alma no fue dejada en el Hades, ni su carne vio corrupción" (Hech. 2:30, 31).

Hay eruditos que piensan que las circunstancias que inspiraron esta oración poética son las que se registran en 1 Samuel 26:19, cuando David le ruega al rey Saúl que no lo persiga. El salmo comienza con una súplica de protección. Inmediatamente expresa confianza en Aquel que es el único digno de confiar. El versículo 2 declara que Dios es su "Señor". El texto hebreo no emplea aquí la palabra *Yahveh*, sino *Adonai*, que significa "mi dueño", "mi señor" —3 *CBA* 671. Así, David expresa la felicidad del corazón humano cuando se entrega plenamente en sumisión a Dios, cuando el Señor es el dueño de nuestra vida.

Luego de esta afirmación de seguridad y confianza en Dios, el salmista declara su fe en la vida eterna. Pocos textos del Antiguo Testamento expresan con tanta claridad esta convicción: "Se alegró por tanto mi corazón, y se gozó mi alma; mi carne también reposará confiadamente; porque no dejarás mi alma en el Seol, ni permitirás que tu santo vea corrupción" (Sal. 16:9, 10).

El Trono de Dios está en los cielos de los cielos, pero sus ojos te ven y sus oídos te escuchan (Sal. 11:4). Todo lo que te ocurre en este mundo está bajo la mirada de tu Señor. Así como dijo David, Jehová es "la porción de tu herencia y de tu copa" (Sal. 16:5).

Él, no las cosas materiales que podamos acumular en la vida, es nuestra verdadera herencia (ver Núm. 18:20). Él llena nuestra copa. Él es nuestra "suerte y destino" (ver Sal. 16:5, 6; 3 *CBA* 672).

Oración: *Señor, nadie en la Tierra, sino tú, oh Dios.*

Oración de amor

Te amo, oh Jehová, fortaleza mía. Jehová, roca mía y castillo mío,
y mi libertador. Salmo 18:1, 2.

El relato de 2 Samuel 22 confirma que David compuso este salmo, y además expresa las circunstancias en las que lo escribió: "Habló David a Jehová las palabras de este cántico, el día que Jehová le había librado de la mano de todos sus enemigos, y de la mano de Saúl" (vers.1).

En esta esplendorosa oda de gratitud, David presenta a grandes rasgos el relato de las victorias que Dios le concedió como soldado y rey. Esta oración conmemorativa de los triunfos en el Señor es la historia de un corazón enteramente consagrado a Dios, e íntegro en el cumplimiento de su deber.

"Te amo", le dice el poeta a su Dios. Y usa el verbo *rajam* para expresar ese sentimiento profundo y ferviente. En ningún otro pasaje de la Biblia se usa esta palabra para referirse al amor del ser humano hacia Dios, aunque se usa con frecuencia para describir el amor de Dios hacia el hombre (ver 3 *CBA* 677). Esta declaración de amor es la más apropiada para comenzar este canto de acción de gracias por los triunfos concedidos en la vida.

Luego dice "fortaleza mía". Y en el segundo versículo reafirma esta figura, diciendo que Dios es su "roca", "castillo", "escudo" y "refugio". Dios es la fuente de nuestra fuerza interior. Es la fortaleza. Dios es nuestro refugio ante el peligro, y es la esperanza ante la muerte. David le dijo a Jonatán: "Apenas hay un paso entre mí y la muerte" (1 Sam. 20:3). Y en el salmo, declara: "Me tendieron lazos de muerte. En mi angustia invoqué a Jehová... y mi clamor llegó delante de él, a sus oídos" (Sal. 18:5, 6). La oración es nuestro escudo y refugio en todo tiempo de lucha.

Mira hacia atrás para ver cómo Dios te ha guiado. Él te ha dado grandes triunfos. Hoy, tú tienes muchas razones para decir con David: "Te amo, oh Jehová, fortaleza mía. Jehová, roca mía y castillo mío, y mi libertador... por tanto yo te confesaré entre las naciones" (vers. 1, 2, 49).

Tu testimonio despertará la fe que yace dormida en el corazón de las personas con las que hoy te encontrarás.

Oración: *Señor, te amo y confieso tu santo nombre.*

Oración de clamor

"En mi angustia invoqué a Jehová, y clamé a mi Dios.
Él oyó mi voz desde su templo". Salmo 18:6.

Era una mañana luminosa, bañada por una fresca brisa que anunciaba la cercanía del otoño. La catedral lucía esplendorosa, cobijando en su interior a un gentío que caminaba bullicioso por los pasillos laterales de la nave principal hacia la capilla mayor, de origen románico y ahora barroco. Todos querían ver el sepulcro descubierto por el ermitaño Pelayo a fines del siglo VIII, donde descansa, según la tradición, el apóstol Santiago, el primer evangelizador de España. Desde hace más de mil años, millones de personas hacen "El camino de Santiago" para llegar hasta esa catedral.

Como detenido en el tiempo, e indiferente al rumor de la gente que caminaba por la nave principal, un hombre de unos cincuenta años, de rodillas, susurraba una oración ante el altar. Me pregunté qué le estaría diciendo a Dios. ¿Estaba abriendo su corazón o simplemente trataba de recordar todas las palabras de una fórmula que destrabara la gracia divina? ¿Qué habría sentido aquella civilizada multitud si el hombre hubiera estado orando a los gritos, como David en el Templo?

La Biblia menciona los rezos dichos con labios y corazón que siguen, vacíos, un movimiento mecánico (Mat. 6:7). Pero nuestro texto nos dice que David *clamaba* a Dios en el Templo. Jesús y los grandes hombres de Dios oraban con intenso fervor, y muchas veces a los gritos. Más de cien veces se utiliza la palabra "clamor" en la Biblia para calificar esas rogativas. Moisés clamaba frecuentemente a Jehová con intensidad y apasionamiento (Éxo. 8:12; 15:25; 17:4), casi exigiéndole a Dios que actuara, como cuando oró por la sanidad de su hermana María (Núm. 12:13). Samuel *clamó* a Dios, apesadumbrado por haber puesto a Saúl como rey (1 Sam. 15:11). Elías *clamó* a Dios para que resucitara al hijo de la viuda de Sarepta (1 Rey. 17:21). Y también *clamaron* Job (Job 30:20), Isaías (2 Rey. 20:11), y muchos otros.

Pero el clamor más fuerte en la historia fue el de Jesús, cuando a la "hora novena" *gritó*: "Dios mío, Dios mío, ¿por qué me has desamparado?" (Mar. 15:34).

Jesús *clamó* por ti. Sintió el desamparo más terrible, para que tú jamás te sientas desamparado.

Oración: Señor, hoy clamo a ti.

Oración de la Cruz

Dios mío, Dios mío, ¿por qué me has desamparado? Salmo 22:1.

Este es "el Salmo de la Cruz", por su carácter profético y mesiánico. Varios escritores del Nuevo Testamento mencionan esta oración como anuncio profético de los padecimientos que sufriría el Hijo de Dios en el Calvario (Mat. 27:35, 39, 43, 46; Mar. 15:24, 34). En ninguna parte de esta oración hay confesión de pecado ni dejo de amargura. Esto, sumado a la precisión de sus imágenes, que concuerdan con la realidad del sufrimiento de Cristo (Sal. 22:16-18), lo eleva a la condición de salmo profético y mesiánico (ver *DTG* 695).

La oración del Salmo 22 consta de dos partes: los versículos 1 al 21 expresan la congoja y la plegaria del que sufre. Los versículos 22 al 31 manifiestan la gratitud a Dios por la liberación del dolor luego del cumplimiento de la misión.

La vida del creyente es una misión cuyo propósito no calcula padecimientos. El dolor que tiene un sentido es menos doloroso. El gran poeta alemán Johann Friedrich Hölderlin declaró: "Allí donde está el dolor está también lo que lo salva". Nadie puede librar al ser humano del dolor, pero la fe del creyente convierte el padecimiento en valor para soportarlo.

Jesús se sintió desamparado, para que tú no te sientas jamás desamparado. Cristo es la fuente de nuestro gozo (Rom. 15:13). "Por su llaga fuimos nosotros curados" (Isa. 53:5). Jesús dio sentido a nuestros padecimientos: porque "sabemos que a los que aman a Dios, todas las cosas les ayudan a bien" (Rom. 8:28).

Dios no nos garantiza un sendero de rosas, pero sí nos garantiza el poder del consuelo y la esperanza. Porque "ustedes no han pasado por ninguna prueba que no sea humanamente soportable. Y pueden ustedes confiar en Dios, que no los dejará sufrir pruebas más duras de lo que pueden soportar. Por el contrario, cuando llegue la prueba, Dios les dará también la manera de salir de ella, para que puedan soportarla" (1 Cor. 10:13, DHH).

El dolor en este mundo es inevitable, pero la calidad de nuestro sufrimiento es opcional. A veces te dolerá servir a Cristo, pero al saber que tu sufrimiento tiene un sentido, elegirás ser feliz a pesar de todo. ¡Te espera la corona de vida!

Oración: *Gracias, Señor, porque por tu sufrimiento fui curado.*

Oración de esperanza – 1

Mis votos pagaré delante de los que le temen. Comerán los humildes,
y serán saciados; alabarán a Jehová los que le buscan; vivirá
vuestro corazón para siempre. Salmo 22:25, 26.

Las primeras palabras de nuestra oración están embebidas del sistema de sacrificios de Israel, y de las religiones paganas: "Mis votos pagaré". Son las ofrendas de oblación (Lev. 2:1). Es decir, el salmista dice que ofrecerá un sacrificio como expresión de gratitud, que cumplirá con la promesa hecha en tiempo de aflicción. E invita a los humildes y a los mansos a unirse a este sacrificio, cuyos frutos serán dones espirituales: saciedad del alma, alegría y alabanza, vida eterna. Y son dones para toda la humanidad, no solo para los judíos: "Vivirá vuestro corazón para siempre".

El primer versículo de nuestro salmo, que vimos ayer, hace referencia al cumplimiento en Jesús del gran sacrificio que Dios pagó para que todo "aquel que en él cree tenga vida eterna" (Juan 3:16). El sacrificio de Jesús, su agonía y muerte en la Cruz, es el alimento espiritual que da vida al mundo entero.

Pero, para que esa comida surta efecto en el corazón del humilde, es necesario que coma. Es posible morir de hambre en la puerta de la cocina. Es posible disponer de una mesa con todo lo necesario para satisfacerse y, sin embargo, cerrar la boca y no recibir la rica provisión. "Comer" es el acto de fe de llevar la comida de Dios, su Palabra, a la boca, masticarla con mis propios dientes, incorporarla a mi cuerpo.

Quien "come" es humilde. Los dos versículos que siguen a nuestra oración contrastan a los humildes, que comen, y a los que están saciados, los "peces gordos", los poderosos de la Tierra (vers. 29). Ellos también comerán, siempre que compartan la humildad del pobre. Porque, por sobre ellos, está Jehová (vers. 28).

Lo único que puede impedir que seamos saciados plenamente es la autosuficiencia y la ausencia de un sentimiento de necesidad. Si tenemos hambre y sed de justicia, seremos saciados. Y si vamos a Jesús, sabiendo que somos pobres y necesitados, y humildemente consentimos en asistir a la cena de bodas del Cordero, finalmente entraremos y "viviremos para siempre".

Oración: *Gracias, Señor, porque sacias mi alma.*

Oración de esperanza – 2

Mis votos pagaré delante de los que le temen. Comerán los humildes,
y serán saciados; alabarán a Jehová los que le buscan; vivirá
vuestro corazón para siempre. Salmo 22:25, 26.

¿Te sacrificas por Dios?

Dios fue preparando paciente y lentamente, a lo largo de los siglos, al pueblo de Israel para que entendiera que el sistema de sacrificios de los pueblos paganos no tenía ningún valor para la salvación de su vida. Pero tampoco el sistema de sacrificios del propio Israel.

Tempranamente en la historia del pueblo de Dios, le dijo a Abraham: ¡Detente! "No extiendas tu mano sobre el muchacho" (Gén. 22:12). Cuando el patriarca levantó su cuchillo, Dios proveyó. La lección: Dios es el Gran Proveedor. Dios jamás se sació con la sangre de los toros, que fueron dados "para la purificación de la carne", es decir, para nuestra enseñanza (Heb. 9:13). ¿Qué teníamos que aprender? No que Dios se sacia con la sangre de los animales, sino que era necesaria la sangre del Cordero de Dios para la redención del pecado (vers. 14). Dios proveyó el sacrificio. Por eso, ¡no quiere más sacrificios! (Miq. 6:7, 8).

¡Ya no necesitamos pagar ofrendas a los "dioses"! Ya no necesitamos inmolarnos en sacrificio para ganar la aprobación de nuestros padres o de nuestro cónyuge. Nos matamos trabajando día y noche para tener una mejor casa, para demostrar y demostrarnos que podemos. Ya no más ofrendas de sacrificio para demostrarnos que somos buenos, a fin de que Dios nos acepte. Dios ya nos ha amado y aceptado tales cuales somos.

Vivimos en una sociedad "mal educada" en las cosas de Dios. Una religión que te sugiere, ya sea por la culpa o el miedo, que debes ofrendar algo para ganarte el favor divino, te está dando pan contaminado.

Solo necesitas ir a Jesús. Elena de White lo dice de un modo muy bello: "Poned todo vuestro ser, vuestra alma, cuerpo y espíritu, en las manos del Señor, y resolved que seréis sus instrumentos vivos y consagrados, movidos por su voluntad, controlados por su mente, e imbuidos por su Espíritu. Contadle a Jesús con sinceridad vuestras necesidades. No se requiere de vosotros que sostengáis una larga controversia con Dios, o que le prediquéis un sermón, sino que, con un corazón afligido a causa de vuestros pecados, digáis: 'Sálvame, Señor, o pereceré' " —*LO* 76.

Oración: Gracias porque tu amor me salva, Señor.

Oración del buen pastor

Jehová es mi pastor; nada me faltará. En lugares de delicados pastos me hará descansar; junto a aguas de reposo me pastoreará. Confortará mi alma; me guiará por sendas de justicia por amor de su nombre. Aunque ande en valle de sombra de muerte, no temeré mal alguno, porque tú estarás conmigo; tu vara y tu cayado me infundirán aliento. Aderezas mesa delante de mí en presencia de mis angustiadores; unges mi cabeza con aceite; mi copa está rebosando. Salmo 23:1-5.

Recuerdo aquellas madrugadas invernales, cuando entre penumbras caminaba por las veredas de la ciudad con pasitos de algodón. El silencio me envolvía, y yo, cargando en mis hombros la soledad y la oscuridad de la noche, repetía esta oración para ahuyentar las sombras y fantasmas que me esperaban en cada esquina, detrás de algún árbol. Yo era apenas un niño de unos diez años, y mi madre me confiaba la tarea de ir a buscar los dos litros de leche que el Gobierno les daba a quienes tenían "tarjeta de pobre". El almacén público abría a las cuatro de la madrugada y solo trabajaba una hora. Quedaba a unas veinte cuadras de mi casa. No había promesas de luz en primavera ni tampoco en verano. En aquellas noches oscuras, mi corazón infantil oraba: "Jehová es mi pastor; nada me faltará".

Esta oración me acompañó toda la vida. Es la delicia de la niñez y el consuelo de la vejez. Es el Salmo más amado de todos los que escribió David.

Dios es el Pastor que te guía a "lugares de delicados pastos", para que descanses de las fatigas de la vida. Calma tu sed junto a "aguas de reposo". Consuela tu alma, y te guía por la vereda correcta. Te protege en el camino, y disipa las sombras. Sostiene tu vida, y te da confianza y seguridad. Te invita a su casa (Mat. 22:1-14), y ahí te alimenta. Unge tu mente y tu corazón con el aceite del Espíritu (Isa. 61:1). Te da sabiduría, y te sirve bendiciones abundantes en la copa de la vida.

Él está a tu lado en las oscuras noches de invierno, cuando nadie escucha tus pasitos de algodón.

Oración: *Contigo, Señor, ciertamente el bien y la misericordia me seguirán todos los días de mi vida, y en tu casa moraré por largos días.*

Oración íntegra

¿Quién subirá al monte de Jehová?... El limpio de manos y puro de corazón;
el que no ha elevado su alma a cosas vanas, ni jurado con engaño.
Salmo 24:3, 4.

¿Quién morará en la presencia de Dios?

Cuando estudiamos la Biblia, los creyentes separamos los conceptos para poder entender un determinado tema. Por ejemplo, cuando estudiamos el plan de salvación, separamos la acción de Dios de la de los seres humanos, con el fin de entender qué hace Dios para salvarnos, y qué hacemos nosotros para que esa salvación sea real en nuestra vida.

Así, solemos separar el Antiguo Testamento del Nuevo Testamento, cuando en realidad son el primero y el segundo testamentos. Hay una unidad entre ellos. Luego hablamos de Ley y de gracia, como si fueran dos universos separados. Pues bien, la Ley y la gracia son expresiones de una unidad mayor: el carácter de Dios. Hablamos de fe y obras, cuando en realidad es la fe que obra, y la obra de la fe. ¡Toda la Escritura es una unidad!

Cuando meditamos en las condiciones para estar en la presencia de Dios, solemos pensar que este es un asunto exclusivo entre Dios y nosotros. Pero ¿qué dice el apóstol Santiago? La religión pura es "visitar a los huérfanos y a las viudas en sus tribulaciones" (1:27). ¡La adoración va de la mano de la ética!

En nuestra oración, ¿qué cosa nos pone en la presencia de Dios? ¡La pureza de corazón, manos y lengua!

En su aplicación, viene a la memoria el diálogo entre Dios y Moisés (Éxo. 4:1-17). Dios pone en la mano de Moisés una vara para que haga milagros. Luego le pide que hable en su nombre. Pero, como la mano y la lengua actúan según las órdenes de la mente (ver Luc. 6:45), Dios, en realidad, quería antes el corazón de Moisés para hacer milagros. Dios quería todo de Moisés: corazón, mano y lengua.

Y ¿para qué quería Dios todo de Moisés? ¡Para usarlo en su servicio!

Estamos en la presencia de Dios no solo con la mente, sino también con la lengua, cuando testificamos de Cristo, y con las manos, cuando confirmamos ese testimonio en el servicio.

Nuestra mejor oración son las obras de la gracia divina en favor de los que más nos necesitan.

Oración: *Señor, te doy mi ser entero para servir al mundo.*

Oración por juicio

Júzgame, oh Jehová, porque yo en mi integridad he andado. Salmo 26:1.

No muchos podemos decir lo mismo que David le dijo a Dios. Hay que ser valiente para orar de este modo. O estar muy enajenado. Cuando leí esta oración, me pregunté: ¿Cómo es posible que el poeta hable de integridad? Tenemos la historia de David ya escrita, en nuestras manos. Pocos hombres cayeron tan bajo después de haber sido elevados tan alto, como lo fue David. Sin embargo, David le dice a Dios: "Examina mis íntimos pensamientos y mi corazón" (Sal. 26:2).

La respuesta a nuestra pregunta la da el propio David en el versículo 3 de este salmo: "Porque tu misericordia está delante de mis ojos".

Efectivamente, David fue un hombre de pasiones. Y se equivocó muy feo. Adulteró con Betsabé (2 Sam. 11:1-5); mató a Urías, un soldado fiel, y esposo de la amante (2 Sam. 11:6-25); y censó al pueblo contra la voluntad de Dios (2 Sam. 24:1-10). Dios no lo perdonó por ser David, de quien había dicho que era un "varón conforme a mi corazón" (Hech. 13:22). Dios lo castigó por su adulterio (2 Sam. 12:15-19), su homicidio (2 Sam. 15:10-18) y su soberbia política (2 Sam. 24:13-17). Pero, así y todo, con la misma pasión con la que hizo el mal, David buscó a Dios y se arrepintió. El verdadero arrepentimiento no es una licencia para seguir pecando, sino que produce un cambio profundo en la vida. El David que se levantó de la caída fue otro hombre.

Se levantó porque confió en la misericordia de Dios. ¡Conocía a su Dios! Ya había disfrutado de la presencia divina en su corazón, y el Señor jamás lo había rechazado. Tampoco lo iba a rechazar en su profundo despeñadero moral. El Señor no mide la cantidad ni la calidad de nuestros pecados para recibirnos.

Aunque la vida no perdona las consecuencias de nuestros errores, Jesús nos recibe en todo momento. No seremos juzgados por un hecho equivocado, sino por la tendencia de nuestro corazón. David "bramaba" por Dios como el ciervo por las corrientes de las aguas (ver Sal. 42:1). Esa era su tendencia.

¡Que la oración diaria, sincera y profunda imprima indeleblemente las huellas de Jesús en nuestro corazón!

Oración: *Ayúdame, Señor, a buscarte en oración cada día.*

Oración de confianza

Jehová es mi luz y mi salvación; ¿de quién temeré? Jehová es la fortaleza de mi vida; ¿de quién he de atemorizarme? Salmo 27:1.

¿Quién es tu refugio y fortaleza?

Jamás permitas que tu dignidad esté un escalón debajo de tus miedos. No está mal que pierdas ante un adversario, pero nunca pierdas ante el miedo.

¡Cuánto confiaba David en Dios! ¡Y cuánto lo conocía! Solo podemos amar a quien conocemos y con quien nos relacionamos.

David confió en Dios en medio de los peligros de sus años de juventud, cuando era un sencillo pastor de ovejas: "En medio de las vicisitudes de su vida borrascosa, mantenía comunión con el Cielo por medio del canto. Cuán dulcemente se reflejan los episodios de su vida de muchacho pastor en las palabras: 'Jehová es mi pastor; nada me faltará'...

"Ya hombre, y como fugitivo que tenía que buscar refugio en las rocas y las cuevas del desierto, escribió: 'Dios, Dios mío eres tú; de madrugada te buscaré'...

"Cuando, como rey destronado y sin corona... huyó de Jerusalén a causa de la rebelión de Absalón. Abatido por la pena y el cansancio producidos por la fuga, se detuvo con sus compañeros junto al Jordán, para descansar unas horas. Lo despertó la invitación a huir inmediatamente... porque lo perseguían tenazmente las fuerzas del hijo traidor. En aquella hora de amarga prueba, David cantó: 'Con mi voz clamé a Jehová, y él me respondió desde su monte santo. Yo me acosté y dormí, y desperté, porque Jehová me sustentaba'.

"Después de cometer su gran pecado, en la angustia del remordimiento y la repugnancia de sí mismo, se dirigió aún a Jehová como a su mejor amigo: 'Ten piedad de mí, oh Dios, conforme a tu misericordia; conforme a la multitud de tus piedades borra mis rebeliones'... En su larga vida, David no halló en la Tierra lugar de descanso. 'Extranjeros y advenedizos somos delante de ti —dijo—, como todos nuestros padres; y nuestros días sobre la tierra, cual sombra que no dura'. 'Dios es nuestro amparo y fortaleza' " —*Ed* 164, 165.

Como David, jamás tendremos descanso duradero en esta vida. Él confió en Dios de niño y de joven, cuando era indefenso, y de adulto, en la cima del poder, y cuando cayó. ¡Confió siempre!

¡La oración es el refugio del alma en todo momento!

Oración: Señor, tú eres mi Todo.

Oración de esperanza

No me dejes ni me desampares, Dios de mi salvación. Aunque mi padre y mi madre me dejaran, con todo, Jehová me recogerá. Salmo 27:9, 10.

De la súplica nace la esperanza.

Este salmo se divide en tres partes: los primeros seis versículos expresan la confianza firme de David en Dios en medio de las amenazas del rey Saúl, que lo buscaba para asesinarlo (1 Sam. 22). Los siguientes versículos son súplicas angustiosas en búsqueda de ayuda divina ante el peligro inminente de sus enemigos (Sal. 27:7-12). Y finalmente, el alivio que fluye de la esperanza puesta en Dios (vers. 13, 14).

Entretejido entre súplicas, se eleva el pensamiento de nuestra meditación de hoy: "Aunque mi padre y mi madre me dejaran, con todo, Jehová me recogerá" (vers. 10). Esa convicción está precedida de la súplica: "No me dejes ni me desampares, Dios de mi salvación" (vers. 9). La oración elevada con el corazón es semilla de esperanza. Solo suplicas con pasión cuando te alienta la esperanza. Así como en el propio dolor yace la fuerza para soportarlo, la esperanza yace en la prueba. ¡Cuánta esperanza puede expresar una súplica!

En el ritual judío moderno, este poema se recita todos los días del sexto mes como preparación para el Año Nuevo y el Día del Perdón. Es un salmo de esperanza. Culmina con un llamamiento fervoroso al corazón humano: "Hubiera yo desmayado, si no creyese que veré la bondad de Jehová en la tierra de los vivientes. Aguarda a Jehová; esfuérzate, y aliéntese tu corazón; sí, espera a Jehová" (vers. 13, 14).

El filósofo alemán Friedrich Nietzsche declaró que "la esperanza es el peor de los males, pues prolonga el tormento del hombre". Claro que siempre hay algo de sabiduría en una visión escéptica de la vida. Nietzsche era un pesimista; o mejor dicho, un optimista de las fuerzas del hombre, no de Dios.

Tu esperanza es el peor de tus males si nace y se alimenta solo de tus posibilidades humanas, ¡pero es bendita cuando se funda en Dios! He allí la diferencia.

Si estás en medio del dolor, "aguarda a Jehová; esfuérzate, y aliéntese tu corazón". Porque ya has experimentado la paz que solo Dios puede dar en medio de la tormenta.

Oración: *Gracias, Señor, porque tú eres mi esperanza.*

Oración ante el abismo – 1

Roca mía, no te desentiendas de mí, para que no sea yo, dejándome tú,
semejante a los que descienden al sepulcro. Salmo 28:1.

Este salmo, como muchos otros, tiene dos partes bien diferenciadas. Muchas de las oraciones de David comienzan con un ruego, un cuestionamiento o aun una declaración desafiante, y culminan con un testimonio de fe, confianza y alabanza a Dios. A veces, David le hace una pregunta a Dios y el Espíritu Santo le inspira la respuesta, que el poeta expresa líricamente en las últimas líneas de su canto. Un ejemplo de esto es el Salmo 15: "¿Quién habitará en tu tabernáculo?" La respuesta: las diez virtudes que guían, como los Diez Mandamientos, la vida del justo.

En el Salmo 28, ese movimiento del espíritu del salmista se da precisamente en la mitad. Hay un cambio brusco y dramático entre el grito de súplica (vers. 1-5) y la expresión de gratitud por el alivio que trae el Espíritu (vers. 6-9).

El primer versículo del Salmo 28 es el testimonio de un corazón que se aferra como una gota de agua al borde de la copa. Con uñas y dientes, David se aferra a Dios mientras mira el abismo que lo espera si cae de la presencia divina. Exclama: "Roca mía, no te desentiendas de mí, para que no sea yo, dejándome tú, semejante a los que descienden al sepulcro".

El pecado deja una huella profunda en el corazón. La tragedia del pecado es la perseverancia con la que lo busca nuestro corazón. El pecado nos insensibiliza y nos embrutece. Nos acostumbramos al resbaladero, por eso no salimos del hoyo sin sufrimiento. David sabía de lo que hablaba. Conocía su fragilidad, su perseverante condición pecadora. Por eso, clama: "Lávame más y más de mi maldad, y límpiame de mi pecado. Porque... mi pecado está siempre delante de mí" (Sal. 51:2, 3). Y ¡cuánta alegría expresa su corazón luego de su arrepentimiento y liberación! (Salmo 28:7.)

El gozo es la garantía de que Dios está a nuestro lado, de que "volvimos al hogar" (ver Sal. 5:7). Y ese gozo echa fuera toda infelicidad, que es la emoción que nos induce a pecar.

Oración: *Roca mía, no te desentiendas de mí.*

Oración ante el abismo – 2

Roca mía, no te desentiendas de mí, para que no sea yo, dejándome tú,
semejante a los que descienden al sepulcro. Salmo 28:1.

¿**D**e qué hoyo te sacó Dios? ¿Qué debilidad transformó Dios en fortaleza? Hace pocos días estaba yo colportando en Salinas, California, cuando recibí una llamada telefónica de uno de los supervisores de una compañía cosechadora a la que visito cada año. Me pidió que fuera al "campo del toro" (las barracas donde pernoctan los trabajadores rurales) a visitar a un muchacho alcohólico que estaban por echar del trabajo. Ahí fui hace un par de domingos a ver a Francisco en la casita 3. Me recibió con los brazos abiertos y una risa exagerada. Él no sabía que yo iría. Estaba un poco borracho.

—Pastor, cuando usted vino el último miércoles a dar culto, no quise ir porque yo olía feo, por mi pecado, por mi vicio —me dijo.

—Cuanto más feo huelas, más necesitas a tus hermanos de fe. No te preocupes por tus olores. Si tú olieras mis pecados, no te sentirías bien. Solo Cristo tiene "olor fragante" (Efe. 5:2); y donde está Cristo no se sienten nuestros malos olores —le respondí.

Me miró en silencio, y seguí:

—Quiero decirte algo más: Jesús jamás te reprochará por tus debilidades. Ni se olvidará de ti por vicioso que seas. Reprochará tu hipocresía y soberbia (Mat. 23), pero jamás tu debilidad (Juan 3:17).

El vicio de Francisco era el cruel castigo que él mismo se infligía por sus propios fracasos. Oprimido por la vida, ese era el modo de atender sus dolores.

"Por conductos que no podemos discernir, [Dios] está en activa comunicación con cada parte de su dominio. Pero es en el grano de arena de este mundo, en las almas por cuya salvación dio a su Hijo unigénito, donde su interés y el interés de todo el cielo se concentran. Dios se inclina desde su trono para oír el clamor de los oprimidos. A toda oración sincera, él contesta: 'Aquí estoy'. Levanta al angustiado y pisoteado... En cada tentación y prueba, el ángel de su presencia está cerca de nosotros para librarnos" —*DTG* 323.

¿De qué hoyo te sacó el Señor?

Oración: Señor, dame fuerzas para no soltarme de tu mano.

Oración por poder

No me arrebates juntamente con los malos. Salmo 28:3.

Este texto repite la súplica del Salmo 26:9: "No arrebates con los pecadores mi alma". Y en sus palabras escuchamos el eco de Mateo 6:13: "No nos dejes caer en tentación" (NVI).

"Nadie está graduado en el arte de la vida mientras no haya sido tentado", reflexionaba sabiamente la escritora inglesa George Eliot.

Sé de este asunto de caer en la tentación. También el apóstol Pablo lo conocía. Abre su corazón y se desangra: "Porque no hago el bien que quiero, sino el mal que no quiero, eso hago. Y si hago lo que no quiero, ya no lo hago yo, sino el pecado que mora en mí" (Rom. 7:19, 20).

Sometido al poder de la tentación, uno puede llegar a pensar que la única manera de robarle la fuerza es cayendo en ella. El irónico escritor irlandés Oscar Wilde decía que esa era la mejor manera de enfrentarla. Pero es todo lo contrario. Su poder destructivo no tiene límites. Resbalar en la tentación nos deja lejos del camino. Para retomarlo, la vuelta siempre es cuesta arriba, con sacrificio. Doloroso es el retorno, aunque nos madura. Finalmente, el que más ama es al que más se le perdonó. Toda caída deja siempre una cicatriz; pero ¿no son acaso esas cicatrices lo que le da estatura y dignidad al guerrero?

La tentación es una carnada transparente que deja ver el anzuelo... y sin embargo para ahí vamos. Asombra nuestra capacidad de autodestrucción. La tentación es universal; y atrae al ser humano como el fulgor de la hoguera atrae a los insectos en dirección del fuego. El fuego del mal quema a todos lo que se exponen. Y a los que no se exponen también. Todos los seres humanos estamos expuestos al mal. Nacemos con esta tendencia al mal que alimenta la tentación (ver Sal. 51:5).

El poder para vencer la tentación no está en ti, pero sí en Cristo. El mismo apóstol que confiesa su vulnerabilidad ante el pecado declara: "¡Miserable de mí! ¿quién me librará de este cuerpo de muerte? Gracias doy a Dios, por Jesucristo Señor nuestro" (Rom. 7:24, 25).

En el ruego de David estaba su salvación. En la oración sincera y profunda está tu poder.

Oración: Líbrame del mal.

Oración de confianza

En ti, oh Jehová, he confiado; no sea yo confundido jamás;
líbrame en tu justicia. Salmo 31:1.

¿Confiamos realmente en Dios?

David escribió esta oración en medio de la aflicción, rodeado de enemigos que lo buscaban para matarlo (ver 1 Sam. 23:19-26). Este salmo es una plegaria en búsqueda de la liberación de la angustia, e inspirada en la confianza en el poder de Dios para librar.

Hace un par de horas, la madre de una compañera de trabajo que sobrevivió a una cirugía muy compleja me decía: "No sé cómo la gente puede mantenerse cuerda sin orar". Esa madre había escuchado con su hija el diagnóstico del médico. Había orado ese día en el consultorio para que Dios le diera paz y confianza en aquel día aciago. Había orado de rodillas junto a la cama de su hija en el hospital, a la noche y al amanecer. Había orado cuando despedía a su hija en el quirófano, sintiendo que la abandonaba en manos ajenas. Había orado durante el trance de la cirugía y de la lenta recuperación. Había orado en todo momento por aquel ser que llevó en el cuerpo y llevará en el alma durante toda su vida.

Ella sabía cuán importante es la oración en medio del dolor. Mientras conversaba con ella acerca de la oración, le dije que estaba escribiendo este libro que hoy tú tienes en las manos. Entonces, me dijo:

—Pastor, escriba que solo por la oración conservé mi salud mental.

La oración tiene un tremendo efecto terapéutico: aquieta las aguas de la ansiedad, disipa la angustia, tranquiliza el alma, da discernimiento intelectual y fuerzas para seguir adelante.

Podemos vivir la mayor parte de nuestra existencia en una inconsciencia perseverante y permanente. Consumidos por tener cosas, las cosas nos van consumiendo. Y así nuestra alma se torna mezquina, y la fe en Dios no es probada. Hasta que un golpe en la vida nos despierta. ¡Bendita prueba! Entonces desplegamos las alas de la oración para tomarnos de la mano del Todopoderoso en medio de la angustia, ¡y alcanzamos una confianza que la bonanza no nos da!

¡La oración secreta, diaria y sincera madura el fruto de la sabiduría para enfrentar la prueba!

Oración: Señor, en ti confío en medio de la prueba.

Oración de reconocimiento

Me gozaré y alegraré en tu misericordia, porque has visto mi aflicción;
has conocido mi alma en las angustias. Salmo 31:7.

Hoy de mañana saludé a un compañero de trabajo con el habitual "¿Cómo estás?"
—¿Podría estar mejor? —me respondió.

Me sorprendió su respuesta, porque siempre está de buen ánimo.

—¿Algún problema? —le pregunté.

—Bueno, si realmente estuviera bien, no desearía tanto el cielo —me contestó.

Me quedé pensando en esa respuesta. ¡Cuán aplicables son sus palabras a la oración! Parafraseándolo, podríamos decir: "Si realmente estuviera bien, no desearía tanto orar". Parece que cuando estamos bien no necesitamos orar. Es decir, cuando estamos bien, puede que estemos mal.

David fue mejor persona cuando era perseguido que cuando disfrutaba de las delicias de la corte. Sus mejores salmos fueron escritos en tiempos de persecución. Los pueblos que sufren parecen ser más pesados de cuerpo pero más livianos y elevados de alma. Recuerdo mi juventud en la época de la dictadura en los países del sur de Sudamérica. A pesar del agobio por la falta de libertad, y también de pan, la creatividad no cesaba. Los poetas escribían como nunca, y los músicos componían melodías inolvidables. Como si la adversidad los inspirara. Los golpes de la adversidad son duros, pero jamás estériles.

El filósofo romano Séneca escribió: "No hay nadie menos afortunado que el hombre a quien la adversidad olvida, pues no tiene oportunidad de ponerse a prueba". Como los barriletes (cometas), hay personas que recién se elevan cuando el viento las golpea de frente.

El corazón humano aprende más del fracaso que del éxito; más de la tribulación que de la bonanza (ver Ecl. 7:2). David conoció a Dios, y confió en él en las pruebas. Aprendió de sus errores, de sus fracasos y de sus pecados. Y se gozó en la misericordia de Dios en los momentos más duros de su vida.

La adversidad siempre trae consigo una cuota mayor de sabiduría que los momentos de placer y tranquilidad. Porque si hemos de alcanzar el bienestar pleno, habrá sido por la enseñanza que nos dejaron los tiempos difíciles.

Puede que hoy estés fatigado de tanta adversidad. La oración restaura tu alma. Destila en ti frescas gotas del rocío divino. Responde en el silencio de tu corazón la pregunta a Dios: "¿Señor, qué me quieres enseñar?"

Oración: Señor, gracias por tu misericordia, que jamás me abandona.

Oración de confesión

Mi pecado te declaré, y no encubrí mi iniquidad...
y tú perdonaste la maldad de mi pecado. Salmo 32:5.

En la plegaria del Salmo 32, David se confiesa y se arrepiente ante Dios (vers. 1-5), y aconseja a otros que hagan lo mismo (vers. 6-11). Su propósito es mostrar cuánta bendición trae el perdón de los pecados. "Mientras callé, se envejecieron mis huesos... Por esto orará a ti todo santo en el tiempo en que puedas ser hallado" (vers. 3, 6).

El pecado nos seca los huesos, pero hay sanidad, y un tiempo para buscarla: "Si ustedes oyen hoy su voz, no endurezcan el corazón" (Heb. 3:15, NVI). Hoy es el tiempo de encontrarnos con Dios. No dilatemos ese encuentro.

El poema de David registra la confesión y el perdón recibidos luego de haber cometido el doble pecado de adulterio y homicidio (ver 2 Sam. 11). Las arenas del tiempo no han podido sepultar su mensaje esperanzador. Las palabras de este poema han recorrido la historia como agua de manantial. ¡Son corrientes de vida! Se dice que San Agustín hizo escribir este salmo en la pared de su habitación para contemplarlo en su lecho de enfermo —3 *CBA* 714. La necesidad humana de perdón y paz no cesa nunca.

"Dios quiso que la historia de la caída de David sirviera como una advertencia de que aun aquellos a quienes él ha bendecido y favorecido grandemente no han de sentirse seguros, ni tampoco descuidar el velar y orar... De generación en generación, miles han sido así inducidos a darse cuenta de su propio peligro frente al poder tentador del enemigo común. La caída de David, hombre que fue grandemente honrado por el Señor, despertó en ellos la desconfianza de sí mismos. Comprendieron que solo Dios podía guardarlos por su poder mediante la fe" —*PP* 783, 784.

¡Bendita Escritura, que desnuda la verdad de los grandes hombres y mujeres de Dios, con sus grandezas y sus bajezas! ¡Consoladora Palabra divina que nos dice que nada nos separa del amor de Jesús! ¡Que él no nos da lo que merecemos, sino lo que necesitamos para levantarnos!

Hoy, Dios te está buscando tan ciertamente como lo hizo con David. Ve a su encuentro.

Oración: Señor, voy a tus brazos.

Oración en busca de gracia

Jehová, no me reprendas en tu furor, ni me castigues en tu ira. Salmo 38:1.

¿**H**as pensado en las consecuencias del pecado?

El tema central de la plegaria del Salmo 38 es la angustia que produce el pecado, cuyo fruto es dulce en la boca y veneno amargo en el vientre. David comienza suplicando alivio porque se siente escarmentado por el Señor a causa de su pecado (2 Sam. 11). Le suplica a Dios que atenúe "su ira" (vers. 1). Es la tortura y el tormento que debió haber sentido al ver las consecuencias por su pecado con Betsabé: una de sus hijas, Tamar, fue violada por su medio hermano, Amnón, y este fue asesinado por Absalón (2 Sam. 13). Todos eran hijos de David. Luego, la rebelión de Absalón y de Seba (2 Sam. 20). Durante este tiempo, conoció la inconstancia de sus amigos y familiares, y la ferocidad de sus enemigos.

David escribió tres salmos penitentes que parecen la secuencia de un sermón: en el Salmo 51 clama por el perdón de los pecados; en el 32, se regocija por ese perdón; y en el Salmo 38 encontramos que la culpa ha sido quitada, pero las consecuencias permanecen.

En este salmo vemos al poeta rey luchando, impotente, contra la angustia. Pero luchar contra la angustia solo produce nuevas formas de angustia: desde los versículos 2 hasta el 7, David se explaya en sus padecimientos físicos. Los versículos 8 al 10 dan cuenta de una tremenda angustia espiritual. Luego describe la aflicción por las relaciones rotas en los versículos 11 al 20. Sus amigos y familiares se han alejado, nadie apuesta por el perdedor, y sus enemigos lo persiguen. Finalmente, la angustia se termina con la súplica final del salmo: "Apresúrate a ayudarme, oh Señor, mi salvación" (vers. 22).

La vida no perdona, ¡pero Dios sí perdona! ¡Siempre hay gracia para el corazón afligido por el fruto amargo de sus pecados! La ira de Dios no estaba consumiendo a David. El rey estaba pagando las consecuencias de sus desvaríos. No confundamos la ira divina con las consecuencias de nuestros pecados. La gracia de Jesús siempre está a nuestro lado, para perdonarnos, restaurarnos y sostenernos en el sufrimiento por nuestros errores del pasado.

¡Bendita gracia, que jamás te abandona!

Oración: Señor, confío en tu misericordia.

Oración angustiosa

Nada hay sano en mi carne, a causa de tu ira; ni hay paz en mis huesos,
a causa de mi pecado. Salmo 38:3.

¿No crees que sufres injustamente?

Nuestro texto es una oración de arrepentimiento, en la que el salmista narra su sufrimiento, tanto físico como mental. Describe los dolores de su cuerpo y los tormentos de su mente, en parte porque se siente culpable y en parte por el miedo que le inspiran sus enemigos. Sus sufrimientos se intensifican a medida que se da cuenta del abandono de sus amigos cuando él más los necesita. Son las lamentaciones de Job.

En sus palabras escuchamos el eco de una idea injusta acerca de Dios: "Nada hay sano en mi carne, a causa de tu ira". David piensa que Dios lo está castigando por su pecado. Pero no es así. Todo dolor es consecuencia de vivir en un mundo caído. Hay sufrimiento por pecados concretos que hemos cometido: "Mientras callé se secaron mis huesos" (Sal. 32:3-5). Sin embargo, no todo sufrimiento es resultado directo de un pecado cometido. En tiempos de Jesús, los teólogos enseñaban que toda aflicción era castigo de una mala acción, ya fuera del que la padecía o de sus ancestros (ver Juan 9:2). "Satanás, el autor del pecado y de todos sus resultados, había inducido a los hombres a considerar la enfermedad y la muerte como procedentes de Dios, como un castigo arbitrariamente infligido por causa del pecado" —*DTG* 436. A causa de esto, Dios era considerado arbitrario, vengativo y justiciero.

Hoy, muchos creyentes comparten esta idea equivocada. A pesar de las lecciones contenidas en el libro de Job y en las enseñanzas de Jesús (ver Luc. 13:16; Hech. 10:38), consideran que Dios es el originador de la enfermedad. Que es la causa de nuestros males. Pero Jesús ¡jamás nos daña!

En tus momentos de enfermedad, más allá de la causa de tu padecimiento, la oración destila gotas de consuelo, ánimo y fortaleza para soportar la prueba. Jesús predomina sobre el mal que ha originado tu sufrimiento, "con fines de misericordia" —*DTG* 436. Quítale la culpa a tu dolor. Ya Cristo padeció por ti a causa de tus pecados (Heb. 10:12, 18). Ya Cristo te perdonó. No sufras. Puede que estés padeciendo las consecuencias de tus errores, pero ¡tu corazón está guardado en Dios!

Oración: Señor, dame ánimo en la enfermedad.

Oración por una respuesta

Ciertamente como una sombra es el hombre; ciertamente en vano se afana...
Y ahora, Señor, ¿qué esperaré? Salmo 39:6, 7.

¿Qué esperas de la vida?

El Salmo 39 es una de las más hermosas elegías de David, una bella composición lírica en la que se escucha el eco de los lamentos de Job: ¿Qué podré esperar en esta vida?

Este salmo nos revela la fragilidad, la debilidad y la pequeñez del ser humano. Expone la vanidad de la existencia. Por esta razón, esta plegaria es utilizada a menudo en los funerales.

David había reprimido durante mucho tiempo sus sentimientos, y aun cuando muchos pensamientos agitaban su corazón, no los podía expresar (Sal. 39:2). No quería desnudar su intimidad ante la mirada de gente malvada e indiferente (vers 1). Temía que, al mencionar sus perplejidades, alguna palabra que escapara de sus labios les diera a sus enemigos la ocasión de blasfemar contra Dios. Cuando finalmente la vida le resultó desesperante, incapaz de refrenar su tremenda emoción, le habló a Dios y no a los hombres. ¡La oración fue su mejor aliada!

La vida humana es sin duda alguna el fracaso más grande en el universo de Dios... si no existiera la esperanza. Todo es vanidad (ver Ecl. 1).

Escucha lo que David le dice a Dios: "Hazme saber, Jehová, mi fin, y cuánta sea la medida de mis días; sepa yo cuán frágil soy" (Sal. 39:4). ¡Qué pequeños que somos! ¡Pero qué grande somos para Jesús!

¿Qué le da significado a tu existencia? Eres frágil y pequeño, pero Dios es grande. Y él te desea antes de que tú lo desees a él. Él pone sueños en tu vida, y te da fuerzas para que los concretes.

Todas las criaturas nacen con impulsos, porque tienen la posibilidad de satisfacerlos: el ave tiene el impulso de volar, porque cuenta con alas y el firmamento. Si encuentras en ti el deseo que te dirige hacia arriba, es porque fuiste creado para el Eterno. ¡Y ahí está la oración, para comunicarte con él!

David sintió que Dios lo deseaba, y pegó el salto de la fe: por eso, a su pregunta: "¿Qué esperaré?", responde: "Mi esperanza está en ti" (vers. 7).

¡Dios es tu esperanza! ¡Pone sueños en tu corazón! ¡Y fuerzas para que les des vida a tus sueños!

Oración: *Señor, tú eres mi deseo, porque soy tu mayor deseo.*

165

Oración de culpa

Quita de sobre mí tu plaga; estoy consumido bajo los golpes de tu mano.
Salmo 39:10.

Otra vez aparece en David la idea de que Dios es la causa de sus males. El sufrimiento en el mundo plantea un dilema que ha recorrido la historia de la Filosofía: o Dios es bueno pero no es todopoderoso; o es todopoderoso pero no es bueno (ver 3 *CBA* 736).

La Filosofía no tiene respuesta a tamaño dilema. Porque solo se guía por la realidad donada a la percepción sensorial y al razonamiento. ¡Y la realidad está llena de misterios!

Busquemos a Dios en la naturaleza. Cuando se trata de sobrevivir, las flores muestran todos los rasgos de un animal: cazan para alimentarse y se exhiben para reproducirse. Atraen a abejas, chinches y escarabajos para que transporten sus esporas, y les pagan con el polen. Y no solo seducen a los insectos, sino también a animales mayores: murciélagos, pájaros y zarigüeyas hacen la voluntad de las flores. Todo parece ser una gran sinfonía de armonía y belleza. Y creemos que allí podemos ver el amor de Dios. Pero también la naturaleza nos llena de confusión: el sol quema; las lluvias inundan aldeas y ciudades; la montaña elegante y bella eructa fuego. Los datos que nos ofrece el mundo exterior acerca del amor de Dios nos confunden.

Pero, más nos confundimos cuando nos sumergimos en el océano del alma humana: "Engañoso es el corazón más que todas las cosas, y perverso; ¿quién lo conocerá?" (Jer. 17:9). El ser humano es en sí mismo un misterio. ¡Por eso necesitamos la Palabra de Dios!

David, a diferencia de nosotros, no contaba con el Padre de Jesucristo. Nosotros, que hemos alcanzado el fin de los siglos, podemos leer la Escritura desde la revelación de la vida y la muerte de Jesús. Porque Cristo es la máxima revelación de Dios. Toda lectura de la Escritura, y particularmente del Antiguo Testamento, debe leerse bajo la clave de Jesús. ¡Para conocer al verdadero Dios! En Jesús se consuma la revelación del Padre: en él culmina el largo proceso histórico de la revelación divina. ¡Jesús es el Lucero de la mañana (ver 2 Ped. 1:19)! "El que me ha visto a mí, ha visto al Padre" (Juan 14:9). ¡Amo al Dios de Jesucristo! Él jamás nos consumirá con sus golpes.

Oración: Señor, tu gracia infinita me alienta cada día.

Oración por buenas obras – 1

Sacrificio y ofrenda no te agrada; has abierto mis oídos. Salmo 40:6.

Al preguntarse cómo podría agradecer por las maravillosas obras que Dios realizó en su favor (Sal. 40:1-5), David llega a la conclusión de que le debe a su Señor un servicio más elevado que el de los sacrificios y las ofrendas de sangre.

El poeta llega a esta conclusión porque Dios "abrió" sus oídos para que hubiera un medio de comunicación libre de todo impedimento. Aquí, el verbo "abrir", o "cavar" (*karah*, en hebreo), no tiene que ver con la costumbre de horadar la oreja del siervo como señal de que pertenecía para siempre a su amo (ver 3 *CBA* 739). El texto dice que Dios "destapó" el canal auditivo del espíritu de David para que entendiera la Palabra (vers. 6). Y los versículos 8 al 10 son la respuesta a ese entendimiento.

Cuando comentamos el Salmo 24, dijimos que Dios quiere que tu mano y tu lengua estén en armonía con tu corazón; y que tu corazón, tu mano y tu lengua estén en armonía con la voluntad divina. Entonces, Dios hará milagros por medio de ti en la vida de los demás. Este es el secreto para morar con Dios. Ahora vemos este mismo concepto en el Salmo 40: "El hacer tu voluntad, Dios mío, me ha agradado, y tu ley está en medio de mi corazón... No encubrí tu justicia dentro de mi corazón... No oculté tu misericordia y tu verdad" (vers. 8-10).

Con el corazón adoramos a Dios, con la lengua testificamos de él y con las manos hacemos el bien. "No encubrí tu justicia dentro de mi corazón" significa haber hecho el bien a los demás. "Bienaventurado el que piensa en el pobre" (Sal. 41:1).

Muchas veces vemos el mundo con ojos bizcos. Separamos la adoración a Dios de las obras en favor del prójimo. Pero no solo adoramos a Dios en lo secreto de nuestra alma (Mat. 6:6), sino también mediante nuestras obras: "La religión pura y sin mácula delante de Dios el Padre es esta: Visitar a los huérfanos y a las viudas en sus tribulaciones" (Sant. 1:27). ¡Obras justas!

Nuestra verdadera ofrenda son las obras buenas que "Dios preparó de antemano para que anduviésemos en ellas" (ver Efe. 2:10).

Oración: Señor, que mi fe se demuestre en obras.

Oración por buenas obras – 2

Sacrificio y ofrenda no te agrada; has abierto mis oídos. Salmo 40:6.

David entendió cómo adorar verdaderamente cuando Dios le "abrió los oídos". Cuando el Señor nos abre los oídos para que entendamos su Palabra, nos abre los ojos al mundo, para ser sensibles a las necesidades de nuestro prójimo.

La relación con Dios no es solo una cuestión vertical y de exclusiva incumbencia personal, que nada tiene que ver con los demás. Si nos separamos del mundo para vivir a "solas con Dios", nuestra religión se estanca como las corrientes de agua que se desvían del cauce del río. Una religión que no desemboque en el servicio se convierte en un rito vacío, llena de símbolos, reglamentos y estatutos, pletórica de sacrificios, ofrendas y diezmos. ¡Se muere!

En el contexto de su oración, David dice: "No encubrí tu justicia dentro de mi corazón" (vers. 10). Su religión desembocaba en obras de justicia.

Claro que la fe es una cuestión personal, y adoramos a Dios en lo secreto del alma, pero la fe no se queda ahí. Se expresa en obras. Es obvio que con fines de entender el plan de salvación debamos separar la dimensión vertical de la horizontal, pero en lo profundo son distintos ámbitos de un mismo Señor, de una misma fe y de un mismo bautismo (ver Efe. 4:5).

Tan importante es el prójimo en nuestra relación con Dios que Juan declara: "Si alguno dice: Yo amo a Dios, y aborrece a su hermano, es mentiroso. Pues el que no ama a su hermano a quien ha visto, ¿cómo puede amar a Dios a quien no ha visto?" (1 Juan 4:20).

Hay una continuidad armoniosa entre nuestra fe y nuestras obras. Somos salvos solo por la fe (ver Efe. 2:8, 9), pero la fe sin obras es muerta (ver Sant. 2:14-17). Fuimos creados por Cristo Jesús para buenas obras, que "Dios preparó de antemano para que anduviésemos en ellas" (Efe. 2:10). "Cuando atesoramos el amor de Cristo en el corazón, así como una fragancia, no puede ocultarse" —*CC* 77. Las buenas obras son el perfume de Dios.

El mundo no cambia por nuestra opinión, sino por nuestras obras de justicia. No seremos juzgados por nuestros dichos sino por nuestros hechos (ver Apoc. 2:23).

Oración: Señor, ayúdame a escuchar y entender tu Palabra.

Oración por Agua de vida – 1

Como el ciervo brama por las corrientes de las aguas, así clama por ti,
oh Dios, el alma mía. Salmo 42:1.

A David se le habían venido los años encima, y con ellos se habían ido muchas preocupaciones. Ya como rey establecido de Israel luego de sus conquistas, parecía que podía esperar tiempos tranquilos. Pero la vida no da respiro. Absalón, su propio hijo, se convirtió en su peor enemigo: quería matar a su padre para quedarse con el poder. Así que, en este salmo encontramos a David huyendo al desierto como fugitivo (ver *Ed* 164), porque no quería enfrentar y matar a su amado Absalón.

En esa crisis profunda, el rey poeta atravesó el torrente de Cedrón (un riachuelo casi seco en estación veraniega), y se expresó mediante la imagen de un ciervo anhelante de las escasas corrientes de agua en zonas montañosas.

David sabía que los ciervos bramaban por agua. Es decir, gemían desde sus entrañas. Sus gemidos salían desde lo más profundo de su interior. Un ciervo bramaba por agua no solo porque tenía sed, sino porque su vida corría peligro. En zonas montañosas, los lobos, los linces y las hienas son los peores enemigos de los ciervos. Y, como los ciervos exudan un aroma que atrae a los depredadores, buscan corrientes de aguas profundas donde hundir su cuerpo, a fin de que el sudor no les deje huellas a las fieras.

Así como el ciervo tiene dos enemigos, uno externo —lobos y leones— y otro interno —el sudor, que alerta a los depredadores—, nosotros también tenemos dos enemigos: "Vuestro adversario el diablo, como león rugiente, anda alrededor buscando a quien devorar" (1 Ped. 5:8); y exudamos "olor de muerte para muerte" (ver 2 Cor. 2:16).

David bramaba como el ciervo por las corrientes de las aguas, porque solo las corrientes cristalinas de las aguas del Espíritu de Dios podían saciar su sed espiritual, protegerlo de sus enemigos y darle fuerzas para luchar.

Tú eres presa fácil del enemigo, y tu vida depende de la única Fuente que puede limpiarte por dentro y por fuera.

La oración sincera y profunda vierte gotas del Agua de Dios diariamente en el alma, llena la copa de la vida con poder y gracia, y satisface la sed de eternidad de todo corazón humano (ver Juan 4:14).

Oración: *Señor, dame el Agua de vida.*

Oración por Agua de vida – 2

Como el ciervo brama por las corrientes de las aguas, así clama por ti,
oh Dios, el alma mía. Salmo 42:1.

¿**C**uán sediento estás?

Sabemos que David vivió en el desierto mientras huía del rey Saúl (1 Sam. 23), y ahí escribió la mayoría de sus oraciones: "Mi alma tiene sed de ti, mi carne te anhela, en tierra seca y árida donde no hay aguas" (Sal. 63:1). Es una buena descripción del desierto de Judea, justo al sur de Jerusalén. Pero en esa tierra David encontró un escondite en En-gadi (1 Sam. 23:29), un lugar en el desierto rocoso frente al Mar Muerto, donde había abundante agua para él y para todos sus hombres. ¿En el desierto? ¡Sí, en el desierto!

Aunque no podamos decir que el rey David fue el mejor "buscador" de Dios, porque solo Dios conoce los corazones, sí podemos decir que el poeta rey fue quien mejor describió el alma del que busca a Dios.

David buscaba a Dios apasionadamente, y sus palabras lo expresan de modo tangible. La metáfora del ciervo es una bella pintura de la sed de Dios.

Cuando Dios levantó a David para ser rey, el profeta Samuel dijo a Saúl: "Jehová se ha buscado un varón conforme a su corazón, al cual Jehová ha designado para que sea príncipe sobre su pueblo" (1 Sam. 13:14). El apóstol Pablo relató a la multitud esta historia, y destacó la expresión "conforme a mi corazón" (ver Hech. 13:22). David fue un hombre apasionado por Dios; su arrepentimiento lo expresa. Y fue perdonado a causa de la pasión con la que respondió a la sed divina.

¿Cómo encontramos a Dios? Bramando como el ciervo. Gimiendo. Apasionadamente. Perseverantemente. Disciplinadamente. Tanta sed de Dios tenía el salmista que escribió: "Mi alma tiene sed de Dios, del Dios vivo" (Sal. 42:2). ¡Ese es el lenguaje de un hombre apasionado por su Dios!

Las corrientes del Agua de vida están cerca de ti; corren subterráneas, en la misma dirección de tu camino. ¡No vivas con sed! Detente. Cava un pozo allí donde estás, junto a la ribera del río de Dios, y bebe sus aguas frescas y revitalizantes.

Tu vida "seca se convertirá en estanque, y el sequedal en manaderos de aguas" (Isa. 35:7).

Oración: *Señor, eres mi Agua de vida.*

Oración por Agua de vida – 3

Como el ciervo brama por las corrientes de las aguas,
así clama por ti, oh Dios, el alma mía. Salmo 42:1.

¿Cómo y cuándo buscas a Dios?

Busquemos a Dios en oración en todo tiempo, "mientras pueda ser hallado" (Isa. 55:6). Busquémoslo con pasión y disciplina, respondiendo al impulso de la necesidad; o cuando no queramos, cuando en nuestro corazón domine la indiferencia.

Comentando este salmo, Elena de White nos habla de cómo y cuándo buscar a Dios:

"La oración es el acto de abrir el corazón a Dios como a un amigo... Se necesita de la oración, de la oración fervorosa, agonizante, tal como la ofreciera David cuando exclamó: 'Como el ciervo brama por las corrientes de las aguas, así clama por ti, oh Dios, el alma mía'... La vida de un verdadero cristiano es una vida de oración constante... Es algo maravilloso que podamos orar eficazmente; que seres mortales indignos y sujetos a yerro posean la facultad de presentar sus peticiones a Dios. ¿Qué facultad más elevada podría desear el hombre que la de estar unido con el Dios infinito?... Podemos hablar con Jesús mientras andamos por el camino, y él dice: Estoy a tu diestra" —*OE* 270, 271.

¡Qué dulce oración, que nos hermana con Jesús! ¡Qué dulce Espíritu, que nos ilumina a lo largo del día! Podemos orar en todo tiempo. Cuando nos levantamos a la mañana, ya podemos exhalar el deseo de nuestro corazón sin que lo oiga oído humano alguno. Mientras trabajamos o estudiamos: la palabra elevada al Cielo desde un corazón sincero jamás se pierde como el humo. ¡Jamás cae en el olvido! Nada debe ahogar el deseo de nuestro corazón. Toda oración secreta y profunda, que se eleva por encima del tráfago del diario vivir, llega Dios como incienso fragante. ¡Señor, enciende nuestras oraciones con el fuego de tu Espíritu!

Tal vez Dios no te responda exactamente como deseas, o en el momento en que lo esperas, pero no te desanimes: lo negativo puede ser positivo. Piensa en la persona que espera un "negativo" de su examen médico para saber si tiene cáncer. A veces, los silencios de Dios solo los entiendes con el tiempo. Hay sabiduría en aprender el arte de esperar en Dios. Sus respuestas llegan de la manera y en la ocasión que mejor satisfacen tu necesidad.

Oración: Señor, brama mi alma por ti.

Oración de gozo

Me acuerdo de estas cosas, y derramo mi alma dentro de mí;
de cómo yo fui con la multitud, y la conduje hasta la casa de Dios,
entre voces de alegría y de alabanza del pueblo en fiesta. Salmo 42:4.

¿Cuán feliz eres con Dios? Luego de que David expresara su sed de Dios (Sal. 42:1, 2), nos encontramos con el texto de hoy, que nos da una clave de cuándo y cómo buscar a Dios en oración. El poeta conducía a la multitud a la casa de Dios con "voces de alegría y alabanza" (vers. 4).

El texto de 2 Samuel 6 nos dice que David saltaba con alegría cuando alababa a Dios. Las diferentes culturas expresan su alabanza y sus oraciones de diferentes maneras. Puede que, en nuestra cultura, saltar y danzar para expresar la alegría del Señor en nuestro corazón sea "inaceptable", pero jamás podremos pontificar desde nuestra cultura en cuanto a las cosas sagradas. He visto hermanos en la fe de otros continentes que gritan, aplauden, levantan las manos, cantan, tocan toda clase de instrumentos, y expresan bíblica y legítimamente su amor a Dios con mucha pasión. Yo no salto cuando Dios me hace feliz, pero ¿no está más cerca de Dios el que danza de gozo divino que aquel cuyo rostro exuda el "vicio de la rectitud"?

¿Podemos buscar a Dios con gozo? Sí, y de hecho, la manera más rápida para llegar ante la presencia de Dios es por medio de la alabanza. Sin embargo, no siempre comienza con un sentimiento de gozo. Incluso, podríamos sentirnos muy tristes y deprimidos, pero si nos disciplinamos para pensar de otra manera (Col. 3:2), y comenzamos a alabarlo y darle gracias, nuestro espíritu comienza a elevarse. Las oraciones de los Salmos nos ayudan en esto. Cuando no puedas alabar con gozo, ¡lee un Salmo! Comenzarás a orar con alegría.

En Proverbios 7:15, leemos: "Por tanto, he salido a encontrarte, buscando diligentemente tu rostro, y te he hallado". Diligentemente implica trabajo. Hay que "trabajar" para conocer a Dios. Hay que buscarlo diligentemente. Y Dios te premiará. Porque "Dios premia a los que le buscan" (Heb. 11:6). El premio de Dios es la alegría en tu corazón.

La oración secreta, en tu aposento, y la pública, en el templo, encenderán siempre el gozo de Jesús en tu corazón.

Oración: *Señor, mi corazón danza de alegría por ti.*

Oración de esperanza

¿Por qué te abates, oh alma mía, y te turbas dentro de mí?
Espera en Dios; porque aún he de alabarle. Salmo 42:5.

¿Aún guardas esperanza en tu corazón?

Ya hombre, y como fugitivo que tenía que buscar refugio en las rocas y las cuevas del desierto, David escribió nuestro texto de hoy (ver *Ed* 164).

La crisis vital que atravesaba David cuando huía de su propio hijo Absalón se expresaba en un angustioso vaivén entre la desesperación y la esperanza. Toda su travesía en el desierto era un equilibrio frágil y precario, como péndulo que colgaba de la nada. Pero su intensa fe religiosa y la convicción arraigada de una esperanza trascendente lo llevaban a esperar en Dios contra toda esperanza.

Tú y yo no somos "seres para la muerte", como postula la filosofía existencial, sino para la vida; y aunque en ocasiones la vida se vuelva hostil y todo parezca adverso e inexplicable, la esperanza en Dios permanece. ¡Porque Dios respira en nuestro corazón mortal! Dice David: "De día el Señor me envía su amor, y de noche no cesa mi canto ni mi oración al Dios de mi vida" (Sal. 42:8, DHH).

En el sufrimiento de David hay momentos cuando su corazón parece abandonar toda esperanza: "¿Por qué me has desechado?" (Sal. 43:2); sin embargo, aun en su agonía continúa esperando en Dios: "Tú eres el Dios de mi fortaleza... Alma mía... espera en Dios" (Sal. 43:2, 5).

El Salmo 56:8 expresa vívidamente cuán cerca está Dios de nosotros en los momentos de dolor. Dice: "Tú recoges cada una de mis lágrimas" (DHH). David sabía que junto a él caminaba Alguien que recogía sus lágrimas de dolor en un frasquito. ¡Hay un Caminante a nuestro lado en el sendero de la vida!

Yo no sé qué dolor abate tu corazón, no sé cuán hondo es el pozo en el que te encuentras, cuán oscuro es el túnel que transitas o cuán altos son los muros de tus adversidades. Pero Dios sí te conoce. Dile en oración: "Tú eres mi protector, mi lugar de refugio, mi libertador, mi Dios, la roca que me protege, mi escudo, el poder que me salva, mi más alto escondite" (Salmo 18:2, DHH).

Oración: Señor, espero en ti en todo momento.

Oración en comunidad

Envía tu luz y tu verdad; estas me guiarán... al altar de Dios,
al Dios de mi alegría y de mi gozo. Salmo 43:3, 4.

¿Dónde buscas a Dios?

David buscó a Dios en oración en el desierto. Fue en el desierto donde Agar se encontró con Dios (Gén. 16:7); y donde Dios se reveló a Moisés en una zarza ardiente (Éxo. 3:1, 2). Fue en una cueva del desierto donde Dios alimentó a Elías (1 Rey. 19), y donde Juan el Bautista vivió y ministró (Mat. 3:1). Pablo recibió más comprensión sobre el Nuevo Pacto en el desierto (Gál. 1:17). Y, finalmente, fue en el desierto donde Jesús fue tentado antes de comenzar su ministerio (Mat. 4:1).

El desierto puede significar tanto el lugar de prueba y aflicción como la soledad en la que el alma se encuentra con Dios. Tú ya has pasado por el desierto alguna vez para encontrarte con Dios. Pero ¿es el desierto el único lugar para encontrarnos con él?

Escucha a David: "Una cosa he demandado a Jehová, esta buscaré; que esté yo en la casa de Jehová todos los días de mi vida, para contemplar la hermosura de Jehová" (Sal. 27:4).

Aunque tú y yo hayamos experimentado grandes momentos a solas con el Señor, en la privacidad del hogar, o en el auto mientras vamos al trabajo, somos amonestados a no dejar de congregarnos (Heb. 10:25). "Porque donde están dos o tres congregados en mi nombre, allí estoy yo en medio de ellos" (Mat. 18:20).

David amaba el lugar de la morada de Dios, y sabemos que el Tabernáculo y el Templo eran meras réplicas del Trono celestial (Heb. 8:5). En el cielo, la adoración será mucho más espectacular de lo que podríamos experimentar en la Tierra. Pero, en el cielo, la adoración no será privada, sino comunitaria. Seremos parte de "una gran multitud... de todas naciones y tribus y pueblos y lenguas, que estaban delante del trono y en la presencia del Cordero" (Apoc. 7:9).

En nuestra oración, "el altar de Dios" también es la iglesia. La Luz y la Verdad siempre te guiarán al altar de tu iglesia, para alabar a Dios con tus hermanos.

Oración: Señor, dame amor para congregarme en alabanza y oración con mis hermanos.

Oración de los buenos recuerdos

Oh, Dios, con nuestros oídos hemos oído, nuestros padres nos han contado la obra que hiciste en sus días. Salmo 44:1.

Hay personas a las que amamos sin jamás haberlas visto.

De vez en cuando a mi madre se le escapaba una lágrima cuando recordaba a su hermano mayor, Rosalío, quien había fallecido de leucemia hacía ya algunos años. Él la había guiado en la vida desde niña. Huérfana de madre, y entregada en adopción a una familia acomodada de la misma ciudad donde había nacido, Rosalío era todo lo que ella tenía en este mundo. La única foto —color sepia— que mi madre guardaba como tesoro escondido en un cofre de su dormitorio, y las palabras de amor que le donaba de vez en cuando, fue todo lo que tuve de aquel hombre. Pero fue suficiente como para dibujar en mi corazón la imagen viva de un hombre bueno, a quien amé más sin haberlo visto que a muchos de los otros tíos que veía muy a menudo. ¡El poder de las palabras!

Así como yo amé a mi tío por las palabras de mi madre, sin haberlo visto, David amó al Dios del que le contaron sus padres. El texto de hoy nos dice que David refrescaba en su mente lo que escuchó de ellos. Y ¿qué escuchó de sus padres? Que la mano providente de Dios estuvo en el origen mismo de su pueblo: "Tú con tu mano echaste las naciones, y los plantaste a ellos... Porque no se apoderaron de la tierra por su espada, ni su brazo los libró; sino tu diestra, y tu brazo, y la luz de tu rostro" (Sal. 44:2, 3). Escuchó la razón por la que Dios había hecho todo eso: "Porque te complaciste en ellos" (vers. 3). Escuchó que, por eso, Jehová es la fuente de toda esperanza (vers. 4, 5). "No tenemos nada que temer del futuro, a menos que olvidemos la manera en que el Señor nos ha conducido, y lo que nos ha enseñado en nuestra historia pasada" —*NB* 216.

No le temamos al futuro. Recordemos lo que Dios ha hecho en nuestro pasado. Y contémoslo a nuestros hijos. La fe es una cadena milenaria de testimonios.

Oración: Señor, ayúdame a testificar de ti a mi descendencia.

Oración de Lutero

Dios es nuestro amparo y fortaleza, nuestro pronto auxilio en las tribulaciones. Por tanto, no temeremos, aunque la tierra sea removida, y se traspasen los montes al corazón del mar. Salmo 46:1, 2.

¿**H**as repetido esta oración en algún momento de tu vida? Aunque el Salmo 46 no es "técnicamente" una oración, sino un poema, en el corazón y en los labios del creyente se convierte en una oración poderosa.

Este salmo está parafraseado en el inspirador himno "Castillo fuerte", que escribió el gran reformador alemán Martín Lutero. Él lo cantaba en momentos de angustia —3 *CBA* 752.

Todos los seres humanos vivimos abismados por una constante incertidumbre. En la fragilidad de su existencia, David pinta un cuadro de sorprendentes contrastes en tres estrofas inspiradas: aguas turbulentas, montañas removidas, y un río tranquilo que "alegra la ciudad de Dios" (vers. 2-4). Braman las naciones, titubean los reinos, pero Dios alza su voz y "se derrite la tierra" (vers. 6). Los hombres hacen la guerra, pero Dios "quiebra el arco, corta a la lanza, y quema los carros en el fuego", para reinar en paz sobre las naciones (vers. 9). El mundo podrá venirse abajo, pero Dios es "nuestro amparo y fortaleza" (vers. 1).

Después de una notable victoria en tiempos de Josafat, los israelitas cantaron este himno (ver *PR* 150).

Convierte este salmo en una oración de confianza en Dios en tus momentos de prueba. Puedes elevar esta oración cuando sientas que "la tierra se mueve" debajo de tus pies. Cuando el terror se adueña de las naciones, cuando el mundo parece estallar, "Dios es tu amparo y fortaleza".

"No hemos de confiar en príncipes, ni poner a los hombres en lugar de Dios... En toda emergencia, debemos reconocer que la batalla es suya. Sus recursos son ilimitados, y las imposibilidades aparentes harán tanto mayor la victoria" —*PR* 150.

¡Qué esperanza para la iglesia! "Del río sus corrientes alegran la ciudad de Dios, el santuario de las moradas del Altísimo. Dios está en medio de ella; no será conmovida. Dios la ayudará al clarear la mañana" (vers. 4, 5).

¡Bendita oración, que nos cobijas en todo momento! ¡En la soledad, en la enfermedad, cuando buscamos trabajo, o cuando la iglesia corre peligro en un mundo hostil!

Oración: Señor, eres nuestro amparo y fortaleza.

Oración de confesión

Ten piedad de mí, oh Dios, conforme a tu misericordia; conforme
a la multitud de tus piedades borra mis rebeliones. Salmo 51:1.

¿Te has avergonzado alguna vez delante de Dios?

David escribió este salmo luego de su doble pecado de adulterio y homicidio (ver 2 Sam. 11). Los seres humanos preferimos confesar los pecados de los demás y no los nuestros. Pero aquí, David no rehúye el encuentro con Dios "en angustia y repugnancia de sí mismo" —*Ed* 165.

En su poema "Al lector", el escritor francés Charles Baudelaire describe con maestría poética la condición del alma humana ante el poder del pecado: "Nuestros pecados son testarudos; nuestros arrepentimientos, cobardes./ Nos hacemos pagar largamente nuestras confesiones, /y entramos alegremente en el camino cenagoso./Creyendo con viles lágrimas,/ lavar todas nuestras manchas".

Los pecadores pasamos la vida ofendiendo a Dios... y confesándonos.

Nuestros arrepentimientos son débiles. Sufrimos, lloramos un poco, pero no cambiamos. Solo lloramos para sentirnos aliviados y volver "alegremente al camino cenagoso". Nos enterramos y nos ensuciamos. Esta es la ambigüedad metafísica del mal y del pecado, que nos fascina y nos seduce. Es lo que dice David en este mismo salmo: "He aquí, en maldad he sido formado, y en pecado me concibió mi madre" (vers. 5).

Nuestro arrepentimiento es débil porque *amamos* el pecado. En el Nuevo Testamento, el término griego *agapê* se usa tanto para hacer referencia al amor especial de Dios como al amor al pecado. Jesús condena a los fariseos porque tenían amor (*agapaô*) por los mejores asientos en la sinagoga (ver Luc. 11:43). El pecado es un amor centrado en el objeto equivocado. Es un amor enfermo. ¡Pero el amor de Dios sana el corazón enfermo por el pecado!

El arrepentimiento es la obra más milagrosa del Señor en tu vida. David jamás se habría arrepentido si Dios no lo hubiera buscado (2 Sam. 12). Después de las palabras del profeta Natán, sintió vergüenza y tristeza de sí mismo. Dios puso tristeza en su corazón. "Porque la tristeza que es según Dios produce arrepentimiento para salvación, de que no hay que arrepentirse; pero la tristeza del mundo produce muerte" (2 Cor. 7:10).

¡Bienaventurado eres si alguna vez te has avergonzado delante de Dios! Jesús transforma tu vergüenza en gozo, paz y esperanza.

Oración: Señor, pon la tristeza del arrepentimiento en mi corazón.

Oración de reconocimiento

Contra ti, contra ti solo he pecado. Salmo 51:4.

¿Contra quién crees que pecas?

Podemos dividir la historia de David en tres períodos: su juventud, antes de ser rey; su reinado; y finalmente su madurez y su pecado. La verdadera historia de David comienza y culmina con su pecado.

El pecado no afecta solo tu fuero interno, sino también tu posibilidad de establecer relaciones sanas y sinceras con los demás. Esto lo vemos en la historia de David: en sus años adultos, David era un hombre bueno, leal a sus amigos y a sus enemigos (ver 1 Sam. 24), profundamente piadoso (poeta de Dios). En su madurez, sabía lo que era la vida, y conocía sus limitaciones y la debilidad humana. Pero he aquí que un hombre así pasa, en pocas horas, de un instante de curiosidad a un momento de debilidad y orgullo ("¿acaso no soy el rey?"), y sin escala previa termina en una situación insostenible.

Esta es, pues, nuestra frágil situación humana: podemos pasar rápidamente de la tranquilidad, del control de las circunstancias, a una crisis incontrolable. Lee los capítulos 11 y 12 de 2 Samuel, y verás cuán rápidamente un hombre que peca contra Dios daña y destruye las relaciones humanas.

En 2 Samuel 12, vemos que el profeta Natán, con mucha diplomacia, lleva al rey a encontrarse con el Señor. Ante la Palabra de Dios, que le revela su verdad (por sí solo no hubiera podido), David comprende y dice: "Pequé contra Jehová" (vers. 13). ¿Por qué dice esto? Porque en el momento en que cometió el primer error no fue a consultarlo para enmendar su situación. Nadie va a Dios mientras peca, sino cuando recibe las consecuencias de sus pecados. ¡Que la oración nos preserve de la soberbia!

Pero, luego de encontrarse con Dios, David se reencuentra consigo mismo, y ya no le teme a aquello que lo tenía sofocado. No tiene miedo de reconocer públicamente su pecado. Piensa: "Que el Señor haga de mí lo que quiera, porque yo soy un pecador" (ver Luc. 5:8).

Cuando renunciamos a nuestra pretendida honestidad y reconocemos nuestro pecado ante Dios, recuperamos la libertad, la fuerza de aceptar la situación, de mirar con la frente en alto a los demás, de reconstruir las relaciones humanas.

Oración: Mi pecado está siempre delante de ti.

Oración de mañana, tarde y noche

Tarde y mañana y a mediodía oraré y clamaré, y él oirá mi voz. Salmo 55:17.

¡Qué "cantidad" de Dios quieres tener en tu corazón? ¿Solo lo suficiente como para asegurarte el cielo cuando mueras, pero no tan suficiente como para sentirte incómodo en este mundo? La "medida" de Dios en tu corazón dependerá del tiempo que pases con él en oración.

Claro está, tenemos acceso a Dios en cualquier hora del día, pero escucha lo que nos dice el salmista: "Oh Jehová, de mañana oirás mi voz; de mañana me presentaré delante de ti, y esperaré" (Sal. 5:3). "Tarde y mañana y a mediodía oraré y clamaré, y él oirá mi voz" (Sal. 55:17). También: "Dios mío eres tú; de madrugada te buscaré" (Sal. 63:1). El salmista es insistente. Busca y espera. Insiste. Busca.

Los hebreos han fijado horas precisas de oración desde los tiempos de Moisés. Durante el siglo II d.C., luego de la destrucción del Templo, surgió un debate entre los rabinos con respecto a si se debía orar dos o tres veces al día. Muchos judíos creían que Abraham introdujo la oración de madrugada; Isaac, la de la tarde; y Jacob, la oración nocturna (ver Gén. 19:27; 24:63; 28:10, 11). Sin embargo, muchos otros pensaban que solo debían orar de mañana y de tarde, según la hora de los sacrificios (Éxo. 29:38, 39). El texto de hoy, y el hecho de que Daniel oraba tres veces al día (Dan. 6:10), fue determinante para que los judíos ortodoxos aconsejaran orar tres veces diariamente.

Pablo exhortó que oráramos "sin cesar" (1 Tes. 5:17), que nos mantuviéramos siempre en una actitud de oración. El deseo de Dios es que lo busquemos todos los días, y más de una sola vez al día. Eso requiere disciplina; pero si deseamos su compañía, no será una obligación sino un gozo.

"Las palabras dichas a Jesús a orillas del Jordán: 'Este es mi Hijo amado, en el cual tengo contentamiento', abarcan a toda la humanidad. Dios habló a Jesús como a nuestro Representante... [Esto] nos habla del poder de la oración, de cómo la voz humana puede llegar al oído de Dios, y ser aceptadas nuestras peticiones en los atrios celestiales" —*DTG* 87.

¿Cuál es la cantidad de Dios que anhela tu corazón?

Oración: Señor, inspírame a buscarte de mañana, tarde y noche.

Oración de confianza – 1

En el día que temo, yo en ti confío. Salmo 56:3.

¿En quién confías?

David fue el primer autor bíblico en emplear la palabra *confianza* con un significado religioso. Este término se encontraba, en diferentes contextos, en los libros de la Biblia escritos antes de los salmos de David, pero no para significar las relaciones del hombre con Dios. El poeta rey se adueñó del vocablo y lo consagró para todas las generaciones como expresión de una de las relaciones más profundas del creyente con el Señor.

Confianza es una de las palabras favoritas de David. Las relaciones afectivas y espirituales ¡siempre comienzan y terminan con esta palabra!

El contexto existencial de David le da fuerza y sentido al término: es la fe del ave fugitiva, que le permite saber que el ojo de Dios la mira vigilante en los serpenteos de su vuelo. Nuestra oración perfora la superficie y llega al corazón de nuestro ser.

¿Cuándo tenemos confianza en Dios? ¡Cuando tenemos miedo! No en tiempos fáciles, cuando las cosas van bien. No cuando el sol brilla, sino cuando la tempestad sopla y el viento aúlla en los oídos. Nunca conoceríamos la esencia de la confianza si no fuera por la ocasión que la dio a luz. La confianza de David no es simplemente pensar que la suerte cambiará, que después de la tormenta siempre viene la calma. No es el producto de las circunstancias externas, sino de la propia y firme resolución de la voluntad entregada a Dios. Este es un principio que hay que comprender: primero experimentamos el temor, la ansiedad, el dolor, y luego viene la fe. Pero viene la fe como consecuencia de una decisión de la voluntad. David dice: "Pondré mi confianza en ti". Cuando tememos, humanamente nos resulta imposible decidir "no quiero tener miedo". Pero sí podemos decir: "¡Confío en ti, Señor!"

No es fácil confiar en tiempos de prueba. Pero la oración diaria, secreta y profunda destila gotas de confianza en Dios, que van llenando nuestra "redoma" con Agua de vida para los días más fatigosos de nuestro camino por el desierto de la vida (vers.8).

¡Cuán poderosas son las palabras "yo en ti confío"! No para coaccionar nuestras emociones o ignorar nuestros peligros, sino para poner al Señor delante de nosotros.

Oración: Señor, decido confiar en ti.

Oración de confianza – 2

En el día que temo, yo en ti confío. Salmo 56:3.

¿En quién te apoyas?

Es muy lógico sentir miedo en este mundo. Hay muchas razones para temer en medio de las pocas y oscuras certezas de la vida. Los desastres naturales, los actos terroristas, las despedidas, las desilusiones, las enfermedades, la falta de trabajo, las crisis financieras, la muerte, pueden llegarnos en cualquier momento, y ciertamente, por lo menos la muerte, vendrá tarde o temprano. Las tentaciones se esconden en torno de nosotros como serpientes en la hierba. ¿Acaso no es prudente temer? ¡Sí! Pero la fe convierte la razonabilidad del miedo en locura. La promesa divina de que "pisaremos al león y a la serpiente" (Sal. 91:3) torna el miedo en un enemigo que podemos vencer. ¡Porque la confianza en Dios inhibe el veneno del peligro!

Somos humanos: la fe y el miedo se mezclan como el aceite y el agua en el océano del alma, ¡pero el aceite de la confianza flotará siempre por encima de las olas! El miedo despierta el poder de la fe. Si el miedo y la fe comparten habitación en tu corazón, no digas "no tengo fe porque tengo algo de miedo", sino, más bien, piensa: "Porque tengo miedo, depositaré mi confianza en Dios". Así, el miedo será la chispa que encienda en ti el fuego de la fe.

Confianza significa, literalmente, aferrarse a algo para salvarse. Como se aferra el náufrago a algo que flota para salvar su vida azotada por las olas. La confianza no solo expresa la acción de tomarse firmemente de algo, sino también la relación íntima con aquello a lo cual uno se aferra.

"¿A qué te aferras?" Esta fue la pregunta que los mensajeros de Senaquerib, rey de Asiria, le hicieron a Ezequías, rey de Judá. Los asirios se burlaron del pueblo judío y de su rey, diciendo que este se apoyaba en un "báculo de caña cascada" de Egipto, que "le traspasaba las manos" (2 Rey. 18:19-22). En realidad, el apoyo de Ezequías no era fuerte, sólido. El mismo objeto sobre el que se apoyaba ¡hería sus manos! Esta clase de apoyo es la vanidad humana. Pero el mismo acto de confianza dirigido hacia Dios transforma el miedo en fe.

¡Que nuestras manos estén libres del afán del mundo para apoyarnos en el "báculo divino"!

Oración: *Señor, toma mi mano y sálvame.*

Oración de fe

Mis huidas tú has contado; pon mis lágrimas en tu redoma;
¿no están ellas en tu libro? Salmo 56:8.

Nuestra oración es sublime. Es el texto bisagra de las dos partes en las que se divide este salmo: En los primeros versículos, David le pide a Dios que lo libre de sus enemigos y lo libere del miedo de los peligros a los que su vida estaba expuesta. En los últimos versículos alaba a Dios por esa liberación. Con nuestro texto comienza la alabanza.

David es consciente de que Dios lo está mirando vigilante cuando huye de sus enemigos. Sabe que el Señor recoge las lágrimas de su soledad en su "redoma", esa cantimplora con leche o agua que el caminante lleva colgada sobre su cuello para alimentarse e hidratarse en la fatigada jornada del desierto.

La redoma divina es el frasquito dónde Dios reúne cada una de tus lágrimas. Porque nada de lo que te ocurre pasa desapercibido para el Señor. Tu oración derrama lágrimas que Dios reúne y registra en su libro.

¡¿Cuántas lágrimas derrama un padre y una madre por un hijo muerto?! ¡Solo Dios lo sabe! ¡Solo él lleva cuenta de las lágrimas derramadas en este mundo de dolor!

Las lágrimas que no se lloran son como ríos invisibles que corren hacia la tristeza. ¡Cuánta tristeza disimulada en las miradas de los que nos rodean!

Las lágrimas son la sangre de tu alma, y se derraman para que tu alma no se desangre en silencio. Ayer hablé con una mujer al borde del suicidio. Había dejado de llorar para cortarse los brazos. Nada podía redimir sus culpas. Así también los cananeos cortaban su cuerpo ante Baal. ¡Hace tres mil años! ¿Qué es lo que tenemos que sacrificar a "los dioses" para expiar nuestras culpas? Absolutamente, nada. Jesús es el Sacrificio.

Ante la muerte de un amigo, Jesús se entristeció profundamente hasta las lágrimas. El texto más corto de la Biblia es el más largo de la sensibilidad y la misericordia divinas: "Jesús lloró" (Juan 11:35).

Las lágrimas de Jesús expresan la empatía del Dios, que reúne tus lágrimas en su redoma. Es el Padre de la misericordia, que entregó a su Hijo para tu salvación. ¡Jesús lloró para que tú no llores más!

Tu oración diaria, secreta y profunda destila gotas de consuelo cada día en tu corazón dolorido.

Oración: Señor, convierte mis lágrimas en gozo.

Oración del sediento

Dios, Dios mío eres tú... Mi alma tiene sed de ti, mi carne te anhela, en tierra seca y árida donde no hay aguas. Salmo 63:1.

¿Oras con sed de Dios?

Sabemos que David vivió en el desierto mientras huía del rey Saúl (1 Sam. 23). La expresión "mi carne te anhela, en tierra seca y árida donde no hay aguas" (Sal. 63:1) es una buena descripción del desierto de Judea, justo al sur de Jerusalén. Pero David encontró un escondite en En-gadi (1 Sam. 23:29), un lugar en el desierto rocoso frente al Mar Muerto, donde había abundante agua para él y para todos sus hombres.

En la actualidad, Ein Guedi es una de las atracciones turísticas de Israel. Durante los días más calurosos del verano, quienes hacen la travesía de aquel desierto, siguiendo las huellas de David y sus hombres, encuentran aquí y allá pequeños manantiales, riachuelos y cascadas de agua cristalina donde saciar su sed para refrescarse. Es asombroso el contraste entre la piedra estéril y el riachuelo marcado de verdes arbustos. Al principio del camino, ningún turista sospecha que hubiese allí alguna gota de agua. ¡Qué oasis para el desanimado David y sus hombres!

El agua de la Palabra de Dios y su refrescante presencia están siempre cercanas, pero a veces tenemos que tener una gran sed antes de que las busquemos.

Perdidos en el mar de la vida, ¡cuántas veces no sabemos adónde ir para saciar la sed!

Nos parecemos a la tripulación que languidecía de sed en un pequeño barco que iba a la deriva por el océano. Cuando se le acercó otra embarcación, los hombres y las mujeres sedientos comenzaron a gritar: "Agua, agua; estamos muriendo de sed". Pero la respuesta del otro lado fue: "Bajen sus cubetas allí mismo donde están". Aquellas palabras parecían una burla. Después de insistir y de recibir la misma respuesta, decidieron hacerles caso, con la esperanza de que no se estuvieran burlando. ¡Y realmente encontraron algo! Descubrieron agua fresca, que para ellos era inmensurable. Pues, sin saberlo, el pequeño barco había entrado en la amplia desembocadura del río Amazonas, cuyas aguas endulzaban el mar muchos kilómetros adentro.

Tener sed de Dios es una buena señal. El Agua de vida está cerca de ti. Baja tu cubeta ahí, dondequiera que estés.

Oración: Señor, sacia mi sed de ti.

Oración de búsqueda

Dios, Dios mío eres tú; de madrugada te buscaré... para ver tu poder y tu gloria, así como te he mirado en el santuario. Porque mejor es tu misericordia que la vida. Salmo 63:1-3.

¿Por qué buscas a Dios en oración?

¿Recuerdas que Hebreos 11:6 dice que Dios "premia a los que lo buscan"? ¿Cuál es el premio? "Siembren ustedes justicia y recojan cosecha de amor. Preparen la tierra para un nuevo cultivo, porque es tiempo de buscar al Señor, hasta que él venga y traiga lluvia de salvación sobre ustedes" (Ose. 10:12, DHH). "Buscad a Jehová, y vivid" (Amós 5:6).

Ya explicamos que el sentido común nos dice que las criaturas no nacen con necesidades y deseos a menos que exista la posibilidad de satisfacerlos. Si tenemos hambre, existe algo que llamamos comida. Si el pato quiere nadar, existe el agua. Si el ave tiene el impulso de volar, cuenta con alas y el firmamento. Si encuentro en mí mismo un deseo que me dirige hacia arriba y nada puede satisfacerlo, la explicación más razonable es porque fui creado para otro mundo. Buscamos a Dios porque somos el deseo de Dios que se expresa en nuestros corazones. Mira lo que dice David: "Mi corazón ha dicho de ti: Buscad mi rostro. Tu rostro buscaré, oh Jehová" (Sal. 27:8).

Es Dios quien nos invita. Y lo buscamos porque él nos buscó primero. Toda la historia de la humanidad no es otra cosa que la búsqueda del Creador a la criatura.

Dios es diligente contigo. Te busca cada mañana, cada tarde y cada noche. Como pastor amoroso, deja el rebaño para buscar a la oveja perdida y desesperada: "Yo buscaré la perdida, y haré volver al redil la descarriada; vendaré la perniquebrada, y fortaleceré la débil" (Eze. 34:16). Como orador, no está interesado en grandes auditorios, sino en el de una sola alma: la tuya (Mat. 6:9).

Dios nos ha prometido, mediante el profeta Jeremías: "Me buscaréis y me hallaréis, porque me buscaréis de todo vuestro corazón" (Jer. 29:13).

¡Señor, sé que me buscas siempre! Pero mi humano corazón te dice: ¡No abandones tu búsqueda! ¡Llámame hasta que responda! ¡Dame fuerzas para no soltarme de tu mano!

Oración: Señor, te busco porque tu misericordia es mejor que la vida.

Oración anhelante

¿A quién tengo yo en los cielos sino a ti? Y fuera de ti nada deseo en la tierra.
Salmo 73:25.

Aquí, el espíritu de David llega a la cúspide de su única y gran convicción: "Sin ti no soy nada". Esta convicción es el mosto del fruto de una vida triturada y afligida. Su alma sufriente logra la victoria, alcanza la cima, como el sacrificado alpinista alcanza la máxima altura de la montaña.

Ahora, el mundo incierto, visto desde la cima, parece infinitamente más chico de lo que vemos cuando estamos sumergidos entre las cosas. David alcanza la visión eterna, de un futuro cuyas eras se contarán con la edad del Eterno. Sabe que para alcanzar esa eternidad solo necesita tener siempre a Dios en su corazón. El eco del texto de hoy se encuentra en las palabras de Pedro: "Señor, ¿a quién iremos? Tú tienes palabras de vida eterna" (Juan 6:68).

En primer lugar, en esta oración vemos un deseo profundo que, si no es satisfecho, puede convertirse en la mayor miseria del ser humano. La criatura desea al Creador. Nuestro corazón no descansa hasta que encuentra a Dios. El ser humano es el único ser que desea ser deseado. Ese deseo por Dios viene de Dios, que desea habitar en tu vida. Dios "ha puesto eternidad en [tu] corazón" (Ecl. 3:11).

En segundo lugar, vemos que el anhelo por Dios es el espíritu mismo de la religión. ¿No es este deseo profundo del alma, a saber, la admiración suprema, la aspiración y la posesión de Dios, solo Dios, lo que realmente hace que seamos religiosos? ¡Qué contraste hay entre esta religión y la que se agota en la práctica de una doctrina! ¡Solo este anhelo por Dios nos hace verdaderos creyentes!

En tercer lugar, este anhelo por Dios debilita los deseos mundanos: "Fuera de ti nada deseo en la tierra". Esta idea se completa cuando David mira mediante la fe a través del oscuro túnel de la muerte y alcanza la cima de la montaña que brilla desde la eternidad. Entonces, exclama: "La roca de mi corazón y mi porción es Dios para siempre" (Sal. 73:26).

Escucha la voz más profunda de tu corazón. Es el deseo de Dios por ti, que te ayuda a vivir.

Oración: *Señor, que tu voz jamás se apague en mi alma.*

Oración de perdón

Ayúdanos, oh Dios de nuestra salvación... y líbranos,
y perdona nuestros pecados por amor de tu nombre. Salmo 79:9.

En la última parte de nuestro texto, se escucha el eco del Padrenuestro: "Perdona nuestros pecados, como..."

Balal estaba condenado a muerte. En 2007, cuando era un adolescente, durante una pelea le clavó un cuchillo en la garganta y asesinó a un joven de 18 años: Abdolah Hosseinzadeh. Fue a juicio y lo condenaron a la horca. La sentencia estaba por cumplirse.

Balal ya estaba con los ojos vendados y con la cuerda atada a la garganta. Iba a ser ejecutado en la prisión, delante del público. Pero segundos antes de que se corriera su silla, la madre de la víctima se acercó.

Balal lloraba, y la mujer lo abofeteó. Eso, en Irán, significa que le perdonó la vida. Le gritó que su casa estaba vacía sin su hijo, pero que no le deseaba la muerte. Según publicó el diario *Daily News* el 17 de abril de 2014, así le salvó la vida al hombre que asesinó a su hijo.

El fotógrafo Arash Khamooshi, de la agencia de noticias iraní ISNA, captó la impresionante secuencia de imágenes. La imagen de la madre abofeteando y perdonando a Balal hablaba más que mil palabras.

La palabra que usa David para pedir perdón es *kafar*, que en hebreo significa "cubrir", y se traduce generalmente por "hacer expiación" (Éxo. 30:15; 3 *CBA* 829). Expiar significa pagar la culpa mediante algún sacrificio. En el caso de Balal, su propia vida iba a ser el sacrificio. Él debía pagar con su vida la muerte que había provocado. Pero la madre de Abdolah lo perdonó, expió la culpa con su sufrimiento. Y, al perdonarlo, lo liberó, y le dio vida. El perdón siempre da vida.

Es posible que el perdón no libere al victimario, aunque este no fue el caso de Balal, porque le salvó la vida, pero siempre libera a la víctima. La madre de Abdolah supo "soltar" su dolor. No la atrapó el rencor ni el sentido de justicia. Pagó muerte con vida. El perdón siempre libera. Por eso, Jesús ora: "Perdónanos nuestras deudas, como también nosotros perdonamos a nuestros deudores" (Mat. 6:12).

La oración secreta y sincera destila gotas de perdón divino en tu corazón, para que se derramen como revitalizantes corrientes de agua en la vida de quienes te han ofendido.

Oración: Señor, ayúdame a perdonar.

Oración de súplica

Inclina, oh Jehová, tu oído, y escúchame, porque estoy afligido y menesteroso.
Salmo 86:1.

Con esta oración comienza un salmo de gran belleza y dulzura, saturado de un espíritu de tierna piedad. El salmo no contiene un pensamiento central, sino que va fluyendo de acuerdo con el movimiento del espíritu de David. Como en muchos de sus salmos, el poeta mezcla elementos de arrepentimiento, alabanza, confesión y súplica. Casi todas son citas de salmos anteriores, como son a menudo nuestras oraciones: palabras de la Escritura, santificadas por muchos pensamientos que nos unen a hombres de la antigüedad, a quienes Dios les respondió sus súplicas. Esta es la función de la Escritura y la oración: unirte al milenario coro de los hijos de Dios que suplican y alaban.

El poeta comienza y termina el salmo con el nombre de Dios. A menudo, nada en nuestras oraciones es más hueco e irreal que el sentido que le damos en nuestro interior a esta pequeña gran palabra de cuatro letras: *Dios*. Al decir *Jehová*, David invocaba a quien subsiste por sí mismo. Jehová significa "Yo Soy el que soy" (Éxo. 3:14). Nada fuera de Dios puede ser la razón de su ser. La criatura *es* porque es creada. Pero el Creador solo encuentra su causa en sí mismo. Jehová, el Eterno, subsiste por sí mismo, es autosuficiente, es uno.

Pero Jehová no solo expresa el ser eterno, ilimitado e inmutable de Dios, sino también la verdad de que él entró en pacto con nosotros, los creyentes (Éxo. 34:27). El nombre de Jehová es el sello de aquella antigua alianza, cuya forma ha desaparecido, pero su esencia permanece para siempre. Dios se vincula contigo de un modo que no puede ser derogado.

Finalmente, las últimas palabras del primer versículo de esta oración señalan las condiciones por las que una oración es respondida siempre: "Porque estoy triste y pobre" (Sal. 86:1, DHH). ¡Bendito sea Dios, que escucha la oración de quien se sabe necesitado! Satisfechos con nuestra propia justicia, jamás recibiremos el don de la justicia de Cristo. Dios no puede llenar tu vacío interior si tú crees que estás pleno sin él.

¡Cuanto mayor es tu necesidad de Dios, más oportuna es su respuesta a tu plegaria!

Oración: Señor, "estoy afligido y menesteroso". Vísteme, ilumina mis ojos, y enriquéceme.

Oración de sabiduría – 1

Enséñanos de tal modo a contar nuestros días,
que traigamos al corazón sabiduría. Salmo 90:12.

Antoine de Saint-Exupéry, escritor y poeta francés (1900-1944), escribió con sabiduría: "El tiempo no es un reloj que consume su arena, sino un cosechador que ata su gavilla". ¡Qué declaración esperanzadora! Todo lo que sembremos, segaremos. Sí, nada se pierde. Pero, para cosechar bien, necesitamos sembrar bien.

El Salmo 90, de Moisés, está lleno de sabiduría. Contrastando la grandeza del Eterno (vers. 2-4) con la fugacidad de la criatura (vers. 10), el patriarca exclama: "Enséñanos *de tal modo* a contar nuestros días, que traigamos al corazón sabiduría" (vers. 12; énfasis agregado). Es decir, danos humildad para saber que nuestro tiempo es breve, pero con un sentido.

No basta con ser conscientes de nuestro breve paso por este mundo para ser sabios. La sabiduría consiste en contar los días de un determinado modo. ¿Qué significa "de tal modo"?

Los griegos tenían tres palabras para referirse al tiempo: *cronos, kairós y aión*. Esta última significaba originalmente el tiempo o la duración de la vida, y posteriormente designó la eternidad. El término *cronos* es el que marca la sucesión de los acontecimientos, lo cronológico, y el transcurrir temporal, la duración. Para el filósofo griego Aristóteles, el *cronos* era "la imagen móvil de la eternidad". En cambio, *kairós* es el tiempo como oportunidad, el buen momento que hay que aprovechar, el instante que se debe vivir en plenitud. El tiempo cronológico no depende de nosotros, porque somos prisioneros del reloj, que en forma inexorable impone su fluir mecánico, uniforme e infinito. Es muy diferente el *kairós*, el tiempo que está a nuestra disposición, en el cual inscribimos nuestras huellas y tejemos la urdimbre de nuestro destino y nuestra historia.

La expresión "de tal modo" significa que hay un modo de entender la existencia. Ese modo es la visión de la fe. En otras palabras, Moisés dice: "Enséñanos a contar nuestros días mediante la fe, para alcanzar sabiduría".

¡Bendito Dios, que nos da un tiempo para dejar el mundo mejor de lo que lo recibimos, y alcanzar la eternidad!

¡Qué valioso es tu tiempo! ¡Todo lo que haces aquí tiene su eco en la eternidad! ¡Tu vida vale mucho, para tu familia, tus amigos y todas las personas que Dios pone en contacto contigo!

Oración: Señor, no dejes de llamarme en mi tiempo de oportunidad.

---

*Antoine de Saint-Exupéry, *Ciudadela* (ALBA Editorial 2017, publicado primero en 1948).

Oración de sabiduría – 2

Enséñanos de tal modo a contar nuestros días,
que traigamos al corazón sabiduría. Salmo 90:12.

Ayer vimos que la fe nos hace ver el *kairós*, el tiempo como oportunidad, el buen momento que hay que aprovechar para alcanzar la salvación. Nuestra vida tiene sentido por cuanto nuestros días se cuentan con los del Eterno. Sin la esperanza de la vida eterna, ¿qué significado tiene tu tiempo en este mundo? (1 Cor. 15:13-18).

La Biblia enfatiza el sentido del *kairós* como cumplimiento y consumación del tiempo. El Nuevo Testamento utiliza 86 veces la palabra *kairós*, mucho más que el término *cronos* (54). El evangelio anuncia las "buenas nuevas" de la salvación, afirmando: "El tiempo [*kairós*] se ha cumplido" (Mar. 1:15). Es el tiempo que con tanta ansia se había esperado, predicho por los profetas. San Pablo lo denomina el "cumplimiento del tiempo" (Gál. 4:4). Es el tiempo decisivo de Dios para nuestra salvación (2 Cor. 6:2).

Es el tiempo que hoy tú y yo estamos viviendo. Al pueblo de Dios se lo reprende por no haber sabido comprender "este tiempo" (Luc. 12:56), y Jerusalén no conoció "el tiempo de [su] visitación" (Luc. 19:44).

Además, como tiempo de la salvación que debe aprovecharse, el *kairós* bíblico es un tiempo fructífero (Hech. 14:17), como acontece al llegar la hora de la siega (Mat. 13:30; Gál. 6:9), o la recolección de los frutos (Mat. 21:34, 41). Especialmente el *kairós* es el "tiempo aceptable" (2 Cor. 6:2), o el "buen tiempo" (*eukairos*) del "día oportuno" (Mar. 6:21), cuando se puede obtener "misericordia y hallar gracia para una ayuda oportuna" (Heb. 4:16, BJ). Por eso, es importante "conocer el tiempo" (Rom. 13:11), para "levantarnos del sueño", y responder a la "voz de Dios", que escuchamos en la oración secreta y profunda. Esa voz nos insta una y otra vez a buscar la salvación.

¡Que el reloj de la vida no consuma vanamente la arena de nuestros días! Las horas que están corriendo son tu tiempo de salvación. Puede que te sientas triste, que creas que has perdido el tiempo de tu vida, que hayan quedado muchos asuntos pendientes en tu pasado, pero ¡Dios aún no ha terminado su obra en ti! ¡Siempre hay tiempo para empezar! El último suspiro de la vida, entregado a Jesús, ¡será el primero de la eternidad!

Oración: Señor, enséñanos a contar nuestros días para alcanzar sabiduría.

189

Oración de confianza – 1

Con sus plumas te cubrirá, y debajo de sus alas estarás seguro. Salmo 91:4.

En el Salmo 91, Moisés utiliza una imagen que usó en Éxodo 19:4, cuando Jehová le dijo: "Vosotros visteis... cómo os tomé sobre alas de águilas, y os he traído a mí". En ambos pasajes aparece la metáfora de las alas, pero hay una clara diferencia en su aplicación. Una cosa es *sobre* las alas y otra *debajo* de ellas. En Éxodo, las alas nos rescatan. En el texto de hoy, las alas nos acogen.

"Con sus plumas te cubrirá" expresa el acto divino de protección. Sus plumas te acogerán con afecto paternal. Solo las alas de Dios te conceden la gracia de sentirte un hijo seguro en su casa. "Debajo de sus alas estarás seguro" expresa nuestra necesidad humana. La protección divina es la que hace posible la vida en este mundo.

Dios nos protege de las fuerzas del mal que operan fuera y dentro de nosotros. Esto no significa que no padeceremos las calamidades y los desastres de este planeta como cualquier mortal sino que, como oró Jesús, nos librará del mal (Mat. 6:13). El evento físico puede ser igual para el hijo de Dios como para el que no lo es, pero el modo en que uno y otro enfrentan el daño es muy distinto. Dios saca el veneno de la flecha para que, si nos hiere, no se "gangrene" la herida.

La propia metáfora de las alas sugiere, indirectamente, la idea del peligro que nos acecha fuera de ellas. Somos vulnerables como "ovejas en medio de lobos" (Mat. 10:16). A veces son más destructivas las fuerzas que combaten en nuestro interior que un terremoto, una inundación y aun la misma guerra. Dios nos protege de nosotros mismos, de nuestra natural tendencia al mal. Cargamos traumas de nuestra infancia que a menudo nos empujan al abismo. Pero podemos ir a Jesús en la tentación, en la prueba, en las crisis, en todo momento; ¡Jesús es el Refugio!

Cualesquiera que sean "los lobos" o las comadrejas que nos acechen, ¡solo estaremos seguros en el Refugio! Si en tu vuelo te sientes cansado, herido, vacío, frustrado, tentado, angustiado, enojado, triste, temeroso, ¡las alas de Jesús son cálidas y amplias! En él hay protección y proximidad. Cobijado en Jesús, ¡tu corazón latirá con el de Dios!

Oración: Señor, bajo tus alas estoy seguro.

Oración de confianza – 2

Con sus plumas te cubrirá, y debajo de sus alas estarás seguro. Salmo 91:4.

"Debajo de sus alas hallas refugio" (Sal. 91:4, LBLA). Esta traducción del texto original se acerca más profundamente a la metáfora hebrea, que expresa vívidamente las emociones y los pensamientos humanos. El acto de refugiarte es un acto de fe. La fe es el refugio de Dios, pero también es la acción del desvalido ante los riesgos de la vida de buscar refugio en Dios. La fe no es el mero asentimiento intelectual de una creencia; es la acción de huir hacia Dios. Siempre. Es el acto de lanzarse en oración cada día en los brazos de Dios.

¡Qué bello es nuestro texto! Expresa en forma vívida, intensa, pintoresca, iluminadora, cuál es la esencia misma y la urgencia y el valor de lo que llamamos fe. El Antiguo Testamento está lleno de metáforas que describen la esencia de la fe, cuyo significado el Nuevo Testamento traduce con otras metáforas: "Yo soy la puerta; el que por mí entrare, será salvo" (Juan 10:9). Pero es la misma fe en ambos testamentos. Refugiarse en Dios es "cree en el Señor Jesucristo, y serás salvo" (Hech. 16:31).

La fe es el acto de refugiarse en los méritos de Jesús para ser salvo, y para tener poder ante el mal. La metáfora de las alas nos habla indirecta y elocuentemente de los peligros que nos rodean. ¡Gracias, Señor, porque eres nuestro refugio en un mundo de maldad!

Podemos saber mucho acerca de la seguridad del refugio, de cuán bueno es estar allí, pero nunca correr hacia él, jamás entrar por la Puerta de la salvación. La fe es el acto de reunir todos los poderes de mi naturaleza para lanzarme a los brazos de Dios, para refugiarme bajo la sombra de sus alas. A menos que hagamos esto, seremos vulnerables a las fuerzas del mal que combaten fuera y dentro de nosotros.

No es el vuelo lo que nos hace inexpugnables, sino el Refugio divino. No es mi mano extendida la que me sostiene, sino la Mano que mi mano toma.

Jesús suspira porque vayamos bajo sus alas (ver Mat. 23:37). Volemos hacia él en oración cada día, cuando estemos heridos, o aun cuando creamos que estemos sanos. ¡Él es nuestro refugio!

Oración: *Señor, siempre quiero huir hacia ti.*

Oración de verdad

Escudo y adarga es su verdad. Salmo 91:4.

El término "verdad" de nuestro texto no significa el cuerpo de doctrinas reveladas que a menudo llamamos "la verdad de Dios", sino que describe una cierta característica de la naturaleza divina: su fidelidad. Por eso, otras versiones vuelcan el texto de un modo más cercano al original hebreo: "Escudo y baluarte es su fidelidad" (Sal. 91:4, LBLA). No puedes confiar en un Dios que no te haya dado razón para que confíes en él, que no te haya dado muestras de su carácter o disposición de protegerte. Pero si él te ha hablado, entonces sabes dónde, cuándo y cómo encontrarte con él.

"Tu fidelidad es mi escudo". No se trata de un escudo humano, cuyo peso apenas podemos sostener por poco tiempo sobre nuestro brazo. Nuestro escudo divino es la fidelidad de Dios, ya no hacia nosotros, sino hacia sí mismo. "Tu fidelidad alcanza hasta las nubes" (Sal. 36:5). Aquí está la garantía de nuestra protección eterna: su fidelidad a su carácter, a su esencia amorosa, es nuestro escudo seguro. Dios no solo nos ama y nos protege porque somos sus criaturas, sino porque él es amor. "Si fuéremos infieles, él permanece fiel; él no puede negarse a sí mismo" (2 Tim. 2:13).

Dios es fiel a sus promesas del pasado. Todas las revelaciones de su amor y de su gracia son inmutables en su esencia. El sabio Salomón, cientos de años después de que Israel fuera conducido a través del desierto, escribió: "Aquello que fue, ya es; y lo que ha de ser, fue ya; y Dios restaura lo que pasó" (Ecl. 3:15). Es decir, si protegió a sus hijos en el pasado, lo hará con el mismo poder en el presente, porque para Dios no hay pasado, presente o futuro. Él es eterno, fiel.

¿De qué modo la Inspiración divina podría alentarnos a volar hacia un refugio, si no existiera la absoluta seguridad de que hay una Puerta para entrar en él? ¡Qué refugio es nuestro Dios! No está construido sobre un "tal vez", sino sobre ¡su fidelidad infinita y eterna!

Oración tras oración, testimonio tras testimonio, piedra sobre piedra, vamos construyendo el refugio de la fe en Cristo, en el que el alma halla sanidad y descanso.

Oración: *Te alabo, Señor, porque tu fidelidad es el escudo de mi vida.*

Oración de alegría

Por cuanto me has alegrado, oh Jehová, con tus obras;
en las obras de tus manos me gozo. Salmo 92:4.

¿Es acaso la alegría simplemente un sentimiento, una emoción o un estado de ánimo circunstancial? ¿O es algo más profundo, que está en el fundamento mismo de la vida, constituyendo así la fuente de toda la creación? ¿Podemos vivir sin alegría? ¿Es ella simplemente una opción o una necesidad de la existencia?

Cuando hablamos de la alegría no nos referimos a ese sentimiento fatuo que domina en la vanidad, y del cual debemos precavernos, porque "la necedad es alegría al falto de entendimiento; mas el hombre entendido endereza sus pasos" (Prov. 15:21). La alegría verdadera no nace de la necedad.

No se trata tampoco de la alegría que proviene del poder sobre las cosas, la posibilidad de obtener riquezas, ni aun del poder sobre otras personas (ver Juec. 16:25). La verdadera alegría no nace de tener cosas ni personas bajo nuestro dominio. No se trata, entonces, de la alegría del poder, sino del poder de la alegría. Este poder proviene de Dios, pues de Dios proviene la verdadera alegría.

La Escritura declara que del Trono de Dios fluyen "poder y alegría" (1 Crón. 16:27), y que el Señor es el que da "alegría a mi corazón" (Sal. 4:7). La promesa de Dios, desde los siglos, es llenarnos de alegría con su presencia (Sal. 21:6). Ya el salmista conocía muy bien la alegría que había experimentado con la convicción de la salvación, y que el pecado le había robado; por eso dijo: "Hazme oír gozo y alegría; y se recrearán [nuevamente] los huesos que has abatido" (Sal. 51:8).

Bendita paradoja: ¡Dios convierte la tristeza del arrepentimiento en alegría (ver 2 Cor. 7:10)! La alegría es la primera señal de que nuestro corazón está sanando. No hay alegría en la tristeza, sino que de la conciencia de nuestras debilidades, del arrepentimiento de nuestro pecado, nace la renovación. Entonces, hay alegría en el cielo (Luc. 15:7).

Pero, además, tú y yo experimentamos gran alegría en el servicio al prójimo: "Y perseverando unánimes [los discípulos]... partiendo el pan en las casas, comían juntos con alegría" (Hech. 2:46).

¡Tú eres la alegría de Jesús! ¡Y Jesús es tu alegría! ¡Tu corazón canta por el gozo de la gracia divina!

Oración: *Señor, me alegro en tu salvación.*

Oración de gozo

Porque tú, Jehová, eres excelso sobre toda la tierra... Luz está sembrada para el justo, y alegría para los rectos de corazón. Salmo 97:9, 11.

¿Es posible la alegría en este mundo convulsionado y desencantado? ¿Podemos vivir alegres en medio de la delincuencia, la corrupción, el terrorismo, la inseguridad y el hambre que sufren tantos millones en esta Tierra?

Por cierto que las desdichas del mundo no son motivo de alborozo para nadie que se considere mentalmente sano. Sin embargo, no podemos quedar agazapados en los repliegues del miedo ni vivir en la ofuscación. Hay razones para estar alegres: cada día, Dios nos sonríe con la aurora de la esperanza y la frescura del crepúsculo; aún tenemos vida, y las aves cantan, y las flores nos entregan su color y fragancia. Cada año tiene su primavera.

Buscar la alegría de vivir no es indiferencia hacia las desgracias, sino impedir que nos arrastren las ondas del descontento. Renunciar a la alegría, porque las cosas vayan mal, es hacer que vayan peor, sin beneficio para nadie. Este es uno de los mayores errores que podemos cometer, casi un pecado. Es probable que, si sonreímos más y derramamos cada día la alegría de la salvación sobre nuestro pequeño mundo, el mundo entero sea menos atroz.

El texto de hoy nos dice que hay alegría en el corazón del justo (Sal. 4:3-7). La promesa de Dios, desde los siglos, es "llenarnos de alegría con su presencia" (Sal. 21:6).

Tenemos alegría porque tenemos esperanza en nuestros corazones. Enfrentamos las consecuencias del pecado en este mundo, "mientras llega el feliz cumplimiento de nuestra esperanza: el regreso glorioso de nuestro gran Dios y Salvador Jesucristo" (Tito 2:13, DHH).

Que los noticieros no nublen nuestro ánimo. Que la televisión no sustituya el estudio de las promesas divinas en la Palabra, porque del Trono de Dios fluyen "poder y alegría" para el recto de corazón (1 Crón. 16:27).

"Conságrate a Dios todas las mañanas; haz de esto tu primer trabajo. Sea tu oración: 'Tómame ¡oh Señor! como enteramente tuyo. Pongo todos mis planes a tus pies. Úsame hoy en tu servicio. Mora conmigo, y sea toda mi obra hecha en ti'. Este es un asunto diario. Cada mañana, conságrate a Dios por ese día" —*CC* 70.

Oración: Señor, dale a mi corazón la alegría de Jesús.

Oración de alabanza

Servid a Jehová con alegría; venid ante su presencia con regocijo.
Salmo 100:2.

En su célebre obra *El nombre de la rosa*, Umberto Eco recoge la concepción religiosa medieval de la alegría. Lo expresa en la palabra del abad de un monasterio de aquella época, cuando declara: "La risa es la debilidad, la corrupción, la insipidez de nuestra carne. Es la distracción del campesino, la licencia del borracho... algo inferior, amparo de los simples" (Eco, 380). Es la idea de que la alegría se opone a la devoción religiosa, de que es incompatible con la piedad.

¿Es correcto tal pensamiento? ¿Es acaso la alegría algo secular y destructivo? Un verdadero religioso ¿debería ser serio, severo y solemne? ¿Jamás debería manifestar un humor divertido y conductas de algarabía?

La Biblia no comparte esos conceptos medievales de actitud circunspecta que anida en iglesias silenciosas y sombrías. Al contrario, abunda en exhortaciones a la alegría, a experimentar el gozo, y describe el cielo como un lugar de júbilo y canto (Luc. 15:7, 10; Apoc. 19:1-9).

"Los profesos cristianos que están siempre lamentándose, y parecen creer que la alegría y la felicidad fueran pecado, desconocen la religión verdadera. Los que solo se complacen en lo melancólico del mundo natural, que prefieren mirar hojas muertas a cortar hermosas flores vivas, que no ven belleza alguna en los altos montes ni en los valles cubiertos de verde césped, que cierran sus sentidos para no oír la alegre voz que les habla en la naturaleza, música siempre dulce para todo oído atento, los tales no están en Cristo. Se están preparando tristezas y tinieblas, cuando bien pudieran gozar de dicha, y la luz del Sol de justicia podría despuntar en sus corazones llevándoles salud en sus rayos" —*MC* 194.

Cuando el estrés de la vida diaria te "seque los huesos", los Salmos y los himnos vendrán en tu ayuda. "El corazón alegre constituye buen remedio" (Prov. 17:22). El gozo en Cristo es el principio de la salud plena.

La gracia divina te ha alcanzado con el don de Jesús. Su compañía es tu alegría. No importa dónde te encuentres, cómo estés ni quiénes te rodeen, tu corazón puede exhalar en oración silenciosa un canto de alabanza, de alegría, porque la gracia de Cristo jamás te abandonará. Y el "galardón es grande en los cielos" (Mat. 5:12).

Oración: Señor, te alabo con alegría por tu gracia poderosa.

195

Oración en soledad

Jehová, escucha mi oración, y llegue a ti mi clamor... Soy semejante al pelícano del desierto; soy como el búho de las soledades. Salmo 102:1, 6.

Existen muchas soledades: la del soldado en el frente de batalla, la del preso en su celda, la del inmigrante, la de los infelices en el matrimonio, la de los desocupados, la del enfermo que espera la muerte, la de los pobres que no pueden adquirir lo que desean, y la de los muy ricos que sufren la pobreza del deseo porque no pueden desear lo inalcanzable. Toda soledad engendra tristeza, desaliento y desesperación.

La soledad se admira y se desea cuando no se la sufre. Es deseada y se la ve hermosa... cuando se tiene alguien a quien decírselo.

Soy más sensible a la soledad del anciano, o de los viudos, cuyas angustias y tristezas llevan al envejecimiento prematuro y, en ocasiones, a la enfermedad y a la muerte. Aunque también he visto viudos en soledad "feliz" luego de sepultar a su cónyuge. Como si se hubieran liberado de una pesada carga. En verdad, el matrimonio es para algunas personas una carga insoportable. Los jóvenes de hoy no esperan a que la muerte los libere; ellos se divorcian. Es motivo de tristeza que no sean muchos los matrimonios que pueden mantener la frescura creativa del amor y de la ternura a lo largo de toda la vida. Cuando la muerte destruye un matrimonio feliz, el viudo o la viuda, a veces, necesitan muchos meses o años para llegar a reponerse de la pérdida. Algunos jamás lo logran.

Según el evangelio, Jesús busca la oveja que se ha quedado sola (ver Luc. 15). ¡Dios te ama especialmente si estás o te sientes solo!

La peor soledad es la de estar con alguien que nos hace sentir solos. Estar juntos no significa estar acompañados. Para acompañar a alguien que se siente solo, antes debo sentirme acompañado por mí mismo y por Dios. El Salmo 102 es el clamor del solitario. El poeta rey expresa su agonía en uno de los textos más tristes que haya escrito. Pero, como en todas sus oraciones, ¡concluye con la sublime confianza de que Dios está a su lado!

¡Jesús es tu primera compañía! Si estás con él, ¡nadie se sentirá solo a tu lado!

Oración: *Señor, "¿a quién tengo yo en los cielos sino a ti?" (Sal. 73:25).*

Oración de águila

Bendice, alma mía, a Jehová... el que sacia de bien tu boca
de modo que te rejuvenezcas como el águila. Salmo 103:1, 5.

Con la metáfora del águila, quizás el salmista se refiriera al hecho de que el águila vive más que muchas otras aves, y mantiene su vigor. En el pecador perdonado se ve la lozanía de la juventud renovada.

El alimento de Dios nos rejuvenece como al águila. Solo la oración y la Palabra gestan el milagro de la renovación constante en cualquier momento de nuestra vida (ver Rom. 12:2). Solo la oración y la Palabra nos dan poder para renovarnos. Pero ese alimento, que está en las alturas, requiere el vuelo de un águila. Requiere oraciones fervientes, auténticas, que se eleven a las alturas del Infinito.

¿Alcanzan nuestras oraciones la altura del vuelo de una gallina o el de un águila?

Es conocido el relato de un campesino que atrapó a un pichón de ave, y lo puso en un gallinero. Solo después de cinco años, cuando un amigo lo visitó en su casa, fue advertido de que aquella ave era un águila. Ambos intentaron que el águila volara, pero todos los intentos fueron infructuosos. En un último intento, el amigo del campesino puso al águila sobre su brazo y la ubicó en dirección del sol, para que sus ojos vieran la claridad y la extensión infinita del horizonte. Entonces la enorme ave extendió sus alas, se levantó soberana sobre sí misma, graznó con sonido estentóreo, y comenzó a volar hasta confundirse con el azul del firmamento.

¡Ha amanecido el sol de la esperanza en tu corazón! ¡Vuela alto hacia Dios! Él no despierta necesidades espirituales para dejarlas insatisfechas. No te inspira a volar sin darte las alas de la fe para que te eleves hacia el Infinito.

Tú tienes corazón de águila, aunque quizá tus oraciones sean rutinarias, vacías, y no alcancen más altura que el vuelo de una gallina. No eres una gallina espiritual, con un dios bajito, de gallinero. ¡Tu corazón es de águila! Vuela alto en tu pensamiento y en tu oración, en tus sueños y en tus realizaciones.

¡Bendito Dios de las alturas, gracias porque nos elevas con la oración y tu Palabra!

Oración: Señor, ayúdame a dar vida a mis sueños.

Oración del ungido

Buscad a Jehová y su poder; buscad siempre su rostro.
Acordaos de las maravillas que él ha hecho. Salmo 105:4, 5.

El Salmo 105 es un himno nacional de Israel, que narra el trato de Dios con su pueblo desde los tiempos de Abraham y de sus descendientes hasta la conquista de Canaán. Los versículos 9 y 10 destacan el pacto de Dios con Abraham, Isaac y Jacob; y el versículo 15 señala la defensa que Dios hizo siempre de su pueblo: "No toquéis... a mis ungidos, ni hagáis mal a mis profetas". Ninguno de los tres patriarcas fue literalmente "ungido" ni "profeta" en el sentido literal. Sin embargo, ellos calificaban como "profetas ungidos" por el Espíritu Santo.

Los reyes y los sacerdotes de Israel fueron ungidos con aceite como símbolo del llamamiento de Dios a que consagraran sus vidas al servicio de su pueblo; pero no todos fueron ungidos por el Espíritu Santo, aun cuando fueran ungidos con aceite.

La palabra "ungido" es una traducción de la palabra hebrea "mesías"; en griego, "cristo". Jesús fue el "Ungido" de Dios, el Cristo, el Mesías, pues el Espíritu Santo moró en él sin medida.

Por otra parte, no hay justificación histórica para suponer que el don de profecía, en su sentido más estricto, fuera otorgado a los tres patriarcas. Sin embargo, la predicción es solo una parte del oficio profético. La palabra *profeta* está conectada con una raíz hebrea que se traduce como "hervir", como "burbujear en una fuente". En tal sentido, profeta es aquel de cuyo corazón brotan los pensamientos y la verdad de Dios. Los patriarcas fueron profetas en el sentido más elevado: en ellos moraba el poder del Espíritu Santo.

Como creyentes, tú y yo tenemos acceso directo a la presencia divina, y no necesitamos iglesia ni sacramentos que intermedien entre nosotros y Dios. Solo necesitamos la presencia del Espíritu Santo en nuestros corazones. La verdadera democracia del cristianismo radica en las palabras "mi ungido".

Tú y yo somos llamados a ser "profetas ungidos" de Dios. Somos "linaje escogido, real sacerdocio, nación santa, pueblo adquirido por Dios, para anunciar las virtudes de aquel que [nos] llamó de las tinieblas a su luz admirable" (1 Ped. 2:9).

El salmista nos dice: "Buscad siempre su rostro" (Sal. 105:4). Dios promete estar siempre a nuestro lado.

Oración: Gracias, Señor, por tan elevado llamamiento a servirte.

Oración de agradecimiento

Amo a Jehová, pues ha oído mi voz y mis súplicas. Salmo 116:1.

Todo el pasado que se registra en la Escritura vive y vibra con las fieles promesas de Dios para nosotros hoy en día.

En el Salmo 116, el poeta sigue el movimiento de una flecha cuando recuerda la obra de Dios en su vida. Piensa en el modo en que Dios lo libró de las lágrimas y la muerte, y por eso confía en que lo librará en el futuro. Como la flecha que va hacia atrás a fin de salir hacia adelante, luego de recordar la obra de Dios en su vida, el salmista declara: "Andaré delante de Jehová en la tierra de los vivientes" (vers. 9).

Las crisis son buenas. La palabra crisis viene del verbo griego *krísis*, que significa "separar", o "decidir". El término "crítico", que deriva de crisis, tiene esta acepción de "separar" los términos de un razonamiento para saber si es correcto. "Criterio" es un razonamiento adecuado. Los griegos le daban cuatro significados a esta misma palabra: momento culminante que tiene una enfermedad, contienda, elección o juicio. Es decir, una crisis es el fin de un momento culminante de la vida que requerirá una elección. Siempre produce un cambio radical. Si la resolvemos, nos lanza a un futuro mejor. Muchos no viven sus sueños por estar viviendo sus miedos, o sus frustraciones y sus odios.

Recordemos cómo Dios nos guio en el pasado, ¡para lanzarnos con fuerza al mañana! El salmista dice: "Amo a Jehová, pues ha oído mi voz y mi súplica" (vers. 1). Por eso decide caminar detrás de Dios. No solo caminar *con* Dios, que significa estar en comunión con él, sino *detrás* de Dios, dejándose guiar por él. Es decir, caminar sabiendo que en el camino tendremos la luz de su rostro y la mirada de su ojo que todo lo ve: "Has examinado mi corazón y sabes todo acerca de mí... Me ves cuando viajo y cuando descanso en casa" (Sal. 139:1, 3, NTV).

No solo puedes vivir *con* Dios en comunión, sino también estar desnudo y abierto *ante* su mirada protectora. Puede que estés cansado del camino. ¡Pero cuánto te ha bendecido Dios en el pasado!

Amas a Dios, porque hizo cosas grandes en tu vida. Esperas en él, porque confías en él.

Oración: *Te amo, Señor, pues has oído mi voz y mis súplicas.*

Oración de testimonio

En mi corazón he guardado tus dichos, para no pecar contra ti. Salmo 119:11.

Cuando se guarda la Palabra, jamás se oculta. Cuando se oculta, no se guarda. Este fue el caso de Pedro antes y después de que cantara el gallo (Mar. 14:30).

Este texto encierra el secreto de una vida espiritual en crecimiento constante. Conocer "los dichos" del Señor no basta para vivir un cristianismo auténtico. Debemos atesorarlos en el corazón, para manifestarlos exteriormente en nuestra vida (ver Job 23:12; Prov. 2:1, 9).

¿Cómo se da este proceso de "guardar" la Palabra en el corazón?

Hay dos formas de esconder la Palabra de Dios. Una es esencial para el desarrollo de la vida espiritual, la otra es incompatible con el corazón del creyente. El cristiano superficial no tiene tesoros escondidos en la profundidad de su alma y de su religión. El espesor de su religión no es más grueso que una suela de zapato. Por eso duda, tiene miedo o vergüenza, o es perezoso para sacarle el máximo poder a la fe que recibió (Sant. 1:8).

Podemos esconder la Palabra por negligencia, o por estar afanados en las muchas cosas de la vida, como Marta (Luc. 10:38-42). Algunos enterramos nuestra fe como el perro que entierra su hueso tan profundamente que en tiempos de necesidad no lo encuentra.

"Guardar" la Palabra significa buscar diariamente a Dios, con perseverancia, con pasión y necesidad, con sed y con hambre; y aun sin pasión, ni sed ni hambre. Se guarda la Palabra simplemente por disciplina, porque "el espíritu a la verdad está dispuesto, pero la carne es débil" (Mat. 26:41). Guardar la Palabra significa leer diariamente la Escritura, el milenario testimonio de creyentes que nos llega del pasado en forma escrita. Guardar la Palabra significa percatarse de la fidelidad de Dios manifestada en la naturaleza. Finalmente, guardar la Palabra es recibir y atesorar a Cristo, la Palabra encarnada, en el corazón (Juan 1:1, 14), y testificar de él para que otros la guarden.

No abandonemos la fe como la mujer descuidada que deja el perfume abierto. Con el tiempo, la fe se evapora, y el frasco de la vida exhala el ácido aroma de la vejez.

¡En tu corazón guardas sus promesas, para no pecar contra Dios!

Oración: Señor, ayúdame a guardar tu Palabra en mi corazón.

Oración contradictoria

Forastero soy yo en la tierra; no encubras de mí tus mandamientos.
Salmo 119:19.

No podemos entender plenamente el versículo 19 del Salmo 119 sin contraponerlo con este otro: "De tu misericordia, oh Jehová, está llena la tierra; enséñame tus estatutos" (vers. 64). En ambos textos, David reclama: "Enséñame tus mandamientos".

¿Por qué David se siente extranjero en una tierra plena de gracia divina? Las dos ideas sobre las que descansa la petición son como las columnas de un puente entre los dos lados de un río. Cada una sostiene una parte del puente, y las dos sostienen el puente. Esta petición se eleva sobre la totalidad del puente sostenido por las dos columnas.

El salmista no mira el mundo exterior, el universo material, desde un punto de vista científico sino desde una simple mirada religiosa. Nada de lo que la ciencia moderna nos ha enseñado a decir sobre el mundo afecta en modo alguno este principio: "Toda la tierra está llena de la misericordia de Dios". David excluye al hombre en esta visión y se repliega sobre el mundo natural. Afirma que hay vislumbres de la existencia de Dios en cada rasgo del mundo. El sol, la lluvia a tiempo, las colinas nevadas, los ríos cristalinos, declaran el amor del Creador.

Pero, en medio de esta sinfonía de la naturaleza, suena una nota disonante: "Soy un extraño en la tierra". Todas las demás criaturas se adaptan admirablemente al lugar donde viven, pero no el ser humano, porque en él hay eternidad, y su alma no descansa hasta encontrar su origen en Dios. David dice: "Porque soy un extraño en la tierra, no escondas tus mandamientos. ¡Tu Palabra es Pan para mi alma!"

No se trata de tener una Biblia en nuestras manos, sino el conocimiento y el poder de la voluntad de Dios en nuestros corazones. Con la Palabra en nuestros corazones, todo cambia; ya no hay angustia por el paso del tiempo, ni cansancio por el camino recorrido ni ansiedad por el futuro incierto. El corazón descansa en Dios, nuestro origen (Sal. 62:1).

¿Hemos sentido en el corazón la gloria de la Palabra encarnada en Cristo (Juan 1:14)? ¡Jesús es el Pan! ¡Nuestro alimento diario! ¡Nuestra oración y Palabra! Aunque nos sintamos extraños en esta Tierra, ¡no estamos solos en el camino de la vida!

Oración: *Señor, ante ti no soy un extraño.*

Oración anticipada

Se deshace mi alma de ansiedad; susténtame según tu palabra.
Salmo 119:28.

¿**H**as sido alguna vez carcomido por la ansiedad? ¿Han flaqueado tus piernas y temblado tu boca ante un peligro inminente que consideras insuperable?

La mayoría de los seres humanos vive bajo una nube de ansiedad. Quien no es esclavo de la necesidad lo es del miedo: unos no duermen por la ansiedad de tener las cosas que no tienen, y otros no duermen por el pánico de perder las cosas que tienen.

Todos alguna vez en la vida hemos sentido en el estómago ese cosquilleo molesto, esa inseguridad latente que se despierta como volcán encendido ante algo que no podemos enfrentar. La ansiedad es la experiencia anticipada del fracaso, y pesa más en nuestro corazón que el mal que la provoca.

El salmista se "deshace" de ansiedad. El verbo que usa en hebreo, *dalap*, aparece solo tres veces en el Antiguo Testamento. En Eclesiastés 10:18, Salomón dice: "Por la flojedad de las manos se llueve [*dalap*] la casa". Job dice: "Ante Dios derramaré [*dalap*] mis lágrimas (Job 16:20). En la versión *Septuaginta*, nuestro versículo reza: "Adormecióse [*dalap*] mi alma de hastío" —3 *CBA* 910.

A veces nos sentimos "llovidos, derramados y adormecidos" ante los problemas de la vida. Pero es mejor deshacerse de pena que tener el corazón endurecido. El Señor se deleita en sanar las heridas del alma quebrantada. La oración es una bendición poderosa en momentos de ansiedad.

La forma de la ansiedad tiene la forma de nuestra historia. La ausencia de un padre o de una madre en la infancia nos lega un tremendo peso de ansiedad para toda la vida. Vamos cargando con ella silenciosamente, sin que nadie se dé cuenta, dejando huellas casi imperceptibles de nuestras luchas internas. Sabemos que "la procesión va por dentro". David sintió que su vida se llovía, se derramaba, se adormecía por la ansiedad. Por eso clama a Dios: "Susténtame según tu Palabra... [porque] escogí el camino de la verdad" (Sal. 119:28, 30). Se veía con el derecho de reclamar, pues declaró: "En mi corazón he guardado tus dichos" (vers. 11).

Quizá hoy te sientas como David. ¡Gracias, Jesús, por la oración secreta y profunda, que disipa la ansiedad como el sol las tinieblas de la noche!

Oración: *Señor, en tiempos de ansiedad, me aferro a la oración y a tu Palabra.*

Oración de fe

Tiempo es de actuar, oh Jehová, porque han invalidado tu ley.
Salmo 119:126.

El salmista estaba rodeado de enemigos de la Ley de Dios. Pero, en lugar de temblar como si el sol estuviera a punto de expirar, se volvió a Dios y en comunión con él visualizó, en medio del antagonismo, el poder de la Palabra. Esa confianza se expresa en la invocación sublime de nuestro texto.

El amor del salmista por la Ley de Dios intensifica su repudio por los que la rechazan. A su vez, ese repudio lo vuelca a desear más intensamente el poder que emana de la Ley divina: "Por eso he amado tus mandamientos más que el oro, y más que oro muy puro" (Sal. 119:127).

David había confiado en Dios. Sabía en quién creía. Sabía, no porque se lo habían contado sino por experiencia personal, que Dios es fiel. Había restablecido la comunión con el Señor, y el rostro divino resplandecía sobre él. Caminaba con Dios y delante de Dios. Pero ahora, rodeado de los enemigos de Dios, la Ley divina tenía un significado especial: era la fuente de su verdadera confianza. La adversidad hace más ferviente el amor a la Palabra.

Las Escrituras que hemos recibido desde hace milenios han demostrado ser su propio testigo. La luz que emana de la Biblia es su propia prueba de verdad. Nosotros tenemos la experiencia de Cristo y de su Ley. Él ha cambiado nuestra vida. Sabemos en quién hemos creído, y no somos ni irracionales ni obstinados cuando confesamos que no vamos a suspender estas convicciones ante el ataque enemigo. Toda la oposición contra la Palabra de Dios se evapora ante este testimonio: "Fueron halladas tus palabras, y yo las comí; y tu palabra me fue por gozo y por alegría de mi corazón" (Jer. 15:16).

La confianza de que Dios puede intervenir en la adversidad en favor de su causa le da energía a la oración para que Dios actúe. Puede que pensemos: *No tenemos que orar, porque Dios quiere ayudarnos de todos modos.* Pero el razonamiento correcto es: *Dios quiere ayudarnos; por eso, oremos.* Aunque intervenga para cambiar la situación o no, Dios siempre nos fortalece en medio de ella.

Tu oración es un servicio que puedes prestar al evangelio en tiempos de angustia. ¡Dichosa oración que confía en el poder de la Palabra!

Oración: *Gracias por la luz de la oración.*

Oración de testimonio

Mucha paz tienen los que aman tu ley, y no hay para ellos tropiezo.
Salmo 119:165.

Si limitamos el sentido del término *ley* a los estatutos y las ordenanzas judíos, y aun a los Diez Mandamientos, cometemos una gran injusticia contra el Salmo 119. En la Escritura hebrea, la palabra *ley* es usada con distintos sentidos; pero en los escritos de David, esta palabra significa "voluntad divina".

David entiende por *ley* toda la voluntad de Dios, que se expresa tanto en los Diez Mandamientos como en los hechos de nuestra vida, en nuestra conciencia, en nuestra relación con los demás y en la propia naturaleza. El salmista lo dice de este modo: "Para siempre, oh Jehová, permanece tu palabra en los cielos. De generación en generación es tu fidelidad; tú afirmaste la tierra, y subsiste... Si tu ley no hubiese sido mi delicia, ya en mi aflicción hubiera perecido" (Sal. 119:89-92).

En las palabras de David vemos el paralelismo entre la Palabra y la Ley. Es verdad que por la Palabra de Dios fueron creados los cielos y la Tierra, y la misma Palabra que los sustenta se expresa en la Ley moral, cuya obediencia nos da vida. A David le fascina la Ley, porque le fascina el Legislador. Nosotros podemos decir con el salmista que amamos la Ley porque amamos al Creador. Luego, ese amor a Dios, que se expresa en la entrega de nuestra vida a su voluntad, nos da paz.

La Ley expresa el amoroso deseo de Dios para ti y para mí. Pero nuestra paz no está garantizada por la obediencia externa de la letra, sino por la sumisión interna de nuestro corazón al poder que emana de sus mandatos. La paz es el fruto de una vida obediente a Dios.

Por último, Salmo 119:165 nos dice que quienes aman la Ley no tropiezan. Pablo dice: "Y la paz de Dios, que sobrepasa todo entendimiento, guardará vuestros corazones y vuestros pensamientos en Cristo Jesús" (Fil. 4:7). Es lo mismo que decir: "Mucha paz tienen los que aman tu ley, y no hay para ellos tropiezo".

Quizá nos sintamos lejos del ideal de la Ley, porque nuestro pie "tropieza" a menudo. No nos concentremos en su letra, que nos puede matar, sino en el Legislador, que nos puede salvar. ¡Él nos guarda en la tentación!

Oración: Señor, guárdanos en tu paz.

Oración auténtica – 1

*Examíname, oh Dios, y conoce mi corazón; pruébame
y conoce mis pensamientos. Salmo 139:23.*

Quizás el Salmo 139 sea la más extraordinaria contemplación de la omnisciencia y omnipresencia divinas expresada en palabras humanas. Es fácil derramar ideas comunes sobre un tema como este, pero David no se contenta con conceptos abstractos ni palabras huecas. Reúne todos los rayos de su pensamiento en un punto de combustión, y los concentra en su propia persona: "Oh Jehová, tú me has examinado y conocido" (vers. 1). Lo notable es que termina el salmo pidiéndole a Dios que no deje de hacer lo que anticipa en el primer versículo (vers. 23, 24). La mirada de Dios en su corazón le da vida, y aunque el ojo de Dios lo hiere, le muestra su condición. Para David era mejor caminar por la vida mutilado que perder la vida eterna con un cuerpo completo.

En nuestra versión castellana, el texto dice "examíname". En hebreo usa el verbo *hoqre*, que conlleva la idea de considerar, analizar, sondear, explorar. Dico verbo alude a buscar con intensidad y profundamente, como los brazos hidráulicos de esas máquinas que perforan una montaña, capa tras capa de tierra y roca, hasta encontrar el lecho donde poner las vías del tren. La mirada de Dios puede ser dolorosa, pero siempre es transformadora.

Con Dios no podemos tener una relación superficial. Cuando nos encuentra, él quiere ir hasta las mismas raíces de nuestro ser. Puede que este pensamiento nos intimide, porque somos mezquinos y austeros por naturaleza, y queremos cosechar donde no sembramos. Si mi idea de Dios es la de un juez implacable e inquisitivo, e intento evitar su mirada, entonces seré un ignorante de mí mismo, de mi propia condición humana, e iré por la vida portando un dios pequeño y un yo muy grande. Ante la mirada divina, debo encogerme como la hoja de una planta sensible cuando un dedo la toca. Detrás del dolor de verme como realmente soy viene la alegría de la salvación.

El ojo inquisidor e implacable del carcelero detrás de la mirilla de una celda es un terror constante para el prisionero solitario que se siente culpable. ¡Pero la mirada de Dios es profunda, misericordiosa y llena de gracia! Si nos dejamos mirar cada día, él nos transformará.

Hoy, dile al Señor: "Entra en lo profundo de mi corazón".

Oración: Señor, examina mi corazón para que yo pueda conocerlo.

Oración auténtica – 2

*Examíname, oh Dios, y conoce mi corazón; pruébame
y conoce mis pensamientos. Salmo 139:23.*

D avid es valiente. Le pide a Dios que lo mire, y a la vez se confiesa: "Examíname. Investígame. Sé que hallarás el mal, ¡pero yo todavía te busco!"

La oración de David expresa su disposición a someterse a la mirada divina. Toda oración debería expresar este mismo deseo. Si no oramos más a menudo es porque nos incomoda orar con autenticidad. Preferimos la oración rápida, como las comidas rápidas. La oración de David nos introduce en un proceso lento y profundo, pero fecundo.

Dios es representado en Salmo 139:23 como el examinador o buscador de los secretos de nuestro corazón. Él no busca por curiosidad, como nosotros, o porque no conozca nuestros secretos, sino para que nos conozcamos a nosotros mismos. Cuando permitimos que la mirada de Dios penetre en nuestro corazón, estamos permitiendo que la luz llegue a los rincones más recónditos de nuestra historia, a esos lugares que a la memoria le resulta incómodo entrar. Es inútil pedirle a Dios que nos examine si cerramos nuestros corazones a su búsqueda. Nadie puede impedir ser alcanzado por el atributo divino de la omnisciencia. Él nos conoce por completo, nos guste o no, pero esta clase de búsqueda no se puede realizar sin nuestro consentimiento. Tenemos que confesar nuestros pecados conscientes, y pedirle que nos revele aun los que están ocultos (ver Sal. 19:12).

Además de pedirle a Dios que examine su corazón, David le pide que ponga a prueba sus pensamientos. El corazón es el taller del pensamiento. Nuestra mente y nuestros pensamientos estarán bien dirigidos por un corazón examinado por Dios. Es lo mismo que dice Pablo: "Todo pensamiento humano lo sometemos a Cristo, para que lo obedezca a él" (2 Cor. 10:5, DHH).

Toda oración auténtica culmina con el deseo de David: "Señálame cualquier cosa en mí que te ofenda y guíame por el camino de la vida eterna" (Sal. 139:24, NTV).

Que nuestra oración sea: "Señor, entra en mi corazón como viento arrasador, hasta los rincones de mi ser. Ilumina los lugares más oscuros de mi historia con una nueva luz. Los recovecos sin ventilación son pestilentes, pero tu mirada me oxigena, me limpia. El aroma de tu presencia es fragante a mi corazón".

Oración: *Gracias, Señor, por la luz de tu mirada.*

Oración de la tarde

*Suba mi oración delante de ti como el incienso, el don de
mis manos como la ofrenda de la tarde. Salmo 141:2.*

Hay dos ideas que se destacan en este texto: el incienso de la oración y el
sacrificio de las manos desnudas.

El incienso tenía un gran valor simbólico en el Santuario de Israel, que se
dividía en tres partes: el atrio exterior, el Lugar Santo y el Lugar Santísimo.
El altar del incienso estaba en el segundo de ellos, en el Lugar Santo, y el altar
de los holocaustos estaba ubicado en el patio exterior. El sacerdote encendía
el incienso dos veces al día, por medio de las brasas que traía del altar de
los holocaustos desde el atrio exterior. De este modo, las coronas de humo
fragante ascendían a lo alto. Durante todo el día el incienso ardía en el altar.
Dice Elena de White: "Al presentar la ofrenda del incienso, el sacerdote se
acercaba más directamente a la presencia de Dios que en ningún otro acto
de los servicios diarios" —*PP* 365.

¿Qué simboliza el incienso? Juan nos da la clave cuando dice que los que
adoraban a Dios en el cielo tenían "copas de oro llenas de incienso, que son
las oraciones de los santos" (Apoc. 5:8). Las oraciones que suben diariamente
desde el altar de nuestro corazón son incienso fragante para el Señor. Pero
solo son aceptadas por el Señor cuando se completa el cuadro: *Te ofrezco el
don de mis manos como ofrenda.*

El don de mis manos, como la ofrenda de la tarde, completaba la obra de la
oración. La figura literaria que usa David es impactante: las manos desnudas
expresan impotencia, reconocimiento de que nuestras manos vacías solo
pueden ser llenadas por Dios. Dios no necesita nuestras manos (ver Hech.
17:24, 25). Nuestras manos lo necesitan a él. Dios llena nuestras manos vacías
para llenar de bendiciones las manos de los que nos necesitan: "Hemos de
entregarnos al servicio de Dios, y deberíamos tratar de hacer esta ofrenda tan
perfecta como sea posible" —*Ibíd.*

Naces con los puños cerrados, y mueres con las manos abiertas, dice
el *Talmud*. Nada te llevarás de esta Tierra. Nadie te recordará por lo que
acumulaste en tu vida. Todo lo que dejarás aquí son tus oraciones expresadas
en actos de amor a tu prójimo.

Oración: *Señor, llenas nuestras manos para servirte y servir al prójimo.*

Oración de consagración – 1

Enséñame a hacer tu voluntad, porque tú eres mi Dios; tu buen espíritu me guíe a tierra de rectitud. Salmo 143:10.

Estas dos frases, "enséñame" y "tu espíritu me guíe", significan esencialmente lo mismo. La primera expresa el anhelo más profundo del corazón del salmista. La segunda es una figura retórica, una metáfora, de la primera frase. Una vida de obediencia a la voluntad de Dios se asemeja, en cierta medida, a esa "tierra de rectitud", a esa llanura que se extiende hasta el horizonte.

La vida no es un camino recto. Está recortada por montañas rocosas; está llena de acantilados y abismos. Pero el camino de Dios es recto, llano, y cuando lo transitamos de su mano la vida se aliviana. Siempre se cosechan frutos en el camino que se recorre bajo la mirada divina.

La razón del anhelo del poeta se expresa en las palabras "porque tú eres mi Dios". Su fe lo lleva a tener un vínculo personal con Dios, y siente que ese vínculo compromete a su Dios a enseñarle su voluntad. La frase que continúa es inspiradora: "Tu buen espíritu me guíe". Tú tienes el derecho a reclamar el "buen Espíritu de Dios"; y por contrapartida tienes el deber de manifestarlo en tu vida. Tu relación con Dios no solo compromete al Creador a enseñarte su voluntad, sino también a compartir contigo su propia imagen y pureza. El salmista, que al principio de este mismo salmo expresa que había sido aplastado hasta el polvo por sus enemigos y los peligros de su vida, conoció las alturas sobre las alas de la fe. ¡Tú también puedes conocer esas alturas!

El cristianismo es la revelación de la verdad, pero aceptar esto no es suficiente. El cristianismo me libera del castigo del pecado, de la muerte, de la condenación y la culpa, pero el perdón es solo un medio para un fin. El cristianismo nos gratifica con dulces y benditas emociones, con una pasión profunda, que es la antesala del cielo, pero todo este sentir por sí solo no es cristianismo. Nuestra religión nos brinda perdón, misericordia y consuelo, pero se convierte en opio adormecedor si solo la usamos como un calmante o un refugio.

Todas las bendiciones espirituales que recibimos por fe tienen un propósito más elevado que hacernos sentir bien. Tienen el propósito de que ¡seamos justos con nuestro prójimo!

Oración: Señor, quiero andar en tus caminos.

Oración de consagración – 2

Enséñame a hacer tu voluntad, porque tú eres mi Dios;
tu buen espíritu me guíe a tierra de rectitud. Salmo 143:10.

¿Por qué buscamos a Dios?

Es posible que este salmo haya sido escrito por David en los tiempos de la rebelión de Absalón. La agonía del poeta lo lleva al Trono de Dios. ¿Por qué razón busca a Dios? ¿Acaso lo busca para que lo libere de sus desgracias? Apenas en un par de frases desliza el deseo de que Dios lo libere de sus enemigos (vers. 12). David quiere conocer más de cerca a Dios. Quiere sentir su misericordia, ver la luz que le muestre el camino en el que debe andar; anhela el dulce rostro de Dios brillando en su corazón. Este es el motivo principal de su oración. Hay algo mejor que pedir la liberación de las dificultades, y es pedir la gracia y el poder para soportarlas.

Ayer dijimos que la verdad que conocemos por medio del evangelio, el perdón y la paz garantizados por la Cruz, el dulce consuelo de Cristo que alivia nuestro corazón fatigado y sangrante, y la gran esperanza que ilumina nuestros ojos, se subordinan a un único propósito: conocer la voluntad de Dios, y así reflejar su imagen en el mundo.

¡Señor, pon en nosotros el deseo ardiente de David por hacer tu voluntad!

Para que se cumpla este deseo, no necesitamos solo conocer lo que Dios quiere de nosotros. El abismo entre el conocimiento y la práctica es tan profundo que, después de haber orado y de saber lo que Dios quiere, necesitamos aún la ayuda divina para que ese conocimiento pueda tener vida, pueda convertirse en actos concretos.

Podemos llegar a creer que obedecer la voluntad de Dios es hacer determinadas obras buenas. Pero no es suficiente con hacer obras; estas deben ser el fruto del amor a Dios, de una relación profunda con él. De la oración de David aprendemos que jamás podremos hacer la voluntad de Dios mediante nuestros propios esfuerzos.

El río de agua de vida, que procede del Trono de Dios, no solo es para humedecer tus labios sedientos sino también para mover las ruedas de tu vida. La voluntad de Dios en la vida es acción, no solo pensamiento.

¿Qué harás hoy con lo que conoces de Dios?

Oración: Señor, ¿qué quieres que haga?

Oración de confianza

Los ojos de todos esperan en ti, y tú les das su comida a su tiempo.
Salmo 145:15.

¿**H**as visto los ojos de un bebé con hambre cuando mira a su madre? Yo he visto la mirada de mi nieta buscando el seno materno.

"Los ojos de todos esperan en ti" (Sal. 145:15). ¡Esto es hermoso! ¡Todos claman y esperan en Dios! La mirada muda de la criatura inconsciente recibe respuesta de su Creador: "Él da a la bestia su mantenimiento, y a los hijos de los cuervos que claman" (Sal. 147:9). Pero la mirada del hombre y de la mujer no es muda ni inconsciente. Es un clamor más elevado. Dios nos da a nosotros la tarea de satisfacer las necesidades de los otros. La orden de Jesús, "dadles vosotros de comer", es para todos los tiempos (Luc. 9:13). Si no hay suficiente alimento en el mundo, es por el egoísmo irracional de los seres humanos. Pero nosotros no podemos satisfacer el hambre y la sed de eternidad que anida en el corazón; solo Dios puede hacerlo. La oración de David es una expresión de confianza en Aquel que puede darnos a Jesús, el Pan de vida (Juan 6:35).

Pongamos nuestras necesidades y deseos en palabras, si queremos que Dios responda nuestro clamor y satisfaga nuestra hambre. Las palabras de nuestra oración no le informan nada a Dios, sino que nos informan a nosotros. En cuanto oramos, visualizamos el verdadero sentido que tienen nuestros deseos y necesidades. La oración nos ayuda a examinar las intenciones de nuestro corazón, porque no todo lo que pedimos es lo que verdaderamente necesitamos: "De igual manera, el Espíritu nos ayuda en nuestra debilidad. Porque no sabemos orar como es debido, pero el Espíritu mismo ruega a Dios por nosotros, con gemidos que no pueden expresarse con palabras" (Rom. 8:26, DHH).

Dios responde siempre tus oraciones, pero a veces *no del modo* en que esperas. El tiempo es el mejor aliado para saber cómo Dios te ha respondido. Dios responde siempre tus oraciones, pero a veces *no en el momento* en que esperas. ¡No responde antes ni después del momento justo! No antes, para que en el límite puedas ver el milagro. Ni después, para que en su momento sepas que te escucha. Dios te responde a su modo y en el momento preciso. ¡Espera en él!

Oración: Señor, ¿cómo y cuándo me respondes?

Oración de sabiduría

Abres tu mano, y colmas de bendición a todo viviente. Salmo 145:16.

¿**P**uedes recordar una oración que hayas elevado a Dios y que fue respondida de acuerdo a lo que tú necesitabas en ese momento?

Ayer dijimos que Dios responde siempre, en su tiempo y a su modo. Dios está respondiendo continuamente nuestras oraciones. A veces lo advertimos, a veces no, pero él jamás deja de darnos lo que necesitamos, pues somos sus hijos, y nos ama. Por eso, Jesús nos dice: "Pedid, y se os dará; buscad, y hallaréis; llamad, y se os abrirá" (Mat. 7:7). Tenemos el derecho de pedir y de esperar la respuesta. La cuestión es: ¿qué pedir?

No todos los deseos son buenos. Puede que haya un deseo en tu corazón que te fuerce a amar lo que te hará sufrir. No pretendas que las cosas ocurran como tú quieres. Desea, más bien, que se produzcan de acuerdo con la voluntad de Dios, y serás feliz. Solo es inmensamente rico aquel que sabe limitar sus deseos.

¿Cómo discernir lo que nos conviene? Escuchemos el consejo de David: "Cercano está Jehová a todos los que le invocan, a todos los que le invocan de veras. Cumplirá el deseo de los que le temen... Jehová guarda a todos los que le aman" (Sal. 145:18-20). Arrodillémonos y busquemos a Dios sinceramente. Amémoslo, temámosle y deseémoslo. Él nos responderá, porque, como vemos en este texto, él "abre su mano" para nosotros (vers. 16).

Las criaturas inferiores tienen lo que necesitan con que solo sean alimentadas por él (ver Sal. 104:14, 21). Los perritos se preocupan solo por la mano que los alimenta. Sin embargo, Dios no puede satisfacer nuestros deseos más profundos por métodos cortos y fáciles. Los mejores regalos de Dios no se pueden separar de sí mismo. Dios no solo nos da cosas, ¡se da a *sí mismo* en la oración! ¡Él es el Dador y el Don que necesitamos! Hay mucho más que hacer con él antes de que nuestras aspiraciones más profundas se satisfagan. Puede que nos discipline y vacíe nuestra copa antes de llenarla con el cáliz de su presencia. Entonces conoceremos cuáles son realmente nuestras necesidades más profundas, ¡porque Dios las habrá satisfecho!

¡Que Dios se respire en nosotros!

Oración: Gracias, Señor, porque tu mano está abierta hacia mí en todo momento.

Oración por el deseo más elevado

Cercano está Jehová a todos los que le invocan, a todos los que le invocan de veras. Cumplirá el deseo de los que le temen. Salmo 145:18, 19.

Es interesante la palabra "deseo" en este texto. En el Salmo 145 aparecen dos clases de necesidades. En primer lugar, Dios satisface las necesidades de todas las criaturas (vers. 9). Todo lo que respira recibe de Dios la bendición de la vida. El Creador no solo es creador sino también sustentador, es el buen Padre que alimenta a las aves (ver Mat. 6:26).

Luego, hay un deseo más profundo en el creyente que teme a Dios. ¿Cuál es el objeto del deseo de David? Dios, que no solo satisface nuestras necesidades biológicas sino, fundamentalmente, las espirituales. Hay una diferencia entre las cosas y el don más sublime. Mientras que las necesidades biológicas son satisfechas con dones exteriores a la misma Deidad, como la salud y el trabajo, que nos proveen alimentos, el deseo profundo de Dios es satisfecho con la donación de Dios mismo. En este caso, el *Dador* y lo *dado* es lo mismo. Dios se da a sí mismo en el don espiritual que satisface ese deseo profundo. Cristo es el mayor don al alma humana.

A veces Dios necesita vaciarnos de los malos deseos, y aun liberarnos de las fuerzas que nos arrastran hacia abajo, para satisfacer nuestros deseos más profundos y elevados.

Rafaela Silva, la yudoca que le dio la primera medalla de oro al Brasil en los juegos Olímpicos de 2016, dijo después de obtener la presea: "Si tienes un sueño, tienes que creer". La historia de Rafaela comenzó en la pobreza. Nacida en "Ciudad de Dios", una de las más peligrosas favelas de Río de Janeiro, su infancia y su adolescencia fueron navegar contra viento y marea. Ella dijo: "Mi fe en Dios y mi sueño de competir y ganar, que desde niña anidó en mi corazón, me ayudó a elevarme por encima de todas aquellas fuerzas que me arrastraban hacia lo más bajo".

El entorno donde vivió no la ayudaba, pero Rafaela supo vaciar su copa para llenarla de la fe en Dios y del sueño olímpico.

¡Grande es Dios! ¡Te ayuda a darles vida a tus sueños! ¡Te eleva por encima de las circunstancias que te arrastran hacia abajo!

Oración: *Señor, ayúdame a alcanzar mis sueños, de acuerdo con tu voluntad.*

Oración de consagración

En el año que murió el rey Uzías vi yo al Señor sentado sobre un trono alto
y sublime... Después oí la voz del Señor, que decía: ¿A quién enviaré,
y quién irá por nosotros? Entonces respondí yo: Heme aquí, envíame a mí.
Isaías 6:1, 8.

Uzías había reinado en Israel durante 52 años, la mayoría de brillante prosperidad. Victorioso en la industria de la guerra y también en las artes de la paz, murió cuando en el horizonte aparecían ominosas nubes que anunciaban tormenta: vientos de guerra soplaban desde el norte, amenazando la seguridad de Judá. No es de extrañar que el profeta Isaías se preguntara, en aquellos días de crisis, cuando el timón pasaba a las manos de Jotam, hijo de Uzías (ver 2 Rey. 15:32), si realmente aquel joven tendría sabiduría y fortaleza para reinar sobre Israel.

Como hombre de Dios, el profeta va al Templo a buscar respuesta a sus preguntas. No es casual que nuestro texto feche la visión que recibió en el año que murió el rey. El texto nos dice el cuándo y el porqué de la revelación divina. Cuando el rey de la tierra fue colocado en la tumba, el profeta vio al verdadero Rey de Israel. No eran Uzías ni Jotam, sino el Señor de los ejércitos. Cuando Uzías muere, se hace visible el verdadero Rey.

Si el trono de Israel no hubiera estado vacío, Isaías no habría visto a Dios entronizado en los cielos. Lo mismo ocurre con todas nuestras pérdidas y dolores que tienen la misión de revelarnos al Dios entronizado. Así como las ventanas labradas con bellas figuras de las catedrales dejan pasar algo de luz pero no nos permiten mirar hacia afuera, el bienestar de las bendiciones cotidianas no nos permite ver el sol. Cuando se retiran los regalos recibidos en la vida, que a veces no valoramos, podemos ver el sol, que demasiado a menudo se esconde de nosotros. Cuando las hojas de los árboles caen en el otoño, se amplía la vista y podemos ver el cielo azul. Cuando cae la noche, las estrellas brillan.

¡Cuando se rompe el vitral de la vida, la luz entra incontenible en nuestro corazón!

¡Benditas "pérdidas" que nos permiten ver nuestras verdaderas necesidades!
¡Bendito Señor, que tiene el timón de nuestra vida!

Oración: *Gracias, Señor, por las pérdidas que son ganancias.*

Oración por pureza

Entonces dije: ¡Ay de mí! que soy muerto; porque siendo hombre inmundo de labios, y habitando en medio de pueblo que tiene labios inmundos, han visto mis ojos al Rey, Jehová de los ejércitos. Isaías 6:5.

Ayer vimos que gracias a la muerte del rey terrenal Isaías vio al Rey celestial. Pero aún hay otra lección que las pérdidas nos dejan: puede que creamos que la muerte nos roba a nuestros seres amados, pero más bien puede guardarlos e inmortalizarlos en el recuerdo. La muerte no necesariamente nos roba a un ser querido, porque se conserva en el recuerdo, pero en vida sí podemos perderlo. Por eso, antes de "ir al altar", arregla tus asuntos con tus amados (ver Mat. 5:23, 24).

El texto de hoy, con su contexto inmediato, nos deja tres lecciones: si vemos a Dios, veremos nuestro pecado. Si vemos nuestro pecado, Dios nos purifica. Si Dios nos purifica, lo serviremos.

La luz de la santidad divina en nuestro corazón revela nuestra propia pecaminosidad. Así como los reflectores de un barco muestran a los enemigos que en la oscuridad quieren asaltarlo, el Espíritu Santo muestra nuestros verdaderos enemigos del alma.

Ahora Isaías siente una tristeza que sana (ver 2 Cor. 7:10). Ya no se trata de la alegría por haber visto al Rey celestial entronizado en lugar del rey terrenal (Isa. 6:1), sino de una conciencia profunda de impureza ante la santidad de Dios (vers. 3), ante la que confiesa: "Soy inmundo de labios". Es interesante que no diga "soy inmundo de corazón", sino de labios. Como si las palabras del hombre reflejaran vivamente su carácter.

La conciencia de su impureza se trastrocó en promesa cuando uno de los serafines, "teniendo en su mano un carbón encendido... y tocando con él sobre mi boca, dijo: He aquí que esto tocó tus labios, y es quitada tu culpa, y limpio tu pecado" (vers. 6, 7).

Así, en nuestras pérdidas y dolores, Cristo es nuestro consuelo; y en nuestra conciencia de pecado Cristo es nuestro Salvador (ver 1 Juan 1:7).

Finalmente, nuestro texto se completa con la pregunta de Dios y la respuesta del profeta: "¿Quién irá por nosotros? Entonces respondí yo: Heme aquí, envíame a mí" (Isa. 6:8). Dios es el "nosotros", y busca voluntarios para su obra. La respuesta del profeta fue la de un corazón purificado. ¿Irás tú?

Oración: Señor, ayúdanos a responder como Isaías.

Oración en tiempos de crisis

Entonces Ezequías oró a Jehová, diciendo:... Inclina, oh Jehová, tu oído, y oye; abre, oh Jehová, tus ojos, y mira; y oye todas las palabras de Senaquerib, que ha enviado a blasfemar al Dios viviente. Isaías 37:15, 17.

¿No has orado alguna vez como Ezequías, para que Dios te saque de encima gente que no quiere tu bien?

Senaquerib, rey de Asiria, había llegado como una inundación desde el norte, barriendo todo pueblo, ciudad y nación que se interponía en su camino. Con la euforia del triunfo, se presentó con los ejércitos asirios en camino a Jerusalén. Estaba sorprendido y perplejo de que el rey Ezequías intentara resistirse. Así que, envió al Rabsaces, su representante, quien después de muchos intentos por lograr la rendición incondicional de Israel envió una carta amenazadora a Ezequías.

Lo primero que hizo Ezequías fue buscar a Dios en el Santuario y llevarle a él la carta del enemigo (Isa. 37:14). Aquí tenemos un ejemplo de qué hacer con nuestros adversarios que desean nuestro mal y nos meten en dificultades. Si mantenemos una relación constante con Dios en tiempos de bonanza, podemos ir a Dios con confianza en tiempos problemáticos. Tanto los pequeños como los grandes problemas se visualizan mejor delante de Jehová. Todo lo que es suficientemente importante como para perturbarme es suficientemente importante como para hablarlo con Dios. Ya sea que nuestra sangre se contamine por un virus de una picadura de mosquito o el veneno de una mordedura de serpiente, el antídoto siempre será el Señor. Por eso, Pablo aconseja: "Por nada estéis afanosos, sino sean conocidas vuestras peticiones delante de Dios en toda oración y ruego, con acción de gracias" (Fil. 4:6).

Dios respondió la oración de Ezequías: en Isaías 37:22 al 38 leemos acerca del modo en que Dios respondió al rey. La historia nos dice que la profecía de los versículos 33 y 34 se cumplió meridianamente. Si uno de los 185.000 soldados asirios hubiera disparado accidentalmente una flecha sobre las murallas de Jerusalén, la Palabra de Dios habría resultado inexacta. Pero no ocurrió, y el ejército asirio fue derrotado (vers. 36)

Dios responde nuestras oraciones en los momentos más críticos de nuestra vida. ¡Cuán hermosas son sus promesas! ¡Nada ni nadie nos puede destruir! Porque nuestra "vida está escondida con Cristo en Dios" (Col. 3:3).

Oración: *Gracias, Señor, por tu fidelidad.*

Oración desesperada

Entonces volvió Ezequías su rostro a la pared, e hizo oración a Jehová,
y dijo: Oh Jehová, te ruego que te acuerdes ahora que he andado delante
de ti en verdad y con íntegro corazón... Y lloró Ezequías con gran lloro.
Isaías 38:2, 3.

¿**H**as orado alguna vez con desesperación? Toda pérdida es dolorosa, pero nada puede llegar a ser más desesperante que saber que tu muerte tiene día y hora. Todos sabemos que hemos de morir, pero no todos sabemos con exactitud cuándo. Hebreos 9:27 dice que "está establecido para los hombres que mueran una sola vez, y después de esto el juicio". Esta es una fecha divina. Si cada uno de nosotros supiera el momento exacto, nuestro estilo de vida cambiaría. Cuando el escritor colombiano y premio Nobel de Literatura Gabriel García Márquez se enteró de que tenía cáncer y que le quedaba poco tiempo de vida, dijo en una entrevista: "Precisamente porque no tengo mucho tiempo, tengo más tiempo". Desde entonces, el escritor supo qué era lo más importante.

No hace muchos años, un amigo a quien le diagnosticaron seis meses de vida me dijo que desde que le fecharon la muerte algunas cosas dejaron de ser importantes para él, y otras muy importantes. Por ejemplo, su casa, a cuya hipoteca le dedicó buena parte de su vida, fue lo que menos importancia llegó a tener. El lugar adonde iba a ir llegó a ser lo más importante de su vida.

Los versículos 9 al 20 de Isaías 38 son un poema escrito por Ezequías, que no aparece en el relato que leemos en 2 Reyes. El tema del poema es la vivencia del hombre que se sabe con los días contados y a quien se le conceden más años de vida. ¿Te imaginas la alegría de Ezequías cuando recibió de Isaías la respuesta de Dios? (vers. 5).

Ante la desesperación, los seres humanos se vuelven animales. Pero Ezequías presentó ante Dios la obra de su corazón y de sus manos (vers. 3). Hay que sembrar en los buenos tiempos para cosechar en los tiempos malos. Por aquellos actos de justicia y el recuerdo de David, Dios recompensó a Ezequías con más años de vida.

¿Has orado alguna vez con desesperación? ¿Has sentido también que tu pecho no puede contener la alegría por la respuesta divina?

Oración: Señor, ayúdame a contar mis días con sabiduría.

Oración de fe – 1

Verdaderamente tú eres Dios que te encubres, Dios de Israel, que salvas.
Isaías 45:15.

¿Quieres contar tus días con el Eterno? Cuando Liliana, mi hija mayor, era muy pequeña, cierta vez la encontré llorando sin consuelo en el patio de nuestra casa. Le pregunté la razón de tanta tristeza, y me dijo que había estado jugando a las escondidas con dos amiguitas. Cuando le tocó esconderse, lo hizo tan bien que sus amigas desistieron ante el esfuerzo de la búsqueda, cambiaron de juego... y se fueron. Ella esperó que la encontraran, pero después de "dos horas" salió del escondite para encontrarse sola. Esa era la razón de su tristeza.

¿Nos hemos cansado de buscar a Dios? ¿Se ha cansado Dios de buscarnos? "Dios siempre cumple sus promesas" (1 Cor. 1:9, DHH). Y "no es hombre, para que mienta, ni hijo de hombre para que se arrepienta" (Núm. 23:19). Desde el origen, Dios ha buscado al hombre. La oración es nuestra respuesta a la búsqueda previa del Espíritu Santo en nuestro corazón. ¡Gracias, Señor, que estás a nuestro lado, a la distancia de una oración!

Entonces, ¿cómo comprender la declaración de Isaías de un Dios que se oculta, pero que a la vez salva al hombre?

Dios no se oculta al alma humana: "Entonces me invocaréis, y vendréis y oraréis a mí, y yo os oiré" (Jer. 29:12).

Isaías 45:15 habla de la gloria de Dios, que contrasta con la del hombre (1 Ped. 1:24), y de su poder para salvar. El "ocultamiento" de Dios significa que su naturaleza es infinitamente distinta y superior a la nuestra. Él es eterno; nada en este mundo lo puede representar, nada lo puede contener; por eso es la garantía de nuestra salvación (Job 38). Es más lo que no conocemos de Dios que lo que conocemos, aunque lo que conocemos es suficiente para nuestra salvación (Deut. 29:29).

Todos, buenos y malos, ricos y pobres, vamos al mismo puerto. Nada nos salva. Nada. Solo la piedad de Dios, su misericordia y su poder para salvar. De este modo, su eternidad es la garantía de perpetuidad para nuestra existencia pasajera y finita; su poder es el fundamento de nuestra fragilidad; su justicia es el referente para todas nuestras acciones; su amor asegura nuestra salvación; su gloria transforma en gloria nuestra humillación.

¿Quieres contar tus días con el Eterno?

Oración: Señor, dame el don de conocerte.

Oración de fe – 2

Verdaderamente tú eres Dios que te encubres, Dios de Israel, que salvas.
Isaías 45:15.

Dios se oculta en su gloria, "porque no me verá hombre, y vivirá" (Éxo. 33:20). Nada ni nadie es comparable a Dios, por eso el mandamiento dice: "No te harás imagen, ni ninguna semejanza de lo que esté arriba en el cielo, ni abajo en la tierra" (Éxo. 20:4). Cuando Dios está "en nuestras bocas, pero lejos de nuestros corazones" (ver Jer. 12:2), estamos adorando una imagen mental de Dios, pero no al verdadero Dios.

Dios parece oculto por nuestra limitación humana: "Su entendimiento no hay quien lo alcance" (Isa. 40:28). Pero hay otra forma en que Dios se oculta: ocultamos a Dios ante los ojos de nuestros seres amados a causa de nuestro carácter.

Hay pecados que no son condenados socialmente, pero que lastiman especialmente a los más cercanos. La ira incontrolada, el juicio condenatorio, el uso de la religión para controlar a los demás, las pequeñas deshonestidades en los negocios, son pecados ocultos para la mayoría, pero presentes para los que están a nuestro lado en el camino de la vida. Cuanto más conscientes somos de nuestras debilidades de carácter, más deberíamos arrepentirnos. Pero ocurre lo contrario: somos "tercos", insistimos en pecar silenciosamente, y así nuestro arrepentimiento es cada vez más débil. Creemos que confesando nuestros pecados pagamos nuestras culpas, pero Dios se harta de nuestras confesiones que ofrecemos como sacrificio (ver Isa. 1:11). Sufrimos, lloramos un poco, pero no cambiamos. Solo lloramos para sentirnos aliviados. Pecamos, nos confesamos, para seguir pecando.

El pecado nos fascina y nos seduce, porque lo amamos como Demas, que abandonó la fe cuando se "enamoró" (*agapaó*) de este mundo (2 Tim. 4:10). En el Nuevo Testamento, este término griego se usa tanto para hablar del amor de Dios como de nuestro amor por el pecado. ¡Hemos sido concebidos en pecado (Sal. 51:5)! Pero ¡cuánto poder hay en Jesús para transformarnos! (vers. 10).

La vida es como un huevo: si se rompe desde afuera, ahí termina; pero si se rompe desde adentro por una fuerza interior, comienza. Esa fuerza de vida es Jesús. Poco a poco, Jesús convierte tus oraciones diarias, tu anhelo de cambio, en poder contra el pecado.

¡Bendita oración sincera y secreta, cuyo poder transforma el núcleo de nuestro ser!

Oración: Señor, no te ocultes de mi corazón.

Oración de todos

Ni nunca oyeron, ni oídos percibieron, ni ojo ha visto a Dios fuera de ti,
que hiciese por el que en él espera. Isaías 64:4.

El capítulo 64 de Isaías expresa la oración de todos. El profeta le pide a Dios que se manifieste en favor de su pueblo, y escribe esta oración para que toda la nación la eleve cada día. El contexto de esta oración se encuentra en el capítulo anterior, que con este capítulo conforma una unidad indisoluble. Son tiempos de crisis, cuando el Santuario está desolado y el pueblo exiliado en país extranjero (Isa. 63:18). Los asirios habían saqueado la mayor parte de Palestina (capítulos 36 al 38), pero no habían conquistado a Judá, cosa que hizo un siglo después Nabucodonosor, rey de Babilonia (2 Rey. 25:8-16). ¿Qué les quedaba a los hebreos sino solo Dios?

Isaías 64:4 tiene una gran riqueza. El apóstol Pablo aludió a él en 1 Corintios 2:9 cuando, al escribir acerca de la verdadera sabiduría, dice: "Antes bien, como está escrito: Cosas que ojo no vio, ni oído oyó, ni han subido en corazón de hombre, son las que Dios ha preparado para los que le aman". Estas palabras las aplicamos al cielo (ver Apoc. 21:1-7), pero tienen tremenda pertinencia también para nuestro caminar aquí en la Tierra.

¿Quién es el que comprende las cosas de Dios? Para comprender las cosas profundas y escondidas que Dios dispuso y preparó para nosotros, se requiere no solo que creamos en él, sino también que lo amemos. La oración inspirada en el amor son las alas del alma que nos elevan diariamente hasta él. Uno se da cuenta de que está enamorado cuando siente que la persona a la que ama es única. Cuando en nuestras soledades encontramos un refugio diario para hablar con Dios, contarle todas nuestras penas, esperar en silencio que llene el corazón de una alegría serena, profunda, intransferible, entonces empezamos a darnos cuenta de que Dios es esa persona única en nuestra vida.

El amor a Dios es como un fantasma: todos hablan de él, pero pocos lo han visto. ¡Tú lo puedes ver! ¡Puedes sentir el amor de Jesús en tu corazón! Cada día, en oración secreta y profunda, ¡Jesús reconforta tu alma! Cuando sientes que nada te queda en este mundo, o que nada vale la pena, ¡aún te queda la oración!

Oración: Señor, dame fuerza para no soltarme de tu mano.

Oración infantil

Y yo dije: ¡Ah! ¡ah, Señor Jehová! He aquí, no sé hablar,
porque soy niño. Jeremías 1:6.

¿Te avergüenza ser diferente de los demás?

En aquellos días, Jeremías tenía probablemente unos veinte años de edad, pero en nuestro texto parece un niño. En realidad, él no era un niño. La palabra "niño" aquí es la misma palabra que se tradujo como "joven" en Zacarías 2:4, donde el ángel le dijo a Zacarías: "Corre, habla a este joven".

Comentando este texto, el *Comentario bíblico adventista* dice que "su naturaleza rechazaba una tarea que lo obligaría a ser diferente de sus contemporáneos" (t. 4, p. 390). ¿Es posible que Jeremías sintiera vergüenza de ser diferente a los demás?

Dependiendo desde dónde se mire, la vergüenza puede tener un lado negativo y otro positivo: negativo, cuando nos sonrojamos de nosotros mismos; positivo, porque el mal solo tiene un bien, que es la vergüenza de haberlo hecho. De todas maneras, siempre es una emoción inútil, a menos que nos conduzca a evitar cometer nuevamente el mismo error.

"En el joven Jeremías, Dios veía a alguien que iba a ser fiel a su cometido, y que se destacaría en favor de lo recto contra gran oposición" —*PR* 299. Por eso, Dios le respondió: "Y me dijo Jehová: No digas: Soy un niño; porque a todo lo que te envíe irás tú, y dirás todo lo que te mande" (Jer. 1:7).

A Jeremías lo asustaba la soledad; saber que como profeta viviría solo. Cada vez que te encuentres del lado de la mayoría, es tiempo de hacer una pausa y reflexionar: puede que estés lejos de Dios. A veces, la soledad es una señal de que eres mayoría con Dios. La persona que sigue a la multitud no irá más allá de la multitud. La que camina sola con Dios irá a lugares donde nadie ha estado antes. Cuando perdemos el derecho a ser diferentes, perdemos el privilegio de ser libres. Somos verdaderamente libres cuando hacemos lo que Dios quiere.

Tu corazón anhela libertad. Para Dios, ¡tú eres único en todo el universo, así como únicas son tus huellas digitales! Jesús te llama a que camines a solas con él, porque con él irás a lugares donde jamás llegará la multitud. Jesús desea ser lo más precioso para ti, porque nunca te deja solo.

Oración: Señor, quiero caminar a solas contigo cada día.

Oración acusadora

Y dije: ¡Ay, ay, Jehová Dios! Verdaderamente en gran manera
has engañado a este pueblo y a Jerusalén, diciendo: Paz tendréis;
pues la espada ha venido hasta el alma. Jeremías 4:10.

Nosotros oramos a Dios siendo vasos humanos, frágiles, pecaminosos. No todas las oraciones son inspiradas; por ejemplo, la del fariseo (Luc. 18:11).

Jeremías 4:10 es difícil de comprender, pues el profeta acusa a Dios de engaño. Se ha buscado muchas maneras de "defender" a Dios en este texto. Algunos sugieren que se modifiquen las vocales del primer verbo para que en vez de traducirse "dije" pueda traducirse "alguien dirá". Otros sugieren que este pasaje presenta a Dios como haciendo lo que no impide (ver 2 Sam. 12:11), lo cual equivaldría a que el texto de Jeremías se leyera de este modo: "Has permitido que fueran engañados en gran manera por sus falsos profetas" (ver 1 Rey. 22:22; ver 4 *CBA* 406). Hay quienes piensan que un simple signo de interrogación cambiaría el sentido del texto. Sin embargo, aunque estas explicaciones puedan ser válidas en el contexto de toda la Escritura, hay algo más.

El reclamo de Jeremías tiene la forma de muchos de los salmos de David. La característica especial de los Salmos es reflejar la luz de Dios *en* el rostro del creyente. Mientras que la mayor parte de la Escritura es el discurso del Espíritu de Dios *a* los hombres, los Salmos, y por extensión muchas porciones de los profetas, son la respuesta del Espíritu de Dios *en* los hombres. Siempre está Dios detrás de lo humano. Pero también siempre está lo humano detrás de Dios. Hay lugar en la Escritura para los sentimientos de los hombres.

Jeremías expresa su impotencia ante la rebeldía de su pueblo; y no ve, en su humana ignorancia, cómo Dios lo libraría de la extinción y cumpliría su promesa de paz. El de Jeremías es el grito desesperado de un corazón comprometido con Dios y su pueblo. Esta es la inspiración de nuestra oración.

Puede que estés pasando por una difícil prueba, y le digas a Jesús: "Ay, ay, Señor, ¿por qué te has ido?" Pero en lo profundo de tu pregunta descansa la fe que has cultivado día a día, oración tras oración. ¡Jesús está a tu lado, como estuvo con Jeremías!

Oración: Señor, dame fuerzas para no caer en la desesperación.

Oración del caminante

Conozco, oh Jehová, que el hombre no es señor de su camino,
ni del hombre que camina es el ordenar sus pasos. Jeremías 10:23.

Maxi, de apenas cuatro añitos, me ha cambiado la vida. A falta de nietos cerca, me los inventé. Ana, su mamá, amiga de la familia, me lo "presta" cada viernes para que lo disfrute y lo saque a pasear. Es asombrosa la curiosidad y la inteligencia de este niño. Como está en la edad de los "por qué", no deja "títere con cabeza". Todo lo somete al escudriño de su mente, y muchas veces sus preguntas me dejan mal parado. No sé las respuestas. Últimamente, limité los paseos matinales a un parque cercano, porque cuando salimos a caminar por el barrio no hay casa donde no quiera entrar ni propiedad cuya privacidad no quiera traspasar. Siempre hacia adelante, esforzándose sin rumbo cierto, intenta cruzar solo todas las calles y subirse a todas las escaleras. Como esos paseos me dejaban exhausto, los cambié por el parque.

Durante aquellas vueltas, muchas veces se me ocurrió pensar si esa pequeña humanidad caminadora no se parecía mucho a nuestra humanidad adulta. Caminamos y caminamos, hacia adelante y hacia atrás, haciendo círculos o cualquier figura geométrica, hasta que nos detenemos, para no caminar más. ¡Somos migrantes sin rumbo!

Nuestro texto nos dice que "el hombre no es señor de su camino". ¿Quién, entonces, "ordena nuestros pasos"?

Camino y caminante han sido metáforas muy usadas por los poetas. El escritor Antonio Machado sentenció con mucho escepticismo: "Caminante no hay camino, se hace camino al andar". Su poema termina: "Caminante no hay camino, sino estelas en la mar". No queda nada. Todo se lo lleva el tiempo. El escritor argentino Julio Cortázar, un poco más optimista, concluyó: "Andábamos sin buscarnos, pero sabiendo que andábamos para encontrarnos". Intuye que algo se puede encontrar.

Gracias, Jesús, que pusiste un faro a la humanidad migrante cuando dijiste: "Yo soy el camino, y la verdad, y la vida; nadie viene al Padre, sino por mí" (Juan 14:6).

Tu vida es un camino con muchas subidas fatigosas, con bajadas y curvas peligrosas, pero ¡qué bueno es que Jesús siempre "ordena tus pasos"! Él te toma de la mano y te conduce por valles de sombras, ¡por la misma senda que hubieras elegido si conocieras el fin desde el principio!

Oración: *Señor, guíame siempre.*

Oración interrogativa

Justo eres tú, oh Jehová, para que yo dispute contigo; sin embargo, alegaré mi causa ante ti. ¿Por qué es prosperado el camino de los impíos? Jeremías 12:1.

¿Pueden ser inspirados los textos en los que Dios aparece interrogado? Por supuesto que sí. Dios es el autor de la libertad. Él nos dio inteligencia para pensar, y un corazón para orar con alabanzas y aun con cuestionamientos. Dios nos inspira a una relación auténtica con él.

La pregunta es muy sabia: ¿Por qué prosperan los malos? Aunque está íntimamente convencido de que Dios es justo, Jeremías no puede armonizar plenamente su concepto de Dios con las realidades de la vida. "Los plantaste, y echaron raíces; crecieron y dieron fruto; *cercano estás tú en sus bocas, pero lejos de sus corazones*" (Jer. 12:2; énfasis agregado). Lo grave es que aparentan ser buenos, pero son malos. Y aun así prosperan.

Desde el versículo 5, Dios le responde al profeta. Le pide que compare sus insignificantes tristezas con las dificultades mayores de otros. "Los de a pie" son las vicisitudes comunes de la vida, en comparación con "los de a caballo", símbolo de las verdaderas aflicciones. Si nos cansamos ante las pruebas más simples de la vida, ¿cómo podremos sobrevivir frente al desafío de marchar con el paso de los jinetes? Si sucumbimos ante las pequeñas tentaciones del ajetreo diario, ¿cómo podremos enfrentar las grandes tribulaciones de la vida?

En otras palabras, Dios le pide a Jeremías que use sabiamente el mecanismo de la sublimación. Esta palabra proviene del latín, *sublimatio*, y significa "elevación".

¿Cuántas veces te has preguntado por qué prosperan los hipócritas? ¡Lejos esté de nosotros seguir sus caminos, aunque los veamos prosperar! ¡Que Dios se ocupe de ellos!

Dios, en la oración secreta y profunda, despierta lo más elevado y puro de nosotros. Nos eleva por encima de las miserias propias y ajenas. Aunque nuestros pasos sean lentos, nuestro destino está guardado en Jesús. ¡Él nos da fuerzas para que hagamos lo que debemos hacer! ¡Gracias, Señor, porque pones horizonte en nuestra mirada! Los vientos soplarán siempre a nuestro favor porque sabemos adónde vamos. Dios nos prospera a su manera y en su tiempo. ¡Y nuestra vida ya está dando frutos eternos!

Oración: Señor, ayúdame a elevarme por encima de mis propias miserias.

Oración en tiempos de sequía

Aunque nuestras iniquidades testifican contra nosotros, oh Jehová,
actúa por amor de tu nombre; porque nuestras rebeliones
se han multiplicado, contra ti hemos pecado. Jeremías 14:7.

El contexto de la oración de Jeremías 14 es dantesco: en presencia de una calamidad común, todas las distinciones de clase han desaparecido, los nobles envían a sus criados a las lagunas, "y no hallaron agua" (vers. 3). Los labradores están de pie entre los surcos agrietados, mirando con desesperación la tierra estéril. Los animales del campo comparten la suerte de los hombres, y abandonan a sus crías "porque no hay hierba". La ley imperiosa de la auto-conservación se impone a los instintos maternales. En cada pequeña colina donde se podría encontrar aire más fresco, los indomables asnos salvajes están de pie con las fosas nasales abiertas, jadeantes ante la brisa, mirando con ojos ansiosos la lluvia que no vendrá (vers. 4-6).

Luego de la contemplación de este escenario triste, el profeta se dirige a Dios con una extraña mezcla de confianza y abatimiento, de penitencia e incertidumbre. En su clamor se escucha el eco del reconocimiento del pecado del pueblo y la confianza en la relación perpetua de Dios con Israel. Suplica ante él por sus juicios, y le presenta la misteriosa y calamitosa contradicción de la suerte de un pueblo cuyo Dios mora con él. Se arroja humilde delante del Trono y declara: "¡No nos desampares!" (vers. 9).

Observa con atención en qué basa el profeta su pedido de misericordia. Jeremías sabe que su clamor no merece ninguna respuesta divina, sencillamente porque "nuestras iniquidades testifican contra nosotros" (vers. 7). Pero también sabe que Dios no actúa porque haya algún mérito en nosotros, sino "por amor de su nombre". Actúa de acuerdo con su esencia.

¡Oh, Jesús, en tu amor se cobija mi alma!

Puede que hoy tu vida esté seca como aquel desierto. Puede ser que tu corazón no entienda por qué padeces tanto sin merecerlo. Pero, en todo momento, ¡Jesús puede llevar tu carga! Esta es la preciosa convicción de Jeremías: "Sin embargo, tú estás entre nosotros, oh Jehová, y sobre nosotros es invocado tu nombre" (vers. 9). Tu oración de fe te pone en contacto con el Todopoderoso, el Dios de las soluciones infinitas.

Oración: Señor, acuérdate de que somos tuyos.

Oración de gozo por la Palabra

*Fueron halladas tus palabras, y yo las comí; y tu palabra
me fue por gozo y por alegría de mi corazón. Jeremías 15:16.*

Jeremías, que escribió el libro profético más largo de la Biblia, con más palabras que ningún otro (33.002 palabras en el lenguaje original), disfrutó al ser portavoz de Dios: "Cuando me hablabas, yo devoraba tus palabras" (Jer. 15:16, DHH). La Palabra de Dios es consuelo para el alma devastada, salud para la mente enferma, fortaleza para el corazón fatigado.

Cuando mi padre abandonó el hogar, mi madre conoció a Cristo, y leía la Biblia con urgencia, como queriendo recuperar un tiempo perdido. Era muy grande el Dios que encontraba en las palabras del Libro. En las noches de nuestra soledad, solía leerme algunas porciones de la Biblia antes de ir a la cama. Me leía breves historias y algún salmo de esperanza. Mi madre amaba los Salmos.

Desde niño me atrajo la autenticidad y la esperanza que brotan de la Palabra de Dios. Ella siempre es verdadera, y sus personajes son de carne y hueso. Auténticos. Contradictorios. Reales. Como la vida. En esa transparencia del Libro de Dios reside su valor incuestionable. De su fidelidad a la verdad nace nuestra única certidumbre para esta vida. Pero además, ¡"tus palabras", Señor, trajeron esperanza a mi corazón de niño! "El que te formó dice: 'No tengas miedo... Te he llamado por tu nombre; eres mío'" (Isa. 43:1, NTV). Siempre sentí que Alguien velaba por mí. Alguien velaba mis pasos. Sabía que no caminaría solo en este mundo. En la ausencia de mi padre, la Palabra de Dios me acercaba al Padre celestial (ver Isa. 49:1).

La carga de la vida se aligera cuando valoramos la belleza de la Palabra de Dios. La Biblia no es un libro común y corriente. Es más fácil y mucho menos doloroso criticarla que permitir que nos critique a nosotros; pero, si nos abrimos a ella, nos revela la voluntad del Ser viviente que tiene un poder único para conquistar todo lo que se opone.

¡Cuánta fuerza para vivir te da Dios mediante la Palabra y la oración! La Palabra de Dios es un carbón encendido que espera tu soplo para darte luz y calor. Es una preciosa ventana en este mundo por la que podrás ver la eternidad.

Oración: *Señor, tu Palabra es mi delicia.*

Oración de esperanza – 1

Todos los que te dejan serán avergonzados; y los que se apartan de mí serán escritos en el polvo, porque dejaron a Jehová, manantial de aguas vivas. Jeremías 17:13.

El texto de Jeremías 17:13 dice que los nombres de los que se apartan de Dios serán escritos "en el polvo". Pero en el versículo 1 de este mismo capítulo leemos que el pecado del pueblo de Dios está escrito "con cincel de hierro y con punta de diamante; esculpido está en la tabla de su corazón, y en los cuernos de sus altares". Mientras que los nombres están escritos sobre el polvo, una inscripción que dura poco tiempo, los pecados están escritos "con cincel de hierro" sobre una superficie que dura mucho tiempo.

Según Jeremías 17:1, el pecado de Judá está escrito con "cincel de hierro", que deja una marca profunda, una cicatriz indeleble, en dos lugares: en primer lugar, en los corazones; y en segundo lugar, en los cuernos del altar, con un diamante que puede cortar la roca (los antiguos ya conocían las propiedades del diamante); es decir, en todo el sistema religioso ritual. (Nuestra religión puede manifestar nuestro pecado.) La sangre colocada sobre los cuernos de los altares mancha el altar y no puede ser borrada por sacrificios hechos por los humanos. Esta es la razón por la que Dios se "harta de tantos sacrificios" (ver Isa. 1:11). El hombre no puede borrar sus pecados.

Todo lo que hacemos deja huellas indelebles en nuestro carácter. Y en la medida que nuestro pecado permanece, nuestro nombre se escribe en la tierra.

¡Pero hay esperanza! Hay dos pasajes del Nuevo Testamento que usan la misma metáfora de Jeremías: "Sois carta de Cristo... escrita no con tinta, sino con el Espíritu del Dios vivo... en tablas de carne del corazón (2 Cor. 3:3). El pecado se inscribe en el corazón, pero también allí se inscribe la Ley de Dios (Heb. 8:10). El otro texto del Nuevo Testamento está en Colosenses 2:14: "Anulando el acta de los decretos que había contra nosotros, que nos era contraria... y clavándola en la cruz".

Señor, ¡gracias porque borras el pecado escrito en mi carácter, e inscribes mi nombre en el cielo!

En Cristo, ¡tu debilidad es tu fortaleza!

Oración: Señor, no quiero apartarme de ti.

Oración de esperanza – 2

Todos los que te dejan serán avergonzados; y los que se apartan de mí serán escritos en el polvo, porque dejaron a Jehová, manantial de aguas vivas.
Jeremías 17:13.

¿Has pensado en escribir un libro?

Jeremías combinaba la poesía con fragmentos largos de narrativa descriptiva, profética y autobiográfica. El capítulo de nuestro texto es un ejemplo. Hoy leemos: "Los que se apartan de mí serán escritos en el polvo". Un nombre escrito en el polvo implica que el portador de ese nombre pertenece a la tierra; también sugiere que la inscripción durará muy poco tiempo.

En toda la Escritura encontramos el libro escrito por Dios. Moisés dice que su nombre estaba inscrito en él (Éxo. 32:32). Para David, el libro es un registro de nuestras penas: "Pon mis lágrimas en tu redoma; ¿no están ellas en tu libro?" (Sal. 56:8). Para Isaías, es una fuente de gran poder: "En aquel tiempo los sordos oirán las palabras del libro, y los ojos de los ciegos verán en medio de la oscuridad y de las tinieblas" (Isa. 29:18). Para Ezequiel, es una norma de verdad: "Los profetas que ven vanidad y adivinan mentira no... serán inscritos en el libro de la casa de Israel" (Isa. 13:9). Para el apóstol Juan, es "el libro de la vida del Cordero", el registro de los salvos (Apoc. 21:27).

Contrariamente a lo que comúnmente pensamos, nuestras acciones no pasan como la nieve de la última temporada invernal. Nuestras obras dejan una huella; si bien no la vemos en el mundo exterior, la podemos ver inscrita en nuestro libro interior. El efecto más poderoso de las acciones de un hombre lo ejerce en su propia vida interior. El culatazo del fusil, cuyo golpe recibe el que dispara, es más fuerte que el golpe del propio disparo.

Cuando pensamos en el pecado, nos remitimos a lo que hacemos diariamente. Pero hagamos un ejercicio de memoria y recordemos todos esos defectos de carácter, esa ira incontenida, esos arrebatos de pasión incontrolada, esa trivialización de la verdad y la justicia, esa indulgencia hacia la sensualidad y, sobre todo, esa tendencia a vivir sin Dios, a la que todos somos propensos.

Un nombre escrito en el polvo implica pertenecer a la tierra, y su inscripción dura poco tiempo. Por el contrario, un nombre escrito en el cielo implica pertenecer al cielo, y ese nombre jamás será borrado.

¿De qué trata el libro de tu vida?

Oración: Señor, escribe cada día tu relato en mi corazón.

Oración de esperanza – 3

Todos los que te dejan serán avergonzados; y los que se apartan de mí serán escritos en el polvo, porque dejaron a Jehová, manantial de aguas vivas. Jeremías 17:13.

" **P**ero Jesús, inclinado hacia el suelo, escribía en tierra con el dedo. Y como insistieran en preguntarle, se enderezó y les dijo: El que de vosotros esté sin pecado sea el primero en arrojar la piedra contra ella. E inclinándose de nuevo hacia el suelo, siguió escribiendo en tierra" (Juan 8:6-8).

Hay quienes piensan que Jesús tenía en mente nuestro texto de Jeremías cuando se inclinó a escribir sobre la tierra. Familiarizados con la figura de escribir en tierra, los judíos que acusaban a la mujer adúltera entendieron lo que Jesús estaba diciendo con su gesto. Por eso, "acusados por su conciencia, salían uno a uno, comenzando desde los más viejos hasta los postreros" (vers. 9). Aunque no hubiesen leído sus pecados, sabían que al escribir sobre la tierra Jesús los estaba condenando.

Ayer dijimos que un nombre escrito en el polvo implica pertenecer a la tierra, y su inscripción dura poco tiempo. Por el contrario, un nombre escrito en el cielo implica pertenecer al cielo, y ese nombre jamás será borrado. Jeremías 17:13 sugiere que son nuestras decisiones cotidianas las que determinan que nuestros nombres sean escritos en la tierra o en el cielo. Si le damos la espalda a Dios, constante, incesante y perseverantemente, terminamos en el polvo. Pero si le abrimos plenamente el corazón a Jesús, aunque sea en el último instante de nuestra vida, él inscribirá nuestro nombre en "el libro de la vida del Cordero" (Apoc. 21:27).

Hay solo dos listas: la de los vivos y la de los muertos. Tu nombre y el mío solo pueden estar inscritos en la tierra o en el cielo. Pronto se abrirá el libro del Cordero (Apoc. 21:27). ¿Temes que tu nombre pase por los registros del libro de los hombres (Apoc. 20:12)? Solo Jesús puede "escribir en la tierra". ¡Y solo él puede borrar lo que escribió! Él puede escribir porque puede borrar. ¡No tenemos nada que temer!

¿Anhelas tú la eternidad? ¿Quieres que tu nombre esté escrito en el Libro de la vida? ¡Nadie te condena! ¡El bendito Jesús puede borrar todos tus pecados! ¡Alabado seas, Señor!

Oración: Jesús, borra mis rebeliones.

Oración sincera

Me sedujiste, oh Jehová, y fui seducido; más fuerte fuiste que yo, y me venciste;
cada día he sido escarnecido, cada cual se burla de mí. Jeremías 20:7.

El libro de Jeremías se inscribe en una corriente de aguas que por momentos parecen pantanosas y por momentos cristalinas. En unos versículos, su corazón destila hiel y amargura; y en otros, confianza y esperanza.

El capítulo 20 comienza con Jeremías azotado y enviado al cepo por uno de los príncipes del Templo (vers. 1, 2). Luego de ser liberado, el profeta comienza con imprecaciones contra Pasur, el funcionario del Templo, y contra Dios (vers. 3-10). Luego, el lamento se torna alabanza (vers. 11-13), para culminar nuevamente en lamento (vers. 14-18). El movimiento del ánimo de Jeremías se parece al de David en muchos de sus salmos: derrama su alma sin medir palabras, desnudando su corazón herido con total autenticidad.

Siempre es más confiable la persona que dice lo que siente y lo que piensa que el que dice lo que le conviene, lo que piensa y no siente. Esto es válido tanto para las relaciones humanas como para la relación con Dios. El alma sincera derrama toda su hiel en oración ante Dios.

El clamor de Jeremías fue una reacción a la angustiosa noche que pasó en el cepo (vers. 2, 3). En la oscuridad del cadalso pensó que su obra era un fracaso, y que Dios lo forzó a hacer lo que no quería (vers. 7). Ese sentimiento de frustración era más amargo por el temor de que Dios no cumpliera sus promesas (vers. 14-18; ver Jer. 1:8-10; 15:10). A Jonás le ocurrió lo mismo (Jon. 4:1-3).

El profeta se *sentía* fracasado, pero *no era* un fracasado. ¡Fracasamos cuando dejamos de luchar! El fracasado es incapaz de convertir la frustración en una experiencia de vida, para aprender e intentar nuevamente. No fue el caso del profeta, quien, en medio de la oscuridad de su mente, consulta a su esperanza, y dice: "Mas Jehová está conmigo como poderoso gigante" (Jer. 20:11).

¿Te has sentido alguna vez fracasado? Pues, si no consultas tus inseguridades, no te atas a tus miedos ni te revuelcas en tus frustraciones, sino que extiendes tu mano para asirte de Jesús y seguir adelante, no eres un fracasado. Un fracaso superado te da más esperanza que el éxito, que puede envanecerte.

Oración: Señor, levántame cuando me sienta fracasado.

Oración y lamento

Mira, oh Jehová, estoy atribulada, mis entrañas hierven.
Mi corazón se trastorna dentro de mí, porque me rebelé en gran manera.
Lamentaciones 1:20.

Escucha esto: Dentro de diez, veinte o quizá treinta años, te vas a lamentar más por las cosas que no hiciste que por las que hiciste. Puede que llegues a los sesenta o setenta años y tu vida se convierta en un continuo plañir al mirar atrás y ver las cosas que no hiciste, las materias pendientes que no rendiste. Pero siempre es tiempo de soltar amarras, abandonar el puerto seguro, poner las velas a sotavento, y navegar, soñar, explorar y descubrir, de tal modo que cuando llegues a "viejo" haya una sonrisa cómplice en tu rostro por las "locuras" de tu pasado.

La vida es un claroscuro: Hay "un tiempo para llorar y un tiempo para reír" (Ecl. 3:4). Y, en algún sentido, "es mejor el llanto que la risa, porque la tristeza tiende a pulirnos" (Ecles. 7:3, NTV).

La primera palabra del libro de Lamentaciones, en hebreo, es *ekah*, que significa "¡cómo!" Esta misma palabra se usa en la Biblia hebrea como el nombre del libro (ver Lam. 1:1; 2:1; 4:1, 2; 4 *CBA* p. 573). Es preferible decir "¿cómo?", antes que "¡cómo!"; es mejor preguntarse: ¿cómo esto me puede ayudar?, que "llorar sobre leche derramada".

En la oración de Lamentaciones 1, Jeremías ora en femenino, porque ora personificando a Jerusalén, la ciudad otrora resplandeciente, de hermosa arquitectura, con poderío estratégico. Ahora la ciudad está desierta y en ruinas. Ya no es la bella mujer que era, sino que es una viuda (vers. 1) que está sola, porque el Señor ya no es su marido. Lo que no sabe la viuda es que su marido en realidad no la abandonó, sino que ella se abandonó a sí misma, porque "se rebeló en gran manera" (vers. 20). Dice el profeta Isaías: "Eras como una esposa joven abandonada y afligida, pero tu Dios te ha vuelto a llamar y te dice:... 'Con bondad inmensa te volveré a unir conmigo'" (Isa. 54:6, 7, DHH).

Escucha la lluvia nocturna y el agua que corre. Esa puede ser tu vida: un lamento que fluye entre sombras. ¡Pero el sol está detrás de las nubes! ¡Jesús es tu luz!

¡Bendita oración, secreta y profunda, que llama a Jesús a tu lado, para que no te sientas solo!

Oración: Señor, dame alegría en medio de mi lamento.

Oración de empatía

Mira, oh Jehová, y considera a quién has hecho así... Niños y viejos yacían por tierra en las calles; mis vírgenes y mis jóvenes cayeron a espada; mataste en el día de tu furor; degollaste, no perdonaste. Lamentaciones 2:20, 21.

La fuerza de esta oración yace en la empatía del profeta por la desgracia de su pueblo.

Las espantosas escenas que se pintan en este capítulo no transcurrieron en una nación pagana sino en medio del pueblo de Dios, a quien se le había prometido las más ricas bendiciones a cambio de la obediencia (ver Gén. 12:2, 3; 15:5; 18:18; 26:3, 4). La oración de Jeremías presenta a Dios como haciendo lo que no impide. Si bien el profeta había anunciado dolor a causa de la rebeldía del pueblo (ver Jer. 35:15, 17), no cesaba, en medio de la calle llena de cadáveres, de rogar a Dios que detuviera la muerte.

Me impresiona el amor del profeta por aquel pueblo. Me gustan estas oraciones con el alma desnuda, donde aun Dios es cuestionado. Vale más una oración que le pregunta a un Dios de amor por qué permite tanto sufrimiento en el mundo que una oración nacida en la indiferencia al dolor ajeno. Nada es más fatal para nuestra religión que la indiferencia, porque endurece el corazón, y es capaz de eliminar cualquier rastro de afecto hacia los demás y aun hacia Dios.

¡Que nuestras oraciones nazcan de la empatía por los que sufren, aun por los que sufren por su culpa! Puede que nos resistamos a mirar con los ojos de otro, a escuchar con los oídos de otro y a sentir con el corazón de otro, porque no queremos sufrir, pero nada es más fatal que la indiferencia, porque ese pecado "está escrito en los cuernos de los altares" (ver Jer. 17:1); es decir, en nuestros ritos vacíos, en nuestras normas religiosas estériles.

La religión puede matar la fe. No basta con creer, con asentir intelectualmente a una doctrina. "También los demonios creen" (Sant. 2:19), pero no tienen la fe que "obra por el amor" (Gál. 5:6). Una religión que pierde de vista el dolor ajeno es estéril.

¡Pero nuestra fe puede ser viva! El don de la fe despierta la vocación de amar. La mejor oración es el amor.

Oración: Señor, ayúdame a sentir el suspiro de los que sufren.

Oración por ser oído

Invoqué tu nombre, oh Jehová, desde la cárcel profunda; oíste mi voz; no escondas tu oído al clamor de mis suspiros. Lamentaciones 3:55, 56.

Te confieso que iba a omitir las oraciones de Lamentaciones, como si este libro fuera un libro ruin. Por naturaleza, no me gusta el dolor, la tristeza ni el lamento. Pero hagamos un esfuerzo y entremos en la historia de Jeremías. Sigámoslo por los polvorientos caminos de Palestina, escuchemos sus advertencias contra los reyes, las amonestaciones contra los falsos profetas; veamos las confabulaciones de sus propios conciudadanos contra él, como en Anatot (Jer. 11:18-23), y sigámoslo hasta la misma cárcel. Jeremías nos enseña lo que Salomón ya había escrito: "Vale más llorar que reír, pues podrá hacerle mal al semblante pero le hace bien al corazón" (Ecl. 7:3, DHH). Hay algo paradójico en la vida: huimos de lo que más nos enseña. No nos gusta el dolor, pero solo de él aprendemos. Nadie aprende del placer y la bonanza, sino del dolor y de la crisis.

Ahora vemos al profeta en la cárcel, en la cisterna de Malquías (Jer. 38:1-13). Y allí ora. Para quienes están en la cárcel, la oración es la única ventana a la eternidad. Entre rejas, el alma se libera mediante la oración.

El profeta le dice a Dios: "No escondas tu oído al clamor de mis suspiros" (Lam. 3:56). El término *suspiro*, en hebreo *lesawati*, se deriva del verbo *sawat*, que encierra la idea de clamar por ayuda, pedir socorro en una situación desesperada. En 1 Samuel 5:12 se usa para decirnos que "el clamor de la ciudad subía al cielo". "Cuando fue llamado a beber la copa de la tribulación y la tristeza [Jeremías] recordaba las providencias de Dios en su favor, y exclamaba triunfantemente: '...Nunca decayeron sus misericordias. Nuevas son cada mañana; grande es tu fidelidad' (Lam. 3:22, 23)" —PR 310.

Dios es el único alivio de tu alma. Él inspira esta oración en lo más profundo del corazón. Si oras "no escondas tu oído", es porque Dios ya te ha escuchado.

¿Te levantaste triste hoy de mañana? Di con Jeremías: "Bueno es Jehová a los que en él esperan, al alma que le busca" (vers. 25).

Oración: Tu gracia me renueva cada amanecer.

Oración en la soledad del dolor

¿Por qué te olvidas completamente de nosotros, y nos abandonas
tan largo tiempo? Lamentaciones 5:20.

"¿Te preocupas más por tu perro que por un refugiado?" Esta pregunta es el título de la columna del 18 de agosto de 2016 publicada por Nicholas Kristof, columnista del *New York Times*, a quien sigo desde hace un tiempo.

En el artículo cuenta que el jueves anterior había derramado su lamento en los medios sociales por la muerte de su perra Katie, de doce años de edad, y recibió un torrente de condolencias y expresiones de solidaridad, como si hubiera perdido un familiar.

Sin embargo, en el mismo día en que murió su perra, el autor publicó una columna pidiendo mayores esfuerzos internacionales para terminar el sufrimiento y la guerra civil de Siria. Recibió un torrente de comentarios, pero que expresaban una fría y dura indiferencia: "¿Por qué debemos ayudarlos?"

El autor termina el relato con estas palabras que publicó en su cuenta de *Twitter*: "Sincera cpmpasión por un perro estadounidense que expiró de viejo, y que sentí como insensibilidad con millones de niños sirios que enfrentan el hambre o un bombardeo. ¡Si al menos —pensé— valoráramos a los niños de Alepo tanto como valoramos a nuestras mascotas!"

La sensación de abandono que nace de la indiferencia del prójimo es muy dolorosa. La indiferencia hace que las piedras permanezcan inmutables durante años. Pero es la fuerza del amor lo que nos hace sentir vivos y nos permite crecer, cambiar, intercambiar afectos y vivir con esperanza. Lo contrario del amor, de la belleza y de la verdad no es el odio, lo feo o la herejía, sino la indiferencia; así como lo contrario de la vida no es la muerte, sino la indiferencia entre la vida y la muerte. La indiferencia nos convierte en piedras muertas.

¡Somos la respuesta de Dios al clamor del solitario y del abandonado! Cuánto poder intercesor y liberador de las fuerzas del bien expresa la oración de Jeremías. A la vez que el profeta desata su angustia, nutre su amor por su pueblo cautivo. La sensibilidad de su oración era el sello de la presencia divina en su corazón.

¿Somos una piedra viva en el refugio de Dios para los desamparados (1 Ped. 2:5)?

Oración: Señor, que mi corazón y mis manos te sirvan.

Oración intercesora

¡Ah, Señor Jehová! ¿Destruirás del todo al remanente de Israel?
Ezequiel 11:13.

¿Por quién intercederás hoy?

En visión, Ezequiel había visto a Jerusalén destruida por el ejército sirio. La capital era un cementerio. Él se sentía solo en medio de los muertos. En la visión no ve a ningún judío que haya quedado vivo por haber tenido la marca protectora. Las diez tribus del norte, de Israel, ya habían ido cautivas en 723-722 a.C. (2 Rey. 17:6); y un número importante de los habitantes del reino del sur, de Judá, fue llevado cautivo a Babilonia por el rey Nabucodonosor entre 605 y 597 a.C. (Dan. 1:1-3). Cinco años después, el joven Ezequiel fue llamado al ministerio profético. Afligido por la suerte de sus compatriotas, Ezequiel clama a Dios.

La oración intercesora es un ejercicio de pasión, no de indiferencia; por eso el profeta clamó, oró a gritos. La oración es salud para el alma del suplicante. Es un grito de catarsis, de liberación del alma, y también es esperanza para el ser por quien oramos. El amor de Ezequiel por Dios y por su pueblo se expresó en aquel clamor en forma de pregunta. En esta pregunta se escucha el eco del clamor intercesor de Abraham por los habitantes de Sodoma (Gén. 18:16-33).

La oración intercesora lleva en sus palabras el sello de la presencia divina. Tiene que haber amor divino en el corazón para orar por los demás. Y más amor para orar incluso por nuestros enemigos.

Acerca de la oración intercesora, dice Elena de White: "Oremos no solo por nosotros mismos sino también por los que nos han hecho daño y continúan perjudicándonos. Orad, orad sobre todo mentalmente... Hay a vuestro alrededor aquellos que sufren desgracias, que necesitan palabras de simpatía, amor y ternura, y nuestras oraciones humildes y compasivas —*LO* 245, 246.

"Algunos están enfermos y han perdido la esperanza. Devolvedles la luz del sol. Hay almas que han perdido su valor; habladles, orad por ellas. Hay quienes necesitan el pan de vida. Leedles la Palabra de Dios. Hay una enfermedad del alma que ningún bálsamo puede alcanzar, ninguna medicina curar. Orad por estas [almas] y traedlas a Jesucristo" —*Ibíd.*, p. 246.

¿Por quién vas a orar hoy?

Oración: Gracias por la oración intercesora, que trae bendición a mi vida.

Oración ¿amordazada?

Vino a mí palabra de Jehová, diciendo: Hijo de hombre,
he aquí que yo te quito de golpe el deleite de tus ojos; no endeches,
ni llores, ni corran tus lágrimas. Ezequiel 24:15, 16.

¿**H**ay circunstancias en la vida en las que no puedes orar? Mediante la oración, "la voz humana puede llegar al oído de Dios, y ser aceptadas nuestras peticiones en los atrios celestiales" —*DTG* 87. ¿Qué sería de nosotros sin la oración? A fuerza de plegarias, en ese diálogo breve e íntimo, se construye una verticalidad de luz que ilumina la vida y la llena de alegría. Sin la oración, quedaríamos sumidos en las tinieblas del abandono.

Hay un enorme registro de oraciones. Oraciones extensas o de una sola palabra, oraciones que se manifiestan como una exhalación, casi sin pensarlas, y otras muy elaboradas. Pero ¿hay oraciones pensadas y jamás pronunciadas? ¿Siempre se puede orar? Hay quienes piensan que no siempre se puede orar, y usan como referencia Ezequiel 24:15 y 16: ni siquiera el profeta podía llorar; por lo tanto, menos orar.

Dios le dice a Ezequiel que su esposa, a quien ama profundamente, está a punto de morir. Pero de sus palabras no podemos inferir que la muerte de aquella mujer fuera el resultado de la acción directa de Dios. Muchas veces en el lenguaje bíblico se adjudica a Dios lo que él permite o no impide. Dios también sufrió con Ezequiel por la pérdida de aquel ser que era "el deleite de los ojos" del profeta.

Más aún, es posible que la esposa de Ezequiel estuviera enferma, y que Dios, en su misericordia, la llamara al descanso para que no fuera testigo presencial del horror de la destrucción de Jerusalén (ver 4 *CBA* 691). Pero, lo más importante: la conducta de Ezequiel de no endechar la muerte de su esposa se convirtió en una señal silenciosa para el pueblo de que Dios estaba con el profeta, fortaleciéndolo y dirigiendo todas las cosas (vers. 24).

¡Cuánto poder hay en la oración, especialmente cuando no comprendemos la voluntad del Señor! En esos momentos, tu oración no pretenderá "torcer" el brazo de Dios, sino aceptar su soberana voluntad. Tus sufrimientos jamás serán estériles; son la estela en el mar, la huella del camino, que guía a los que vienen detrás. ¡Cuánta inspiración hay en la oración secreta y en el ejemplo del que sufre en silencio!

Oración: Señor, oro a ti aun cuando no comprendo tu voluntad.

Oración desconocida – 1

*Cuando Daniel supo que el edicto había sido firmado, entró en su casa,
y abiertas las ventanas de su cámara que daban hacia Jerusalén,
se arrodillaba tres veces al día, y oraba. Daniel 6:10.*

Daniel tenía cerca de noventa años cuando fue arrojado a los leones. Había sido durante muchos años el verdadero gobernador de todo el imperio. Por supuesto, en tal posición, se había ganado muchos enemigos que lo miraban con los lentes del odio, los celos, la envidia y la malicia. Era un extranjero y un adorador de otro Dios, y por lo tanto era aún más impopular que un ayatolá en el actual gabinete de los Estados Unidos. Daniel era capaz y honesto, y por lo tanto todos los funcionarios incompetentes lo veían como un enemigo natural. Sabían que no encontrarían nada contra Daniel, a menos que lo buscaran con respecto a la ley de su Dios. Y así le tendieron la trampa que derivó en la oración de Daniel 6:10.

De este texto, podemos aprender tres lecciones: en primer lugar, el ambiente no determina nuestro carácter ni nuestro destino. El lujo, la sensualidad, la lujuria, el egoísmo, la idolatría, la crueldad despiadada, propios del palacio de un reino imperial y pagano, no impidió el desarrollo del bello carácter insobornable y puro del profeta. Las mentiras dan flores, pero jamás frutos. La verdad de Daniel dio frutos imperecederos.

En segundo lugar, necesitas entrenarte para no escuchar las críticas destructivas de los hombres; pero no solo hay que ser bueno, sino parecerlo. La más aguda inteligencia al servicio del mal no pudo encontrar defecto alguno de carácter ni vestigio alguno de negligencia en la labor del profeta.

Por último, Daniel hacía lo que su Dios ordena; no le importó que el rey ordenara lo contrario. No se escondió para orar. Su oración fue activa y combativa. A esa edad de su vida deseaba entregarse en sacrificio al Dios que conocía, amaba y había servido siempre.

¡Cuán fecunda es la obediencia a Dios en toda circunstancia! La oración diaria, sincera y profunda prepara un carácter que resiste la prueba del fuego. ¿De qué temer? Si Dios es con nosotros, diariamente, ¿quién contra nosotros cuando llega la crisis?

¡Que tu oración secreta se convierta en un testimonio activo y combativo cuando Dios así lo disponga!

Oración: Señor, dame la fe de Daniel.

Oración desconocida – 2

Cuando Daniel supo que el edicto había sido firmado, entró en su casa,
y abiertas las ventanas de su cámara que daban hacia Jerusalén,
se arrodillaba tres veces al día, y oraba. Daniel 6:10.

¿Qué le habrá pedido Daniel a Dios una vez que supo del decreto de muerte contra él? No lo sabemos. No sabemos qué decía en esa oración diaria, pero sabemos qué significaba.

En primer lugar, Daniel abría "las ventanas de su cámara que daban hacia Jerusalén" (Dan. 6:10). Imagino la casa de Daniel con un techo plano, como la mayoría de las casas de la Mesopotamia antigua y moderna. Seguramente, siguiendo el diseño de esas casas, la de Daniel tendría una pequeña recámara en una de las esquinas, por encima del techo plano, con ventanas con celosías para la ventilación. Ese sería el lugar donde Daniel buscaba a Dios en oración, y donde era visto desde fuera tres veces al día.

Daniel era un hebreo, exiliado en tierra extraña, y seguía la costumbre hebrea de orar mirando hacia la Ciudad Santa (ver 1 Rey. 8:33, 35; Sal. 5:7; 28:2). Vivía en el mismo palacio del imperio, pero no se obnubiló con las luces del reino ni se empachó con las viandas del rey. Daniel tenía memoria, sabía quién era y cuál era su destino. Anunciaba su testimonio de fe tres veces al día. Y, aunque sabía que le esperaba la muerte, porque el edicto del rey no podía ser revocado, sus ojos seguían mirando a la ciudad donde había salido de muchacho y a la que probablemente nunca más volvió a ver.

Daniel "se arrodillaba" para orar. Por esa actitud de devoción, también sabemos qué significaba para él ese momento que apartaba para Dios. Como Esdras (Esd. 9:5), Jesús (Luc. 22:41) y Esteban (Hech. 7:60), se arrodillaba para hablar con Dios, escuchar su Palabra, reafirmar su vocación, confirmar la obra para la que había sido llamado en esa hora.

Dios era para Daniel la razón de su existencia, y ni siquiera su vida era más importante que la *razón* de su vida. Por su conducta, conocemos el significado de aquella oración desconocida.

¿Es Dios también la razón última de tu existencia? ¿Eres tú un testimonio vivo de Dios entre los que te rodean? La oración secreta siempre tendrá un impacto público.

Oración: Señor, que tú seas más importante que mi propia vida.

Oración de confesión

Y volví mi rostro a Dios el Señor, buscándole en oración y ruego, en ayuno, cilicio y ceniza. Y oré a Jehová mi Dios e hice confesión. Daniel 9:3, 4.

Daniel 9:3 al 19 es una de las oraciones más extensas y emotivas de la Biblia. Angustiado por el tiempo que aún duraría el cautiverio de su pueblo a manos de los babilonios, Daniel estudió las profecías de Jeremías. Estas eran muy claras; tan claras, en realidad, que por los testimonios registrados en los libros entendió "el número de los años de que habló Jehová al profeta Jeremías, que habían de cumplirse las desolaciones de Jerusalén en setenta años" (vers. 2).

Con una fe fundada en la segura palabra profética, Daniel rogó al Señor que estas promesas se cumpliesen rápidamente. Daniel sentía preocupación por el destino de su pueblo y ansiedad por la libertad de los cautivos. En su petición, se identificó plenamente con los que no habían cumplido el propósito divino, y confesó los pecados de ellos como propios.

Aunque el profeta era "muy amado" de Dios (Dan. 10:11), a quien había servido durante mucho tiempo, se presenta ahora delante de Dios como pecador, e insiste en la gran necesidad del pueblo al que ama. Su oración es elocuente, sencilla y de un fervor intenso. Escuchémoslo interceder delante de Dios: "Hemos pecado, hemos cometido iniquidad, hemos hecho impíamente, y hemos sido rebeldes, y nos hemos apartado de tus mandamientos y de tus ordenanzas... Inclina, oh Dios mío, tu oído, y oye; abre tus ojos, y mira nuestras desolaciones, y la ciudad sobre la cual es invocado tu nombre; porque no elevamos nuestros ruegos ante ti confiados en nuestras justicias, sino en tus muchas misericordias" (Dan. 9:5, 18).

¡Bendita oración que trasciende las fronteras del yo y se eleva a Dios para interceder por los que están más necesitados que nosotros! Esta clase de oración agudiza la sensibilidad del corazón y potencia esa clase de inteligencia que, con los años, da sabiduría. La forma más aguda de la inteligencia siempre será la bondad. También oremos por los que nos han hecho daño, y aún continúan perjudicándonos. Tal clase de oración es un bálsamo para el alma, aquieta las aguas de la incertidumbre, y nos permite ver más allá de las emociones negativas.

El Cielo se inclina ante las oraciones intercesoras.

Oración: Señor, enséñame cómo orar por los demás.

Oración y teofanía

Aún estaba hablando y orando, y confesando mi pecado y el pecado de mi
pueblo Israel... cuando el varón Gabriel... habló conmigo, diciendo: Daniel,
ahora he salido para darte sabiduría y entendimiento.
Daniel 9:20-22.

¿**N**o crees que Dios dirige tu historia y la del mundo?

La oración es el "acto de abrir nuestro corazón a Dios como a un amigo" —*CC* 93. Es un movimiento que se inicia en el corazón humano y que trasciende hacia la Deidad. Por otra parte, la "teofanía" (del griego: *theos*, Dios, y *faino*, manifestación) es un movimiento que se inicia en Dios para alcanzar al hombre; es como una oración invertida: constituye una manifestación visible de Dios en la vida del creyente.

Ambos movimientos, de ida y de vuelta, completan la comunicación entre la criatura y el Creador. Por lo general, las teofanías bíblicas parecen ser independientes de las acciones humanas; son intervenciones directas de Dios con algún propósito especial. Muchas veces se relacionan con misiones que Dios encarga a ciertos hombres, como las teofanías de la "zarza ardiente" a Moisés (Éxo. 3) y la del varón de la "espada desenvainada" que se le apareció a Josué (Jos. 5). Otras veces, comunican un mensaje directo de Dios, como cuando se le informó a Abraham de la destrucción de Sodoma y Gomorra (Gén. 18); y otras veces tienen el propósito de hacerle sentir al desvalido que Dios está allí, con él, para protegerlo y ayudarlo, como en el caso de Agar o de Jacob (Gén. 21:17; 28:10-20).

Pero hay momentos notables cuando la teofanía y la oración se integran e interactúan, en un intercambio sublime, como es el caso de la oración de Daniel, que produjo la respuesta inmediata de Dios por medio del arcángel Gabriel en Daniel 9. La oración de Daniel recibió una teofanía. En su amor, Dios le hizo saber al profeta que, más allá de la frágil condición de su pueblo, él dirigía los acontecimientos. El ángel Gabriel le explicó a un Daniel confundido y anhelante de conocimiento la profecía de las setenta semanas, que anunciaba la llegada del "Mesías Príncipe", Jesús, para salvar al mundo (vers. 25).

¡Bendita oración, que te une al corazón del Infinito para que conozcas su voluntad! En tu hora de prueba, Dios te dará "sabiduría y entendimiento". Tu oración tendrá eco en la eternidad.

Oración: Señor, ilumíname en la prueba.

Oración desde el abismo

Entonces oró Jonás a Jehová su Dios desde el vientre del pez,
y dijo: Invoqué en mi angustia a Jehová, y él me oyó;
desde el seno del Seol clamé, y mi voz oíste. Jonás 2:2.

¿Por qué la Inspiración quiso que la plegaria de Jonás 2:2 quedara registrada en la Biblia? ¿Qué quiere Dios enseñarnos hoy con esta oración?

La plegaria de Jonás debe ser entendida a la luz del "conflicto" entre Dios y el profeta. En el capítulo 1 leemos que Dios envió a Jonás a amonestar a los ninivitas, pero este se negó, se embarcó rumbo a Tarsis, y en la noche, cuando dormía plácidamente, los marineros de la embarcación lo despertaron para preguntarle por qué se había desatado tal tormenta que amenazaba con hundirlos en aquella furiosa fosa líquida. En un arrebato de sinceridad, Jonás confesó que él mismo era la causa de esa desgracia, y les dijo: "Tomadme y echadme al mar" (Jon. 1:12). Ya en las aguas, un gran pez se tragó al profeta (vers. 17). Entonces, desde esa cárcel húmeda y oscura, Jonás oró.

A Jonás no le gustaba que Dios fuera clemente con los ninivitas, que eran "paganos" y enemigos de Israel. Esa era la razón fundamental de su huida. Su corazón no palpitaba al mismo ritmo que el corazón clemente y misericordioso del Dios al que decía temer y a quien representaba. En la misma oración ¡le echa la culpa a Dios de la desgracia de estar en el vientre del pez! "Me echaste a lo profundo, en medio de los mares" (Jon. 2:3). ¿Por qué dice esto, si fue él quien pidió a los marineros que lo echaran a las aguas? Su "teología", su idea de Dios, lo llevó a ese intento de suicidio. El mismo odio que Jonás les tenía a los ninivitas era el que se tenía a sí mismo. Jonás no aceptaba la idea de servir a un Dios lleno de misericordia.

Nuestra oración nos dice que Dios es mucho más grande y bueno de lo que nuestra pequeña mente imagina. Él oye nuestras plegarias aun cuando nos hayamos equivocado terriblemente. ¡Y en el mismo lugar adonde fuimos a parar luego de caer en el despeñadero! Una idea equivocada de Dios genera una idea equivocada del prójimo y de uno mismo.

Solo la gracia de Dios puede poner tus ideas en sintonía con la verdad.

Oración: Grande y clemente eres tú, mi Dios.

Oración de un rechazado

Me echaste a lo profundo, en medio de los mares, y me rodeó la corriente;
todas tus ondas y tus olas pasaron sobre mí. Entonces dije:
Desechado soy de delante de tus ojos. Jonás 2:3, 4.

¿Te has sentido rechazado por Dios alguna vez? "Desechado soy de delante de tus ojos", dice Jonás (Jon. 2:4) ¿Es esto así? Jonás se sintió desechado, pero Dios no lo había desechado.

En su idea hebrea de la absoluta soberanía divina, donde Dios es causa de todo, aun de lo que no impide, escribe: "Me echaste en lo profundo, en medio de los mares" (vers. 3). Pero Jonás sabía que él les había dicho a los marineros que lo tiraran al agua. Su conciencia culpable lo hacía sentir desechado por Dios, y en forma justificada, porque había desobedecido. Así nos sentimos cuando pecamos.

Como buen judío, Jonás unía la obediencia con bendición y la desobediencia con maldición (Deut. 7; 28). Pero no podemos leer el Antiguo Testamento sin la mediación de la gracia de Dios en Jesucristo.

Algunos comentarios bíblicos de Lamentaciones 2:20 hieren el corazón. Afirman que los judíos merecían el dolor padecido por la conquista de los babilonios, porque no habían obedecido a Dios. ¿Cuánto antisemitismo puede soportar la lectura de la Biblia? ¿Qué culpa tenían las madres hebreas que, en aquella situación dantesca de guerra y hambre, se comían a sus hijos? (Lam. 2:20, 21). Tenemos encarnada la idea de que si desobedecemos recibiremos merecidas maldiciones. ¡Pero ni sabemos lo que significa obedecer a Dios!

La oración de Jonás fluye como la poesía, tiene el movimiento de las aguas de un río vistas desde las alturas: por momentos parecen que bajan, y por momentos que suben en sentido contrario. En Jonás 2:2, Jonás está convencido de que Dios lo escucha; en el versículo 4 se siente rechazado. Luego retomará la idea con la que comenzó, y terminará su oración con un canto de alabanza al Dios que salva.

Dios quiere y puede bendecirnos ¡a pesar de nuestras desobediencias! Esto no significa que "hagamos males para que vengan bienes" (ver Rom. 3:8). Significa que podemos ir a Dios y confiar que lo hallaremos aun cuando estemos en el mismo "infierno" de Jonás, y ni siquiera podamos elevar la vista porque tenemos vergüenza.

Oración: Gracias, Dios, por tu misericordia infinita.

Oración de esperanza

Entonces dije: Desechado soy de delante de tus ojos; mas aún
veré tu santo templo... La tierra echó sus cerrojos sobre mí para siempre;
mas tú sacaste mi vida de la sepultura. Jonás 2:4, 6.

Jonás les "pide prestado" a los Salmos mucha de su fraseología, como también lo hacen los profetas Isaías y Jeremías, y en los versículos 4 al 6 de Jonás 2, usando un típico paralelismo de la poesía hebrea, declara las palabras de nuestro texto. Jonás sigue pensando que fue rechazado por su desobediencia, pero reafirma la convicción de que, a pesar de todo, Dios lo salva.

¿Por qué razón Jonás faltó a su compromiso de profeta de anunciar a los ninivitas esa misericordia que él mismo había recibido? Sentirse parte del pueblo escogido y creerse "el único fiel que ha quedado" fue el pecado de Jonás. El orgullo religioso es tóxico, y destruye todo sentimiento noble hacia Dios y hacia los demás. Algunos nos creemos buenos, escogidos, nos enfermamos de justicia propia, y juzgamos con intolerancia y menosprecio a los demás, como Jonás hizo con los ninivitas. La falta de misericordia parece ser la marca de los que nos creemos "santos". La experiencia de Jonás está en la Biblia para ayudarnos a percibir nuestro problema.

Finalmente, la oración de Jonás termina con esta promesa que le hace a Dios: "Mas yo con voz de alabanza te ofreceré sacrificios; pagaré lo que prometí. La salvación es de Jehová" (vers. 9).

¿Tienen valor nuestros "sacrificios", nuestros actos de adoración? Sí, cuando son expresiones de amor. No, cuando pretendemos ganar una bendición. La adoración y la obediencia genuina vienen del amor.

La obediencia no es un negocio que hacemos con un socio poderoso, sino que es el fruto natural del amor. El amor legitima nuestra adoración. Si amamos con corazón puro e inocente, jamás nos arrepentiremos de lo que hacemos. Si callamos, callaremos con amor; si corregimos, corregiremos con amor; si perdonamos, perdonaremos por amor. Si adoramos, adoraremos por amor.

Escucha este poema de la poetisa musulmana Rab'ia Al'Adawiyya, que escribió en el siglo VII: "*Oh, mi Señor: Si te adoro por temor al castigo, castígame. Si te adoro por la esperanza del paraíso, impídeme alcanzar sus puertas. Pero si te adoro solo por ti mismo, otórgame entonces la belleza de tu rostro*".

Que tu Dios sea el Dios de la gracia infinita, porque todo lo demás ¡te vendrá por añadidura!

Oración: Señor, quiero adorarte por amor.

Oración inmadura – 1

Ahora pues, oh Jehová, te ruego que me quites la vida;
porque mejor me es la muerte que la vida. Jonás 4:3.

¿Cómo es tu religión?

Es interesante el contraste de las dos oraciones de Jonás: una, en las profundidades de su angustia, en el abismo del mar, con el agua al cuello, entre las inmundicias flotantes del estómago del gran pez, arrepentido, pidiendo salvación y dispuesto a hacer la voluntad de Dios (Jon. 2). La otra, en un cerro de los alrededores de Nínive, pidiendo la destrucción de los malvados asirios, rogando que cayera fuego del cielo, como ocurrió con Sodoma y Gomorra (cap. 4). Son dos extremos de oración, una especie de oración bipolar, como parece que era la personalidad ciclotímica del profeta.

¿Por qué Jonás oró de este modo? La respuesta a esta pregunta la tenemos en el versículo anterior a nuestro texto: Jonás dice que Dios es clemente, que no cumple con lo prometido (vers. 2). La ira de Jonás no nace tanto de su orgullo herido como de la frustración que le produce la gracia divina. Habiéndose frustrado de Dios, a Jonás no le importaba morir, como lo demostró en la tormenta y lo suplicó en el clímax de su furor. A Jonás le parecía que Dios era inconsistente y débil a la hora de aplicar los juicios. Jonás amaba más su idea de un Dios implacable que al propio Dios que lo había salvado de morir en el vientre de la ballena. Jonás veía a Dios como excesivamente condescendiente. Él pensaba: si la ley condena a muerte al transgresor de mano alzada, entonces, apliquemos la ley, duela a quien le duela. ¿Para qué tener una ley que no se cumple? Lo que es justo es justo, y la injusticia hay que castigarla. Jonás es un ministro de la condenación, un guardián de la ley.

¿Cómo es nuestra religión? ¿Queremos a un Dios que truene y lance rayos como en el Sinaí? ¿Queremos que caigan las plagas y los truenos del Apocalipsis, y se termine este mundo, para irnos al cielo lo antes posible? ¿No nos preguntamos acaso de qué vale tanta benevolencia, que lo único que produce es más mal? ¿Para qué más segundas oportunidades?

Lo bueno es que Dios es Dios, ¡y es clemente y piadoso con nosotros!

Oración: Gracias, Señor, por tu misericordia infinita.

Oración inmadura – 2

Ahora pues, oh Jehová, te ruego que me quites la vida;
porque mejor me es la muerte que la vida. Jonás 4:3.

No se trata de ti.

Podemos imaginarnos al profeta Jonás sentado en la cima de un cerro frente a la ciudad, mirando con desprecio las casas y los edificios intactos que se extendían por todo el valle. Seguramente recordaba los textos sagrados que hablaban del fuego destructor que abatiera las ciudades impías de Sodoma y Gomorra (ver Gén. 19:24). Y esperaba ese fuego. Pero a medida que transcurría el tiempo y demoraba la llegada del infierno, su frustración aumentaba. La única respuesta que recibía era la sonrisa de un firmamento celeste y luminoso que hablaba de un Creador amoroso.

Entonces, el Señor, viendo la frustración y la indignidad de Jonás, decide dialogar con él. Comienza haciéndole preguntas reflexivas (Jon. 4:4, 9, 11), y usa el recurso pedagógico de una calabacera que crece en pocas horas y se seca al día siguiente (vers. 6-10). Pero nada logra aplacar la ira del profeta.

"¿Haces tú bien en enojarte tanto?", es la pregunta de Dios (vers. 4). El eco del tiempo instala esa misma pregunta en nuestro corazón. ¿Por qué nos enojamos cuando las cosas no salen como queremos? Dice el refrán: "Quien quiere acertar aguarda". El enojo no le permitía a Jonás aguardar el tiempo suficiente para saber cuál era la verdad en todo aquello que estaba pasando.

Todos los intentos de Dios por aplacar la ira del profeta y hacerlo razonar fracasaron. El diálogo queda inconcluso, y se desconoce la última respuesta del profeta. El texto nos deja con un Jonás que permanece hostil, rebelde, y con un arrogante y obstinado fastidio. Nos enseña algo que debió aprender el profeta: la salvación no se trata de Jonás, ni de ti ni de mí, sino de la gracia divina.

Nosotros podemos cambiar por impulsividad e inestabilidad, pero Dios cambia movido por un espíritu de misericordia y perdón. Hay un cambio de conducta que es propia de las personas inestables, como la de Jonás, y hay un cambio de pensamiento y de acción que resulta del principio del amor.

Si conociéramos el fin desde el principio, no elegiríamos otro camino que el que Dios nos hizo y hace transitar.

Oración: Gracias, Señor, porque cambias por amor.

Oración e hipocresía

Cuando ores, no seas como los hipócritas... Mas tú, cuando ores, entra en tu aposento, y cerrada la puerta, ora a tu Padre que está en secreto; y tu Padre que ve en lo secreto te recompensará en público. Mateo 6:5, 6.

En el capítulo 5 de Mateo, el Rey habla de justicia: dice que sus súbditos deben superar la justicia de los escribas y los fariseos. El capítulo 6 de Mateo enseña que las obras de amor al prójimo no se dicen sino que se hacen, porque al hacerlas, se dicen solas. El mundo nos valorará por lo que hacemos, no por lo que decimos pensar o sentir. Nuestras obras de fe y amor hablan más efectivamente que las doctrinas que decimos profesar. En este contexto ético, el tema de la oración adquiere sentido.

En los primeros versículos de este capítulo, hay un principio importante para ti y para mí, expresado por el Maestro con punzante ironía: cuando los fariseos querían entregar algo a los pobres, lo anunciaban con trompetas. Aunque su propósito aparente era reunir a los necesitados, su intención más profunda era mostrar públicamente sus "buenas obras". Jesús dice que, por esa acción, ya tenían su recompensa. Y ¿cuál era? Una buena reputación entre los hombres. Sus obras de bien no tenían ninguna relación con Dios y con sus corazones. No eran un asunto privado entre ellos y Dios. Sus obras simplemente alimentaban su egoísmo.

Dar algo a otros es un tema entre tú y Dios; y en el mismo momento en que lo haces para hinchar tu yo no se te reconoce ningún mérito en los cielos. Aquí se nos dice que el acto ha de ser tan secreto que la persona, prácticamente, olvide lo que ha dado. De esta forma, muestra su justicia ante Dios y no ante los hombres, por lo que el Señor la recompensará en público.

Las mejores obras son las obras de amor anónimas. Libera su eco en la eternidad. ¡Bendita gracia divina, que nos inspira a orar y a obrar con fe y amor en favor de los demás! Muchos santos desconocidos serán públicamente reconocidos en el futuro tribunal de Cristo como personas que oraron e hicieron las obras de Dios.

Tu amor inspirará tu oración, y tu oración te inspirará a amar.

Oración: Señor, que mi oración sea mi obra; y mi obra de amor, una oración intercesora.

Oración de un hijo – 1

Padre nuestro que estás en los cielos. Mateo 6:9.

La "oración modelo" que Jesús enseñó a sus discípulos, y que miles de millones de creyentes han elevado a lo largo de los siglos, tiene la forma de los Diez Mandamientos, ya que expresa la esencia del carácter de Dios: el amor. El pensamiento de Jesús estaba estructurado sobre la ley del amor. Así como el Decálogo se divide en dos partes, también el Padrenuestro expresa la verticalidad y la horizontalidad del alma humana: Dios y el prójimo. Primero Dios: ¡su nombre, su reino, su voluntad! Estas tres peticiones se escucharán en la cruz del Calvario, orientadas al cumplimiento final del plan de salvación (ver 1 Cor. 15:28). Luego viene el ser humano: tú y yo. Las últimas cuatro peticiones ofrecen nuestras miserias a su gracia infinita. Son la ofrenda de nuestra esperanza, que atrae la mirada del Padre de las misericordias.

La oración comienza con una afirmación contundente: hay un Padre en los cielos.

¿Necesitas un padre? La figura del padre es vital en la historia de cada ser humano. Padre no es meramente el ser que nos da la vida, sino aquel que nos protege y nos da seguridad. Ser padre no es meramente un acto biológico, sino fundamentalmente afectivo. Muchos hombres tienen *hijos*, pero no son *padres*.

Todos necesitamos una mirada paternal. Esto es válido tanto psicológica como espiritualmente. Independientemente de que hayamos tenido un buen padre, hay en ti y en mí una necesidad profunda de esperanza eterna. El Padrenuestro apunta a esta necesidad que yace en nuestro corazón. Es la oración del hijo que busca el amparo y el amor divinos.

Nuestro Padre celestial "tiene en el cielo su trono; [pero] sus ojos ven, sus párpados examinan a los hijos de los hombres" (Sal. 11:4). Cuando clamas a él, no te diriges a "algo", no te sumerges en la "energía cósmica", ni te fundes en la "totalidad misteriosa del universo", como postula la filosofía oriental. Te diriges a Alguien, a una persona, ¡al Padre celestial y personal!

¡Bendita oración, que nos comunica directamente con Dios! La oración diaria, secreta y profunda te pone en contacto con el Infinito. El secreto del conocimiento de Dios es orar en secreto.

Él está atento a los deseos y las necesidades de tu corazón. Quiere ser tu origen y destino.

Oración: *Gracias, Señor, por ser mi Padre celestial.*

Oración de un hijo – 2

Padre nuestro que estás en los cielos. Mateo 6:9.

El Padrenuestro comienza con una aparente contradicción: el Padre, cercano y nuestro, está lejos, en los "cielos de los cielos" (Sal. 68:33). ¿Cómo se entiende esto?

Solo podemos entender la cercanía de Dios con respecto al hombre mediante la encarnación de Cristo, que significa la mutua presencia en él de lo divino y lo humano, la compenetración de lo eterno en la historia de la humanidad. Cristo es tu posibilidad real de aferrarte a la mano misericordiosa de Dios mediante la oración. Él te abrió a una nueva forma de entender tu realidad.

El Padrenuestro, que no es una doctrina sino una oración sublime, expresa en forma práctica la correcta relación entre Dios y el hombre, el cielo y la Tierra, lo espiritual y lo ético.

¿Cómo se expresa esta relación en esta oración? Debes entender tu cristianismo como la prolongación del proceso de encarnación de Dios en la humanidad. Las tres primeras peticiones del Padrenuestro, que corresponden a la primera parte de la Ley de Dios, y las últimas cuatro peticiones, que corresponden a la segunda parte de la Ley, constituyen la misma y única oración que nos enseñó Jesús. Dios no se interesa solo en lo que es suyo: el nombre, el reino, la voluntad divina; sino también por lo que es del hombre: el pan, el perdón, la tentación, el mal. Igualmente, el hombre no solo se apega a lo que le importa: el pan, el perdón, la tentación, el mal; sino que se abre primeramente a lo que es del Padre: la santificación de su nombre, la llegada de su reino, la realización de su voluntad.

El Padrenuestro te dice que, más allá de la fatiga de tu vida, hay un Dios infinito a quien no lo tocan el tiempo, ni la enfermedad, ni la decrepitud ni la muerte. Es tu castillo fuerte y tu refugio en todo tiempo (Sal. 18:2). Es el que da sentido y dirección a tus pasos en este mundo (ver Sal. 32:8). Es el que te abre al prójimo, porque tu cristianismo es la prolongación del proceso de la encarnación de Jesús.

Cristo te da una nueva forma de entender tu realidad. Él es tu posibilidad real de aferrarte a la mano misericordiosa de Dios mediante la oración.

Oración: *Gracias, Señor, porque desciendes de los cielos cada día en Jesús.*

Oración de un santo

Santificado sea tu nombre. Mateo 6:9.

C omo en el primer mandamiento del Decálogo, la primera petición se refiere a santificar y honrar el nombre de Dios. Primero, Dios. Así, esta petición se convierte en un testimonio, en un reconocimiento de que Dios es el primero en todo: santo, separado, como único y principal Ser de mi vida.

La santificación comienza cuando se invoca su nombre, el mismo nombre que le fue revelado a Moisés (YHVH) y después a Jesús. Tan fuerte es este testimonio que resulta un imperativo para el alma: "Bendiga todo mi ser su santo nombre" (Sal. 103:1). Bendecir el nombre de Dios es entrar en su plan de salvación para la humanidad. No podemos expresar "santificado sea tu nombre" si la santidad de Dios no se revela antes en nuestro corazón (ver Mat. 16:17).

El Antiguo Testamento usa diferentes nombres para referirse a Dios: *Elohim*, fuente de poder (Gén. 1:1); *Elyon*, el Dios altísimo (Gén. 14:18-20); *Adonai*, el gobernante todopoderoso (Isa. 6:1). Estos nombres enfatizan el carácter majestuoso y trascendente de Dios. Pero otros nombres revelan el deseo de Dios de relacionarse con nosotros: *Shaddai* es la fuente de bendición y bienestar (Éxo. 6:3). *Yahweh*, traducido como Jehová, o Señor, es la garantía de la fidelidad y la gracia divina en relación con el pacto inmutable hecho con sus hijos (Éxo. 3:14; 15:2, 3). Pero la revelación más íntima de sí mismo es la de "Padre" (Deut. 32:6), cuando llama a Israel "mi hijo, mi primogénito" (Éxo. 4:22).

En el Padrenuestro, es probable que Jesús haya usado el término arameo *Abba* (ver Mar. 14:36), una forma cercana e íntima para referirse al Padre. Significa "papá", o "papito". La palabra "Padre" puede hasta inspirar cierto miedo. Pero *Abba* es un ser personal y cercano, protector y próximo. Las alas de nuestro Padre celestial no solo son fuertes para protegernos, sino suaves y cálidas para abrigarnos en la intimidad de la oración.

Dios es tu "papá". ¡Santificado seas, Señor! Que este primer pensamiento, elevado a Dios cada vez que te despiertes, sea un testimonio para ti mismo, una expresión de tu deseo de entrar en relación con él, y la resolución de que todo lo que harás durante el día se supeditará a su voluntad.

¡Santificado seas cada sábado, Jesús, porque eres nuestro Creador y Redentor (Éxo. 20:8-11)!

Oración: Señor, alabo tu nombre. Santifícame cada día y cada sábado.

Oración de un súbdito

Venga tu reino. Mateo 6:10.

El tema central del mensaje y la vida de Cristo es el reino de Dios. Ya desde el Antiguo Testamento se anuncia la venida del reino: lo encontramos en los libros de los profetas, en los Salmos, y en los libros históricos como los de Samuel, Reyes y Crónicas. De modo que el pueblo hebreo estaba bien familiarizado con la frase "reino de Jehová" (1 Crón. 28:5).

Como buen israelita, Jesús fue educado por sus padres en la idea del reino de Dios; y a medida que su fe y su relación con su Padre celestial acrecentaban, esta idea se aclaró y se profundizó en su mente y en su corazón; y él mismo se sintió enviado a anunciarla a todos los que quisieran escucharlo.

¿Hubo entonces alguna originalidad en el mensaje de Cristo? Sí: él fue el único profeta judío que afirmó con absoluto convencimiento que el reino de Dios, ya anunciado en las Escrituras, no era una mera promesa sino una realidad. Y aún más, que él mismo era el encargado de hacerlo presente y actuante entre los hombres. Recuerda lo que sucedió en la sinagoga de Nazaret: Jesús se levantó, leyó una porción del libro de Isaías, y luego dijo: "Hoy mismo se ha cumplido la Escritura que ustedes acaban de oír" (Luc. 4:14-21, DHH).

Estas palabras de Jesús causaron un gran impacto en la gente que lo escuchaba, pero unos pocos creyeron en él. Jesús sabía, y así lo enseñaba, que sus palabras y sus acciones no constituían todavía la manifestación plena y gloriosa del reino de Dios que se cumpliría en su segundo advenimiento, pero mostraba en ellas y por ellas que Dios ya estaba en el mundo, y que la tarea de quienes lo veían y oían era abrir su corazón para recibirlo y acogerlo, a fin de empezar a vivir de una manera nueva, en la esperanza de un futuro mejor.

Jesús no fue un teólogo dedicado a exponer teóricamente la doctrina de Dios. No nos pide que comprendamos bien la esencia de Dios. Él vino para que lleguemos a formar parte de su reino. Nos pide que le permitamos entrar en el corazón. Él responde presto a nuestro llamado cuando decimos: "Venga tu reino".

Oración: *Señor, venga tu reino hoy a mi corazón.*

Oración de un siervo

Hágase tu voluntad, como en el cielo, así también en la tierra. Mateo 6:10.

¿Confías en Dios?

No resulta fácil para los simples mortales saber qué quiere Dios de nosotros, o qué podemos esperar de Dios en tal o cual circunstancia. Cuál es la voluntad de Dios parece ser una pregunta natural del pensamiento. Pero no lo es, porque la razón jamás tendrá una respuesta. Puedes calcular a qué hora llegarás a tu casa si vienes manejando por la carretera y sabes cuántos kilómetros te faltan. Pero a veces no puedes saber con tanta precisión si es o no la voluntad de Dios que dejes un trabajo, te mudes a otra ciudad, termines con una relación o te inscribas en una u otra universidad. Todas las decisiones tienen consecuencias; por eso queremos estar seguros de que lo que hacemos es la voluntad de Dios. Pero no siempre tenemos la respuesta lógica y la prueba indubitable que nos deje tranquilos. Hay respuestas a ciertas preguntas que requieren tiempo y sabiduría. Y hay respuestas que no tendremos en este mundo.

A su vez, podemos confundir la voluntad de Dios con nuestros deseos (ver Isa. 55:8, 9), o confundirnos a causa de nuestras limitaciones humanas; por ejemplo, un enfermo puede creer que su enfermedad es un castigo divino (ver Juan 9:2).

Pero, la petición se completa con estas palabras: "Como en el cielo, así también en la tierra". Cuando te elevas al cielo, más allá de tus preocupaciones temporales, hacia tu destino eterno, la voluntad de Dios para tu vida brilla como el sol del mediodía: Dios quiere tu salvación (ver 1 Tim. 2:4). Esa es su voluntad para ti desde los cielos.

Más allá de tus limitaciones humanas para saber cuál es la voluntad de Dios en un determinado momento de tu vida, puedes estar seguro de su voluntad acerca de tu destino eterno. Si le entregas tu vida, te guiará cada día para que su voluntad eterna se cumpla en ti.

Esta petición del Padrenuestro es la más sublime de nuestras oraciones y la prueba de nuestra confianza en Dios (ver Mat. 26:39). No nos resulta fácil decirle a Dios "hágase tu voluntad", porque queremos ejercer nuestra libertad. Tenemos miedo de sufrir si le entregamos la vida, pero esa entrega nos da plena libertad, poder sobre el mal, y esperanza.

Oración: *Gracias, Señor, porque deseas mi bien.*

Oración del necesitado

El pan nuestro de cada día, dánoslo hoy. Mateo 6:11.

¿Tienes hambre?

El versículo 11 de Mateo 6 es la más humana de las siete peticiones del Padrenuestro, porque en una primera interpretación remite a la necesidad más básica del ser humano: el sustento del cuerpo.

Vivimos del pan. El pan es el fruto de la tierra y del trabajo del hombre. Pero la tierra no daría su fruto si no recibiera desde arriba el sol y la lluvia. El pan es el resultado de la asociación del hombre y la naturaleza, y ambos dependen de Dios. Decir "danos hoy el pan nuestro" es el principio de la humildad y la confianza en Dios (ver Luc. 11:9-13). Con esta petición, decimos: *Señor, solos no podemos. Dependemos de la naturaleza, y esta depende de ti.*

El adjetivo posesivo *nuestro* tiene un significado profundo, y se repite por única vez luego de la invocación del Padrenuestro. A la vez que toda la humanidad está parada en el mismo suelo de la necesidad, hay un mismo y único Proveedor: el Padre. Cuando pedimos nuestro pan, estamos también pidiendo el pan de los otros. "Porque ninguno de nosotros vive para sí, y ninguno muere para sí" (Rom. 14:7). No estamos solos en el universo. Nuestro pan es también el pan del mundo. Al pedir nuestro pan, el Señor nos dice: "Dadles vosotros de comer" (Mat. 14:15-20). Compartir el pan es la respuesta divina a la petición "danos el pan".

La petición de Mateo 6:11 se completa con las palabras "de cada día", que tienen una significación presente y futura. La petición del pan para cada día nos recuerda el éxodo de Israel, los cuarenta años en el desierto, cuando Dios les daba alimento, maná del cielo, cada día. El Señor fue fiel y jamás falló.

Precisamente, el maná del Éxodo retorna y alcanza su plenitud en la Última Cena, cuando Cristo parte el pan como símbolo de su cuerpo, que sería quebrantado. En Cristo, el pan alcanza su significado esencial.

¡Jesús es tu Pan! Con él culmina todo el movimiento que va del cuerpo al espíritu, de la Tierra al cielo. Porque Cristo, el Pan de vida, es el que alimentó a su pueblo en el pasado, ¡y te alimentará hoy y por la eternidad (ver Juan 6:51)!

Oración: Señor, eres mi Pan.

Oración del pecador

Perdónanos nuestras deudas, como también nosotros perdonamos
a nuestros deudores. Mateo 6:12.

¿Guardas rencor en algún rincón de tu corazón? Según el *Diccionario de la Real Academia Española*, rencor significa "resentimiento arraigado y tenaz". El resentimiento "se define como el amargo y enraizado recuerdo de una injuria particular, de la cual desea uno satisfacerse".* El rencor es un recuerdo envenenado. Proviene del latín, *rancor*, de donde se derivan dos palabras muy significativas: rancio y rengo. Esta etimología describe dos características distintivas del resentimiento: la condición de algo viejo que se ha descompuesto, que está "en mal estado", rancio; y el estancamiento o inmovilidad que impide que el resentido avance, rengo.

La cuestión más importante es: ¿Cómo sanar de este poderoso veneno del alma? La respuesta es una palabra liberadora que va en dirección contraria a la esclavitud del rencor: el perdón. El perdón ennoblece a la víctima, aunque puede dejar inalterable al perdonado. El perdón nos libera interiormente del reproche, de los deseos de venganza, y así nos sana. El perdón ilumina el lado oscuro del corazón y nos libera de las ataduras dolorosas del pasado. Puede o no conducirnos a la reconciliación con el otro, pero finalmente siempre habrá reconciliación con nosotros mismos.

Las emociones no se derogan por decreto. Las cicatrices quedan; pero las heridas dejan de sangrar y se curan con el perdón. El perdón es fundamentalmente una acción de la voluntad, pero la voluntad debe ser iluminada y fortalecida.

¿De dónde sacar fuerzas para perdonar? Necesitamos la ayuda de Dios para producir el milagro de ablandar el corazón endurecido por el rencor. Cuando recibimos el perdón de Dios a nuestras vilezas, aprendemos más fácilmente a perdonar a los demás (ver Efe. 4:32).

Dios es amor. Su perdón está a tu disposición cada día de la vida. Cuando lo recibes de Dios, lo concedes al prójimo. Si tienes hoy una carga que no puedes llevar, si hay en tu corazón un rencor que te seca, dile a Dios: "Suéltanos nuestras deudas, como también nosotros soltamos a nuestros deudores" (Mat. 6:12, JBS). ¡Suelta tu pasado!

¡Bendito Espíritu perdonador que conviertes el rencor en comprensión y esperanza!

Oración: *Gracias, Señor, por el don del perdón.*

---

* Moty Benyakar, *Lo disruptivo, amenazas individuales y colectivas: el psiquismo ante guerras, terrorismos y catástrofes sociales*, 2ª edición (Buenos Aires: Editorial Biblos, 2006), p. 63.

Oración del peregrino

No nos metas en tentación. Mateo 6:13.

¿Cuál es tu tentación? En el peregrinaje de la vida, siempre aparece la tentación en cualquier recodo del camino. Antes de iniciar su prédica, Jesús permaneció cuarenta días ayunando en el desierto (Luc. 4:1-13). En esas circunstancias, apareció el diablo para ponerlo a prueba. Tres fueron las tentaciones que condensaron la sabiduría del espíritu del mal para atacar y destruir a Jesús.

Las tres tentaciones que padeció Jesús apuntan a tres cuestiones específicas de tu condición humana: el apetito, vivir de acuerdo a los sentidos; la presunción, vivir la religión a nuestro antojo; y el amor al poder, creernos dioses. Todas se reducen a una: soltarse de la mano de Dios.

Hoy, a veinte siglos de aquel día en el desierto, el espíritu del mal continúa su operación tentadora, atacando las zonas más vulnerables de nuestra naturaleza. Todavía aquellas inquietantes tentaciones siguen denunciando nuestras debilidades.

¿Has sido creado de modo que seas capaz de vivir más allá de los sentidos, no conformarte con el pan terrenal y buscar el Pan del cielo? ¿Has sido creado de modo que seas capaz de no buscar la conveniencia en la religión sino adorar a Dios con corazón sincero? ¿Has sido creado de modo tal que seas capaz de no buscar el poder y ser fiel a la libre resolución de un corazón humilde?

Sí, fuiste creado para todo esto. Pero el pecado destruyó la obra de Dios en ti. Sin embargo, donde Cristo venció, tú puedes vencer. Dirige tu vista al desierto.

Si en el sendero de tu peregrinar eres derrotado por la tentación, pronto la tentación dejará de ser tentación, y te amoldarás al mal. Pero, si vences en el nombre de Dios, saldrás fortalecido, purificado como el oro cuando pasa por el fuego (ver 1 Ped. 1:6, 7), listo para una nueva victoria.

"Las tentaciones a que estamos diariamente expuestos hacen de la oración una necesidad. A fin de ser mantenidos por el poder de Dios mediante la fe, los deseos de la mente debieran ascender continuamente en oración silenciosa" —*LO* 84.

No solo *cometemos* pecados, ¡*tenemos* pecado (1 Juan 1:8)! ¡Bendita gracia divina, que nos permite ver nuestra debilidad, para aferrarnos a Jesús! ¡Bendita oración, por la cual Dios nos libra de la tentación!

Oración: *Señor, eres mi refugio en la tentación.*

Oración del hombre prudente

Líbranos del mal. Mateo 6:13.

¿Qué es el mal para ti?

Para Jesús, las debilidades y las miserias humanas no eran el mal. Precisamente por eso fue acusado de comer y andar con los pecadores (ver Mat. 9:10, 11). Los mejores amigos de Jesús eran Marta, Lázaro y María; esta última, "una mujer de la noche", que vio en Jesús a su Salvador personal. El capítulo 4 del Evangelio de Juan registra un diálogo con otra "mujer impura", conocida como la samaritana. Juan 8 relata el encuentro de Jesús con la mujer sorprendida en adulterio. Cuando los mismos religiosos que tentaban a la mujer la llevaron ante el Maestro, para entramparlo a él y apedrear a la mujer, Jesús comenzó a escribir en la tierra. El relato bíblico dice que "acusados por su conciencia, salían uno a uno" (vers. 9). Quedando solos, Jesús le preguntó a la mujer: "¿Dónde están los que te acusaban? ¿Ninguno te condenó? Ella dijo: Ninguno, Señor. Entonces Jesús le dijo: Ni yo te condeno; vete, y no peques más" (vers. 10, 11). Este es uno de los textos más iluminadores del Nuevo Testamento acerca de la comprensión infinita del Maestro hacia la condición humana. Jesús veía en la miseria humana las consecuencias del mal en este mundo, no el mal en sí mismo.

A los creyentes nos gusta materializar y clasificar el mal. Pareciera que, al concretarlo en personas, hechos, conceptos y costumbres, lo ponemos fuera de nosotros. Apagamos la mirada que se dirige hacia nuestro interior y la dirigimos hacia el exterior. Nos sentimos más cómodos para controlar y perseguir a los que no hacen las cosas como nosotros las hacemos. Malinterpretada, la religión puede ser un tremendo instrumento de control y persecución.

El mal no es un hecho ni una persona humana, ni se agota en palabras ni se conjura con ritos. El mal es un poder superior al hombre. "Porque no tenemos lucha contra sangre y carne, sino contra... huestes espirituales de maldad en las regiones celestes" (Efe. 6:12).

Este es el marco cósmico de tus conflictos en el diario vivir. ¡Pero Cristo puede darte la victoria (Fil. 4:13)!

Oración: Gracias, Señor, porque deshaces en mí "las obras del diablo" (1 Juan 3:8).

Oración de esperanza

Porque tuyo es el reino, y el poder, y la gloria, por todos los siglos. Amén.
Mateo 6:13.

Cuando piensas en Jesús, no olvides su promesa del Segundo Advenimiento. Con este canto de esperanza culmina el Padrenuestro.

Todos los creyentes esperamos el advenimiento de Cristo porque sabemos que de él es "el reino, y el poder, y la gloria" (Mat. 6:13). Así lo dice la Biblia: "Los reinos del mundo han venido a ser de nuestro Señor y de su Cristo; y él reinará por los siglos de los siglos" (Apoc. 11:15).

El Segundo Advenimiento está íntimamente ligado con la primera venida de Cristo. Si Cristo no hubiera venido la primera vez y no hubiese logrado una victoria decisiva sobre el pecado (ver Col. 2:15), entonces no tendríamos razón para creer que volverá a fin de terminar su obra redentora. Pero, por cuanto tenemos la evidencia de que "se presentó una vez para siempre por el sacrificio de sí mismo para quitar de en medio el pecado", tenemos razón para creer que "aparecerá por segunda vez, sin relación con el pecado, para salvar a los que le esperan" (Heb. 9:26, 28).

La Cruz le da sentido a la esperanza del segundo advenimiento de Cristo. Cuando el Señor pendía del madero, la promesa que le hizo al ladrón que estaba a su lado consuela a toda la humanidad (ver Luc. 23:42, 43). Para quienes creen, la cruz de Cristo se destaca del fondo de la historia de un modo muy nítido, no porque el tiempo haga algo por la Cruz, sino porque la Cruz hace algo por el tiempo y la vida del hombre. Aceptar la verdad profética de la segunda venida de Cristo desde la cruz del Calvario le da sentido y certeza a nuestra vida.

El apóstol Pablo comenta, con respecto de esta esperanza: "Hermanos míos, queremos que sepan lo que en verdad pasa con los que mueren... Nosotros creemos que Jesucristo murió y resucitó, y que del mismo modo Dios resucitará a los que vivieron y murieron confiando en él" (1 Tes. 4:13, 14, TLA). Es decir, Cristo no solo vendrá por los vivos, sino también por los muertos.

¿No crees que abrazas una "bendita esperanza"?

Cuando pienses en Jesús, ¡no olvides la promesa de su segunda venida!

Oración: Ven pronto, Señor.

Oración del necesitado

Pedid, y se os dará; buscad, y hallaréis; llamad, y se os abrirá. Porque todo aquel que pide, recibe; y el que busca, halla; y al que llama, se le abrirá.
Mateo 7:7, 8.

¿Es Dios una máquina expendedora, a la que le pongo una "moneda de oración" para recibir lo que solicite?

Nuestra oración se enmarca en un texto lleno de consejos sabios para relacionarnos bien con nuestro prójimo. Los primeros versículos del capítulo 7 de Mateo dan el contexto en el que cobra sentido la oración (vers. 1-6).

El capítulo comienza diciendo que no debemos juzgar las intenciones del corazón ajeno porque, como dice Jesús, "con el juicio con que juzgáis, seréis juzgados" (vers. 2). ¿Significa esto que no debemos discernir el bien y el mal en una determinada acción, ni podemos juzgar en consecuencia?

Pocos versículos después, Jesús nos plantea un dilema: aunque Jesús aclaró que no debemos emitir juicios sobre otros, también dijo que conoceríamos a los demás "por sus frutos" (vers. 16). Esto significa que debemos discernir y juzgar hechos. Precisamente, son los hechos que nos ocurren en la relación con los demás los que complican nuestra vida, pues nuestras relaciones humanas están entretejidas con hilos débiles: disentimos, peleamos, y aun actuamos de mala fe.

El dilema se resuelve en los versículos 7 y 8: "pedid", "buscad", "llamad". Cuando no te entiendes con tu prójimo, pedid, buscad y llamad en oración a Dios, *para que te dé sabiduría*. Dios te responderá (vers. 11). Este es el sentido de nuestro texto: Dios te dará poder para aplicar la Regla de Oro: "Así que, todas las cosas que queráis que los hombres hagan con vosotros, así también haced vosotros con ellos" (vers. 12). La expresión inicial, "Así que", relaciona la "Regla de Oro" con lo que pedimos en nuestras oraciones. No podemos orar sin tener presente la "regla del amor".

¡Dios no es una máquina expendedora, ni la oración es una moneda para adquirir dulces! Esto no significa que no debemos pedir cosas específicas a Dios; significa que la oración es más que pedir y esperar cosas de Dios. La oración es la respuesta al llamado diario de Jesús al corazón para entrar en él, darnos paz y restablecer las relaciones afectivas rotas por las ofensas.

Oración: Señor, te pido sabiduría para tratar con quien me ha herido.

Oración por salud

Cuando descendió Jesús del monte, le seguía mucha gente. Y he aquí vino un leproso y se postró ante él, diciendo: Señor, si quieres, puedes limpiarme.
Mateo 8:1, 2.

Los ruegos a Jesús que se registran en este capítulo son oraciones por salud y salvación que siempre ha elevado la humanidad. La necesidad humana no cambia con el paso del tiempo. Las oraciones, tampoco.

De las alturas del pensamiento y del espíritu, Jesús desciende a las profundidades de la miseria humana. Mientras que Mateo ubica la curación del leproso inmediatamente después del Sermón del Monte, Marcos y Lucas la ubican antes. ¿Por qué Mateo escribió el relato de este modo? El evangelista no estaba preocupado por el orden cronológico de los hechos ocurridos durante el ministerio de Jesús; más bien deseaba mostrarnos algo importante que ningún creyente debería perder de vista: el Rey fue a un monte, expuso su manifiesto, la ley del reino, y luego descendió del monte para aplicar en la realidad lo que expuso en el pensamiento. En Jesús convergieron en perfecta armonía el pensamiento y la realidad, los principios de vida y las acciones. Si queremos adecuar lo que decimos a lo que somos, debemos ir a Jesús. Él dijo: "Separados de mí nada podéis hacer" (Juan 15:5).

En la Biblia, la lepra simboliza el pecado: enfermedad, en aquel entonces, fatal e incurable. Cuando el leproso se acercó a Jesús, no le preguntó "¿Me limpiarás?", o "¿Puedes limpiarme?" Aquel hombre tenía fe y reconocía la autoridad de Cristo. Por eso, simplemente dijo: "Si quieres, puedes limpiarme" (Mat. 8:2). Así debemos orar siempre: "Hágase tu voluntad" (Mat. 6:10).

No siempre coincide lo que le pides a Dios con su voluntad, pero es sumamente importante que des prioridad a la voluntad divina. Dios conoce lo mejor para ti, y todo se hará de acuerdo con su soberana voluntad. No es fácil confiar en Dios. Tú y yo oramos así: "Señor yo quiero tal cosa; ¿me la darás?" Pero el leproso dijo: "Señor, yo sé que tú puedes: ¿querrás hacerlo?"

Y extendiendo Jesús la mano, lo tocó, diciendo: "Quiero; sé limpio". Y al instante quedó limpio de su lepra (ver Mat. 8:3).

Si yo hubiese tocado al leproso, me habría contagiado; pero Jesús no se contamina cuando entra en contacto con el pecado. ¡El toque de Jesús siempre sana!

Oración: *Señor, toca mi corazón cada día.*

257

Oración de fe

Entrando Jesús en Capernaum, vino a él un centurión, rogándole,
y diciendo: Señor, mi criado está postrado en casa, paralítico,
gravemente atormentado... Solamente di la palabra, y mi criado sanará.
Mateo 8:5-9.

Seguramente, aquel militar había oído de la curación del leproso. Un centurión romano, con alto cargo de autoridad, comandaba seis compañías de la legión imperial con cien hombres cada una, a quienes les impartía órdenes que obedecían sin pestañear. Pero ahora reconoció que estaba ante un poder superior: solo Jesús podía sanar a su siervo gravemente enfermo. "Al oírlo Jesús, se maravilló, y dijo a los que le seguían: De cierto os digo, que ni aun en Israel he hallado tanta fe" (Mat. 8:10).

Según el relato bíblico, Jesús se maravilló en dos ocasiones. Una de ellas fue a causa de la incredulidad de Israel y la otra fue esta, ante la fe del centurión: "Y os digo que vendrán muchos del oriente y del occidente, y se sentarán con Abraham e Isaac y Jacob en el reino de los cielos... Entonces Jesús dijo al centurión: Ve, y como creíste, te sea hecho. Y su criado fue sanado en aquella misma hora" (vers. 11, 13).

El versículo 11 es impactante: así como ningún judío podía alegar que pertenecía al Reino por derecho de nacimiento en Israel, nadie puede alegar ahora que pertenece al Reino de Dios por ser miembro de iglesia, o pertenecer a una familia adventista de cuarta generación. Cada persona tiene que depositar su fe personal en Cristo, así como lo hizo el centurión romano.

Aunque aquel enfermo no estaba presente ante el Divino Sanador, la fe del centurión en el Señor hizo que aquel siervo sanara. Ayer vimos la curación del leproso por el toque de Jesús; hoy vemos un milagro realizado a distancia por el ruego intercesor de un hombre de fe.

Orar por otros ejercita nuestra fe y la enriquece.

"Cuando muera el yo, se despertará un deseo intenso por la salvación de otros... y súplicas fervientes, oraciones importunas, entrarán en el cielo a favor de las almas que perecen" —*LO* 246, 247.

Dile al Señor: "Busca siempre a todos los que te siguen y a los que no te siguen. A los que viven para ti y a los que viven para sí. A los que mueren para sí y a los que mueren por ti. Porque tú amas a todos" (ver Juan 3:16).

Oración: *Señor, dame la fe del centurión.*

Oración en momentos peligrosos

Y vinieron sus discípulos y le despertaron, diciendo:
¡Señor, sálvanos, que perecemos! Mateo 8:25.

¿Te sofoca a menudo la ansiedad? Esta es una de las escenas más humanas que nos ofrece Mateo. El Señor descansaba sobre un mar furioso, cuyas olas sacudían y amenazaban la embarcación. Luego de largas jornadas de predicación y milagros de sanidad, estaba agotado. Pero no solo dormía porque estaba cansado, dormía porque descansaba en su Padre.

Cuando arreció la tormenta, los discípulos se pusieron muy nerviosos: "Y lo despertaron, diciendo: ¡Señor, sálvanos, que perecemos!" Jesús los amonestó por su falta de fe, reprendió a los vientos y al mar, y calmó la tempestad (vers. 25, 26).

¿Pensamos que los discípulos tenían poca fe? Nosotros temblamos por mucho menos que eso. La verdad es que todavía el poder de la fe no había leudado en los corazones de los discípulos, aunque habían escuchado a Jesús y habían sido testigos de sus milagros. Pero estos mismos hombres, cuando finalmente recibieron el poder del Espíritu Santo, no le tuvieron miedo a nada. La siguiente oración de ellos que registra la Biblia en circunstancias de peligro dice así: "Y ahora, Señor, mira sus amenazas, y concede a tus siervos que con todo denuedo hablen tu palabra" (Hech. 4:29).

¡Cuántas veces nos cubren "las olas de la vida", y batallamos solos, como los discípulos, para acordarnos de Dios al borde del abismo! ¡Nunca es tarde para ir a Dios! ¡Jamás clamaremos en vano!

Puede que tu pecado haya destruido tu paz (ver Isa. 57:20-21); tus pasiones pueden dominar tu pensamiento; puedes sentirte tan impotente como los discípulos para calmar tu rugiente tempestad interior. Pero, el que calmó las olas del mar de Galilea puede calmar tu corazón. Su gracia, que reconcilia tu alma con Dios en toda circunstancia, calma las contiendas de tus pasiones humanas; y en su amor tu corazón descansa (ver *DTG* 303).

"Te tambaleabas como borracho; ¡de nada te servía tu pericia! Pero en tu angustia clamaste al Señor, y te sacó de la aflicción; convirtió en brisa la tempestad, y las olas se calmaron. Al ver tranquilas las olas, te alegraste, y Dios te llevó hasta el puerto deseado" (ver Sal. 107:27-30, DHH).

Cuando creas que nadie te puede ayudar, ¡Jesús puede! Cuando tambalees y te caigas, ¡Jesús te puede ayudar a llevar tu cruz!

Oración: Señor, eres mi Salvador.

Oración de un demonio

Los demonios le rogaron diciendo: Si nos echas fuera,
permítenos ir a aquel hato de cerdos. Mateo 8:31.

Por la mañana, temprano, luego de la noche tormentosa, Jesús y sus discípulos llegaron a la tierra de los gadarenos, en la ribera opuesta a Galilea. El amanecer envolvía el mar y la tierra con un manto de luz apacible. Pero sus pies no habían pisado tierra cuando se sorprendieron con una escena más terrible que la furia de la tempestad: dos endemoniados salían de las tumbas en dirección de Jesús, ¡para despedazarlo! Colgaban de sus cuerpos las cadenas que habían roto para escapar de sus prisiones y herir su carne contra las piedras filosas. El último vestigio de humanidad parecía borrarse por la acción de los demonios. Eran fieras, no hombres. Los discípulos huyeron aterrorizados; pero cuando vieron que Jesús no estaba con ellos volvieron para ver la escena que relata Mateo: el mismo Maestro que horas antes había calmado la tempestad ahora estaba levantando las manos para bendecir a los poseídos y reprender a los demonios.

El relato es estremecedor: las palabras de Jesús penetraron en las mentes oscuras de los desafortunados. Vagamente se dieron cuenta de que estaban cerca de alguien que podía salvarlos de los demonios. Entonces cayeron a sus pies para adorarlo; pero, cuando sus labios se abrieron para pedir misericordia, los demonios emitieron un sonido grave y cavernario que Mateo tradujo con las palabras de nuestra oración (ver *DTG* 304, 305).

Los endemoniados que vivían en el cementerio, entre los muertos, son un símbolo del que vive sin Cristo. Porque "el que no tiene al Hijo de Dios no tiene la vida" (1 Juan 5:12). Estaban atados con cadenas, pero ni las cadenas podían controlarlos de su intención de herirse con las piedras. El mal nos esclaviza y nos destruye; solo Jesús nos libera y aquieta las aguas internas.

La aproximación de los endemoniados a Jesús expresa la contradicción del alma humana. Todos tenemos dentro un demonio que nos traiciona cuando queremos acercarnos a Dios. Con la boca le decimos a Jesús "vete", pero con el corazón rogamos "¡quédate!" Cada día clamamos en lo profundo de nuestro ser por su presencia. Porque Jesús es "el Deseado de todas las naciones" (Hag. 2:7). Él tiene poder sobre los demonios de nuestras pasiones, rencores, claudicaciones y desesperación.

Oración: Señor, quédate conmigo.

Oración triste

Y toda la ciudad salió al encuentro de Jesús; y cuando le vieron,
le rogaron que se fuera de sus contornos. Mateo 8:34.

Recuerdo su rostro vivaz, inteligente, con ojos sinceros y mirada plena de horizonte. La visité en su departamento de la calle Tucumán, en Buenos Aires, una tarde de viernes. "Pastor, si viene a convertirme, pierde el tiempo". Me lo dijo con mirada cómplice, como queriendo acertar mis verdaderas intenciones. Yo no había ido a visitarla para convertirla, sino para cumplir el deseo de un padre creyente preocupado por su hija. Él me había dicho: "Mi hija está dejando la fe. Ella estudia Letras, y como usted estudió Filosofía quizá pueda orientarla". La Filosofía no orienta, ¡más bien desorienta! Pero ella no estaba desorientada, sino muy convencida de lo que pensaba: "Pastor, hace ya un tiempo le dije a Jesús: 'Apártate de mí. Eres una carga'. Desde entonces, soy libre".

¡Jesús puede llegar a ser, efectivamente, una carga insoportable!

Pasaron los años, y cuando viajé a Buenos Aires el año pasado, ella supo que yo estaría en la ciudad durante unos días y me llamó porque quería hablar conmigo. Los años habían pasado efectivamente para ella, y también para mí. Hay un consuelo fatuo ante el paso del tiempo: pasa para todos. Me dijo que no podía quejarse de su vida, aunque había padecido un divorcio. Ahora, con un hijo de seis años, veía la vida distinta, y se había despertado en ella una necesidad que le parecía extraña: quería volver a la fe. "¿No se habrá ido Jesús definitivamente?", me preguntó con cierta inquietud. Le sugerí que ella misma se lo preguntara. Pero le afirmé que Jesús jamás se va, que es muy tenaz, y no nos hace caso cuando le pedimos que se vaya.

Hace unos días recibí una llamada telefónica de ella. ¡Me dijo que tenía fecha de bautismo!

Jesús no les hizo caso a los habitantes de Gadara que lo expulsaron de su tierra. Dejó allí a un representante, el mismo que quería irse con Jesús, para que testificara de cuán grandes cosas hace Dios en los hombres (Mar. 5:19).

Puede que hayamos ido siempre a la iglesia, pero que Jesús haya sido una carga. Jesús no quiere *ser* una carga, quiere *llevar* nuestra carga. Él jamás se va. El que se va siempre soy yo.

Oración: Gracias, Jesús, porque jamás me abandonas.

Oración de convicción

Vino un hombre principal y se postró ante él, diciendo: Mi hija acaba de morir; mas ven y pon tu mano sobre ella, y vivirá. Mateo 9:18.

El capítulo 8 del Evangelio de Lucas nos da un marco más amplio de las circunstancias en que se inscribe nuestra oración. Jairo, un rabino principal de la sinagoga, le pidió a Jesús que fuera a su casa para sanar a su hija que se estaba muriendo. Al oír el ruego, Jesús fue con él. La casa del rabino no quedaba muy lejos, pero Jesús y sus compañeros avanzaban lentamente porque la muchedumbre los apretujaba por todos lados. La dilación impacientaba a Jairo, pero Jesús, compadeciéndose de la gente, se detenía de vez en cuando para prodigar una palabra de aliento a un acongojado o aliviar a algún doliente. Jesús se toma su tiempo, porque controla las circunstancias. Él maneja el tiempo.

Mientras caminaba entre la multitud, una mujer que estaba enferma hacía doce años fue sanada al tocar el manto del Maestro. Nuestro texto es llamativo: la niña enferma tenía doce años, y la mujer enferma había sufrido de un flujo de sangre durante doce años. Así es la vida: doce años de luz y vida se estaban yendo de la vida de aquella niña, mientras que doce años de oscuridad se estaban yendo de la vida de la mujer. La vida es un claroscuro de contrastes entre la luz y las tinieblas. Pero Jesús siempre ilumina.

"Estaba hablando aún, cuando vino uno de casa del principal de la sinagoga a decirle: Tu hija ha muerto; no molestes más al Maestro. Oyéndolo Jesús, le respondió: No temas; cree solamente, y será salva" (Luc. 8:49, 50).

Jesús sanó a la mujer sin tocarla, por el poder de su fe, y resucitó en medio de los incrédulos a la niña diciéndole: "Muchacha, levántate" (vers. 54).

Nuestra vida es un claroscuro de hechos contradictorios, de momentos de felicidad y de agonía, de días nublados y días soleados, pero "Jesucristo es el mismo ayer, y hoy, y por los siglos" (Heb. 13:8). En él no hay "sombra de variación" (Sant. 1:17). ¡Siempre puedes acudir a él!

¡Oh, Jesús, voy a ti con todos mis temores, mis dudas, mi ansiedad, mi tristeza, mi locura, mi vergüenza! ¡Siempre me escuchas!

Oración: Señor, en ti confío.

Oración invisible – 1

Y he aquí una mujer enferma de flujo de sangre desde hacía doce años,
se le acercó por detrás y tocó el borde de su manto; porque decía dentro de sí:
Si tocare solamente su manto, seré salva. Mateo 9:20, 21.

¿Cómo tocamos a Jesús?

Como vimos ayer, los hechos en los que se inscribe la oración de Mateo 9:21 ocurrieron mientras Jesús se dirigía a la casa de Jairo para resucitar a la hija de este alto funcionario de la sinagoga. Una pobre mujer que durante doce años llevó la condena de una enfermedad incurable tuvo un destello de esperanza cuando supo que Jesús sanaba enfermos. ¡Y que pasaría cerca de donde ella estaba! Tenía la seguridad de que, si podía tan solo hablar con él, sería sanada. Con debilidad y sufrimiento, se arrastró hasta la casa de Leví Mateo para hacer guardia, y seguir al Maestro cuando pasara por allí. Había empezado a desesperar, cuando de pronto vislumbró la gran oportunidad de ¡estar en la presencia del gran Médico! A causa de su condición, no podía llegar hasta Jesús, pero con temor de perder su única oportunidad se arrastró entre la multitud y se dijo: "Si tocare solamente su manto, seré salva" (vers. 21). Tocó al Médico divino, y sanó inmediatamente.

El Salvador puede distinguir el toque de la fe del contacto casual de la muchedumbre desprevenida. Como una fe tan poderosa no debía pasar sin comentario, Jesús insistió en saber quién lo había tocado (Mar. 5:30). Entonces, no pudiendo ya esconderse, con lágrimas de agradecimiento la mujer relató la historia de sus sufrimientos y cómo había hallado alivio. Jesús le dijo amablemente: "Ten ánimo, hija; tu fe te ha salvado" (Mat. 9:22).

La curación no se produjo mediante el contacto exterior con la túnica de Jesús, sino por medio de la fe interior, que se aferró al poder divino. La virtud no estaba en la túnica, sino en Jesús. La muchedumbre maravillada que se agolpaba en derredor de Cristo no sentía la manifestación del poder vital. Hablar de Jesús sin convicción, orar sin hambre ni fe viviente, es estar en la multitud, tocarlo desprevenidamente (ver *DTG* 312).

Una relación a distancia con Jesús no puede sanar el alma. ¡Toquémoslo fuerte, aferrémonos a él personalmente en secreta y profunda oración diaria!

Oración: Señor, quiero tocarte con la mano de la fe.

Oración invisible – 2

Y he aquí una mujer enferma de flujo de sangre desde hacía doce años,
se le acercó por detrás y tocó el borde de su manto; porque decía dentro de sí:
Si tocare solamente su manto, seré salva. Mateo 9:20, 21.

¿Quieres cambiar? ¿Qué puedes aprender de la mujer que fue sanada por tocar el manto de Jesús?

En primer lugar, vemos que intentó sola, durante doce años, resolver su problema, y empeoró la situación: "Había sufrido mucho a manos de muchos médicos, y había gastado todo lo que tenía, sin que le hubiera servido de nada" (Mar. 5:26, DHH). Cuando una persona está enferma, en su debilidad se vuelve muy crédula y vulnerable a la acción irresponsable de algunos médicos y aun de los curanderos.

Pero, a pesar de su enfermedad incurable y su pobreza, la mujer no claudicó en su deseo de tener salud. Ella quería cambiar su suerte, y no daba con el remedio. Pero había escuchado de Jesús, y tuvo esperanza. Se elevó por encima de las palabras *acerca de* Jesús, para desear un encuentro *personal* con él. Si quieres ser sano y salvo, no te alcanza con leer historias acerca de la salvación; necesitas un encuentro personal con Dios.

Su fuerte deseo de salud despertó su fe. Aquí está el secreto: antes de sanarnos, Jesús nos pregunta: "¿Quieres ser sano?" (Juan 5:6). La fe opera como resultado de nuestra libre decisión, de nuestro deseo de salvación. Dios no depende de nada para transformarnos, pero no hace nada si no queremos. ¡Te alabo, Señor, porque el Espíritu pone en mí el deseo de salvación!

Finalmente, la fe, que nació de una fuerte motivación, llevó a la mujer enferma a enfrentar y vencer todos los obstáculos, para tener salud y alcanzar la salvación. Jesús le dijo: "Tu fe te ha salvado". Una fe viva en Jesús despierta "una confianza implícita por la cual el alma llega a ser una potencia vencedora" —*DTG* 313.

¿Quieres un cambio en tu vida? Quizá digas: *Quiero, pero no puedo*. Mira a esta mujer: evalúa tu situación, analiza lo que has hecho mal y convéncete de que no puedes solo; decide cambiar, cree que por la fe en Jesús puedes lograr el cambio, y de la mano de Dios tu vida cambiará para bien.

Oración: Señor, pon en mi corazón el deseo de cambiar.

Oración por vista

Pasando Jesús de allí, le siguieron dos ciegos, dando voces y diciendo:
¡Ten misericordia de nosotros, Hijo de David! Mateo 9:27.

¿Realmente puedes ver?

Bajo las mismas condiciones, y con el mismo poder con que sanó a la hija del rabino Jairo y a la mujer enferma con flujo de sangre, Jesús sanó a dos ciegos.

Según Mateo, los ciegos honraron a Jesús llamándolo "Hijo de David". Pero él pasó por alto lo que podría ser una simple adulación, y preguntó: "¿Creéis que puedo hacer esto?" (Mat. 9:28). No les preguntó: "¿Creéis que yo puedo suplicar al Padre?", sino: "¿Creéis que puedo hacer esto?" Jesús quería asegurarse de que la fe estaba obrando efectivamente en sus corazones. ¡Y que verdaderamente querían ver! Muchos dicen que quieren ver, pero no todos pagan el precio para ver.

Los ciegos pagaron el precio de aceptar su realidad: reconocieron que solo Jesús podía ayudarlos, porque era el verdadero Mesías. Su respuesta fue: "¡Sí, Señor!" (vers. 28). Entonces, Jesús les impuso sus manos y les tocó los ojos diciéndoles: "Conforme a vuestra fe os sea hecho" (vers. 29).

Mientras que los que carecen de vista reciben la fe por el oído (Rom. 10:17), los fariseos, que tenían vista y presenciaban los milagros de Jesús, se declaraban contra la fe. Los ciegos veían, aunque no podían mirar; pero los que creían que veían eran verdaderamente ciegos. En ellos se cumplía la palabra de Isaías: "Porque viendo no ven, y oyendo no oyen, ni entienden" (Mat. 13:13; ver Isa. 6:9, 10).

"Si Dios hubiese hecho imposible para vosotros ver la verdad, vuestra ignorancia no implicaría culpa. 'Mas ahora… decís, vemos'. Os creéis capaces de ver, y rechazáis el único medio por el cual podríais recibir la vista. A todos los que percibían su necesidad, Jesús les proporcionaba ayuda infinita. Pero los fariseos no confesaban necesidad alguna" —*DTG* 441.

La pregunta es: ¿Cómo puedes "ver"? La soberbia nos aparta de Dios, aunque practiquemos la religión. ¡Solo clamando a Dios, como los ciegos, en humilde oración secreta, podemos ver nuestra verdadera realidad!

Jesús "unge tus ojos con colirio" (Apoc. 3:18). Solo él nos muestra nuestra real necesidad. ¡Gracias, Jesús, porque aun ciego, me recibes!

¡Preciosa gracia divina, que jamás nos da lo que merecemos, sino lo que necesitamos!

Oración: Señor, unge mis ojos con colirio.

Oración y fe

Y llegado a la casa, vinieron a él los ciegos; y Jesús les dijo: ¿Creéis que puedo hacer esto? Ellos dijeron: Sí, Señor. Entonces les tocó los ojos, diciendo: Conforme a vuestra fe os sea hecho. Y los ojos de ellos fueron abiertos.
Mateo 9:28-30.

¿Ha entrado Jesús en "tu casa"?

Es interesante la expresión "Y llegado a la casa", con la que comienza nuestra oración (Mat. 9:28). Cada palabra de Jesús, cada gesto, cada milagro tenía un solo propósito: despertar en cada persona la necesidad de salvación, e inspirarla a entregarle su corazón. Por eso, el evangelista declara: "Y llegado a la casa". Jesús "está a la puerta y llama" (Apoc. 3:20), pero jamás fuerza la puerta.

Jesús no procuraba sanar simplemente al que suplicaba (aunque el enfermo creyera que así era), sino que "después de haberse acercado, llegando a sus casas", buscaba que la fe naciera en ellos. El fin de Jesús no era darle salud a un cadáver, sino que el muerto espiritual resucitara a la vida eterna. Con cada milagro procuraba la salvación del suplicante. Muchas veces realizó portentos solo después de que le hubieran suplicado, a fin de que nadie creyera que se valía de un milagro para adquirir fama. Por eso les dijo a los ciegos: "Mirad que nadie lo sepa" (Mat. 9:30).

¡Solo la gracia nos salva! Pero necesitamos "la fe de los ciegos".

Una anciana escuchó cierto día a un predicador que dijo que la fe mueve montañas, y le pidió a Dios que moviera aquella colina que debía subir y bajar cada vez que iba a la iglesia. Cuando dijo "amén" y abrió los ojos, la loma estaba en el mismo lugar; entonces, se dijo a sí misma: "Yo sabía que no se iba a mover".

La misericordia divina es la respuesta natural a la fe, que a su vez es un don de Dios, que solo él puede concedernos. ¡Todo proviene de Dios! ¡Pero de nosotros proviene que le abramos la puerta del corazón! Por eso, contra nuestra naturaleza, la oración constante, diaria y perseverante ha de ser: "Señor, ayuda mi incredulidad" (Mar. 9:24).

Si Jesús nos preguntara "¿Crees que puedo hacer esto?", ¿qué le responderíamos? Le hemos abierto "nuestra casa" a Jesús. Él mora en nosotros. Estamos en paz. ¡Veremos el milagro antes de que se produzca!

Oración: *Señor, dame fe.*

Oración por obreros

Entonces dijo a sus discípulos: A la verdad la mies es mucha, mas los obreros pocos. Rogad, pues, al Señor de la mies, que envíe obreros a su mies.
Mateo 9:37-38.

Jesús recorría los polvorientos caminos de Galilea motivado por su compasión. Predicaba, sanaba, enseñaba. Y se compadecía de las multitudes agobiadas y desamparadas como ovejas sin pastor.

Nada es más triste que un pueblo desorientado. Los hebreos tenían líderes religiosos y políticos capaces y responsables con su misión. Estaban tan comprometidos con la obra del Señor que olvidaron al Señor de la obra. Todo su celo y su inteligencia servían a ideales y objetivos espurios: querían vengarse de los romanos y sustituir aquel imperio por uno global gobernado por un judío. Tan intenso era aquel deseo que comenzaron a interpretar la profecía imponiéndole ese ideal. Es una desgracia para el corazón humano leer la Palabra de Dios con los lentes de las propias ideas. Dios no había prometido eso; su promesa era de orden espiritual, no político.

Si hoy Jesús recorriera las ciudades y los pueblos del mundo, tendría la misma impresión que tuvo en Galilea: ¡la gente está desamparada y agobiada! Muchos dirigentes del mundo, tanto religiosos como políticos, explotan al pueblo para llenar sus bolsillos y perpetuarse en el poder. Están lejos de Dios. Y el pueblo perece, desorientado.

La compasión de Jesús lo impulsa a ver a las multitudes hambrientas de esperanza. Por eso les dice a sus discípulos que la cosecha es abundante, que está lista (Mat. 9:36, 37). Y les pide: "Rogad, pues, al Señor de la mies, que envíe obreros a su mies" (vers. 38). El justo que ora se identifica con la causa por la que ora. Luego de aquel pedido, Jesús envió a sus discípulos a predicar el evangelio (Mat. 10:1).

Hace dos mil años comenzó la cosecha de la mies con la predicación de Jesús, cuando anunció la llegada del Reino de los cielos (Luc. 4:14-21); y terminará cuando él venga por segunda vez a establecerlo eternamente (Dan. 2:44). Mientras tanto, ¡que rebosen nuestros corazones de esperanza y compasión, para servir al Señor como "obreros de la mies"!

Oremos por la cosecha, ¡con una hoz en la mano!

Oración: Señor, envíame a mí.

Como niño

Oración de alabanza – 1

Te alabo, Padre, Señor del cielo y de la tierra, porque escondiste estas cosas de los sabios y de los entendidos, y las revelaste a los niños. Mateo 11:25.

¿Eres un niño?

Jesús alaba al Padre y se alegra de que los más pequeños entre los hombres sean los más receptivos al evangelio.

Una de las cosas más afortunadas de la vida es haber tenido una infancia feliz; que haya sido satisfecha la necesidad más profunda de un niño: sentir el amor y la protección de los padres. Si tuviste una infancia así, con el paso de los años la llevarás contigo, y jamás envejecerás. La vida debe ser la infancia de nuestra inmortalidad. Solo si eres como un niño entrarás en el Reino de los cielos (Mat. 19:14).

Los maestros religiosos, aparentando prudencia, habían prevenido a la gente respecto de la enseñanza de Cristo, y en ciudades galileas como Corazín, Betsaida y Capernaum hubo muy pocas conversiones; más bien hubo rechazo al evangelio. Era un pueblo rebelde formado por religiosos que habían dejado de creer como cree un niño. Esos dirigentes eran "adultos"; es decir, "niños envejecidos", obsoletos.

A Dios no le impresiona que alguien sea ministro religioso o dirigente eclesiástico en el ámbito regional o mundial, ni lo deslumbran los títulos académicos en Teología. No le impresiona la elocuencia de los evangelistas ni las cuantiosas ofrendas de los ricos. Lo que Jesús valora es la fe de sus seguidores, la confianza inocente de un niño que acepta el evangelio puro. Le agrada la fe sencilla del que descansa en él.

Mientras dos teólogos discutían acerca de la santificación, la empleada doméstica de uno de ellos, quien apenas sabía leer, les pidió permiso para hablar, y les dijo: "Yo no sé nada de lo que ustedes discuten, pero cuando lavo la ropa le pido a Jesús que lave mis impurezas; cuando barro la casa, le pido que me libre de la basura del pecado; y cuando aplico el desodorante de ambientes le pido que así me aplique la fragancia de su bondad".

Todos merecemos una infancia feliz, pero no todos la hemos tenido. Es posible que en los años de tu niñez no hayas tenido la protección que merecías, y cargaste con eso toda la vida, pero en Cristo ¡tu vida es la infancia de la inmortalidad!

Oración: Señor, ayúdame a ser como un niño para conocer tu gracia.

Oración de alabanza – 2

Te alabo, Padre, Señor del cielo y de la tierra, porque escondiste estas cosas de los sabios y de los entendidos, y las revelaste a los niños. Mateo 11:25.

¿Qué significa ser niño?

Los maestros religiosos habían deformado a la gente; por eso, el mensaje sencillo y a la vez profundo de Jesús fue rechazado en algunas ciudades de Galilea. El Salvador contrastó la incredulidad de Corazín y Betsaida con las ciudades paganas de Tiro y Sidón, menos endurecidas. Y a Capernaum la comparó con Sodoma, la ciudad impía que en tiempos de Abraham fue castigada a causa de su perversión. Añadió que si en Sodoma se hubieran realizado las maravillas que hubo en Capernaum los sodomitas se habrían convertido (Mat. 11:20-24).

Así de rebeldes al evangelio eran estos pueblos.

En cambio, para los que fueron dóciles al llamamiento del Espíritu de Dios, Jesús tuvo palabras de ternura. Los llamó "niños". En su oración alabó a su Padre, quien había otorgado a estas personas sencillas la revelación del Mesías (vers. 25).

¿Qué significa ser niño?

Los fariseos y los saduceos inteligentes, "entrados en libros", sabios en su opinión y autosuficientes, dependían de la interpretación de las tradiciones y de la fidelidad a sus ritos, con el único propósito de salvarse a sí mismos. Pero, para Jesús, solo los que confiaban en Dios con la inocencia de un niño alcanzaban a conocer y aceptar el evangelio de la gracia divina.

Podemos ser muy instruidos, ¡pero aun así debemos ser como niños para entender las cosas de Dios! Aquellos maestros religiosos pulidos en las escuelas de altos estudios también podían ser "bebés" espirituales y depender de Dios como un pequeño depende y confía en el alimento que le prodigan sus padres. Los niños dependen inocentemente de otra persona para satisfacer sus necesidades físicas. Así, los niños espirituales dependen de Dios, para acercarse a su Palabra cada día con inocente pureza y elevar una oración con inocente confianza. ¡Cuánto poder hay en la pureza, la inocencia y la confianza de un corazón agradecido a la gracia divina!

"La sencillez, el olvido de sí mismo y el amor confiado del niñito son los atributos que el Cielo aprecia. Son las características de la verdadera grandeza" —*DTG* 404.

¿Eres como un niño?

Oración: *Señor, ayúdame a depender de ti como un niño de un Padre bueno.*

Oración a solas

Despedida la multitud, subió al monte a orar aparte;
y cuando llegó la noche, estaba allí solo. Mateo 14:23.

El capítulo 14 de Mateo es intenso: Juan el Bautista es decapitado (vers. 1-12). Jesús se retira lejos de aquella escena, hacia el desierto (vers. 13), pero es seguido por la multitud. Entonces, tocado por la compasión, sana a los enfermos y alimenta a cinco mil personas (vers. 13-21). Luego envía a sus discípulos a cruzar el mar y a enfrentar una tormenta, y nuevamente se aparta al desierto para orar; luego desciende a su encuentro caminando sobre las aguas.

El versículo 22 señala que, inmediatamente después de que la multitud fuera alimentada, Jesús envió a sus discípulos al otro lado del Mar de Galilea. La expresión "en seguida" denota urgencia y movimientos rápidos. Mateo no presenta la causa de esa premura, pero el evangelista Juan nos da el motivo: "Entendiendo Jesús que iban a venir para apoderarse de él y hacerle rey, volvió a retirarse al monte él solo" (Juan 6:15).

Jesús sabía que su hora aún no había llegado, pero percibía que estaba cerca. Por eso se retiró a orar. La oración es el refugio del soldado antes de la batalla.

El Maestro subió al monte en soledad, mientras sus discípulos estaban abajo, en el Mar de Galilea, azotados por una tempestad, en la oscuridad y en peligro. ¡Qué apropiada imagen de nuestro tiempo! Nuestro Señor ha ido al Padre y está sentado a su diestra. Hoy también, nosotros nos encontramos aquí abajo, en un mar agitado por la tempestad y en peligro. Pero el relato continúa: Jesús no se quedó orando durante la tormenta, sino que "a la cuarta vigilia de la noche, Jesús vino a ellos andando sobre el mar" (Mat. 14:25). La cuarta vigilia era pocas horas antes de que despuntara el alba. Fue entonces cuando el Señor se dirigió hacia sus discípulos, caminando sobre el agua. Esa será también la vigilia cuando venga por su iglesia, por ti y por mí.

Cristo es el lucero de la mañana. Él te recogerá a ti, que estás afligido en este mundo, como los discípulos lo estaban en aquel lejano mar de Galilea. No sabemos la fecha de su retorno, pero sabemos que pronto volverá. Ya estamos en la cuarta vigilia.

¡Cuánto bien te puede hacer esta esperanza para sobrellevar las fatigas y las aflicciones de la vida!

Oración: Ven, Señor Jesús.

Oración desesperada

A la cuarta vigilia de la noche, Jesús vino a ellos andando sobre el mar.
Y los discípulos, viéndole andar sobre el mar, se turbaron, diciendo:
¡Un fantasma! Y dieron voces de miedo. Mateo 14:25, 26.

¿Vives en una silenciosa y anónima desesperación? Disciplinados, los discípulos remaban en silencio para verse con Jesús en la otra orilla del mar de Galilea. Habían salido de noche desde Betsaida, cerca de un lugar donde el Maestro había alimentado a mucha gente con cinco panes y dos peces. Pero, mientras remaban, murmuraban, porque Jesús había rechazado la propuesta de la gente de convertirlo en rey: ¿¡Quién si no él estaba en mejores condiciones para liberarlos de la tiranía!? (ver Juan 6:61-64; *DTG* 342).

De pronto sobrevino la tormenta. Entonces abandonaron sus pensamientos y se ocuparon de lo más urgente: impedir que el barco se hundiera. Remaron hasta las tres de la madrugada, pero finalmente, agotados, se dieron por perdidos. En medio de la tempestad y las tinieblas, el mar les había enseñado cuán desamparados estaban, y anhelaban la presencia de su Maestro.

A la luz de un relámpago, vieron una silueta que venía hacia ellos, y se aterrorizaron: ¡Un fantasma! Gritaron sus miedos con palabras de espanto, pero Jesús les dijo: "¡Tened ánimo; yo soy, no temáis!" (Mat. 14:27).

¡Todos vivimos en una silenciosa y anónima desesperación, alimentada por las frustraciones cotidianas! Los discípulos fueron probados, y en la oscuridad temieron lo peor. El que teme sufrir ya sufre el temor; y el miedo siempre ve las cosas peor de lo que son. Pero el amor cambia la visión de los hechos, porque el amor ahuyenta el miedo.

"Jesús no los había olvidado. El que velaba en la orilla vio a aquellos hombres que llenos de temor luchaban con la tempestad. Ni por un momento perdió de vista a sus discípulos... Como una madre vigila con tierno amor a su hijo, el compasivo Maestro vigilaba a sus discípulos. Cuando sus corazones estuvieron subyugados, apagada su ambición profana y en humildad oraron pidiendo ayuda, les fue concedida" —*DTG* 344.

Tú no tienes dominio sobre la vida, pero el amor de Dios sí tiene dominio sobre ti. Dios escucha tus oraciones audibles y tus clamores silenciosos mientras remas en el mar de la vida. Y, cuando sobreviene la tormenta, él te dice: "No temáis. Yo soy".

Oración: Señor, oye mi oración.

271

Oración infatuada

Señor, si eres tú, manda que yo vaya a ti sobre las aguas. Mateo 14:28.

A veces es mejor que Dios no responda nuestra oración.

Como todos los discípulos, Pedro estaba infatuado con la idea de que Jesús sería el siguiente rey de los judíos (ver Juan 6:61-64). Por eso oró de este modo (Mat. 14:28). Pedro se sentía "ganador", seguro de aquel "rey" en quien decía creer. Toda su confianza se fundaba en su imaginación.

Cuando escuchó la voz de su Maestro en el fragor de la tempestad, Pedro fue invadido por un gozo fatuo, y le dijo al Maestro que le permitiera ir a su encuentro caminando sobre las aguas. Jesús accedió; y Pedro comenzó a caminar sobre las olas. Pero al sentir la fuerza del viento, tuvo miedo y se hundió (vers. 30).

No era necesario que él caminara sobre las aguas, pero quiso probar a Jesús. Se dirigió a él con un "si" condicional: "Si eres tú"; es decir, "si eres el Rey de los judíos, manda que vaya". Pedro quiso usar el poder de Jesús; y cuando creyó que dominaba el oficio de caminar sobre las olas los vientos lo hundieron. Su infatuación ya lo había derribado.

Solo podemos caminar sobre "las olas de la vida" si miramos a Jesús, no los vientos. ¡Solo podemos vencer las pruebas de la vida si no pretendemos usar a Jesús!

Cuando estamos sobre "la cresta de la ola" y las cosas parecen que nos están saliendo bien, y disfrutamos infatuados del éxito aparente, oramos como Pedro: "Señor, manda que yo vaya". ¡Queremos controlar a Dios!

Cuando dejamos de mirar al Maestro, perdemos el sentido de la realidad, y los vientos nos golpean con dureza. ¡Bendito Señor, que no nos abandonas cuando nos hundimos! El fracaso puede llevarnos a mirar a Jesús nuevamente. En este sentido, es mejor el fracaso que el éxito.

La oración infatuada es la oración del "si condicional": "Si Dios quiere que me case con este joven, que lo haga venir a visitarme en Navidad". "Si Dios quiere que compre esta casa, que me lo revele en un sueño". "Si tú eres, manda que yo vaya a ti sobre las aguas".

Es mejor decir: "Señor, te amo. Tú lo sabes todo. Sé que lo que tú quieres es lo mejor para mí".

Oración: *Señor, te amo y te entrego todo mi corazón.*

Oración por supervivencia

Y descendiendo Pedro de la barca, andaba sobre las aguas para ir a Jesús.
Pero al ver el fuerte viento, tuvo miedo; y comenzando a hundirse,
dio voces, diciendo: ¡Señor, sálvame! Mateo 14:29, 30.

Pedro elevó sus ojos de las airadas aguas y, fijándolos en Jesús, exclamó: "¡Señor, sálvame!" Inmediatamente Jesús tomó la mano extendida de su discípulo y le dijo: "¡Hombre de poca fe! ¿Por qué dudaste?" (Mat. 14:31). Luego, caminando a su lado, lo ayudó a entrar en la barca.

"Pedro estaba ahora subyugado y callado. No tenía motivos para alabarse más que sus compañeros, porque por la incredulidad y el ensalzamiento propio casi había perdido la vida" —*DTG* 344, 345.

Pedro había murmurado contra Jesús al igual que los demás (Juan 6:61). Había criticado al Señor a sus espaldas. Así somos: ¡continuamente herimos con la boca a quienes decimos amar! La herida causada por una lanza puede curarse, pero la causada por la lengua puede ser incurable para cualquiera. Aunque no para Jesús.

La tempestad nos desnuda; las crisis muestran lo que realmente somos. En pocos minutos, Pedro pasó de la murmuración a la duda, de la duda a la infatuación, ¡y de la infatuación al miedo! De un estado emocional a otro, sin escalas, víctima de su inmadurez espiritual. Los vientos que nos destruyen no solo soplan de afuera sino también de adentro de nosotros mismos. Somos nuestro peor enemigo.

No hemos crecido realmente hasta que veamos nuestras debilidades, pero solo las podemos ver con la ayuda del Espíritu Santo. Pedro supo esto tiempo después, cuando, impotente, le declaró a Jesús: "Tú lo sabes todo" (Juan 21:17).

Después de la gran crisis de su vida, Pedro conoció verdaderamente quién era él; y de aquel hombre engreído, murmurador y escéptico, nació uno de los más valientes y maduros discípulos de Jesús. No hay otro camino para la madurez espiritual que aprender a soportar los golpes de la realidad, que nos confrontan con nuestro verdadero yo, y nos inducen a entregarnos a Jesús.

Pedro pronunció la oración más breve de la Biblia: "Señor, sálvame". Si hubiera elevado esas oraciones largas que se escuchan en las iglesias, se habría hundido en la profundidad del mar. Tu oración no necesita muchas palabras, sino tan solo una profunda convicción: "Señor, no puedo solo. Sálvame de las tormentas y de los tormentos".

Oración: Señor, sálvame.

Oración por auxilio

Ella vino y se postró ante él, diciendo: ¡Señor, socórreme!... Entonces respondiendo Jesús, dijo: Oh mujer, grande es tu fe; hágase contigo como quieres. Y su hija fue sanada desde aquella hora. Mateo 15:25, 28.

¿Clamas a Jesús por misericordia?

La porción del relato donde se encuentra nuestro texto comienza con estas palabras: "Saliendo Jesús de allí, se retiró a la región de Tiro y de Sidón" (Mat. 15:21).

El Maestro sale por primera vez, durante su ministerio público, del territorio de Israel. Este detalle no es menor, porque él había venido a los judíos. Cuando envió a sus discípulos a cumplir su misión, les dio instrucciones para que fuesen a las ciudades de Israel, pero no más allá de sus límites (Mat. 10:5, 6). Cuando el Señor comienza a ser rechazado por los dirigentes de su pueblo, con quienes ya había tenido fuertes enfrentamientos, cruza fronteras para alcanzar ahora a los gentiles. Su mensaje "Venid a mí todos los que estáis trabajados y cargados" (Mat. 11:28) comienza a entenderse mejor con la curación de la hija de una mujer cananea.

La mujer se había dirigido a Jesús con el nombre "Hijo de David", y Jesús la reprendió (Mat. 15:22-24), porque ella, como gentil, no tenía derecho a utilizar ese título. Cuando "etiquetó" a Jesús, ella misma se puso fuera del alcance de la misericordia divina. Jesús no puede ser etiquetado. Sin embargo, cuando perseverando a pesar del reproche del Maestro adoró a Jesús llamándolo "Señor", y pidió misericordia, su clamor fue respondido (vers. 25, 28).

Dios mandó a Moisés a decirle al faraón egipcio que Israel era su "primogénito" (Éxo. 4:22), lo cual implica que Israel era el "hijo mayor", no el único. Su misericordia se extiende a todos. Jesús no atiende en la oficina de alguna iglesia en particular; Jesús atiende en la iglesia de tu corazón (ver Apoc. 3:20), y su poder alcanza a todos "los que están cansados y cargados", porque Dios ama a todos. Quiere ser el Padre de todos (ver Juan 3:16).

Puede que hayas abandonado tu iglesia, que no estés en ningún libro de los hombres, pero Jesús está siempre a tu lado, para inscribir tu nombre en el Libro de la Vida. Su gracia te alcanza en todo momento. Tú corazón es precioso para Jesús.

Oración: *Gracias, Señor, porque me recibes siempre.*

Oración por misericordia

Señor, ten misericordia de mi hijo, que es lunático... Y reprendió Jesús al demonio, el cual salió del muchacho, y este quedó sano desde aquella hora.
Mateo 17:15, 18.

¿Oras y ayunas hasta obtener la victoria? Nuestro texto relata uno de los casos más graves de posesión demoníaca que el Señor haya tenido que enfrentar. Es un texto muy aleccionador, porque hay una enseñanza en la impotencia de los discípulos para resolver la crisis. Los discípulos también son una figura de la iglesia actual en un mundo enloquecido, en el que los demonios ejercen gran control.

¿Por qué somos tan impotentes? Como iglesia, disponemos de muchos recursos humanos y materiales, pero estos, aunque muy importantes, no constituyen lo que realmente necesitamos. Son patéticas las palabras del hombre que intercedió por su hijo ante Jesús: "Lo he traído a tus discípulos, pero no lo han podido sanar" (Mat. 17:16). Y más fuertes son las palabras de Jesús contra sus adversarios y aun contra sus hombres: "¡Oh generación incrédula y perversa! ¿Hasta cuándo he de estar con vosotros?" (vers. 17). Estas palabras severas podrían ser el mensaje de Jesús para su iglesia de este tiempo, para ti y para mí.

¿Por qué los discípulos no pudieron vencer a los demonios? Jesús responde: "Por vuestra poca fe; porque de cierto os digo, que si tuviereis fe como un grano de mostaza... nada os será imposible" (vers. 20).

Es posible que hoy estés orando a Jesús por un hijo descarriado. ¡Bendito Señor, que escuchas siempre las oraciones fervientes e incesantes de los padres que interceden por sus hijos!

Es posible que hoy no tengas que sacar ningún demonio de personas poseídas, pero siempre necesitarás mucha fe y oración para vencer tus propios demonios. "Porque no tenemos lucha contra sangre y carne, sino... contra los gobernadores de las tinieblas de este siglo" (Efe. 6:12).

Habrá circunstancias en las que una oración no será suficiente. Hay demonios que no salen sino con mucha "oración y ayuno" (Mat. 17:21). Necesitaremos mucha oración, mucho quebrantamiento. Pero Jesús nos dijo: "Nada os será imposible" (vers. 20).

"La oración es el medio ordenado por el Cielo para tener éxito en el conflicto con el pecado... Las influencias divinas que vienen en respuesta a la oración de fe efectuarán en el alma del suplicante todo lo que pide" —*HAp* 450.

Oración: Ayúdame, Señor, a perseverar en oración.

Oración en unidad

Otra vez os digo, que si dos de vosotros se pusieren de acuerdo en la tierra acerca de cualquiera cosa que pidieren, les será hecho por mi Padre que está en los cielos. Mateo 18:19.

¿**C**ómo está tu relación con tu hermano de fe?

Mateo 18:19 se enmarca nuevamente en un contexto ético, de relaciones humanas. El tema es la relación con nuestro hermano de fe. Este texto comienza en el versículo 15: "Si tu hermano peca contra ti, ve y repréndele estando tú y él solos; si te oyere, has ganado a tu hermano". Aquí se nos dice que si un hermano de la iglesia te ofende, tienes que ir a él, no esperar que él vaya a ti. La obligación se impone al ofendido. Luego, Mateo agrega que si el ofensor no escucha, lo enfrente con dos o tres testigos; y si aún rechaza el consejo, que lleve el caso a la iglesia (vers. 16, 17).

Los problemas no se ocultan, se tratan. Los versículos de esta porción de la Escritura nos ayudan a saber cómo enfrentar nuestros desacuerdos dentro de la familia espiritual. El consejo bíblico apunta a resolver los conflictos de un modo afable, pacífico y tranquilo. Pero el ideal bíblico choca con nuestra condición humana. Por eso, la oración es fundamental en este asunto.

Todos nuestros actos en relación con nuestros hermanos tienen un valor eterno: "Todo lo que atéis en la tierra, será atado en el cielo" (vers. 18). En otras palabras, cualquier cosa que hagamos en obediencia a la voluntad divina en la Tierra será ratificada por Jesús en el cielo. Por eso tenemos que buscar el acuerdo con nuestro hermano en oración, para que Dios nos responda (vers. 19). Si nos ponemos de acuerdo entre nosotros en la unidad del Espíritu Santo, Dios nos escuchará y nos contestará. Esta unidad es la condición para que Dios esté con nosotros (vers. 20). Aquí está el secreto del poder de la iglesia primitiva, y la condición para el derramamiento del Espíritu Santo: había perseverancia "en la comunión unos con otros, en el partimiento del pan y en las oraciones" (Hech. 2:42), porque había amor. ¿Alguien te ha ofendido? Dice Jesús: "Si dos se ponen de acuerdo en oración, mi Padre los bendecirá".

Oración: Señor, hazme un instrumento de tu paz.

Oración de una madre

Entonces se le acercó la madre de los hijos de Zebedeo con sus hijos, postrándose ante él y pidiéndole algo...: Ordena que en tu reino se sienten estos dos hijos míos, el uno a tu derecha, y el otro a tu izquierda.
Mateo 20:20, 21.

¿Te afanas por los altos cargos en la iglesia?

En cualquier otra ocasión, este pedido de una madre que ambiciona lo mejor para sus hijos habría resultado natural, y hasta simpático. Sin embargo, en este caso, ella no captó lo que verdaderamente estaba sucediendo en aquel instante: Jesús había apartado a sus discípulos para anunciarles su muerte (Mat. 20:17-19).

La respuesta de Jesús no se hizo esperar. Lo interesante fue que el Maestro no le respondió directamente a la madre de Santiago y Juan, sino a todos los discípulos. Conocía las intenciones de cada uno de ellos. "No sabéis lo que pedís", les respondió (vers. 22). Creían que podían beber la copa de Cristo, pero no podían. Entendieron las palabras de Jesús mucho después.

Jesús no les dijo que no había un lugar para alguien a su derecha o a su izquierda. Solo les dijo que él no sería quien otorgaría esa posición. Más bien, aquellos lugares de honor serían para quienes el Padre eligiera (vers. 23); es decir, en el cielo habrá lugares que honren a quienes los ganaron con sus vidas.

No tenemos nada que hacer para alcanzar la salvación. Somos salvos por la fe en Cristo, por la gracia maravillosa de Dios, por ese don que él nos concedió. No obstante, tu posición, tu recompensa en el cielo, estará determinada por lo que hagas aquí en la Tierra. El cielo, como la salvación, será un don exclusivo de la gracia divina, pero lo interesante es que tú y yo estamos desarrollando en nuestra vida los talentos y los dones que Dios nos ha dado con un propósito eterno. No buscamos premios, pero sabemos que los tendremos. Pablo dice: "Prosigo a la meta, al premio del supremo llamamiento de Dios en Cristo Jesús" (Fil. 3:14).

¡Tienes algo que ganar en el cielo si lo pierdes en la Tierra! Que tu oración secreta, diaria y profunda alimente tu anhelo por Jesús, el don más precioso.

Oración: Señor, quiero verte cada día en oración.

Oración por visión

Ellos le dijeron: Señor, que sean abiertos nuestros ojos. Mateo 20:33.

¿Miras pero no ves? Nada es más terrible que tener vista y no tener visión. Jesús y sus discípulos estaban yendo de Jericó a Jerusalén, que era la dirección opuesta a la seguida por aquel hombre de la parábola del buen samaritano, que mientras descendía de Jerusalén a Jericó fue atacado por ladrones (ver Luc. 10:30). En nuestro relato, el Señor avanzaba en dirección opuesta, para morir entre ladrones; en el otro extremo de aquel camino, adonde tú y yo no quisiéramos ir. Jesús fue a ese lugar para que nosotros no fuéramos.

"Y dos ciegos que estaban sentados junto al camino, cuando oyeron que Jesús pasaba, clamaron, diciendo: ¡Señor, Hijo de David, ten misericordia de nosotros!" (Mat. 20:30). Nadie fue capaz de acallar aquellas voces. Entonces Jesús les preguntó qué querían que hiciera. La respuesta no se hizo esperar: "Que sean abiertos nuestros ojos" (vers. 33).

Aunque era evidente que aquellos hombres eran ciegos, Jesús les preguntó qué podía hacer por ellos. Al paralítico de Betesda le preguntó si quería ser sano (Juan 5:6). Cuando ores, dile a Jesús qué necesitas. Él lo sabe, pero quiere que tú lo sepas. Cuanto más oras, más percibes tu necesidad; cuanto más percibes tu necesidad, más percibes tu necesidad de Cristo.

Este es el carácter ofensivo de la Cruz. A todos les agradaría ir a la Cruz si pudieran llevar consigo el perfume de su propia justicia, su rectitud y sus buenas obras. Pero nada puede habilitarnos para estar ante la presencia de Dios, sino solo el incienso de los méritos del Señor. No es posible darle vida a nuestro corazón y endulzar nuestro carácter con educación ni con esfuerzo, así como no es posible que una semilla tenga vida, germine y dé frutos por el solo hecho de ponerle fertilizante. "La oración es una necesidad porque es la vida del alma" —*LO* 18.

La oración diaria, sincera, secreta y profunda abre nuestros ojos para que veamos nuestras verdaderas necesidades, para que experimentemos el poder salvador de Jesús.

Los ciegos se sabían ciegos, y eran menos ciegos que los que decían que veían, pero no veían (ver Juan 9:41).

¿Sientes que no ves? ¡Este es un muy buen síntoma! ¡El Señor te está dando visión!

Oración: Señor, dame visión.

Oración de fe

Si tuviereis fe, y no dudareis, no solo haréis esto de la higuera, sino que si a este monte dijereis: Quítate y échate en el mar, será hecho. Y todo lo que pidiereis en oración, creyendo, lo recibiréis. Mateo 21:21, 22.

¿Quiere Dios que vivas maldiciendo higueras? La higuera de nuestro texto es un símbolo de Israel (ver Mat. 24:32, 33). Cuando Jesús vino al mundo, no había fruto evidente en la nación judía. Esa "higuera" estaba muerta; solo tenía las ramas y las hojas secas de una religión ritualista y sin vida. Carecía de energía espiritual. Aquel pueblo ya no cumplía el propósito del llamamiento divino. La "maldición de la higuera" por parte de Jesús fue un anuncio profético: Israel sufriría un juicio devastador en el año 70 de nuestra era. Jerusalén sería invadida por los romanos y su Templo sería destruido (ver Mar. 13:1, 2).

El significado de aquella escena y el diálogo con los discípulos tuvo un solo propósito en la mente de Jesús: despertar la conciencia de ellos a la importancia de la oración de fe.

Por supuesto que Dios no espera que andes por ahí maldiciendo higueras e intentando mover montañas. El poder de la fe no está en los milagros. La verdadera religión no tiene que ver con milagros. La fe no se alimenta de milagros. La fe se alimenta en la oración, que es el oxígeno del alma, y se nutre de la Palabra (ver Rom. 10:17).

El salmista mira la naturaleza y dice: "Alzaré mis ojos a los montes; ¿de dónde vendrá mi socorro?" E inmediatamente responde: "Mi socorro viene de Jehová, que hizo los cielos y la tierra" (Sal. 121:1, 2). El poder no está en la naturaleza ni en las cosas que podamos hacer con ella. El poder está en el Creador.

El verdadero milagro es una vida transformada por el poder del Espíritu Santo gracias a la oración de fe. ¡Tú produces milagros cuando proclamas el evangelio y "desatas" a las almas del poder del diablo! Cuando tus labios de barro expresan en testimonio algo que el Espíritu de Dios puede usar para transformar una vida, ¡se despliega toda tu fe! ¡Las oraciones de fe restauran nuestras vidas quebrantadas por el pecado!

Oración: *Señor, gracias, porque todo lo que pido por fe ya lo recibí.*

Oración hipócrita

¡Ay de vosotros, escribas y fariseos, hipócritas!, porque devoráis las casas de las viudas, y como pretexto hacéis largas oraciones; por esto recibiréis mayor condenación. Mateo 23:14.

Hay oraciones que Dios no escucha: las oraciones largas, llenas de "vanas repeticiones" (ver Mat. 6:7). Ya Jesús nos había advertido acerca de los hipócritas, a quienes les gusta mostrarse en público (vers. 5), y de los "que piensan que por su palabrería serán oídos" (vers. 7).

Ahora vemos a Jesús usando un lenguaje tan severo como no se registra en toda la Biblia. Ningún profeta del Antiguo Testamento denunció el pecado como lo hizo Jesús. Aunque Jesús es pura gracia, su gracia tiene el precio de su preciosa sangre. ¡No abaratemos su gracia con nuestra imaginación! Él ama a los pecadores, por eso murió por nosotros, pero es cierto también que va a juzgarnos, que vendrá por segunda vez para juzgar a las naciones (ver Mat. 25:31, 32). Debemos considerar siempre ambos aspectos de su carácter: su justa misericordia y su justicia misericordiosa. Jesús es Salvador y Juez. ¡Preciosa gracia divina, que me juzga y que me salva!

En Mateo 23, Jesús denuncia severamente la hipocresía de los dirigentes religiosos de Israel, y usa ocho veces la expresión "ay de vosotros". En la denuncia del versículo 14, Jesús habla de "devorar las casas de las viudas". Elena de White comenta: "Los fariseos ejercían gran influencia sobre la gente, y la aprovechaban para servir sus propios intereses. Conquistaban la confianza de viudas piadosas, y les indicaban que era su deber dedicar su propiedad a fines religiosos. Habiendo conseguido el dominio de su dinero, los astutos maquinadores lo empleaban para su propio beneficio. Para cubrir su falta de honradez, ofrecían largas oraciones en público y hacían gran ostentación de piedad. Cristo declaró que esta hipocresía les atraería mayor condenación" —*DTG* 565, 566.

El consejo de Jesús es: "Cuando ores, entra en tu aposento, y cerrada la puerta, ora a tu Padre que está en secreto; y tu Padre que ve en lo secreto te recompensará en público" (Mat. 6:6).

Tu oración sencilla y secreta, tus acciones sencillas y secretas, tu religión sencilla y secreta con Dios es la vida de tu alma.

Oración: Dame, Señor, un corazón puro.

Oración de consagración

Padre mío, si no puede pasar de mí esta copa sin que yo la beba, hágase tu voluntad. Mateo 26:42.

La "copa" a la cual Jesús hizo referencia en Mateo 26:42 representa la cruz del Calvario; y su contenido, los pecados de todo el mundo, los tuyos y los míos. Más allá del terrible sufrimiento físico y psicológico de la crucifixión y la muerte, hay algo que como seres humanos no podemos comprender plenamente, ni jamás experimentaremos: el sufrimiento espiritual de Jesús.

Él era inocente, no tenía compromiso con el pecado, y en su santidad no podía cargar el pecado de los otros. En el huerto repetía para sí mismo sus propias palabras, las que les había dicho a sus discípulos para animarlos: "Porque el que me envió, conmigo está; no me ha dejado solo el Padre, porque yo hago siempre lo que le agrada" (Juan 8:29).

Pero ahora le parecía estar excluido de la luz de la presencia ayudadora de Dios, porque su Padre "lo hizo pecado" (2 Cor. 5:21). Jesús fue tratado como el más vil pecador, sin merecerlo, para que nosotros seamos tratados por Dios como él merece. No podemos imaginar el horror que sintió cuando todo el mal cayó sobre él.

En el huerto de Getsemaní agonizó en conflicto con los agentes satánicos. Soportó la angustia de la entrega, experimentó el temor de que el pecado lo separara definitivamente de su Padre y vio cómo lo abandonaban sus discípulos. Sin embargo, en nuestra oración no lo vemos esquivando su deber: no pidió que pasara de él aquella copa, sino que se cumpliera la voluntad de Dios.

Es imposible para ti y para mí incursionar en el pleno significado de esta experiencia en el Getsemaní, pero allí se logró la victoria que luego se consumó en la Cruz y en la resurrección.

¡Gracias, Jesús, porque no me has dejado solo! ¡Señor, dame sabiduría para conocer tu voluntad, humildad para aceptarla y poder para realizarla!

La oración fecunda, sincera y secreta, profunda y espiritual, te permite entrar en relación con Jesús y su deseo para tu vida. Tu corazón es precioso para Jesús. ¡Su voluntad es tu libertad, tu gozo, tu paz, tu esperanza! ¡Tu compañía! ¡Tu victoria sobre el mal!

Oración: Señor, dame sabiduría y poder para hacer tu voluntad.

Oración por amparo divino

Cerca de la hora novena, Jesús clamó a gran voz, diciendo: Elí, Elí,
¿lama sabactani? Esto es: Dios mío, Dios mío, ¿por qué me has desamparado?
Mateo 27:46.

Aun los tontos y los mentirosos pueden decir grandes verdades. Cuando Jesús pendía de la cruz, la multitud se burlaba diciendo: "A otros salvó, a sí mismo no se puede salvar" (Mat. 27:42). Sí, Jesús no podía salvarse a sí mismo si quería salvar a la humanidad. Pagó el precio de la muerte, y convirtió su muerte en vida para ti. Él se sintió abandonado por Dios, para que tú jamás te sientas abandonado.

El abandono de un padre destruye a una familia. El abandono de Dios destruye a la humanidad. Nada hay más horrible que sentirse abandonado por Dios. Eso es la soledad. Pero, en el Calvario, "Dios estaba en Cristo reconciliando consigo al mundo" (2 Cor. 5:19). Jesús pago el precio del abandono para que jamás nos sintamos solos. Gracias a la Cruz, la humanidad no está abandonada a su propia suerte.

Aunque Jesús se sintió abandonado, no se abandonó a sí mismo. La mayor tentación de la que dependió su vida, y la vida de todos los salvados, fue abandonarse a la idea de que Dios ya no estaba con él: "Ahora el tentador había acudido a la última y terrible lucha, para la cual se había estado preparando durante los tres años del ministerio de Cristo. Para él, todo estaba en juego. Si fracasaba aquí, perdía su esperanza de dominio; los reinos del mundo llegarían a ser finalmente de Cristo... Frente a las consecuencias posibles del conflicto, embargaba el alma de Cristo el temor de quedar separado de Dios. Satanás le decía que, si se hacía garante de un mundo pecaminoso, la separación sería eterna" —*DTG* 638. ¡Pero Cristo venció! ¡No te abandones a ti mismo, porque Dios jamás te abandona! No importa lo que hayas hecho, Dios está siempre a tu lado. No importa cómo te sientas, Dios te ama. Graba cada día con letras de fuego en tu corazón esta convicción profunda: *Sé que Jesús me ama antes de que yo lo ame. Sé que me busca antes de que yo lo busque. Él siempre está a mi lado.* ¡Gracias, Jesús, porque no nos dejas solos!

Oración: Señor, dame fuerzas para no abandonarme.

Oración de un demonio

Pero había en la sinagoga de ellos un hombre con espíritu inmundo, que dio voces, diciendo: ¡Ah! ¿qué tienes con nosotros, Jesús nazareno? ¿Has venido para destruirnos? Sé quién eres, el Santo de Dios. Pero Jesús le reprendió, diciendo: ¡Cállate, y sal de él! Y el espíritu inmundo, sacudiéndole con violencia, y clamando a gran voz, salió de él. Marcos 1:23-26.

¿Por qué Marcos comienza su Evangelio registrando este milagro? En Marcos 1:22 leemos que los judíos se admiraban del Maestro "porque les enseñaba como quien tiene autoridad, y no como los escribas". Luego de esta declaración, viene la escena de nuestro texto. Marcos quería dejar en claro desde el principio que Jesús no solo tenía autoridad sino también poder sobre los demonios. El diablo es el príncipe de este mundo, pero Dios es el Rey del universo. Jesús es más poderoso que el diablo. Es bueno recordar esto en tiempos cuando los demonios parecen dominar el mundo.

Pero vayamos ahora a la oración del demonio: "Sé quién eres, el Santo de Dios" (vers. 24). Aquí hay un explícito reconocimiento de las credenciales divinas de Jesús. ¿Acaso se convirtió aquel demonio? Dice el apóstol Santiago: "También los demonios creen, y tiemblan" (Sant. 2:19). Pero no basta con el asentimiento intelectual para que la vida sea transformada.

Nuestra experiencia espiritual puede ahogarse en las turbias aguas del intelecto. Nuestra religión puede quedar encerrada en las celdas de las creencias. Aun la práctica de nuestra fe puede agotarse en los compromisos sociales. Ir a la iglesia puede convertirse en una aburrida costumbre. Pero la verdadera fe nace de la oración que nos eleva a una dimensión desconocida para el intelecto, porque la oración de fe no pertenece al ámbito de la razón y de la lógica. Por eso permanece inaccesible a los filósofos y a los sabios de este mundo, ¡y aun a los demonios!

¡Preciosa oración de fe, que nos transforma! ¡Benditas alas del alma, que nos elevan para aferrarnos al poder de Cristo que venció a los demonios! La oración de fe, sencilla, profunda, secreta, te dará acceso a Dios, que renovará tu vida y liberará tu corazón del encierro de tu propia mente, limpiará tu alma de pecado y te dará energía espiritual. ¡Resucitarás, y obtendrás la victoria sobre cualquier demonio que quiera someterte!

Oración: Señor, todo lo puedo en Cristo.

Oración como hábito

Levantándose muy de mañana, siendo aún muy oscuro,
salió y se fue a un lugar desierto, y allí oraba. Marcos 1:35.

¿Haces de la oración un hábito?

"La vida nunca se vuelve un hábito para mí. Siempre es una maravilla", dijo alguna vez la escritora neozelandesa Katherine Mansfield. Hay mucha verdad en esta declaración: la vida no puede encerrarse en un hábito.

Aunque los buenos hábitos puedan simplificarnos la existencia y ayudarnos a tener salud, y aun a desarrollar un buen carácter, no podemos permitir que un hábito, por bueno que sea, apague la llama de la vida. Cuando el hábito se convierte en un mortífero proceso de hacer lo mismo, de la misma manera a la misma hora día tras día, primero por negligencia, luego por inclinación y al final por inercia o cobardía, entonces la vida se apaga. El hábito convierte la vereda en un camino trillado. Nuestro espíritu debe combatir incesantemente ese fatal acostumbramiento si quiere continuar vivo. Una vez que la respuesta a una pregunta se convierte en un hábito, ya no se aprende.

Sin embargo, un buen hábito es saludable. Somos en el presente lo que hicimos diariamente en el pasado con nuestros buenos o malos hábitos. Construimos o destruimos nuestro cuerpo. Más aún, construimos o destruimos nuestro carácter. La vida nos demanda sabiduría para saber qué partes de nuestro ser pueden regirse por el hábito y qué partes no deben ser habituales, para seguir aprendiendo y eligiendo.

Nuestro Salvador cultivó el hábito de buscar a Dios cada día. Luego de un día fatigoso, "al anochecer o por la mañana temprano, se dirigía al santuario de las montañas, para estar en comunión con su Padre" —*DTG* 225.

La búsqueda de Jesús por el equilibrio entre la actividad y el descanso convirtió su necesidad en un hábito bueno, y ese hábito lo llevó a desear encontrarse con Dios cada día. Tanto fue su deseo de Dios que aquel hábito se convirtió en una necesidad. Pero sus oraciones no fueron habituales ni ritualistas, ni vanas repeticiones. Sus oraciones tenían la frescura de la mañana, la luz de lo nuevo, del estreno.

Tu deseo de orar es una oración en sí misma. ¡Bendito suspiro del alma, que te refresca! Cada amanecer te da la oportunidad de buscar a Dios, para que crezca en ti el deseo por él.

Oración: Señor, mi alma suspira por tu amor.

Oración por nuevos oídos y nueva lengua

Le trajeron un sordo y tartamudo, y le rogaron
que le pusiera la mano encima. Marcos 7:32.

¿Le pides a Dios que destape tus oídos y desate tu lengua?
Marcos 7:31 al 37 describe uno de los tantos milagros que Jesús hizo en Decápolis, un grupo de diez ciudades en la frontera sudeste del Imperio Romano. Era una región de gentiles y judíos, ubicada al este del Jordán, cerca del Mar de Galilea, donde Jesús realizó grandes milagros, y multitudes lo seguían. Esos hechos portentosos que maravillaban a la gente (vers. 37) eran una señal de su poder creador, y guardaban una lección espiritual para las generaciones venideras.

Seguramente eran amigos o familiares del sordomudo quienes lo llevaron ante Jesús: personas que intercedieron ante el Señor por su ser amado. ¡Bendita oración intercesora por quienes sufren!

"Hay a vuestro alrededor aquellos que sufren desgracias, que necesitan palabras de simpatía, amor y ternura, y nuestras oraciones humildes y compasivas... Al llamar a Dios nuestro Padre, reconocemos a todos sus hijos como nuestros hermanos. Todos formamos parte del gran tejido de la humanidad; todos somos miembros de una sola familia. En nuestras peticiones hemos de incluir a nuestros prójimos tanto como a nosotros mismos. Nadie ora como es debido si solamente pide bendiciones para sí mismo" —*LO* 246.

Jesús no sanó a ese hombre, como era su costumbre, por una sola palabra, sino que "tomándole aparte de la gente, metió los dedos en las orejas de él, y escupiendo, tocó su lengua; y levantando los ojos al cielo, gimió, y le dijo: Efata, es decir: Sé abierto. Al momento fueron abiertos sus oídos, y se desató la ligadura de su lengua, y hablaba bien" (vers. 33-35).

"Mirando al cielo, [Jesús] suspiró al pensar en los oídos que no querían abrirse a la verdad, en las lenguas que se negaban a reconocer al Redentor —*DTG* 371.

"Por fe andamos, no por vista" (2 Cor. 5:7), y "la fe es por el oír, y el oír, por la palabra de Dios" (Rom. 10:17). La oración riega la planta de la fe, cuya semilla plantó la Palabra de Dios en nuestro corazón.

Tu oración abrirá los oídos de tu entendimiento, y tu lengua testificará del poder del Redentor.

Oración: Señor, abre mis oídos y desata mi lengua para testificar de tu poder.

Oración del joven rico

Al salir él para seguir su camino, vino uno corriendo, e hincando la rodilla delante de él, le preguntó: Maestro bueno, ¿qué haré para heredar la vida eterna? Marcos 10:17.

¿**P**uedes entregarle todo a Jesús?

La pregunta del joven rico, que hemos convertido en oración, recibe como respuesta otra pregunta de Jesús: "¿Por qué me llamas bueno?" (Mar. 10:18). Esta parece una pregunta fuera de lugar, pero tiene un propósito. Sabiamente, Jesús continúa: "Ninguno hay bueno, sino solo uno, Dios. Los mandamientos sabes" (vers. 18, 19). Hasta allí, todo parecía ir bien para aquel joven. Pero, cuando asintió que "todo esto lo he guardado desde mi juventud. Entonces Jesús, mirándole, le amó, y le dijo: Una cosa te falta: anda, vende todo lo que tienes, y dalo a los pobres, y tendrás tesoro en el cielo; y ven, sígueme, tomando tu cruz" (Mar. 10:20, 21).

Para Jesús, no era suficiente que el joven lo reconociera como uno de los tantos maestros buenos de Israel. Jesús pedía algo mucho más radical: que lo reconociera como Dios. La prueba de ese reconocimiento era simple y contundente: "Anda, vende todo lo que tienes, y dalo a los pobres... y ven, sígueme, tomando tu cruz". El joven se fue triste ante la respuesta de Jesús. ¿No nos hubiera pasado lo mismo a nosotros?

"Cuando Jesús presentó al joven rico la condición del discipulado, Judas sintió desagrado. Pensó que se había cometido un error. Si a hombres como este joven príncipe podía relacionárselos con los creyentes, ayudarían a sostener la causa de Cristo" —*DTG* 667. Pero ¿qué es en realidad lo que sostiene la causa de Cristo? La entrega plena de nuestro corazón a Dios.

Jesús no te pide que des todos tus bienes a los pobres en perjuicio tuyo y de tu familia. No pide que des más de lo que tú y tu familia necesitan. Eso se lo pidió al joven rico, porque sus posesiones eran sus ídolos que lo ataban a este mundo.

Pero todos tenemos ídolos. ¿Cuáles son los míos? ¿Cuáles son los tuyos? ¡Señor, dame poder sobre mis ídolos! ¡Arráncame del corazón los que me duelen entregarte!

Solo tú sabes qué es lo que te separa de la vida eterna. ¡No te vayas triste, como el joven rico, de la presencia de Jesús!

Oración: Señor, te entrego mis ídolos. Te quiero conmigo.

Oración angustiosa

Y a la hora novena Jesús clamó a gran voz, diciendo: Eloi, Eloi,
¿lama sabactani? que traducido es: Dios mío, Dios mío,
¿por qué me has desamparado? Marcos 15:34.

Era la hora novena, la hora del sacrificio vespertino. Durante siglos, los hebreos habían realizado el sacrificio del cordero; ahora el "Cordero de Dios" derramaba su sangre (Juan 1:29). La muerte del cordero típico no incluía la tortura, pero al Cordero de Dios lo atormentaron con los medios más eficaces para destruir a un hombre: la burla y la desnudez, la injuria y la agresión física al extremo del sadismo.

Durante seis horas, el Cordero de Dios había estado en agonía. Ahora su energía vital se consumía. En la hora que más necesitaba la simpatía humana y el auxilio divino, el Redentor se sintió solo. No era su soledad la del que muere asistido por la gracia, al cuidado de ángeles ministradores; no, el divino moribundo se sintió solo ante su Padre, olvidado, abandonado.

El Redentor se sintió castigado por la justicia divina, sometido al eterno desamparo, a la muerte sin retorno. Tan abominable era la carga de los pecados que portaba vicariamente, tan aterrador era el pensamiento de que su sacrificio no fuera aceptado por el Padre, y que no pudiera regresar de la tumba para disfrutar la gozosa armonía, que gritó su desamparo: "Dios mío, Dios mío, ¿por qué me has desamparado?" (Mar. 15:34). Desde el Getsemaní, su Padre no le hablaba, no respondía sus plegarias. Desde la eternidad habían estado en permanente comunión. Su relación era única; su identificación, plena. ¡Ahora el Padre callaba! Como si su angustia le fuera indiferente. Y Jesús se sintió solo, en el vértigo del desamparo absoluto, en caída libre hacia un abismo insondable donde solo aleteaban las alimañas del averno. ¡Oh, tortura mental! ¡Oh, angustia indecible!

Jesús no lo llamó "Padre", porque a Dios no lo llamarán "Padre" los perdidos en el Juicio Final. Jesús moría como los condenados e irredentos, como los rebeldes e impenitentes: sin gracia, sin amparo ni auxilio. Jesús murió en soledad, para que tú jamás te sientas solo. Jesús murió torturado, para que tú no mueras la segunda muerte. ¡Para que tengas vida eterna!

¡Que la oración diaria, profunda y sincera madure en ti la gratitud por un sacrificio tan grande!

Oración: Gracias, Jesús, por tu sacrificio.

Oración sin fe

Pero el ángel le dijo: Zacarías, no temas; porque tu oración ha sido oída, y tu mujer Elisabet te dará a luz un hijo, y llamarás su nombre Juan. Lucas 1:13.

¿**H**ablamos demasiado acerca de Dios?

Lucas comienza su Evangelio como un buen periodista, registrando los hechos inmediatos que antecedieron al nacimiento de Jesús, con el propósito de "que conozcas bien la verdad de las cosas en las cuales has sido instruido" (Luc. 1:4).

El ángel Gabriel se le aparece al sacerdote Zacarías para decirle que tendrá un hijo. Los nombres de Zacarías y de su esposa Elisabet encerraban un secreto que pronto sería revelado: Zacarías significaba "Dios recuerda"; y Elisabet, "su juramento". Uniendo ambos nombres tenemos la frase: "Dios recuerda su juramento".

¿Cuándo juró Dios en el pasado? En Salmo 89:35 y 36 leemos que Dios "juró a David" que uno de sus descendientes fundaría un reino eterno. Cristo era ese descendiente. Dios recordó esa promesa, y "cuando vino el cumplimiento del tiempo" irrumpió en la historia humana después de cuatrocientos años de silencio (ver Gál. 4:4). Pronto nacería el Mesías; pero antes, el que prepararía su llegada: Juan el Bautista.

Elisabet y Zacarías querían un hijo, pero Elisabet era estéril, y ambos eran ancianos (Luc. 1:7). Pero Dios siempre cumple su palabra: el ángel Gabriel visitó a Zacarías en el Templo para anunciarle que tendría un hijo (vers. 13, 14). La respuesta de Zacarías fue de incredulidad: "¿Cómo? Si yo soy viejo" (ver vers. 18). Aquel matrimonio había orado por un hijo (vers. 13). Muchos matrimonios oran a Dios para tener un hijo. No todos lo pueden tener. Sin embargo, Dios respondió la oración de Zacarías. Pero el sacerdote no creía que Dios tenía poder para responder su oración. Muchos de nosotros oramos sin fe. Pedimos y no esperamos. Por eso no recibimos.

Zacarías era muy conversador, por eso Dios lo enmudeció como señal de desagrado por su falta de fe (vers. 20). La incredulidad debe ser siempre muda; si no, se convierte en hipocresía. ¡Muchos hablamos de Dios sin creer en su poder! Por eso, "sea vuestro hablar: Sí, sí; no, no; porque lo que es más de esto, de mal procede" (Mat. 5:37).

¡Que en nuestra oración no sobre ni una palabra! Es mejor tener un corazón sin palabras que tener palabras sin corazón.

Oración: *Señor, dame pocas palabras y mucha fe.*

Oración de alabanza

Entonces María dijo: Engrandece mi alma al Señor; y mi espíritu se regocija en Dios mi Salvador. Porque ha mirado la bajeza de su sierva; pues he aquí, desde ahora me dirán bienaventurada todas las generaciones. Lucas 1:46-48.

¿Alaba tu alma al Señor cada día?

María eleva una oración de alabanza a Dios, la que con los siglos sería llamada *El Magníficat*. Este canto reproduce las palabras que, según Lucas, la madre de Jesús dirige a Dios en ocasión de su visita a su prima Elisabet (Luc. 1:39-45), esposa del sacerdote Zacarías, quien llevaba en su seno a Juan el Bautista (Luc. 1:5-25). El nombre de la oración está tomado de la primera frase en latín, que reza: *Magníficat anima mea Dominum* [Engrandece mi alma al Señor]. Según la tradición, estas dos mujeres se encontraron en una pequeña población (Ain Karim) situada a siete kilómetros al oeste de Jerusalén, cuyo nombre significa "fuente del viñedo".

Esta oración nos enseña varias cosas importantes. En primer lugar, María alaba a Dios por la elección divina de convertirla en madre del Mesías sin que ella lo merezca, y reconoce las grandes cosas que su Salvador hizo por ella (vers. 46-49).

Luego, María describe al Dios misericordioso (vers. 50) que la escogió, y revela la elección preferencial de él por los más pobres: "Hizo proezas con su brazo; esparció a los soberbios en el pensamiento de sus corazones. Quitó de los tronos a los poderosos, y exaltó a los humildes. A los hambrientos colmó de bienes, y a los ricos envió vacíos" (vers. 51-53).

Finalmente, María alaba a Dios por el amor especial manifestado a Israel (vers. 54, 55). Era consciente de que el nacimiento de su Hijo era el cumplimiento de las promesas del Pacto hechas a Abraham y a su pueblo, y que ella era un eslabón en la gran cadena de la salvación.

En aquella lejana población de Judea, una humilde mujer elevó un canto de alabanza a Dios que alcanzó los cuatro puntos cardinales de este planeta y se expandió hasta las estrellas en la infinitud del universo. El tema que cantarás con los redimidos en el cielo ¡será el mismo que el de María!

¡Señor, te glorifico, "porque has mirado la bajeza de tu siervo", y en cada amanecer recibo el rocío de tu gracia!

Oración: Señor, somos bienaventurados por tu amor.

Oración de alegría

Pero el ángel les dijo... os ha nacido hoy, en la ciudad de David, un Salvador, que es Cristo el Señor... y repentinamente apareció con el ángel una multitud de las huestes celestiales, que alababan a Dios, y decían: ¡Gloria a Dios en las alturas, en la tierra paz, buena voluntad para con los hombres!
Lucas 2:10-14.

¿**C**uál fue el día más feliz de tu vida?

Yo creía que el día más feliz de mi vida había sido cuando nació mi primera hija... hasta que nació mi segunda hija. Hasta entonces creí que había tenido los "dos días más felices" en mi vida. Pero la vida nos da sorpresas, solo para los que no están dormidos. Hoy te puedo decir que el día supremo de felicidad en mi vida fue cuando nació mi nieta, hace ocho meses.

¡Qué felicidad produce la llegada de un niño al mundo! Esta fue la manera en que Dios entró en el mundo. Vino como un niño recién nacido, humilde, vulnerable y amado. Jesús no dejó de lado su divinidad, sino su gloria. El ángel anunciador dijo: "Esto os servirá de señal: hallaréis al niño envuelto en pañales, acostado en un pesebre" (Luc. 2:12). Lucas enfatiza la humanidad de Cristo para darnos esperanza de que él "puede compadecerse de nuestras debilidades" (Heb. 4:15).

Dios sabe todo acerca de tu condición humana. Te conoce más de lo que tú te conoces. Jesús te comprende, porque es humano. Esto también significa que tú puedes saber algo acerca de Dios, porque él mismo asumió tu humanidad.

En la versión *Dios habla hoy*, la alabanza de los ángeles, que hemos convertido en oración de adoración, dice: "¡Paz en la tierra entre los hombres que gozan de su favor!" Esta es una traducción más fiel del texto bíblico. Los ángeles no proclamaron que hubiese paz en la Tierra, confundiendo sus propios deseos con la realidad. "No hay paz para los malos, dijo Jehová" (Isa. 48:22). Vivimos en un mundo en el que reina la maldad. Sin embargo, hay paz para los seres humanos de buena voluntad.

Has aceptado a Jesús. Puedes reclamar a Dios esa paz que el mundo no da (Juan 14:27). Intensa y profunda puede ser tu alegría, porque Jesús nació en tu vida, ¡y pronto viene a buscarte!

Oración: Señor, te alabo porque naciste para salvarme.

Oración del Padre

Respondió Juan, diciendo a todos: Yo a la verdad os bautizo en agua; pero viene uno más poderoso que yo... Él os bautizará en Espíritu Santo y fuego... Y vino una voz del cielo que decía: Tú eres mi Hijo amado; en ti tengo complacencia. Lucas 3:16, 22.

¿Anhelas el fuego del Espíritu?

Veamos el contexto de nuestro texto: en los primeros versículos de Lucas 3 se registra la predicación de Juan ante una multitud a quien le bastaba un mínimo gesto del profeta para proclamarlo rey. La gente estaba lista para seguirlo adonde fuera y hacer lo que él quisiera si les decía que él era el próximo libertador (vers. 15). Era una tentación real, pero con la misma dosis de humildad que de atrevimiento con que denunció los pecados de los dirigentes de Israel, derramó una corriente de agua fría sobre aquella ardiente expectación. Grande no es necesariamente el que ocupa el primer lugar, sino el que ocupa el segundo y lo hace con honra y lealtad.

Juan no menosprecia su posición ni la importancia de su bautismo, pero toda su alma se inclina ante el Mesías venidero, cuyo ministerio iba a trascender el suyo, así como el Mediterráneo sobrepasaba el pequeño lago de Galilea. Vio que el Mesías lo superaría en poder. Fuerte como era, ese Otro iba a ser más fuerte. Probablemente no soñó que la fuerza del Otro se manifestaría en la debilidad, haciendo maravillas con el suave y delicado poder del amor y del sacrificio.

Pero, aunque Juan veía vagamente, adoraba perfectamente: "No soy digno de desatar la correa de su calzado" (vers. 16). ¡Qué bella es la humildad en una persona fuerte! Permaneció erguido frente a sacerdotes y tetrarcas, pero se postró ante su Rey.

Juan bautizaba con agua, símbolo del lavamiento, pero el que vendría después de él bautizaría "con el Espíritu Santo y fuego" (vers. 16), el agente activo de la purificación.

El fuego del Espíritu no te consume, sino que ¡te convierte en la zarza ardiente de Éxodo 3! ¡Te energiza, te ilumina, te purifica, te transforma! El Espíritu no te apaga, porque jamás se apaga, como la zarza. El bautismo del agua es pobre en comparación con el del fuego purificador de Cristo. El agua te limpia por fuera, pero ¡Cristo llega al núcleo de tu ser para darte vida eterna!

Oración: Señor, conviérteme en una llama ardiente.

Oración al Hijo

Aconteció que cuando todo el pueblo se bautizaba, también Jesús fue bautizado; y orando, el cielo se abrió... y vino una voz del cielo que decía: Tú eres mi Hijo amado; en ti tengo complacencia. Lucas 3:21, 22.

La purificación del fuego del Espíritu es el fruto de la obra del Mesías, y depende de la libertad del hombre aceptar o rechazar esa obra universal. Todos son llamados a recibir al Espíritu, pero no todos eligen recibirlo. Por eso, esa obra universal se convierte, por la voluntad del ser humano, en una obra selectiva. No son hijos de Dios todas las criaturas humanas, sino solo quienes han aceptado al Hijo (Juan 1:12). El mensaje de Juan dividió a la humanidad en dos clases: los que se someten al bautismo del fuego del Espíritu Santo (Luc. 3:16) y los que lo rechazan.

La imagen de la cosecha implica una verdad solemne: "Su aventador está en su mano, y limpiará su era, y recogerá el trigo en su granero, y quemará la paja en fuego que nunca se apagará (vers. 17). Cada uno de nosotros decide ser paja o trigo, de acuerdo a si aceptamos o rechazamos la obra del Espíritu Santo en nuestro corazón.

Luego, el texto nos habla de la valentía de Juan, que denuncia la corrupción de Herodes y no teme las consecuencias (vers. 18-20), para finalmente dirigirse al bautismo de Jesús (vers. 21, 22). Nuestro texto dice: "Y orando, el cielo se abrió" (vers. 21). La oración abre los cielos. Entonces se escuchó la voz del Padre, como sublime respuesta a la oración de Jesús. La voz celestial habló directamente al corazón del Hombre Jesús. En ese momento de su vida, el Hijo necesitaba una mayor certeza de su filiación divina. Necesitaba algo más que el testimonio de su madre, María, quien había recibido la visita del ángel Gabriel para anunciarle que daría a luz al Hijo de Dios (Luc. 1:35).

La voz celestial nos dice que Jesús está en una relación de parentesco sin parangón con el Padre, y que toda su naturaleza y sus actos son objeto de la complacencia divina. También nos dice que, gracias a esa filiación, tú y yo podemos ser hijos de Dios.

¡Eres hijo de Dios! ¡Coheredero con Cristo de las mansiones eternas! ¿Aceptarás tu herencia?

Oración: Gracias, Señor, porque en tu Hijo somos tus hijos.

Oración como refugio

*Pero su fama se extendía más y más... Mas él se apartaba
a lugares desiertos, y oraba. Lucas 5:15, 16.*

¿Cuál es la mirada que más necesitas? Hoy, millones confiesan sus miserias ante una cámara de televisión por un minuto de mala fama.

Jesús no creía en la fama. Nada de lo que hacía estaba motivado por un deseo de reconocimiento popular. Nos dijo: "He descendido del cielo, no para hacer mi voluntad, sino la voluntad del que me envió" (Juan 6:38).

Jesús sabía que el hombre, con toda su fama, es "como la flor del campo, que pasó el viento por ella, y pereció, y su lugar no la conocerá más" (Sal. 103:15, 16). Brota y muere pronto. La fama es vapor; la única certeza terrenal es el olvido.

Jesús sabía que a la fama la marchita el mismo sol que la hace nacer. La misma multitud que quería coronarlo rey (Mat. 21:8-11), pocos días después, vociferó: "Crucifícale" (Mar. 15:13).

La fama cobra el precio de la soledad. El éxito es frío como el hielo y tan poco hospitalario como el Polo Norte. Jesús sabía todo esto. Por eso, "él se apartaba a lugares desiertos, y oraba" (Luc. 5:16). Oraba para no vaciarse de sí en el trabajo. Oraba para no perder de vista el sentido de su vida. Muchos de nosotros hemos perdido al Señor en el camino del servicio. Servimos a la obra del Señor, y abandonamos al Señor de la obra.

"El alma que se vuelve a Dios en ferviente oración diaria para pedir ayuda, apoyo y poder tendrá aspiraciones nobles, conceptos claros de la verdad y del deber, propósitos elevados, así como sed y hambre insaciable de justicia. Al mantenernos en relación con Dios, podremos derramar sobre las personas que nos rodean la luz, la paz y la serenidad que imperan en nuestro corazón" —*LO* 83.

¡Apartémonos de "la multitud" de cosas que nos ahogan y nos agotan, para buscar a Dios en oración! ¡Que cada amanecer nos lleve a buscar a Dios! El fruto de esa búsqueda será el silencio. El fruto del silencio será la oración. El fruto de la oración será la fe. El fruto de la fe será el amor. Y el fruto del amor será el servicio verdadero.

Oración: Señor, solo necesito tu mirada para vivir.

Oración y los Doce

En aquellos días él fue al monte a orar, y pasó la noche orando a Dios. Y cuando era de día, llamó a sus discípulos, y escogió a doce de ellos, a los cuales también llamó apóstoles. Lucas 6:12, 13.

¿Perseveras en oración cuando necesitas la dirección divina?

¿Por qué Jesús oró toda la noche? ¿Qué motivaba a nuestro Señor a tan noble disciplina? Si era Dios, ¿qué necesidad tenía de orar? ¿Qué razones tenía Jesús para orar toda una noche?

Jesús disfrutaba de la comunión con su Padre. Antes de ser entregado, Jesús oró al Padre en presencia de sus discípulos: "Porque me has amado desde antes de la fundación del mundo" (Juan 17:24). Aun antes de la Creación, había entre el Padre y el Hijo una relación de amor y disfrute mutuo.

En su humanidad, Jesús dependía totalmente del Padre. El apóstol Juan enfatiza que nuestro Señor no solo vino como Dios, sino también "vino en carne" (1 Juan 4:2); y en virtud de su humanidad participó de las aflicciones, miserias y necesidades del ser humano. Por eso, fue absolutamente dependiente del Padre. Su sostenimiento, provisión y protección venían de Dios; también su dirección en momentos críticos.

En nuestro texto lo encontramos orando toda la noche, porque al día siguiente elegiría a sus doce discípulos. Aun habiendo orado toda la noche, uno de los apóstoles lo traicionó, otro lo negó y el resto lo dejó solo cuando más los necesitaba (Mat. 26:40). No siempre después de orar las cosas se encaminan para bien. Necesitamos tiempo para madurar los hechos y ver la forma en que Dios responde nuestras oraciones.

Hay una verdad que se destaca en la oración nocturna de Jesús: cuando hemos de elegir personas que sirvan a Dios, tenemos que orar sin cesar para buscar la dirección divina. Los hombres y las mujeres de Dios son siempre elegidos. Dijo Jesús: "No me elegisteis vosotros a mí, sino que yo os elegí a vosotros, y os he puesto para que vayáis y llevéis fruto" (Juan 15:16). El manto del profeta Elías no cayó accidentalmente sobre Eliseo, sino que cayó providencialmente sobre él (2 Rey. 2:11-13).

¡Dios te ha elegido para grandes cosas! ¡Él siempre piensa en ti, especialmente cuando lo buscas en oración en los momentos más críticos de tu vida!

Oración: Señor, ayúdame a encontrarte cuando más te necesito.

Oración y transfiguración

Aconteció como ocho días después de estas palabras, que tomó a Pedro, a Juan y a Jacobo, y subió al monte a orar. Y entre tanto que oraba, la apariencia de su rostro se hizo otra, y su vestido blanco y resplandeciente. Lucas 9:28, 29.

La tarde agonizaba cuando el Maestro llamó a Pedro, Santiago y Juan para que lo acompañaran a la cima de la montaña. En silencio, los tres discípulos siguieron la escarpada senda en pos de Jesús. Eran los mismos tres que lo acompañarían en la noche del Getsemaní. La luz del poniente se detenía en la cumbre y doraba el sendero que recorrían, pero pronto se fue apagando a medida que el sol se hundía bajo el horizonte. En pocos minutos, los caminantes solitarios quedaron envueltos en la oscuridad de la noche. La lobreguez de cuanto los rodeaba era un signo premonitorio de las horas amargas que traspasarían sus vidas: Jesús sería entregado para agonizar y morir en una cruz.

Finalmente, apartándose un poco de ellos, el Señor derramó sus súplicas entre lágrimas y gemidos. Imploraba fuerzas para soportar la prueba en favor de la humanidad. Al principio, los discípulos lo acompañaron en oración; pero después de un tiempo, el cansancio los venció y se durmieron. Entonces Jesús le pidió al Padre que abriera los cielos para que los tres discípulos vieran la gloria que les esperaba después de la batalla.

Su oración fue oída. Repentinamente, las puertas de la ciudad de Dios se abrieron de par en par, y una irradiación santa descendió sobre el monte, rodeando la figura del Salvador. Su divinidad refulgió a través de su humanidad, y se fundió en la gloria que venía de lo alto. Jesús se había transformado en un Ser de luz. Así se cumplió la palabra del Maestro cuando ochos días antes había anticipado que había "algunos de los que están aquí, que no gustarán la muerte hasta que vean el reino de Dios" (Luc. 9:27). Luego, Pedro testificó de ese reino en 2 Pedro 1:16 al 18.

En aquel monte, Dios reunió a Pedro, Juan, Santiago, Elías y Moisés para decirte que tus luchas no son vanas. No importa cuán saludable o enfermo puedas estar hoy, tú y yo somos enfermos terminales, ¡pero pronto nuestro cuerpo mortal se vestirá de inmortalidad (1 Cor. 15:53)!

Oración: Gracias, Señor, por esta "bendita esperanza".

Oración de confianza

¿Qué padre de vosotros, si su hijo le pide pan, le dará una piedra?... Pues si vosotros, siendo malos, sabéis dar buenas dádivas a vuestros hijos, ¿cuánto más vuestro Padre celestial dará el Espíritu Santo a los que se lo pidan?
Lucas 11:11, 13.

¿Oras por lo que te conviene?

Uno de sus discípulos le pidió a Jesús que les enseñara a orar, así como Juan les había enseñado a sus discípulos (Luc. 11:1). Entonces Jesús les enseñó el Padrenuestro, y usó dos parábolas, la del amigo y la del padre (vers. 1-13), que ilustran la buena voluntad de Dios para concedernos el Espíritu Santo.

Los discípulos veían que Jesús se retiraba para orar a solas. Seguramente aquel discípulo que le pidió que les enseñara a orar había visto a su Maestro en oración y escuchado sus súplicas. Hoy, Jesús intercede por nosotros delante de su Padre, y es pertinente que le pidamos en oración que nos enseñe a orar; así como oró cuando estaba en la Tierra, y así como intercede ahora en los cielos.

El discípulo de nuestro texto no estaba pidiéndole al Maestro alguna técnica especial para que la oración fuera más efectiva. No estaba pidiendo un método, un ritual para seguir, o un rezo para repetir. Ya el Señor había enseñado a la multitud, en el Sermón del Monte, cómo orar. El discípulo quería orar como Jesús lo hacía.

"Enséñanos a orar" es uno de los pedidos más importantes que puedes hacerle al Señor, porque no sabes qué pedir, ni qué necesitas verdaderamente: "Pues qué hemos de pedir como conviene, no lo sabemos, pero el Espíritu mismo intercede por nosotros con gemidos indecibles" (Rom. 8:26).

El Espíritu de Dios está luchando en cada corazón humano. El más mínimo atisbo de bondad y pureza en el alma humana es la respuesta de Dios a los gemidos del Espíritu. Tu oración por el Espíritu ¡es ya la respuesta de Dios a tu oración!

El discípulo le pidió al Señor: "Enséñanos a orar, como también Juan enseñó a sus discípulos (Luc. 11:1)". Esta es la última referencia a Juan el Bautista, el hombre de oración; es una especie de mirada de despedida, pues será la última imagen que tendremos de él.

¿Será esta la última imagen que dejaremos en este mundo? ¿Nos recordarán como testigos del poder de la oración?

Oración: *Señor, danos tu Espíritu.*

Oración del pródigo

Me levantaré e iré a mi padre, y le diré: Padre, he pecado contra
el cielo y contra ti. Ya no soy digno de ser llamado tu hijo;
hazme como a uno de tus jornaleros. Lucas 15:18, 19.

¿**O**ras con humildad?

Si bien es cierto que nuestro texto forma parte de la historia del hijo pródigo, su ruego al padre es una sublime oración.

La oración del hijo pródigo encierra un secreto que Elena de White describe con sencillez y profundidad: "Los discípulos no podían apreciar entonces toda la fuerza de estas lecciones; pero después del derramamiento del Espíritu Santo... comprendieron mejor la lección del hijo pródigo, y pudieron participar del gozo de las palabras de Cristo: 'Mas era menester hacer fiesta y holgarnos... porque este mi hijo muerto era, y ha revivido; habíase perdido, y es hallado' " —*DTG* 459.

La oración de humildad expresa la conciencia de que estamos perdidos, y a su vez abre los cielos a "la fiesta y a la algarabía" de Dios y de los ángeles por la salvación de un alma rescatada.

¡Qué hermosa oración: "Padre, hazme como a uno de tus jornaleros" (Luc. 15:19)! Solo después de que recibieron al Espíritu Santo, los discípulos pudieron elevar esta oración. No antes. Ellos se vieron expresados en esta súplica cuando fueron conscientes de su pecado, de su traición a Cristo, de su pequeñez humana, que los llevaba a perder el tiempo en peleas estériles por cargos y posiciones vanas. Ellos pudieron elevar esta oración solo cuando vieron que su justicia era "como trapo de inmundicia" (Isa. 64:6).

El pródigo elevó esa oración cuando tuvo conciencia de su realidad. La humildad es nuestro contacto con la realidad. Su alma alcanzó el clímax del gozo cuando escuchó la orden que su padre les impartiera a los siervos de la casa: "Sacad el mejor vestido, y vestidle... y hagamos fiesta" (Luc. 15:22, 23).

Si eres consciente de tu pequeñez, serás humilde. Si eres grande en humildad, estarás más cerca de lo grande: "Y cuando [los discípulos] salieron en el nombre de su Señor, arrostrando reproches, pobreza y persecución, confortaban a menudo sus corazones repitiendo su mandato: 'No temáis, manada pequeña; porque al Padre ha placido daros el reino' " —*Ibíd.*

¡Tú eres el pródigo que festeja en la casa del Padre! ¡Disfruta su gracia!

Oración: Señor, *"hazme como a uno de tus jornaleros".*

Oración de un legalista

Mas él, respondiendo, dijo al padre: He aquí, tantos años te sirvo,
no habiéndote desobedecido jamás, y nunca me has dado ni
un cabrito para gozarme con mis amigos. Lucas 15:29.

¿Por qué hemos convertido en oración las palabras del hijo mayor? Porque es la oración que a menudo tú y yo elevamos a Dios en nuestro corazón, con el pensamiento, sin palabras audibles.

La parábola del hijo pródigo es la última de tres que tienen un denominador común: la oveja se perdió, la dracma se perdió, el hijo se perdió (Luc. 15). La oveja no sabía que se había perdido; no tenía intención de alejarse de su pastor; solo buscaba pastos verdes; y como no era consciente, simplemente se perdió. La moneda tampoco quiso perderse, sino que fue la ley de la gravedad la que la perdió, y no tuvo poder de resistencia. Simplemente, se le cayó de la mano a una mujer, y como era una moneda rodó como ruedan todas las monedas... hasta el lugar más oscuro e inaccesible.

Muchos seres humanos viven perdidos como la oveja de la parábola: no le hacen daño a nadie, no saben de dónde vienen ni adónde van, y simplemente viven por vivir, alimentando sus inclinaciones naturales, hasta que se mueren. Muchas personas no tienen más poder para resistir la presión de las circunstancias y las tentaciones que la moneda que se le cayó a la mujer de la palma de la mano.

Finalmente, los hijos de aquel padre bueno también se perdieron. Pero la diferencia con la oveja y la moneda es que ellos eran conscientes de que se apartaron del padre. El hijo menor volvió. El mayor, que nunca se había ido de la casa, siempre vivió lejos de su padre, aunque creía que había obedecido. Muchos de nosotros podemos estar creyendo que obedecemos y servimos a quien no conocemos.

Lo interesante es que en las tres historias hubo Alguien que buscó la oveja y la dracma perdidas, y recibió al hijo pródigo; y en todos los casos hubo alegría por el encuentro (vers. 6, 9, 24). Así es la gracia de Dios: busca a toda la humanidad.

Ya sea que seamos como el hermano mayor de la parábola, y a veces oremos como él, o como el hijo pródigo, ¡que nadie robe la gracia divina de nuestro corazón!

Oración: Señor, gracias porque me buscas y me recibes.

Oración de gratitud

Uno de ellos, viendo que había sido sanado, volvió, glorificando a Dios a gran voz, y se postró rostro en tierra a sus pies, dándole gracias... Respondiendo Jesús, dijo: ¿No son diez los que fueron limpiados? Y los nueve, ¿dónde están?
Lucas 17:15-17.

¿Eres agradecido?

Él era un extranjero. Su mirada, como la de todo hombre en tierra extraña, siempre pedía permiso o quizá disculpas. Sus ojos expresaban esa deuda que uno tiene con su propia alma cuando se está en tierra desconocida. Pero aquel hombre, además de ser extranjero, llevaba en su piel las marcas de la muerte, que atraían las miradas de quienes lo veían no solo como un inmigrante sino también como un riesgo para sus vidas. Había llegado a Jerusalén desde Samaria con mercaderías para vender.

Una mañana se despertó con algunas granulaciones en el rostro y en el torso, que pronto se extendieron por todo su cuerpo y se convirtieron en úlceras sangrantes. En esas condiciones, ya no podía volver a su tierra. Como indicaba el capítulo 13 de Levítico, fue al sacerdote para que lo ayudara. Este le impuso una túnica distintiva, le dio una campanita, y lo envió a unas grutas donde habitaban los leprosos lejos de las poblaciones.

A partir de ese momento, la vida del samaritano cambió rotundamente; lejos de su familia, todo se detuvo en los arrabales de la soledad, hasta que un día vio con sus compañeros de desgracia a Jesús, que venía con sus discípulos por el camino. Todos salieron desesperados de sus escondites, gritando: "¡Maestro, ten misericordia de nosotros!", y Jesús los sanó (Luc. 17:13, 14).

Era el milagro soñado. Un intenso agradecimiento llenó el alma del samaritano. Volvió al encuentro de Jesús, se arrodilló, lo adoró y le agradeció. La respuesta de Jesús fue una pregunta: "¿No hubo quien volviese y diese gloria a Dios sino este extranjero?" (vers. 18).

El leproso era un inmigrante, un hombre sin derechos; por eso captó en aquel milagro toda la gracia de Dios, de un modo que no pudieron percibir los propios leprosos judíos. Además de sanado, el samaritano se sintió aceptado por Dios.

Más allá de tu nacionalidad, condición social o color de piel, eres un hijo de Dios, príncipe heredero del reino de Cristo, depositario de la gracia divina que rodea la Tierra y ennoblece tu corazón.

Oración: *Señor, gracias por todo.*

Oración perseverante

También les refirió Jesús una parábola sobre la necesidad
de orar siempre, y no desmayar. Lucas 18:1.

Las similitudes y las diferencias entre la parábola del amigo importunado (Luc. 11:5-8) y la de la viuda que pide justicia ante un juez injusto son muy instructivas (Luc. 18:1-8). Ambas parábolas comparten un lado desagradable: la importunidad del pedido y la persistencia del suplicante. Ambas subrayan fuertemente la indignidad de rendirse ante la necesidad. Se espera que usemos el sentido común para no identificar al amigo importunado y al juez injusto con el Dios a quien oramos cada día. Esta parábola no habla del carácter de Dios, sino de la necesidad de orar sin cesar (1 Tes. 5:17).

La diferencia entre las dos parábolas es que el juez es muy malo, no así el amigo importunado. Al juez no le importa Dios ni los hombres (vers. 2). Cuanto peor es el dueño de la dádiva, más enfática es la exhortación a la persistencia. Si el juez de la parábola hubiera sido justo y sensible, esta parábola no habría tenido sentido.

La viuda es un símbolo del creyente oprimido, impotente ante las fuerzas del mal, que se siente abandonado por Dios a su propia suerte. En realidad, ¡a veces nos sentimos como si Dios nos hubiera dejado solos en el mundo! Es posible que te sientas como la viuda suplicante, que creas que tu clamor no es escuchado por el Cielo. Quizá sientas que el socorro se dilata, se hace esperar. Es posible que tu fe se "tambalee" ante tanta espera, que creas que el Cielo está vacío.

Pero, el retraso más prolongado puede convertirse en breve, porque el reloj del Cielo no late al mismo ritmo que nuestros pequeños cronómetros. Dios es "el Dios de la paciencia" y ha esperado milenios para establecer su Reino en la Tierra (ver 2 Ped. 3:9). Puedes aprender a sufrir, y a tomar en serio la promesa: "Ustedes necesitan tener fortaleza en el sufrimiento... Pues la Escritura dice: "Pronto, muy pronto, vendrá el que tiene que venir. No tardará" (Heb. 10:36, 37, DHH).

En esta vida, tú eres la viuda, ¡pero pronto puedes ser la novia que entra en la fiesta y se olvida rápidamente de sus enemigos y de los días de duelo (ver Mat. 22)!

Oración: Señor, dame paciencia y perseverancia para seguir creyendo y orando.

Oración del fariseo – 1

*El fariseo, puesto en pie, oraba consigo mismo de esta manera: Dios,
te doy gracias porque no soy como los otros hombres, ladrones, injustos,
adúlteros, ni aun como este publicano; ayuno dos veces a la semana,
doy diezmos de todo lo que gano. Lucas 18:11, 12.*

E s posible que haya sido el mismo fariseo a quien iba dirigida esta parábola
quien haya reunido a sus colegas para escuchar al Maestro (Luc. 18:9).

Dos son las características del perfil religioso de un fariseo: la rectitud de
sus obras y el desprecio a los demás, que es el resultado natural de la confianza
en sí mismo. La autoadulación era absoluta; y el desprecio, omnipotente:
los otros eran nada. El Maestro contrasta la oración del fariseo con la del
publicano (vers. 13, 14) para enseñarnos una lección: el fariseo necesita
muchas palabras para hablar de sí mismo; el publicano, ninguna. La justicia
propia tiene muchas formas; la humildad tiene solo una emoción y un clamor:
"Dios, sé propicio a mí, pecador" (vers. 13).

Cada palabra en la oración del fariseo está llena de autocomplacencia.
Incluso la expresión "oraba consigo mismo" es muy significativa, pues sugiere
que la oración estaba menos dirigida a Dios que a sí mismo. Esta no fue una
oración a Dios, sino el soliloquio de una autoalabanza. Autoadulación y
calumnia se correspondían a la perfección; por lo tanto, esa oración no pasó
de los labios del fariseo.

Dios es mencionado formalmente al principio, en las primeras palabras:
"Dios, te doy gracias". Pero eso es solo una introducción formal; en el resto
no hay rastro de oración. Un caballero tan satisfecho no tenía necesidad de
pedir nada. Él usaba palabras de gratitud, pero su verdadera intención era
alabarse a sí mismo usando a Dios. Dios es nombrado una vez; todo lo demás
es yo, yo, yo. Él no tenía anhelo de comunión, ni aspiración, ni pasión por
Dios. Su concepción de la rectitud era mezquina y superficial. No estaba tan
agradecido por ser justo como por ser el único que era muy justo. Con esa
oración estaba negando los grandes pecados que albergaba su alma.

Detrás del "perfeccionismo espiritual" hay mucha maldad. Detrás de la
crítica y el chisme hay mucha oración tóxica.

¡Que tu oración sea incienso fragante, encendido por el fuego del Espíritu!

Oración: *Señor, sé propicio a mí, que soy pecador.*

Oración del fariseo – 2

El fariseo, puesto en pie, oraba consigo mismo de esta manera:
Dios, te doy gracias porque no soy como los otros hombres, ladrones,
injustos, adúlteros, ni aun como este publicano; ayuno dos veces a la semana,
doy diezmos de todo lo que gano. Lucas 18:11, 12.

¿Es realmente una oración la del fariseo? Si el fariseo hubiera orado realmente, habría tenido suficiente tema en Dios y en su propia necesidad. Se hubiera enfocado en su alma. No habría mirado para el costado, ni se hubiera sentido con el derecho de lanzar lodo a los demás.

El que ora verdaderamente no ve a nadie más, sino solo a sí mismo, pecador, ante su Dios perfecto. No se queda en la superficie, como para alabarse, sino que ahonda hacia sus necesidades más profundas. El Espíritu Santo nos da una noción cierta de quiénes somos, y jamás salimos satisfechos con nosotros de ese escrutinio interior. Luego de la visita del Espíritu a nuestro corazón, se ahonda la necesidad de Cristo.

El que ora verdaderamente no ve a los otros para despreciarlos, los ve como personas por las que hay que interceder. La noción de justicia del fariseo era superficial y de orden negativa; estaba orgulloso de abstenerse de pecados flagrantes. Lo positivo eran actos ceremoniales vacíos. Esta concepción de la justicia divina y del hambre espiritual es característica esencial del legalismo, pues ningún hombre que vea la Ley de Dios en su profundidad e interioridad puede ufanarse de que la ha guardado. Ayunar dos veces a la semana y dar diezmos de todo lo que se adquirió eran obras egoístas que pretendían "ganar" un terrenito en el cielo. Por eso el fariseo las menciona con orgullo, como si Dios se sintiera endeudado con él porque estaba dando más de lo que se le exigía. El fariseo no pide nada espiritual, nada que lo acerque a Dios. Él se siente satisfecho, y presenta su caso ante el Señor como el fiscal que pone una demanda: solo espera recompensa por sus buenas obras.

Puede que con los labios no oremos como el fariseo, pero sí con el corazón. Toda oración que se eleva del legalismo, que genera almas marchitas e insensibles, es tóxica.

¡Que tu oración interior y secreta exhale el poder de una religión fundada en Cristo! ¡Su alcance será infinito!

Oración: *Señor, que mi oración te agrade y te honre.*

Oración del publicano

Mas el publicano, estando lejos, no quería ni aun alzar los ojos al cielo,
sino que se golpeaba el pecho, diciendo: Dios, sé propicio a mí, pecador.
Lucas 18:13, 14.

¿Crees que puedes llegar a ser "impecable"?

Se necesitan pocas palabras para pintar al publicano. La idea que tiene de sí mismo es simple y una, y lo que él quiere de Dios es una sola cosa. Su gesto expresa sus emociones: no se acerca al ideal perfeccionista del fariseo; por eso "es incapaz de levantar la vista". Su sentir es el de David: "Ten piedad de mí, oh Dios, conforme a tu misericordia; conforme a la multitud de tus piedades borra mis rebeliones. Lávame más y más de mi maldad, y límpiame de mi pecado... He aquí, tú amas la verdad en lo íntimo, y en lo secreto me has hecho comprender sabiduría" (Sal. 51:1-6).

En la oración del publicano, como en la de David, hay conciencia aguda del pecado, verdadera tristeza por el pecado, deseo sincero de sacudirse la carga del pecado, humilde confianza en el perdón y en la misericordia de Dios. La flecha de su ruego va directamente al Trono de la gracia divina.

Jesús dirige la aplicación de esta parábola directamente a quienes lo escuchaban en ese momento, y por extensión a todos los creyentes de los siglos. Sus palabras son como una saeta que intenta perforar la coraza de la justicia propia. El publicano fue "justificado"; es decir, considerado justo. En el juicio del Cielo, que es el juicio de la verdad, el pecado confesado y abandonado es pecado pasado. El fariseo condensa su desprecio en el publicano, pero Jesús toma al publicano y lo convierte en ejemplo de justificación cuando dice: "Este descendió a su casa justificado antes que el otro" (Luc. 18:14).

La condena de Dios del fariseo y la aceptación del publicano no son aberraciones de la justicia divina, ya que es una ley espiritual que el que se exalta a sí mismo será humillado, y el que se humilla será exaltado. No siempre ocurre esto en la vida, pero en la vida espiritual, y con respecto a nuestra relación con Dios, esta ley es absoluta y siempre verdadera.

¡Que nuestras oraciones exhalen la dulce humildad de Cristo!

Oración: Señor, dame sabiduría en lo profundo de mi corazón.

Oración intercesora de Jesús – 1

Dijo también el Señor: Simón, Simón, he aquí Satanás os ha pedido para zarandearos como a trigo; pero yo he rogado por ti, que tu fe no falte; y tú, una vez vuelto, confirma a tus hermanos. Lucas 22:31, 32.

La porción en la que se inserta la oración de Jesús por Pedro comienza describiendo la disputa entre los discípulos acerca de quién sería el mayor en el nuevo reino (Luc. 22:24). El Señor, en vez de reprocharles la pobreza y mezquindad de su pensamiento, los anima con estas palabras: "Yo, pues, os asigno un reino, como mi Padre me lo asignó a mí, para que comáis y bebáis a mi mesa en mi reino, y os sentéis en tronos juzgando a las doce tribus de Israel" (vers. 29, 30). Tras animarlos al servicio, le advierte a Pedro que él lo traicionará, pero que finalmente se recuperará de su caída. Hay mucho amor en las palabras del Maestro.

Tres ideas motrices emergen de Lucas 22:31 y 32. En primer lugar, Jesús siempre estará a nuestro lado en la hora de la prueba. Luego, la fe puede eclipsarse, pero jamás extinguirse. Finalmente, quien cayó puede recuperarse; y quien se recupera dará un mejor servicio en la causa de Dios

Jesús siempre está a nuestro lado: el creyente que está en mayor peligro es quien más cerca está del corazón de Cristo, y es el motivo principal de su intercesión. Así ocurre siempre: la más tierna de sus palabras, el más dulce de sus consuelos, el más fuerte auxilio, la oración intercesora más suplicante, los más poderosos dones de su gracia, se dan a los más débiles, a los más necesitados, a los hombres y a las mujeres en prueba y angustia. Los que más desean a Jesús más cerca lo tienen. Cuanto más densas son las tinieblas, más brillante es su luz. Cuanto más duras son las pruebas de nuestra vida, más rica será su presencia. Cuanto más solos estemos, más intensa será su compañía. Nuestra necesidad es la medida de la oración de Jesús.

Jesús hoy te dice: "Satanás ha querido tenerte, pero tú [pon aquí tu nombre], que estás en el ojo de la tormenta, tienes que saber que estás bajo los rayos iluminadores de mi amor y cuidado".

Oración: Gracias, Señor, porque cuando mayores son mis peligros mayor es tu presencia.

Oración intercesora de Jesús – 2

Dijo también el Señor: Simón, Simón, he aquí Satanás os ha pedido para zarandearos como a trigo; pero yo he rogado por ti, que tu fe no falte; y tú, una vez vuelto, confirma a tus hermanos. Lucas 22:31, 32.

Tenemos un Abogado y un Intercesor ante el Trono de Dios (1 Juan 2:1). Su oración siempre se escucha. ¡Oh, hermanos, cuán diferente sería nuestra capacidad de resistir la prueba y la tentación si creyéramos vivamente que Cristo ora por nosotros!

Pedro finalmente fue zarandeado, y negó a Jesús, como había sido anticipado por el Maestro (Luc. 22:34). Pero un eclipse de fe no es la extinción de la fe. Una debilidad, faltar a las convicciones más profundas en un momento de la vida, no significa la aniquilación de estas convicciones. La oración de Cristo nunca es vana; y aquella oración intercesora por Pedro fue contestada, porque, aunque el discípulo cayó, no quedó revolcándose en el barro. Volvió tambaleándose y con mucha agonía y vergüenza, luchó, lloró, clamó por perdón, se levantó, y siguió adelante con esperanza inconquistable.

Mejor es caer y levantarse que, reconociéndose como cristiano, caminar por la vida como un zombi espiritual. Hay más posibilidades de recuperación para un creyente bueno que ha caído en algún pecado grande como una montaña que los que han permitido que su religión se fuera desangrando con el paso del tiempo, dejando que sus venas se vaciaran hasta que su corazón dejara de latir.

Aquí, pues, tenemos las últimas dos grandes lecciones de nuestro texto: el amor más sincero, el deseo más intenso de seguir a Jesús, la fe más firme, puede eclipsarse en un momento, pero no extinguirse. La otra lección es que un creyente que ha caído muy profundamente puede recuperarse, y su obra posterior a su conversión será la mejor.

Pedro cumplió la profecía de Jesús: "Y tú, una vez vuelto, confirma a tus hermanos" (vers. 32). Y también cumplió su propia profecía: "Dispuesto estoy a ir contigo no solo a la cárcel, sino también a la muerte" (vers. 33).

La semilla plantada por Pedro en el día del Pentecostés (Hech. 2:14-42) germinó y dio frutos de vida eterna durante siglos y milenios.

Guardada en Cristo, ¡tu oración secreta siempre será respondida! Guardada en Cristo, ¡tu fe jamás se extinguirá, y dará frutos imperecederos!

Oración: *Señor, que mi fe jamás se extinga.*

Oración de agonía

Y saliendo, se fue, como solía, al monte de los Olivos; y sus discípulos también le siguieron. Cuando llegó a aquel lugar, les dijo: Orad que no entréis en tentación... Y estando en agonía, oraba más intensamente; y era su sudor como grandes gotas de sangre que caían hasta la tierra. Lucas 22:39-44.

Cuando nos acercamos a nuestro texto con temor reverente, el corazón exhala gratitud y adoración al ver el alma de Cristo en agonía, sumisa a la voluntad del Padre.

Piensa en el contraste entre los gritos de algarabía por la fiesta en Jerusalén y el silencio de Jesús y sus discípulos bajo la sombra de los olivos, en el jardín iluminado por la luna. Jesús necesitaba la compañía de sus amados, pero más necesitaba la soledad. Por eso "se apartó de ellos a distancia como de un tiro de piedra; y puesto de rodillas oró" (Luc. 22:41). Se fue lo suficientemente lejos como para concentrarse en su oración, y lo suficientemente cerca como para cuidarlos y aconsejarles, dos veces, que oraran por ellos mismos. Jesús sabía que su sufrimiento podría desalentarlos. ¡Cuán hermoso es Jesús en su cuidado por sus discípulos! Su amor abnegado brilla más gloriosamente en la oscuridad de su tristeza.

Lucas anota tres cosas: la oración, la aparición del ángel y los efectos físicos de la agonía (vers. 42-44). La oración del Getsemaní es verdaderamente "la oración del Señor". El Padrenuestro no fue su oración, sino la que enseñó a sus discípulos. Ambas comienzan enfatizando la paternidad de Dios, que nunca nos abandona. Jesús invoca al Padre para decirle: "Si quieres, pasa de mí esta copa" (vers. 42). Sintió por anticipado el riesgo de que Dios lo abandonara por llevar los pecados de la humanidad. Pero ¿dudó en su deseo y resolución de soportar la Cruz? ¡Mil veces no! Su voluntad nunca vaciló. Si no hubiera visto la Cruz como un instrumento de tortura, no habría sido un sacrificio, pero si el miedo hubiera penetrado su voluntad, no habría sido nuestro Salvador.

La aceptación de la voluntad divina no es trágica: "Si debe ser así, que así sea". En su oración, Jesús recibió la respuesta del Padre: ambas voluntades coincidían.

La conformidad de tu voluntad con la de Dios es la más alta bendición de la oración, y la verdadera liberación.

Oración: *Señor, quiero hacer tu voluntad.*

Oración del Sacerdote

Y Jesús decía: Padre, perdónalos, porque no saben lo que hacen. Lucas 23:34.

El Maestro que habló palabras de vida durante tres años y medio lleva su cruz en silencio, porque se ha tornado en el "Cordero de Dios" (Juan 1:29). Los corderos mueren sin quejarse.

Una gran multitud lo ha seguido al Calvario. Muchos se mofan de su afirmación de ser el Hijo de Dios y el Mesías de Israel. Él no se queja. Es el Cordero.

En el ojo del huracán, en medio de un torbellino de abuso, desprecio y feroz regocijo por sus sufrimientos, Jesús no devolvió ninguna burla, ni lanzó ningún grito de dolor ni respondió a la provocación. Se cumplieron en él las palabras del profeta Isaías: "Angustiado él, y afligido, no abrió su boca; como cordero fue llevado al matadero; y como oveja delante de sus trasquiladores, enmudeció, y no abrió su boca" (Isa. 53:7). Pero sí abrió su corazón y sus labios balbucearon una oración intercesora por aquellos pecadores: "Padre, perdónalos, porque no saben lo que hacen" (Luc. 23:34). El Cordero se había tornado Sacerdote, para interceder por los pecadores.

Jesús olvida sus dolores, y piensa en el pecado de sus perseguidores y en su retribución. No le duele su castigo sino el castigo futuro de esa gente. Muere como ha vivido: bendiciendo. No invoca venganza sobre los autores de su tortura, sino que expresa un atenuante: "No saben lo que hacen".

Estos no son hombres ingenuos. No solo atentan contra el único nacido de mujer que no tiene mancha, atentan también contra la justicia y el sentido común, pues matan a un inocente.

Así, Jesús adquirió el derecho a ser el Abogado del hombre en la presencia del Padre. Sus primeros casos: estos hombres envilecidos que tramaron su muerte, y los de los crueles soldados que se han mofado de él y se juegan sus ropas al pie de la cruz.

"Esa oración de Cristo por sus enemigos [también] abarcaba al mundo. Abarcaba a todo pecador que hubiera vivido desde el principio del mundo o fuese a vivir hasta el fin del tiempo" —*DTG* 694.

¡Tú yo estamos incluidos en esta oración! ¡Tú y yo hemos herido a Jesús! Nuestros pequeños actos mezquinos, nuestra cotidiana indiferencia hacia los que sufren, que nos sacan de la comodidad, nuestro maltrato a quienes más nos aman, hieren a Jesús.

¡Adoremos, pues, al ensangrentado Sacerdote que muere por nosotros bendiciendo!

Oración: Señor, gracias por tu intercesión.

Oración de confianza

Padre, en tus manos encomiendo mi espíritu. Lucas 23:46.

Las madres judías les enseñaban a sus hijos esta oración para ir a dormir: "Señor, en tus manos encomiendo mi espíritu". Ahora, el Cordero de Dios eleva esta oración que debió de haber repetido en su infancia. "Encomendar" significa también "rendirse" o "recostarse".

Con la confianza con que durmiera en Nazaret, al cuidado de su madre, Jesús va a dormir en el Calvario al cuidado de su Padre, aunque la noche más triste de la historia cubra como una mortaja el universo, y los demonios parezcan vencer.

Jesús ha hecho una declaración de confianza en cumplimiento de la profecía mesiánica: "En tu mano encomiendo mi espíritu" (Sal. 31:5). Solo una palabra se agrega a esta declaración: la palabra "Padre".

Jesús fue un hijo obediente. Fue "obediente hasta la muerte, y muerte de cruz" (Fil. 2:8). Su Padre lo envió a la Tierra a morir, y él obedeció, como Isaac (ver Gén. 22). Pero Jesús no tiene sustituto. Él es el Sustituto del hombre.

Jesús vivió sujeto a su Padre. Dijo: "No busco mi voluntad, sino la voluntad del que me envió, la del Padre" (Juan 5:30). Vino a hacer la voluntad del Padre, y en la Cruz cumple el primer objetivo de su plan redentor: el sacrificio. La expresión "expiró", o "entregó el espíritu" (Luc. 23:46), significa "aliento, a punto de expirar, de morir".

Jesús no es sorprendido por la muerte. Más bien la muerte sirve a su propósito redentor. El autor del Evangelio no dice "él murió", sino que "él entregó el espíritu" (Juan 19:30), indicando el carácter voluntario de su ofrenda. Jesús dio su vida porque él lo quiso, cuando quiso y como quiso. Así lo dijo: "Por eso me ama el Padre, porque yo pongo mi vida, para volverla a tomar. Nadie me la quita, sino que yo de mí mismo la pongo. Tengo poder para ponerla, y tengo poder para volverla a tomar" (Juan 10:17, 18).

Jesús es la Rosa de Sarón, que, como esa flor, muere cuando se desprende de su tallo, pero ¡revive! cuando es injertada nuevamente al mismo tallo.

Solo él pudo "desprenderse" del Padre y volver al Padre. Y lo hizo, para que tú, muerto en tus pecados, ¡tengas vida eterna!

Oración: Señor, tú me das vida.

Oración del Resucitado

Aconteció que estando sentado con ellos a la mesa, tomó el pan y lo bendijo,
lo partió, y les dio. Entonces les fueron abiertos los ojos, y le reconocieron.
Lucas 24:30, 31.

Hay una mezcla singular de misterio y sencillez en la narración de los hechos que acaecieron entre la resurrección y la ascensión de Jesús. El relato de Lucas 24 tiene un cierto aire de lejanía y de profundidad. Como si las palabras se quedaran cortas, y los hechos significaran más de lo que aparece en la superficie. A su vez, la narración es sencilla, porque los hechos son simples: Las mujeres se dan cuenta de que la tumba está vacía, avisan a algunos discípulos lo que estaba ocurriendo, Pedro verifica esto. Luego el relato describe a dos caminantes que van hablando de lo acontecido ese fin de semana en Jerusalén, Jesús se une a ellos, y les explica con las Escrituras que todo eso estaba profetizado. No reconocen a Jesús, Lucas no explica el porqué. Entonces ambos caminantes llegan con Jesús a una aldea, lo invitan a comer en su casa, y cuando Jesús parte el pan y lo bendice recién entonces se dan cuenta de que el que les hablaba en el camino ¡es el Maestro de Nazaret!

Las palabras de Jesús en aquella casa parecían calcadas de la Cena del Señor (Luc. 22:7-20). Además, eran las mismas palabras que los evangelistas usaron luego para describir la alimentación milagrosa de los cuatro y los cinco mil. Fue ese acto de generosidad de partir el pan, bendecirlo y compartirlo, que les resultó familiar, lo que abrió sus ojos y su corazón para reconocer al Maestro.

Las relaciones familiares bendecidas por la presencia del Señor no se quebrantan, a pesar de los hechos más fatídicos que puedan ocurrir. La memoria rescata siempre lo que el corazón necesita. La tumba había roto toda aquella dulce y bendita relación íntima entre Jesús y sus discípulos, ellos se sentían solos; pero cuando Jesús partió el pan, se dieron cuenta de que había resucitado.

Todo afecto humano enraizado en Jesús es imperecedero. Toda oración de fe acompañada de simples actos de amor trae a Jesús a tu lado. ¡Pronto podremos estar sentados a la mesa, en cuya cabecera estará Jesús!

Oración: *Señor, abro la puerta de mi corazón para que cenes conmigo.*

Oración por Agua – 1

El que bebiere del agua que yo le daré, no tendrá sed jamás; sino que el agua que yo le daré será en él una fuente de agua que salte para vida eterna. La mujer le dijo: Señor, dame esa agua, para que no tenga yo sed. Juan 4:14, 15.

Existen dos tipos de pozos de agua: el aljibe, que es un simple depósito, y el pozo, llamado propiamente así. Un pozo es una especie de túnel vertical que perfora la tierra hasta alcanzar una corriente profunda de agua. Se diferencia del aljibe en que mientras que el agua de este proviene de afuera, de la lluvia, el agua del pozo "brota" de las corrientes internas, subterráneas. El pozo es como una fuente, símbolo de movimiento, no de estancamiento. Su movimiento se deriva de sí mismo, no del exterior.

Cristo le dijo a la mujer samaritana que, si ella decidía, él plantaría en su alma un don que por su propia energía elevaría su mente, refrescaría su espíritu y saciaría la sed de su corazón.

¿Quién era ese don? Jesús mismo. Él es el don indescriptible que se estaba ofreciendo personalmente a aquella mujer junto al pozo de Jacob. Hoy, Jesús no está con nosotros físicamente, pero el Espíritu Santo es el don que Dios concede a los que creen en su nombre (Juan 1:12; 16:7). El don del Espíritu es la Fuente del Agua de vida que brota en tu interior para siempre.

La mayoría de los seres humanos sacan sus provisiones de afuera, del exterior de sí mismos. Buscan enriquecerse con cosas. Buscan ser felices y fuertes solo con las cosas que el mundo exterior puede ofrecerles. Así, algunos logran ser ricos, y aun considerarse fuertes. Para la mayoría de nosotros, lo que tenemos es lo que determina nuestra felicidad, pero en cuanto cambian las circunstancias o las condiciones que nos llevaron a esa forma de alegría toda la felicidad se desvanece.

Jesús quiere plantar en tu alma la fuente de agua viva que eleva tu mente, refresca tu espíritu y sacia la sed de tu corazón. ¡Para siempre!

Con Cristo, ¡la vida es posible, la paz es posible, la alegría es posible, bajo todas las circunstancias y en todos los lugares!

Oración: Señor, dame de esa agua para que no tenga más sed.

Oración por Agua – 2

El que bebiere del agua que yo le daré, no tendrá sed jamás; sino que el agua que yo le daré será en él una fuente de agua que salte para vida eterna. La mujer le dijo: Señor, dame esa agua, para que no tenga yo sed. Juan 4:14, 15.

¿Quieres ser feliz? Todos queremos ser felices. Pero no todos buscamos la felicidad por el mismo camino.

Algunos viven en el nivel "biológico", buscando satisfacer sus necesidades e impulsos naturales. Se pierden como la oveja de la parábola, tras "los pastos verdes", sin conciencia de adónde van. Viven solo para este mundo, y su mundanalidad toma la forma del apetito sensual o del deseo de adquirir riquezas y/o poder sobre los otros. La sed del cuerpo es símbolo y figura de la experiencia espiritual de todas estas personas. Así como el cuerpo se sacia momentáneamente luego de beber un vaso de agua, sus almas se sacian temporalmente luego de adquirir cosas o satisfacer sus impulsos. Pero, "el que ama el dinero, no se saciará de dinero; y el que ama el mucho tener, no sacará fruto" (Ecl. 5:10).

Otras personas elevan el nivel de su búsqueda y se dirigen a su propia fuente interior, ya no a las cosas, sino a su mente y a su espíritu. Se cultivan intelectualmente, y hacen obras de bien en favor de otros, con gran valor humano. He conocido muchas personas que sin creer en Dios son más humanas y buenas que muchos creyentes. Sin embargo, ninguna verdad, ninguna sabiduría, ninguna cultura, ninguna acción bondadosa aunque sea la más noble puede satisfacer la sed de eternidad del alma. Porque todavía la fuente de felicidad está fuera de la persona.

Como seres humanos, no podemos dejar de depender de lo externo, ni sería bueno que lo intentáramos, pero la absoluta dependencia de Jesucristo cambia el sentido de lo externo. Llegarán dolores y te pondrán triste, pero, aunque las tinieblas te cubran, habrá luz interior en la oscuridad. El árbol de tu vida puede estar desnudo y sin hojas, pero la savia de Cristo descenderá hasta las raíces de tu ser para que seas feliz aun en la tormenta.

¡Cada día puedes acceder en oración a la Fuente de agua de vida!

Oración: Señor, dame esa agua, para que no tenga sed.

Oración por Agua – 3

El que bebiere del agua que yo le daré, no tendrá sed jamás; sino que el agua que yo le daré será en él una fuente de agua que salte para vida eterna. La mujer le dijo: Señor, dame esa agua, para que no tenga yo sed. Juan 4:14, 15.

Jesús es "una fuente de agua que salta" (Juan 4:14). El símbolo sugiere un movimiento cuya fuerza se origina en la propia fuente. El agua puede estar estancada; o puede ceder a la fuerza de la gravedad y deslizarse por el lecho de un río descendente; o puede ser bombeada y levantada por la fuerza externa de un molino; o puede moverse como las corrientes del mar, regulada por la Luna o la fuerza de los vientos. Pero solo Cristo da una energía cuyo poder no procede del mundo exterior.

Nada simboliza mejor la vida libre y gozosa del creyente que esta figura del lenguaje: "el agua salta". El agua de Cristo no se estanca. Con él, ¡la vida salta de energía y alegría! En él hay energía y actividad constantes. Cristo nos levanta cada mañana para realizar las actividades cotidianas. Y, cuando llega la noche, la energía de Cristo nos da paz.

¿No estás cansado de la inexpresable monotonía y fatiga de tus labores diarias? ¿Vas a tu trabajo con una feroz sensación de "necesidad" y repugnancia? Puede que las partes más elevadas y más nobles de tu naturaleza aún no hayan sido activadas. ¡Trabajar y vivir por Cristo es un deleite! Él nos da energía renovada y renovable. La vida es deliciosa aun en el trabajo más duro.

Como el poder procede de tu interior, tu religión no está impulsada por un mandamiento externo, como si fuera un látigo. En Cristo, el deber y el gozo coinciden en todas tus obras, y tu vida espiritual no está moldeada por las circunstancias externas.

Finalmente, la promesa es que el agua saltará "para vida eterna", como los géiseres, que saltan hacia el cielo por el fuego interior del volcán. ¡Toda la experiencia cristiana en la Tierra es una anticipación de la vida eterna!

No nos arrastremos por la superficie de la vida. En nuestro interior nace el deseo de orar por el Espíritu, quien nos impulsa cada día hacia el cielo.

Oración: Señor, que mi vida salte hacia lo alto.

Oración de fe

Entonces Jesús le dijo: Si no viereis señales y prodigios, no creeréis.
El oficial del rey le dijo: Señor, desciende antes que mi hijo muera.
Jesús le dijo: Ve, tu hijo vive. Juan 4:48-50.

En los primeros capítulos de su Evangelio, Juan registra dos milagros realizados por Jesús en Caná de Galilea. No es caprichosa la mención del milagro de la fiesta de bodas (Juan 4:46). Ambos milagros marcan un contraste notable. Uno se realiza en una fiesta de casamiento, y la escena es de ruido y algarabía. Pero la vida tiene cosas más profundas que la alegría, y un Salvador que hubiera preferido la casa del banquete a la casa del luto no sería el Salvador. El segundo milagro, entonces, se dirige al lado más oscuro de la experiencia humana. El hogar más feliz tiene sus horas tristes. El que comenzó su ministerio con un milagro que prodigó felicidad a los contrayentes ahora debe consolar al funcionario real golpeado por la enfermedad de un hijo.

Nuestro texto se divide en tres partes: la declaración de Jesús, el ruego del romano y el milagro. La sentencia de Jesús parece más bien un chorro de agua fría a la ardiente ansiedad de aquel padre por la sanidad de su hijo, pero las palabras de Jesús son más bien un suspiro de profunda tristeza y lamentación más que de reproche. Habla su corazón dolorido: Cristo había venido de Samaria —el desprecio de los judíos—, y allí había encontrado a gente que no necesitaba milagros para creer, porque "creyeron muchos más por la palabra de él" (vers. 41). Para los samaritanos, Jesús no era un curandero.

Luego, Jesús, que lee los corazones, vio la fe detrás del ruego del funcionario romano. Dios jamás "apaga el pábilo que humeare" (Isa. 42:3). El hombre creyó en Jesús antes de tener evidencias del milagro (Juan 4:50).

Es posible que tu hijo, tu hija u otro ser muy cercano esté enfermo. Es posible que tú mismo estés agotado de luchar contra una enfermedad que crees incurable. ¡Clama a Jesús! Él no "apaga el pábilo que humeare". Su Espíritu da vida. Sus promesas "son espíritu y son vida" (Juan 6:63).

Aun cuando no haya nada que pueda hacer el hombre, Dios es nuestro mejor refugio.

Oración: Señor, obra milagros entre los enfermos, para glorificarte.

313

Oración por el Pan de vida – 1

Le dijeron: Señor, danos siempre este pan. Juan 6:34.

¿Pides a Dios humildemente el pan de cada día?

En la oración de Juan 6:34 resuena el eco de la quinta petición del Padrenuestro: "Danos el pan". Esta es la más humana de las siete peticiones del Padrenuestro, porque en una primera interpretación remite a la necesidad más básica del ser humano: el sustento del cuerpo. Es interesante ver que el mismo Señor que nos instó a no estar agobiados por lo que hemos de comer (Mat. 6:25) es quien inspira en el corazón del creyente esta petición: Danos el pan nuestro. Nos insta a pedir a Dios nuestra comida.

Vivimos del pan. El pan es el fruto de la tierra y del trabajo del hombre. Pero la tierra no daría su fruto si no recibiera desde arriba el sol y la lluvia. El pan es el resultado de la asociación del hombre y la naturaleza, y ambos dependen de Dios. El trabajo es bendecido por la salud, y la salud por la vida, que provienen del Creador. Esta asociación de nuestras manos con la providencia de la naturaleza es un antídoto contra nuestro natural orgullo, que nos induce a creer que podemos sustentarnos solos en el planeta. El trabajo de la tierra, sustentada por Dios, es lo que nos da de comer.

Vivimos del pan. Pedir a Dios nuestro sustento no solo es necesario sino también noble. "No he visto justo desamparado ni su descendencia que mendigue pan" (Sal. 37:25) es, además de una convicción de David, una promesa divina.

Vivimos del pan; pero no solo vivimos de pan (Mat. 4:4). El adjetivo demostrativo "este", de Juan 6:34, nos eleva a un grado superior de necesidad, la del alma, que solo puede ser saciada con el Pan de vida, Cristo Jesús.

Antes del pedido de la gente, "danos este pan", Jesús les reprochó: "Me buscáis, no porque habéis visto las señales, sino porque comisteis el pan y os saciasteis. Trabajad, no por la comida que perece, sino por la comida que a vida eterna permanece, la cual el Hijo del Hombre os dará" (vers. 26, 27).

Sin Jesús, nuestra vida no tiene más valor que un poco de harina, levadura y agua. ¡*Jesús* es tu Pan de vida!

Oración: Señor, dame el Pan.

Oración por el Pan de vida – 2

Le dijeron: Señor, danos siempre este pan. Juan 6:34.

¿Tienes hambre de Dios? Luego del consejo de Jesús de que trabajaran por "la comida que a vida eterna permanece" (Juan 6:27), la multitud preguntó: "¿Qué debemos hacer para poner en práctica las obras de Dios?... ¿Qué señal, pues, haces tú, para que veamos, y te creamos? ¿Qué obra haces? Nuestros padres comieron el maná en el desierto, como está escrito: Pan del cielo les dio a comer" (vers. 28-31).

¡Pobre gente, no entendía la obra de Dios! Jesús le responde: "No os dio Moisés el pan del cielo, mas mi Padre os da el verdadero pan del cielo. Porque el pan de Dios es aquel que descendió del cielo y da vida al mundo" (vers. 32, 33).

Luego de la respuesta de Jesús, los oyentes tuvieron hambre, y clamaron: "Señor, danos siempre este pan". Esta es la oración del corazón necesitado de Dios. Solo Cristo es el Pan de vida.

El maná del Éxodo retorna y alcanza su plenitud en la Última Cena, cuando Cristo parte el pan como símbolo de su cuerpo que sería quebrantado. En Cristo, el pan alcanza su significado esencial. Jesús es nuestro Pan. Con él culmina todo el movimiento que va del cuerpo al espíritu, de la Tierra al cielo, del pan cotidiano al Pan de vida. Cristo, el Pan de vida, es el que alimentó a su pueblo en el pasado y nos alimentará por la eternidad.

"La oración por el pan cotidiano incluye no solamente el alimento para sostener el cuerpo, sino también el pan espiritual que nutrirá el alma para la vida eterna... Nuestro Salvador es el Pan de vida; cuando miramos su amor y lo recibimos en el alma, comemos el pan que desciende del cielo... Al enseñarnos a pedir cada día lo que necesitamos, tanto las bendiciones temporales como las espirituales, Dios... procura atraernos a una comunión íntima con él. En esta comunión con Cristo, mediante la oración y el estudio de las verdades grandes y preciosas de su Palabra, seremos alimentados como almas con hambre" —*LO* 297.

Si tienes hambre de Dios, estás en buen camino. Serás plenamente saciado.

Oración: *Señor, despierta en mí el hambre de ti.*

Oración de confirmación – 1

Jesús, alzando los ojos a lo alto, dijo: Padre, gracias te doy por haberme oído. Yo sabía que siempre me oyes; pero lo dije por causa de la multitud que está alrededor, para que crean que tú me has enviado. Juan 11:41, 42.

¿Le temes a la muerte?

La serie de los milagros de nuestro Señor antes de la Pasión culmina majestuosamente con la resurrección de Lázaro. De Juan 11, donde está nuestra oración, brotan tres ideas luminosas: la empatía de Cristo con la condición humana (vers. 28-37), su serena y majestuosa conciencia del poder divino que lo habilita a devolver la vida a los muertos (vers. 38-44), y la revelación de Cristo como la propia Vida, que nos da vida por su Palabra (vers 25).

Juan dice que "se estremeció en espíritu y se conmovió" (vers. 33). Cristo se hermana con la humanidad: "Jesús lloró" (vers. 35). Jamás un texto tan breve tuvo un impacto tan grande y perdurable en el espíritu de la humanidad. La naturaleza de la emoción de Cristo, que se destila en lágrimas y gemidos, no es solo expresión de dolor y simpatía. Es algo más profundo. Unos versos más adelante se nos dice que "Jesús todavía estaba enojado cuando llegó a la tumba" (vers. 38, NTV). ¿Por qué estaba santamente indignado? No podemos imaginar la visión que se elevó ante él de esa procesión espectral de siglos y milenios de dolor a causa de la muerte, producida por el pecado. Vio, en el caso particular de Lázaro, el destino de todo el género humano. Vio el océano en la gota. Surgió ante él la realidad de la desolación del hombre por el pecado, y el pensamiento de que toda esta miseria, pérdida, dolor, separación y muerte era una contradicción al propósito divino. Por eso Jesús lloró, y la naturaleza de su dolor tuvo la forma de su divinidad.

Cristo se compadece de los seres humanos, y nos concede esperanza. Su serena conciencia de poder resucitar a los muertos se expresa en su oración: agradece al Padre antes de operar el milagro. Su voluntad y su poder coincidían absolutamente con los del Padre.

Jesús está a tu lado en tu hora más oscura (Heb. 4:15). Su Palabra es más poderosa que la causa de tu dolor y aun de la misma muerte.

Oración: Señor, anclo mi vida en el poder de Jesús.

Oración de confirmación – 2

Jesús, alzando los ojos a lo alto, dijo: Padre, gracias te doy por haberme oído. Yo sabía que siempre me oyes; pero lo dije por causa de la multitud que está alrededor, para que crean que tú me has enviado. Juan 11:41, 42.

El llanto de Jesús no fue comprendido por los que estaban a su lado. Lo reprocharon por haber sanado ciegos y no sanar a Lázaro (Juan 11:37). Ciegos eran los que decían estas cosas de Jesús. Jamás tires las perlas de tus lágrimas a los cerdos.

Por otra parte, el cristianismo no es falso estoicismo, que proclama que está mal llorar cuando se sufre. Llora todo lo que necesites llorar (Luc. 23:28). Pero el dolor tiene un límite: la fe en el Hijo de Dios, el gran Consolador.

Marta le dice a Jesús: "Sé ahora que todo lo que pidas a Dios, Dios te lo dará" (Juan 11:22). Entonces, Jesús, con serena confianza en sí mismo, le responde: "Tu hermano resucitará" (vers. 23). Marta pensó que Lázaro resucitaría en el día del Juicio Final (vers. 24). Pensó en Jesús como un buen hombre cuyas oraciones llegaban al cielo. Pero la respuesta segura de Jesús expresaba que la voluntad del Hijo es la del Padre, y que el poder del Padre es también el del Hijo. La naturaleza del Hijo de Dios es diferente de la de cualquier mortal que pide y espera. En Jesús convergen oración y respuesta, porque la obra del Hijo es igual a la del Padre. Ambas voluntades coinciden absolutamente. La omnipotencia del Padre también es la de Jesús. Por eso, agradece a Dios antes de obrar el milagro (vers. 41). Jesús dijo de sí: "Yo soy la resurrección y la vida (vers. 25).

Finalmente, la resurrección de Lázaro se convierte en una profecía y una parábola. Es una profecía porque nos dice por anticipado que Jesús tiene poder para darte vida aquí y ahora mediante su Palabra. ¡Dichosa esperanza! ¡Cristo puede levantarnos del polvo aquí y ahora, o en el "día postrero"! Pero además es una parábola, porque así como Cristo fue la vida de Lázaro, en un sentido profundo y real, y no meramente metafórico y místico, ¡él es la vida de todo espíritu que realmente vive!

Oración: Gracias, Señor, porque tienes poder sobre la muerte.

Oración de gloria

Ahora está turbada mi alma; ¿y qué diré? ¿Padre, sálvame de esta hora? Mas para esto he llegado a esta hora. Padre, glorifica tu nombre. Entonces vino una voz del cielo: Lo he glorificado, y lo glorificaré otra vez. Juan 12:27, 28.

Jesús se sintió extrañamente conmovido por el incidente aparentemente trivial de ciertos griegos deseosos de verlo (Juan 12:20-26). Los sabios orientales en su cuna, y estos representantes de la cultura occidental en las horas previas a la Cruz, eran primicias de la adoración de los gentiles. Aquella visita en Belén y esta, en la víspera de la muerte, eran en sí mismos hechos proféticos: el evangelio se extendería más allá de Judea, hasta los confines de la Tierra, al este y al oeste.

Al pedido de los griegos, Jesús responde: "Ha llegado la hora para que el Hijo del Hombre sea glorificado" (vers. 23). Se debía cumplir la ley de que la vida superior solo puede ser alcanzada por la entrega de la inferior: "Si el grano de trigo no cae en la tierra y muere, queda solo; pero si muere, lleva mucho fruto" (vers. 24). De ahí, el siguiente pensamiento: "El que ama su vida, la perderá; y el que aborrece su vida en este mundo, para vida eterna la guardará" (vers. 25). Esta ley universal, que se expresa en la naturaleza, se aplica a toda la humanidad, y se manifiesta en su forma más excelsa en la Cruz. Es la ley del discipulado cristiano: entregar la vida a Jesús. "Si alguno me sirve, sígame" (vers. 26).

Muchos filósofos han intentado cristalizar sus ideas en una fórmula breve que pudiera ser fácilmente recordable: "Sigan lo que les dicta su propia naturaleza". Otros dicen: "Sigan el deber". Jesús dijo: "Síganme". Este es el secreto de la vida eterna: seguir a Jesús.

Tras esto, Jesús eleva la oración de los versículos 27 y 28. Jesús quiso entregar su vida en sacrificio. Este fue el mayor servicio que hombre alguno haya podido prestar a la humanidad. El supremo deseo de Jesús fue glorificar al Padre con su servicio y su sacrificio: ¡darle la gloria a Dios por su sacrificio! ¡Qué lección para nosotros, que somos tan propensos al lamento y a la queja!

El Cielo no permaneció en silencio, sino que respondió audiblemente: "Lo he glorificado, y lo glorificaré otra vez" (vers. 28).

El deseo último de Cristo ¡es tu salvación eterna!

Oración: Gracias, Señor, por darnos la vida eterna.

Oración en el nombre de Jesús

Y todo lo que pidiereis al Padre en mi nombre, lo haré, para que el Padre sea glorificado en el Hijo. Si algo pidiereis en mi nombre, yo lo haré. Juan 14:13, 14.

¿Qué significa orar "en nombre de Cristo"? De las palabras de Jesús en Juan 14:13 y 14 brotan tres ideas: nuestro poder espiritual depende de nuestro contacto consciente con Dios a través de la oración. La plenitud del Padre y de Cristo, y su voluntad, no dependen de nuestra oración. Pero nuestra capacidad de recibir esa plenitud y, por lo tanto, la posibilidad de comunicarnos con él, sí dependen de nuestra oración. Finalmente, a veces no percibimos las respuestas a nuestras oraciones porque no estamos alineados con la mente de Dios.

La efectividad de nuestra oración depende de nuestra unidad consciente con el Cristo revelado. "Si algo pidiereis en mi nombre, yo lo haré" (vers. 14), dice él. Muchos creyentes consideran que basta con repetir de manera mecánica la fórmula, "en tu nombre", que en realidad es una forma solapada de egoísmo, de querer hacer la propia voluntad en nombre de Cristo.

¿Qué significa orar en su nombre? El nombre de Cristo es la revelación de su carácter: hacer algo en nombre de otra persona es hacerlo como su representante, y darse cuenta de que, en cierto sentido, profundo y real, somos uno con él. Orar en nombre de Cristo gatilla en nosotros la necesidad de preguntarnos si estamos siendo sus representantes en la Tierra, si estamos haciendo su voluntad. Cuando somos conscientes de nuestra necesidad de Cristo, y acudimos a él, y le entregamos diariamente nuestro corazón en oración, estamos comenzando a orar en nombre de Jesús.

La oración en el nombre de Cristo exige disciplina y vigilancia. Excluye todo egoísmo. Y si, como dice nuestro texto, el fin de la obra del Hijo es la gloria del Padre, ese mismo fin, y no nuestra voluntad, será el propósito de toda oración que se ofrece en su nombre. Cuando oramos así, el Padre responde, y la gente creerá en Jesús, porque lo ve en nosotros. El mundo no cree en el Dios de los cristianos, no por causa de Dios, sino por la vida de quienes dicen ser sus representantes.

La comunicación diaria, secreta y profunda con Dios es como esa gota de agua que trabaja silenciosa en un cultivo hidropónico, cuyas plantas crecen aun en la arena. La oración en el nombre de Cristo ¡siempre da frutos!

Oración: Señor, quiero glorificarte con mi vida.

Oración de gloria

Levantando los ojos al cielo, dijo: Padre, la hora ha llegado; glorifica a tu Hijo, para que también tu Hijo te glorifique a ti; como le has dado potestad sobre toda carne, para que dé vida eterna a todos los que le diste. Juan 17:1, 2.

El Padrenuestro es una oración que Jesús jamás podría haber elevado como propia, porque en esa oración se pide el perdón por las ofensas y las deudas. "Él nunca pecó y jamás engañó a nadie" (1 Ped. 2:22, NTV). Por lo tanto, la que llamamos la "Oración del Señor" es una oración que él no pudo haber elevado. El Padrenuestro es la oración que Jesús enseñó a los pecadores, la que tú y yo elevamos cada día, con profundo sentido, sin repetirla como una letanía. Pero la oración del capítulo 17 de Juan es la verdadera oración del Señor. Es la oración que ningún ser humano podría orar.

La relación que Jesús tenía con el Padre no es de la misma naturaleza que la que nosotros podemos tener con Dios por medio del Hijo. Cristo es Dios. Su voluntad y poder coinciden con los de su Padre. Por su sacrificio e intercesión, Jesús se convirtió en nuestro gran Sumo Sacerdote (Heb. 4:14-16). Pasó a través de las cortinas de "los cielos". Entró en el Lugar Santísimo del Santuario celestial, salpicado de su sangre como expiación por nuestros pecados. Se sentó a la diestra del Padre, para interceder por todos nuestros fracasos, todas nuestras iniquidades, todas nuestras transgresiones; para mediar por todas las acusaciones contra nosotros de los inicuos, de los demonios y del mismo Satanás. Jesús ora para que tú no te pierdas (Juan 17:9).

Pero, antes de orar por ti y por mí, ora por él mismo para que Dios lo glorifique antes de iniciar su ministerio sacerdotal en el cielo (vers. 1-5). La oración no solo revela la autoconciencia de su divinidad, sino también su aceptación voluntaria de la Cruz, porque la glorificación sería alcanzada a través de la muerte, la resurrección y la ascensión. La "hora ha llegado" señala los sufrimientos inminentes como el primer paso en la respuesta a su oración. "A él le aguardaba la última batalla con Satanás, y salió para hacerle frente" —*DTG* 635.

Hoy, Jesús intercede por ti.

Oración: *Señor, acepta mi adoración.*

Oración de intercesión por sus discípulos

He manifestado tu nombre a los hombres que del mundo me diste;
tuyos eran, y me los diste, y han guardado tu palabra. Juan 17:6.

¿Eres un discípulo de Jesús?

La oración de Juan 17:6 establece el triple principio del discipulado: la revelación del Padre a la humanidad mediante la obra del Hijo, la obra del Padre en depositar al hombre y a la mujer en manos del Hijo, y la fe de los creyentes que guardan la palabra del Padre.

Estos tres principios subyacentes del discipulado están presentes en la oración de Cristo, que ruega que su obra no se detenga. A menos que los discípulos sean "guardados" en su nombre, como ciudad de refugio, la obra de la revelación de Cristo se detiene, el don del Padre en Cristo queda sin efecto y los nuevos discípulos que vendrán no "guardarán" su palabra. "Tu palabra" es toda la revelación que Cristo hizo del Padre mediante su fe y sus obras. La oración expresa: *Padre, no abandones la obra de tus propias manos.*

En esta oración, Jesús dice: "Ahora han conocido que todas las cosas que me has dado, proceden de ti; porque las palabras que me diste, les he dado; y ellos las recibieron, y han conocido verdaderamente que salí de ti, y han creído que tú me enviaste. Yo ruego por ellos" (vers. 7-9). Si bien es cierto que estas palabras se aplican en primera instancia a los doce discípulos, no nos excluyen a ti ni a mí.

La oración de Jesús es la expresión natural de su conciencia, la humilde declaración de su obediencia. No reclama nada como suyo, y sin embargo reclama todo: "Yo ruego por ellos... porque tuyos son, y todo lo mío es tuyo, y lo tuyo mío" (vers. 9, 10).

Así, el conocimiento que tengas de Dios proviene de tu experiencia personal con Jesús. Tu fe proviene de entregar tu corazón a Cristo, que declara el nombre del Padre, que te revela su carácter. ¿Quieres saber cómo es Dios? Fija tus ojos en Cristo. Y esa fe, que trasunta en conocimiento de Dios, se vuelve testimonio vivo en tu vida. Así te conviertes en un discípulo de Cristo mediante la fe que obra.

Jesús conoce quiénes son sus verdaderos discípulos (Juan 10:27).

¿Te sientes incluido en la oración de Jesús?

Oración: Señor, hazme uno de tus discípulos.

Oración por seguridad espiritual

Yo ruego por ellos... y ya no estoy en el mundo; mas estos están en el mundo,
y yo voy a ti. Padre santo, a los que me has dado, guárdalos en tu nombre.
Juan 17:9-11.

En la oración de Juan 17:9 al 11, Jesús asume el gran oficio de Intercesor. "Yo ruego por ellos" es una oración solemne ante el Padre, que expresa el amor por todos los hijos de Dios de todos los tiempos. Ahora, el Maestro se convertirá en pocas horas en el Salvador y Sumo Sacerdote de su pueblo, en Intercesor de los que "han creído que tú me enviaste" (vers. 8).

Esta oración marca un momento crucial de su obra redentora. La tarea de revelar a Dios ante el hombre se ha completado (vers. 6-11): "Ya no estoy en el mundo" (vers. 11). La tarea de interceder ante Dios por los hombres está comenzando (vers. 9-11). Esta oración revela el oficio permanente del Cristo resucitado.

El Hijo ora por los que son suyos. Dios cuida a los que son suyos. El Padre tiene una herencia que cuidar y el Hijo una por la cual orar; es decir por "los que han de creer en mí por la palabra de ellos" (vers. 20). Allí estamos incluidos tú y yo.

La razón más importante de su oración es la soledad de los hijos de Dios en tierra enemiga (vers. 11-18). La partida de Jesús tuvo una doble consecuencia: la entrada en el Santuario celestial, para interceder por los creyentes que quedan solos en el mundo. "He aquí, yo os envío como a ovejas en medio de lobos" (Mat. 10:16).

Jesús sabe que tú y yo vivimos en un mundo de dolor, de soledad y angustia, de fatigas, de tensiones y de guerras, de hambre, de muerte. No somos culpables de estar aquí, pero Jesús intercede por nosotros para que Dios nos guarde con la misma solicitud que él guardó a los suyos cuando estuvo en la Tierra (Juan 17:12). ¿Has pensado en las muchas veces que Dios ha guardado tu vida por la intercesión amorosa de Jesús?

"Cristo estaba continuamente recibiendo del Padre a fin de compartir lo recibido con nosotros... Él vivió, pensó y oró, no para sí mismo, sino para los demás" —*LO* 304.

¡Jesús está orando por ti cada día!

Oración: *Señor, gracias por orar por mí.*

Oración por santificación – 1

Santifícalos en tu verdad; tu palabra es verdad. Juan 17:17.

Es maravilloso saber que Jesús ora por ti y por mí. Oró por nuestra seguridad espiritual (Juan 17:11, 12), oró por nuestra unidad espiritual (vers. 11), oró por nuestro gozo en la salvación (vers. 13), oró por nuestra protección en el mundo (vers. 14-16). Ahora, Jesús ora por nuestra santidad. Ora por nuestra pureza, para que perseveremos en la actitud de vivir separados del pecado.

Santificar significa "separar para un uso sagrado". Somos bendecidos al haber sido escogidos por Dios desde "antes de la fundación del mundo, para que fuésemos santos y sin mancha delante de él" (Efe. 1:4). Tú y yo hemos sido "separados" por Jesús para que vivamos eternamente con él. ¡Es bueno recordarlo, especialmente en la hora de la prueba! "Amados, no os sorprendáis del fuego de prueba que os ha sobrevenido... sino gozaos por cuanto sois participantes de los padecimientos de Cristo, para que también en la revelación de su gloria os gocéis con gran alegría" (1 Ped. 4:12, 13).

La santificación es un viaje en este mundo tomados de la mano de Jesús. Él ora para que Dios "nos guarde" del mal (Juan 17:15), para que no nos soltemos de la mano de Cristo mientras caminamos por la senda angosta y escarpada que conduce al cielo (Mat. 7:13, 14). Jesús sabía que la vida del creyente no es un lecho de rosas. Por eso, a la vez que le ruega al Padre que nos proteja, le pide que nos santifique.

Tú y yo tenemos tres enemigos: la vanidad del mundo, el mal y nuestra propia carne. Los tres están contemplados en la oración de Jesús. Cuando rogó al Padre que no nos quitara del mundo sino que nos guardara del mal, estaba pensando tanto en la mundanalidad, en los peligros del mundo, como en el príncipe de este mundo. Ahora, Jesús ora para que obtengamos la victoria sobre la carne, que "es débil" (Mar. 14:38).

La santificación es la obra del Padre en nuestros corazones, pero abrirle cada día el corazón a Dios es nuestra tarea: "Velad y orad, para que no entréis en tentación; el espíritu a la verdad está dispuesto, pero la carne es débil" (Mat. 26:41).

¡Quien permanece en Dios no peca (1 Juan 3:6)!

Oración: Señor, santifícame en tu Palabra.

Oración por santificación – 2

Santifícalos en tu verdad; tu palabra es verdad. Juan 17:17.

¿Quieres vivir con Jesús para siempre?

La oración de Jesús podría expresarse en estas palabras: "Sepáralos del pecado y del mal por medio del poder de tu Palabra" (ver Juan 17:17). Es una oración muy práctica. Tú y yo hemos sido "separados", por la sangre de Jesús, del castigo eterno por el pecado. Pronto, cuando Jesús vuelva, seremos "separados" de la presencia del pecado. Pero, mientras vivimos en este mundo, cada día rogamos a Dios en oración que nos "separe" del poder del pecado.

Morimos cada día al pecado (1 Cor. 15:31). Esta no es una obra humana, no tenemos poder para morir y resucitar. El poder está en Jesús (Fil. 4:13). La Palabra de Dios, que es representado en Cristo, quien declaró "Yo soy la resurrección y la vida" (Juan 11:25), nos sostiene cada día ante el poder del pecado.

¿Cómo superar un vicio arraigado en las napas más profundas de mi mente? ¿Cómo escapar del "vicio de la virtud", que convierte mi religión en un látigo para castigar a mis hijos? ¿Cómo escapar de mí mismo, de mi propio carácter agrio, de mi espíritu de crítica, de mis pequeñas deshonestidades y mezquindades cotidianas?

Me abruma pensar que yo tengo que ser santo para entrar en el cielo. ¡No puedo solo! La oración de Jesús me consuela: ¡No nos pide que nos santifiquemos, sino que le ruega al Padre que nos santifique! Él tiene el poder de separarnos para Jesús, para que venzamos el pecado, y seamos glorificados con él.

Dejarnos santificar por Dios es el propósito más elevado al que puede aspirar nuestro corazón. Es una obra divina. Pero es una obra que solo es posible si abrimos la puerta de nuestro corazón. ¡Tenemos la pequeña y poderosa llave en nuestras manos! Es la misma llave que abre los diques de las corrientes incontenibles del Espíritu, ¡que da vida al desierto! Estamos muertos sin Cristo: "Él os dio vida a vosotros, cuando estabais muertos en vuestros delitos y pecados" (Efe. 2:1). Pero estamos muertos si no abrimos nuestro corazón.

Busca a Jesús, aunque no quieras. Búscalo en oración, búscalo con desesperación, porque en él hay vida. "Porque Dios es el que en vosotros produce así *el querer como el hacer*, por su buena voluntad" (Fil. 2:13; énfasis agregado).

Oración: Señor, búscame para que te busque.

Oración por unidad

Padre santo, a los que me has dado, guárdalos en tu nombre, para que sean uno, así como nosotros... La gloria que me diste, yo les he dado, para que sean uno, así como nosotros somos uno. Juan 17:11, 22.

Unidad no es uniformidad. Es algo mucho más profundo, fecundo y permanente. La unidad de los creyentes fue la oración y la pasión de Cristo.

El verdadero vínculo de la unidad de los creyentes no es externo. No depende de pólizas, reglamentos, normas o aun leyes. No depende de una estructura organizacional sólida, que puede a su vez ser flexible y mantenerse en el tiempo, ni depende de personas inteligentes o astutas. La unidad de los hijos de Dios es un vínculo de amor encarnado en el alma.

La unidad de los creyentes es una expresión de la unidad del Padre y el Hijo: "Para que todos sean uno; como tú, oh Padre, en mí, y yo en ti" (Juan 17:21). ¿Con qué propósito? "Para que el mundo conozca que tú me enviaste, y que los has amado a ellos como también a mí me has amado" (vers. 23).

Todo confluye en el amor. La oración de Jesús es una oración de amor que brota del Padre amoroso que ama a su Hijo, a quien entregó por el mundo, a quien también amó desde siempre. Hemos sido amados por Dios desde la eternidad (Efe. 1:3-6). Él nos amó y nos amará siempre.

Jesús ora para que sus hijos se amen, y así expresen que Dios es amor. La gente es indiferente ante las cosas de Dios no tanto porque considere que él no existe, o que es malo, sino porque quienes nos decimos ser sus discípulos no nos amamos entre nosotros. Cristo ora para que el amor garantice el testimonio de Dios en la Tierra. El mundo necesita ver en nosotros el amor que predicamos de Jesús, pues nadie es movido a la conversión por lo que creemos sino por lo que *vivimos*.

Jesús espera que hoy el mundo diga, como registró Tertuliano que decían de los primeros cristianos: "¡Mirad cómo se aman! Mirad cómo están dispuestos a morir el uno por el otro".

"Unánimes cada día en el templo, y partiendo el pan en las casas, comían juntos con alegría y sencillez de corazón" (Hech. 2:46).

Oración: Señor, ayúdame a ser uno con mi hermano.

Oración victoriosa

Consumado es. Juan 19:30.

Luego de seis horas de agonía, en expresión de triunfo, "el Cordero de Dios, que quita el pecado del mundo" (Juan 1:29) expresó: "Consumado es" (Juan 19:30).

La última contribución de Juan a nuestro conocimiento de las palabras de nuestro Señor en la Cruz fue esa declaración triunfante. Es expresión no solo de la conciencia ante la cercanía de la muerte, sino la certeza de que él, único entre los mortales, tenía el derecho de sentir y expresar que se había cumplido toda la tarea, toda la voluntad de Dios, toda la obra del Mesías, toda profecía, toda redención asegurada, y toda reconciliación entre Dios y el hombre.

Jesús miró hacia atrás y no vio ningún fracaso, ninguna caída por debajo de las exigencias de lo que el Padre esperaba de él, nada que se hubiera podido mejorar. Miró hacia arriba y reafirmó en ese momento lo que su Padre le había dicho en su bautismo: "Este es mi Hijo amado, en quien tengo complacencia" (Mat. 3:17).

En la Cruz, la obra de Cristo había terminado. No necesitaba ningún suplemento. Nunca podrá repetirse o imitarse mientras dure el mundo, y no perderá su poder a través de los milenios. Confiemos en él como satisfacción plena y completa para todas nuestras necesidades; y no busquemos cambiar "el fundamento seguro", "porque nadie puede poner otro fundamento que el que está puesto, el cual es Jesucristo" (1 Cor. 3:11).

También es bueno recordar que el "consumado es" de la Cruz fue el fin de una etapa de la obra salvífica de Cristo por la humanidad. Allí Cristo venció el pecado y la muerte. Allí consumó su obra. Pero las otras etapas del plan de salvación aún no se han cumplido. Hasta que todos los beneficios de su encarnación, muerte y resurrección hayan alcanzado al último de los escogidos (ver 2 Ped. 3:9), no se escuchará la voz del Padre que diga: "Ahora sí, se terminó".

Tú y yo tenemos una parte que hacer en este mundo para que pronto se haga realidad la visión de Juan: "Después de esto miré, y he aquí una gran multitud, la cual nadie podía contar, de todas naciones y tribus y pueblos y lenguas... clamaban a gran voz, diciendo: La salvación pertenece a nuestro Dios que está sentado en el trono, y al Cordero" (Apoc. 7:9, 10).

Oración: Señor, gracias por Cristo, nuestra victoria.

Oración del aposento alto

Todos estos perseveraban unánimes en oración y ruego, con las mujeres, y con María la madre de Jesús, y con sus hermanos. Hechos 1:14.

Jesús no ascendió al cielo inmediatamente después de su resurrección. Estuvo en la Tierra durante cuarenta días (Hech. 1:2, 3). El propósito de esta estadía fue preparar a los discípulos para su obra futura. Jesús dio pruebas "indubitables" a sus discípulos de que había resucitado y les habló "del reino de Dios" (vers. 3). Dio instrucciones a los apóstoles (vers. 4). Les habló del día de su segunda venida, cuya fecha era "potestad del Padre" (vers. 7). Pero no los abandonó a su suerte, sino que les dijo: "Recibiréis poder, cuando haya venido sobre vosotros el Espíritu Santo" (vers. 8). Luego "fue alzado, y le recibió una nube que le ocultó de sus ojos" (vers. 9). Inmediatamente fue dado el mensaje de los ángeles: "Este mismo Jesús, que ha sido tomado de vosotros al cielo, así vendrá como le habéis visto ir al cielo" (vers. 11).

Nuestro actual conocimiento acerca del Señor ascendido es más perfecto que el que tenían los discípulos acerca del Señor resucitado. Ellos tuvieron una comunión más real con Jesús cuando, con corazones abiertos, le oyeron interpretar las Escrituras concernientes a él, y cayeron a sus pies clamando "Señor mío, y Dios mío" (Juan 20:27, 28). Durante tres años y medio, día tras día, estuvieron con él, y no lo conocían. Puede que pasemos una vida sin conocer a quien vivió a nuestro lado, y aun a Jesús. A medida que crecieron en amor y maduraron en conocimiento, se conocieron más entre ellos y conocieron mejor a Dios. Esos cuarenta días determinaron su destino. Hoy conocemos al Jesús ascendido por el testimonio de esos hombres y mujeres que fueron ungidos por el Espíritu Santo (Hech. 2).

Estos cuarenta días están llenos de benditas lecciones para ti y para mí. Nos enseñan que la verdadera comunión con Jesús se alcanza por la fe en él, y que él todavía está obrando en nosotros y para nosotros. La alegría con que los discípulos lo vieron ascender es también la nuestra. La esperanza del mensaje de los ángeles es nuestra esperanza.

Clamemos por el Espíritu como clamaron los discípulos y las mujeres en el aposento alto.

Oración: Señor, danos tu Espíritu.

Oración por un testigo – 1

Orando, dijeron: Tú, Señor, que conoces los corazones de todos, muestra cuál de estos dos has escogido, para que tome la parte de este ministerio y apostolado, de que cayó Judas por transgresión. Hechos 1:24, 25.

¿Eres testigo de Jesús?

La preocupación de Pedro es sustituir a Judas, quien había sido testigo del ministerio mesiánico de Jesús, y ubicar en su lugar a alguien que había sido testigo del hecho histórico de la resurrección Cristo (Hech. 1:15-26). Su intención es seria y profunda: Pedro quería completar el número de los apóstoles, que eran testigos calificados del caso más importante de la historia de la humanidad.

Como en cualquier caso de orden jurídico, Pedro sabía que había un juez, un acusador y un juzgado, que era el inocente Hijo de Dios. Ahora necesitaba que el mundo supiera que Cristo era el Salvador resucitado. Jesús ya había adelantado este cuadro cuando dijo: "Os conviene que yo me vaya; porque si no me fuera, el Consolador no vendría a vosotros... Y cuando él venga, convencerá al mundo de pecado, de justicia y de juicio... de juicio, por cuanto el príncipe de este mundo ha sido ya juzgado" (Juan 16:7-11).

Luego de su conversión, Pedro conocía la verdad: el verdadero testimonio del cristiano nace de haber sido "testigo", mediante la obra del Espíritu Santo en la vida, de la resurrección de Cristo. ¡Cristo vive!

Si el cristianismo fuera solo un conjunto de verdades espirituales, morales e intelectuales, entonces, por supuesto, la manera de probar su legitimidad sería mostrando la consistencia de ese cuerpo de verdades, su coherencia con otras verdades filosóficas, su derivación de los principios lógicos, su razonabilidad, su adaptación a la naturaleza de los seres humanos, los efectos refinadores y elevadores de su mensaje. Así funcionan las ideologías humanas. Pero, si, por el contrario, no pensamos en el cristianismo como una filosofía, sino como la revelación de Cristo en la historia, entonces la manera de probar el cristianismo no es mostrando cómo se corresponde con las necesidades y los anhelos de los seres humanos, sino partiendo de un hecho histórico fundamental: la resurrección de Cristo. La forma de establecer un hecho es solo una; es decir, encontrar a alguien que pueda decir: "Lo sé, porque lo vi". ¿Entendemos la preocupación de Pedro?

Hoy, tú eres un testigo de Jesús en el mundo.

Oración: *Señor, creo que tú estás vivo porque hoy hablé contigo.*

Oración por un testigo – 2

Orando, dijeron: Tú, Señor, que conoces los corazones de todos, muestra cuál de estos dos has escogido, para que tome la parte de este ministerio y apostolado, de que cayó Judas por transgresión. Hechos 1:24, 25.

Tú y yo hemos sido llamados a ser testigos del Cristo vivo. Cada creyente es un testigo de un juicio universal, donde hay un condenado, un juez y un fiscal que acusa. El diablo "es el acusador de nuestros hermanos" (Apoc. 12:10). Jesús es el Cordero inocente, que dio su vida por nosotros. Pero su muerte hubiera sido vana sin la resurrección (1 Cor. 15:13).

La resurrección de Cristo es esencial a nuestra fe por tres razones: reafirma la divinidad de Cristo, nos garantiza la esperanza de nuestra propia resurrección y es un símbolo de la vida nueva en nuestros corazones. El mundo no creerá por lo que creemos sino por lo que vivimos.

La doctrina y la profecía están ancladas al hecho histórico de la resurrección de Cristo. Ellas son fundamentales para nuestro crecimiento espiritual porque expresan los principios y las verdades que guían nuestra vida práctica, y anuncian lo que esperamos. Pero la doctrina y la profecía no dan vida. Cristo es el que da vida. La fe no se sostiene por una doctrina razonable, sino por el corazón entregado a Dios.

Pareciera que las profecías nos cautivan más que el propio Cristo resucitado. La gente siempre estuvo preocupada por el Reino. Los discípulos se peleaban por un lugar en el Reino, y su preocupación fue siempre cuándo vendría el Reino. A Jesús lo seguían porque querían un Mesías que restaurara el Reino. Cuando un predicador de profecías estimula la ardiente expectación por el Reino, aun apelando al miedo y a otras emociones nada piadosas, la iglesia se llena. Pero el asunto importante no es cuándo llega el Reino, sino el testimonio que estamos dando al mundo del Jesús resucitado. "Algunos predicadores creen que no es necesario predicar el arrepentimiento y la fe... y que deben presentarse cosas diferentes a fin de conservar su atención" — *Ev* 139. Una iglesia que predica profecías sin anunciar el poder del Cristo resucitado ha perdido el rumbo.

El mundo no creerá por lo que decimos creer, ni lo impresionaremos con nuestras interpretaciones de la Biblia. Creerá por lo que vivimos.

Oración: Señor, quiero ser testigo de tu poder en mi vida.

Oración, estudio y comunión

Y perseveraban en la doctrina de los apóstoles, en la comunión unos con otros, en el partimiento del pan y en las oraciones. Hechos 2:42.

El segundo capítulo del libro de los Hechos describe el derramamiento del Espíritu Santo (vers. 1-13), luego registra el primer y gran discurso de Pedro (vers. 14-40), para terminar con la descripción de cómo vivían la fe aquellos primeros creyentes (vers. 41-47). Y así, "el Señor añadía cada día a la iglesia los que habían de ser salvos" (vers. 47).

Llama la atención la expresión "los que habían de ser salvos", como dando a entender que la salvación personal es algo que aún está en el futuro. No es porque no sea suficiente el sacrificio de Cristo, que es un hecho "consumado", sino porque es un proceso que se desarrolla a través del curso de la vida del cristiano. Dios nos salvó, pero Pablo exhorta: "Ocupaos en vuestra salvación con temor y temblor" (Fil. 2:12; ver 2 Cor. 7:15). "Temor y temblor" expresa la reverencia y la sumisión del ser humano ante lo divino.

Hechos 2:42 podría dividirse en cuatro partes: instrucción en "la doctrina", acerca de la dignidad mesiánica de Jesús, tal cual lo demuestra la profecía (vers. 16-21); "comunión unos con otros", que se expresa en la unidad de la fe; "partimiento del pan", es decir, la observancia de la Cena del Señor; y "las oraciones", como el oxígeno del alma (Hech. 1:14). Así, el estudio de la Palabra de Dios, la unidad en la fe y en el amor, la participación en los ritos que conmemoraban la muerte y resurrección de Cristo, y la oración, constituyen la fórmula divina para que hoy tu iglesia crezca, madure y sea un testimonio vivo en su comunidad.

El texto dice que "vendían sus propiedades y sus bienes, y lo repartían a todos según la necesidad de cada uno" (Hech. 2:45). Este sentimiento fraternal, que se derramaba en la iglesia y fuera de ella (vers. 47), era la floración irreprimible del Espíritu Santo, que llenaba todos los corazones. Cristo no vino a establecer leyes, sino a impulsar, para que el agua de vida "salte para vida eterna" (Juan 4:14).

El comunismo compulsivo no es la repetición de ese sentimiento fraterno que derramó el Espíritu Santo (Hech. 2:45), pero tampoco lo son los bolsillos cerrados. La generosidad es un don del Espíritu Santo.

Oración: Señor, que se repita hoy en mi iglesia la vivencia de la iglesia primitiva.

Oración y acción

Pedro y Juan subían juntos al templo a la hora novena, la de la oración.
Hechos 3:1.

Ayer vimos cómo los primeros conversos de la iglesia primitiva vivían su fe luego del derramamiento del Espíritu Santo en Pentecostés. Esa fue la "lluvia temprana", símbolo de la "lluvia tardía", que ya se está derramando sobre la Tierra antes de que vuelva Jesús por segunda vez. Hoy conocemos al Jesús resucitado gracias a que el Espíritu se encarnó en los creyentes, para cumplir la profecía de Jesús: "Recibiréis poder, cuando haya venido sobre vosotros el Espíritu Santo, y me seréis testigos... hasta lo último de la tierra" (Hech. 1:8).

En Hechos 3:1, leemos que "Pedro y Juan subían juntos al templo a la hora novena, la de la oración". Esta era la hora del sacrificio de la tarde, la hora cuando entraba el sumo sacerdote a ofrecer el incienso con sus oraciones. En el Evangelio según Lucas, vimos que "un ángel del Señor" se le apareció a Zacarías cuando él ofrecía el incienso ante el altar de oro (Luc. 1:8-11). El incienso simbolizaba las oraciones de los creyentes.

A esa hora oraban en el Templo muchos judíos devotos, entre los cuales seguramente habría futuros conversos a la fe cristiana. La oración nos comunica con Dios, y abre las puertas de las bendiciones que él quiere derramar en nuestra vida. En el escenario de oración de Hechos 3, el Señor estaba preparando el corazón de muchos que fueron testigos del primer milagro de un discípulo de Cristo. Al salir del Templo de Jerusalén, Pedro se encuentra con un "cojo de nacimiento", que había sido llevado seguramente por algún familiar o algún amigo para recolectar dinero (vers. 2). Muchos lucran con la enfermedad ajena, y aun con su propia enfermedad. El cojo le pide una limosna, y Pedro le dice: "No tengo plata ni oro, pero... en el nombre de Jesucristo de Nazaret, levántate y anda" (vers. 6). Aquel hombre se puso de pie y caminó ante el asombro de la gente (vers. 8).

Dice el Salmo 141:2: "Sea mi oración como incienso en tu presencia, y mis manos levantadas, como ofrenda de la tarde" (DHH). Pedro y Juan oraron, y como consecuencia dieron testimonio inmediatamente del poder del Resucitado.

¡Enciende mi oración con el fuego de tu Espíritu, para que mis manos te sirvan!

Oración: Señor, ayúdame a orar y bendecir a mis semejantes.

Oración por valentía

Cuando hubieron orado, el lugar en que estaban congregados tembló; y todos fueron llenos del Espíritu Santo, y hablaban con denuedo la palabra de Dios.
Hechos 4:31.

¿Temes a quienes se oponen a tu fe?

El capítulo 4 de Hechos es electrizante. Comienza con el encarcelamiento de Pedro y Juan a manos de los altos dirigentes de Israel, que no querían que predicaran del Resucitado (vers. 1, 2).

La oración de la iglesia, luego de que los dos discípulos fueran liberados, fue probablemente el derramamiento inspirado de una sola voz, y todo el pueblo dijo "amén", y así hizo suyo el poder proveniente de lo Alto (vers. 31). El gran hecho es que la iglesia respondió a las amenazas por medio de la oración. La súplica sincera y valiente da fuerzas cuando la oposición y el peligro blanquean las mejillas por el miedo, o las enrojecen por la ira. El miedo habría rogado por protección. El enojo habría pedido retribución a los enemigos. La valentía cristiana y la devoción solo nos piden que no nos retractemos del deber, y que la Palabra pueda ser anunciada a los que no la conocen.

En aquella comunidad perseguida ninguno temblaba ni pensaba en venganza, ni en pagar amenazas con amenazas. Cada uno instintivamente se volvió hacia el Cielo y se lanzó, por así decirlo, a los brazos de Dios para protegerse. La oración es el arma más fuerte de una iglesia perseguida. El mundo es impotente ante personas que oran así.

Hay en la oración un coraje intrépido (vers. 23-31). Esa comunidad nunca tembló ni vaciló. No tenían idea de obedecer el mandato del Concejo sacerdotal. Eran un pequeño ejército de héroes. ¿Qué los había hecho así? ¿Qué otra cosa sino la convicción de que tenían un Señor vivo a la diestra de Dios, y al poderoso Espíritu en su corazón?

Hoy, en muchos países afrontamos, como iglesia, muchas amenazas y peligros. Nuestra fe se afirma en el Resucitado, así como se afirmó la fe de aquella pequeña comunidad de creyentes en Jerusalén.

Quizá tú, hoy, estés padeciendo a causa del testimonio de tu fe. Pero Jesús te dice: "Conozco tus obras, y tu tribulación, y tu pobreza (pero tú eres rico)... No temas en nada lo que vas a padecer" (Apoc. 2:9, 10).

Oración: Señor, dame fuerzas para no negarte.

Oración y Palabra

Y nosotros persistiremos en la oración y en el ministerio de la palabra.
Hechos 6:4.

El capítulo 6 de Hechos comienza de esta manera: "En aquellos días, como creciera el número de los discípulos, hubo murmuración de los griegos contra los hebreos, de que las viudas de aquellos eran desatendidas en la distribución diaria" (vers. 1).

Los apóstoles pronto se dieron cuenta de que, a medida que crecía la comunidad de fieles, los problemas serían mayores. Entonces, ¿qué hacer? ¿Desistir de la oración para dedicarse a "servir a las mesas" (vers. 2)? Eligieron siete hombres para que se encargaran "de este trabajo" (vers. 3), a fin de persistir en la oración y en el ministerio de la palabra.

Lutero dijo alguna vez: "Tengo tantas cosas que hacer que pasaré orando las primeras tres horas del día". Nosotros oramos cuando no hay nada que podamos hacer, pero Dios quiere que oremos antes de que hagamos cualquier cosa.

Los apóstoles sabían que la paz no viene de la ausencia de problemas, lo cual es imposible en este mundo, sino por la presencia de Dios. Descuidar la oración y el estudio diario de la Palabra llevaría a la ruina espiritual a aquella iglesia recién nacida. Los discípulos se dieron cuenta de que el poder no descansaba en sus habilidades administrativas, ni en sus fuerzas ni en las horas dedicadas al servicio del pueblo. Debían "persistir en la oración y en el ministerio de la palabra" (vers. 4). Debían consagrar tiempo a la oración y el estudio de la Biblia. Ambos tiempos van juntos. Si solo estudias la Biblia y no oras, tu corazón se endurecerá. Si solo oras pero no estudias la Biblia, tus sentimientos te arrastrarán por cualquier viento de doctrina. La Biblia sin oración es sosa. La oración sin la Biblia es ciega. La Palabra de Dios es el alimento por el que la oración es nutrida y fortalecida. La oración es el oxígeno que le da vida a la Palabra.

¡Nada es más terapéutico que la oración! ¡Nada enriquece más tu espíritu que la Palabra de Dios!

Una de las grandes utilidades de *Facebook* y *Twitter* será demostrar, en el último día, que la falta de oración y estudio de la Palabra de Dios no fue por falta de tiempo.

Oración: *Señor, ayúdame a perseverar en oración y en el estudio de tu Palabra.*

Oración del primer mártir

Y puesto de rodillas, clamó a gran voz: Señor, no les tomes en cuenta este pecado. Y habiendo dicho esto, durmió. Hechos 7:60.

Esteban sangraba. Las piedras lanzadas por sus enemigos habían realizado su obra asesina. Desfalleciente, con el último aliento, hace un esfuerzo milagroso para arrodillarse y elevar su última oración: "Señor, no les tomes en cuenta este pecado" (Hech. 7:60).

Estas palabras son un eco de las que pronunció Jesús en la Cruz: "Padre, perdónalos, porque no saben lo que hacen" (Luc. 23:34). ¡Un eco! ¡Pero solo un eco! Otra es la esencia de la oración de Jesús. Esteban no tiene la intención de leer y juzgar los pensamientos y los motivos de quienes lo apedreaban. No debe ni puede. Pero sí estuvieron patentes, y expuestas ante Cristo, las intenciones malévolas de esas marionetas ciegas que respondían a las órdenes de Satanás. Jesús debía y podía indagar hasta lo más profundo del alma para constituirse en Salvador de la humanidad. Él sabía lo que decía cuando expresó: "No saben lo que hacen". En la misma humillación de la Cruz, Cristo habla como el que conoce las profundidades ocultas del alma humana y, por lo tanto, se siente apto para llevar los pecados.

Esteban dice: "No les tomes en cuenta este pecado", porque ante él se había abierto el cielo y había visto al Hijo junto a su Padre (Hech. 7:56). Confiaba en los méritos de Jesús para salvarlo. Sabía que su muerte era ganancia, como lo fue para el apóstol Pablo (Fil. 1:21).

Si estuvieras al borde de la muerte, ¿tendrías la convicción de Esteban?

El Nuevo Testamento casi nunca habla de la muerte de un cristiano como muerte, sino como un sueño. Pero esa expresión nunca se emplea en referencia a la muerte de Jesucristo. Él murió para que tú y yo vivamos. Él padeció "la segunda muerte". No soportó solamente el dolor físico, sino que recibió todo el veneno del aguijón del pecado sobre sí. Por él, el rostro asqueroso de la muerte se transformó, en el arte cristiano, en la dulce figura de un ángel que trae el sueño.

Hoy, gracias a Cristo, tú puedes descansar, en la hora final, como un niño agotado en el regazo de su madre.

Oración: Señor, gracias por morir mi muerte eterna.

Oración de un converso

Él dijo: ¿Quién eres, Señor? Y le dijo: Yo soy Jesús, a quien tú persigues;
dura cosa te es dar coces contra el aguijón. Él, temblando y temeroso, dijo:
Señor, ¿qué quieres que yo haga? Hechos 9:5, 6.

Cristo inicia el diálogo con Saulo.

Desde los albores de la humanidad, después de la caída en el pecado, es Dios el que inicia el diálogo con el hombre, el que abre la comunicación (Gén. 3:8-13). A veces, Dios "nos tumba del caballo" (ver Hech. 9:4). Nos lleva al límite con el fin de que estemos preparados a escuchar y responder sus preguntas.

La pregunta de Jesús recibe como respuesta otra pregunta: "¿Quién eres, Señor?", cuya respuesta es la más hermosa revelación: "Yo soy Jesús" (vers. 5). ¿Has imaginado ver el rostro de Jesús alguna vez? Saulo tiembla ante la revelación, y balbucea la segunda pregunta, que recibe como respuesta un mandato (vers. 6).

Este es el diálogo entre Dios y un converso. Una es la voz del amor de Jesús, que nos llama e implora por una respuesta. La otra es también la voz del amor, pero del creyente, que vio lo que antes no había podido ver. Es la voz que pide instrucciones.

El amor siempre es el que inicia el diálogo y el que lo conserva. El amor se deleita en conocer, expresar y cumplir los deseos del amado. Cristo se deleita en conocer nuestros deseos y necesidades. Él nos anima a que se los digamos en oración, aunque él lo sabe todo; es agradable para él escucharnos, y bueno para nosotros decirlo. "Son pocos los que aprecian o aprovechan debidamente el precioso privilegio de la oración. Debemos ir a Jesús y explicarle todas nuestras necesidades... cualquier cosa que se suscite para perturbarnos o angustiarnos" —*LO* 8.

Por otra parte, sus hijos amados se deleitan en conocer su voluntad. Jesús expresa sus deseos por medio de sus mandamientos, que recibimos como esos regalos de cumpleaños que nos da nuestro cónyuge con una tarjetita escrita que dice: "A quien más amo".

¿Es la oración tu mayor deleite? Por medio de ella te relacionas con el Amado, por ella conoces su voluntad, y nace en ti el deseo de obedecerla. Jesús te dice: "Yo soy la vid, vosotros los pámpanos; el que permanece en mí, y yo en él, este lleva mucho fruto" (Juan 15:5).

Oración: Señor, quiero permanecer en ti.

Oración por Dorcas

Entonces, sacando a todos, Pedro se puso de rodillas y oró;
y volviéndose al cuerpo, dijo: Tabita, levántate. Y ella abrió los ojos,
y al ver a Pedro, se incorporó. Hechos 9:40.

¿Eres un instrumento útil en las manos de Jesús?
El milagro de la resurrección de Tabita tiene diferencias y similitudes con el milagro de la resurrección de la hija de Jairo, de la que Pedro fue testigo presencial.

Acerca de la resurrección de la hija de Jairo, el relato nos dice: "Y tomando la mano de la niña, le dijo: Talita cumi; que traducido es: Niña, a ti te digo, levántate. Y luego la niña se levantó y andaba, pues tenía doce años" (Mar. 5:41, 42). Pedro, al igual que Jesús, dijo: "Levántate". Pero el discípulo hizo algo que el Maestro no hizo; y no hizo algo que Jesús hizo. "Pedro se puso de rodillas y oró". Jesús no hizo eso. Y Jesús hizo algo que Pedro no hizo: tomó la mano de la niña. Pedro extendió su mano después de que el milagro fuera hecho: no para comunicar la vida, sino para ayudar a la dama a ponerse de pie (vers. 41). Así, tanto por lo que hizo en su oración como por lo que no hizo, el acto de haber extendido la mano, que era el canal de la vitalidad, traza una amplia distinción entre la copia del discípulo y el original del Maestro.

Cristo hace milagros por su poder inherente. Sus siervos solo los hacen como sus instrumentos. Como creyentes y obreros todos en la causa del Señor, tú y yo tenemos que tener claro, y enfatizarlo a quienes bendecimos con nuestro ministerio, que no somos más que canales e instrumentos en las manos de Dios. Cuanto más bajo es el escalón donde nos ubicamos respecto de Jesús, más alto será el lugar de servicio en el que nos pondrá. La primera condición a fin de ser un obrero útil para el Señor es esconderse detrás de su poder.

La oración sincera es un recurso eficaz que tenemos para hacer la obra de Dios. "Es únicamente la obra realizada con mucha oración y santificada por el mérito de Cristo la que al fin habrá resultado eficaz para el bien" —*DTG* 329.

Oración: *Señor, me escondo detrás de ti.*

Oración de Cornelio

Este vio claramente en una visión, como a la hora novena del día, que un
ángel de Dios entraba donde él estaba, y le decía: Cornelio... Tus oraciones
y tus limosnas han subido para memoria delante de Dios. Hechos 10:3, 4.

¿Tienes prejuicios?

Es preferible una persona con contradicciones que una persona con prejuicios. Detrás de una guerra, además de intereses económicos, siempre hay un prejuicio racial, político o religioso. Para muchos, lo que llaman "pensamiento" no es más que un reordenamiento de sus prejuicios.

El peor de los prejuicios es el prejuicio religioso. Solo la intervención directa de Dios puede ayudarnos a superar esa clase de prejuicio. Nuestro texto nos habla de la intervención sobrenatural de Dios en una época preñada de futuro (Hech. 10:1-20).

La historia de la humanidad parece moverse como un péndulo. Luego de un largo período de sueño, se despierta para liberarse de las cadenas con las que los dirigentes políticos y religiosos la habían atado. Entonces, las personas critican lo que les enseñaron, y se liberan del saco de fuerza de los prejuicios religiosos, políticos y sociales. Buscan nuevos caminos desconocidos, hacen descubrimientos imprevistos y crean nuevas formas de ver la fe religiosa.

Esto es lo que está detrás del capítulo 10 de Hechos. Aquí vemos la intervención sobrenatural de Dios para cambiar el rumbo de la historia. Dios pone su mano derecha sobre Cornelio y su izquierda sobre Pedro, y procura reunir a ambos.

La entrada de Pedro en la casa de Cornelio terminó la fase judía de la iglesia. Las palabras del ángel a Cornelio no son superfluas: "Tus oraciones... han subido... delante de Dios". Dios escucha toda oración sincera, más allá de quién la pronuncie. Jesús no tiene prejuicio racial, ni social, ni de género.

"¡Cuán cuidadosamente obró el Señor para vencer los prejuicios contra los gentiles, que tan firmemente había inculcado en la mente de Pedro su educación judaica! Por la visión del lienzo y de su contenido, trató de despojar la mente del apóstol de esos prejuicios, y de enseñarle la importante verdad de que en el Cielo no hay acepción de personas" —*HAp* 111.

Hoy, muchos están buscando la luz. Dios no los dejará en tinieblas. ¡Seamos instrumentos útiles, libres de prejuicios religiosos, en las manos de Jesús!

Oración: Señor, gracias por la visión a Cornelio y a Pedro.

Oración por un preso

Así que Pedro estaba custodiado en la cárcel; pero la iglesia hacía sin cesar oración a Dios por él. Hechos 12:5.

Veamos dónde está la fuerza de los indefensos. En la oración de Hechos 12:5, luego de la palabra "cárcel" hay un punto y coma, y la siguiente frase comienza con un enorme "pero". Generalmente, los "peros" anuncian desazón. En este caso, todo lo contrario.

Dieciséis soldados, dos cadenas, tres puertas con guardias en cada una, la sombría determinación de Herodes, la maliciosa y sádica expectativa del pueblo de tener una ejecución para terminar la Fiesta de la Pascua. Y ¿qué tenía ese puñadito de cristianos? Bueno, ellos tenían a Jesús y la oración. Eso fue todo, y eso es más que suficiente. ¡Cuán ridículos son los planes de los que quieren hacernos daño cuando caen sobre ellos ese enorme "pero"!

"Cuando se suscitan perplejidades y surgen dificultades, no busquéis ayuda en la humanidad. Confiadlo todo a Dios" —*LO* 54. "Y cuando Herodes le iba a sacar... un ángel del Señor... tocando a Pedro en el costado, le despertó, diciendo: Levántate pronto. Y las cadenas se le cayeron de las manos" (Hech. 12:6, 7).

Pedro había estado en la cárcel durante un tiempo antes de la Pascua. ¿Por qué Jesús no escuchó antes el grito de estos pobres suplicantes? Por el bien de los que oraron "sin cesar", por el bien de Pedro, por nuestro bien. La intervención a último momento probó la fe, y la fe fue victoriosa. ¿No le habría gustado a Pedro que el Señor se hubiera "ahorrado" dos o tres días y hubiese enviado antes al ángel? Yo aprendí con los años que el tiempo del Señor es el mejor. Hay que aprender a forjar la paciencia en el yunque de la espera. El ángel se tomó su tiempo: "Cíñete, y átate las sandalias... Envuélvete en tu manto, y sígueme" (vers. 8). La Omnipotencia nunca tiene prisa.

Puede que tú estés orando por algo específico desde hace mucho tiempo, y que creas que Dios se olvidó de tu pedido, pero tu fe se fortalece y madura con los meses y los años, y al final ¡será victoriosa!

Mientras Pedro dormía en la noche de la víspera de su muerte, pues Herodes ya lo quería muerto, Jesús velaba su sueño y enviaba a su ángel. ¡Así vela por ti!

Oración: Señor, ayúdame a esperar tu respuesta.

Oración de ordenación

Ministrando estos al Señor, y ayunando, dijo el Espíritu Santo: Apartadme a Bernabé y a Saulo para la obra a que los he llamado. Entonces, habiendo ayunado y orado, les impusieron las manos y los despidieron. Hechos 13:2, 3.

Con nuestro texto, estamos en la bisagra de la historia del cristianismo. Felipe y Pedro habían participado cada uno en la expansión gradual de la iglesia más allá de los límites del judaísmo. La iglesia de Antioquía fue el lugar desde donde salieron los mensajeros que completarían el proceso. Tanto su ubicación como la calidad de sus líderes hicieron natural ese proceso. La iglesia de Antioquía no quedó sin los signos de la gracia y la presencia de Cristo. Tenía su grupo de "profetas y maestros" (Hech. 13:1). Como era de esperar, tres de los cinco profetas y maestros mencionados eran griegos; es decir, judíos nacidos en tierras gentiles que hablaban lenguas gentiles. Bernabé era de Chipre; Simón, llamado Niger, seguramente era un afrodescendiente; y Lucio, de Cirene. Solo Manaén, que se había criado con Herodes, y Saulo de Tarso representaban al judío puro.

El "renombre histórico" solo cayó en el primero y el último de la lista: Bernabé, el líder del pequeño grupo, y el fariseo más joven de Tarso, Saulo. Los otros pasaron al olvido. Poco importa que nuestros nombres suenen en los oídos de los hombres, si están en el Libro de la Vida del Cordero.

Estos cinco hermanos esperaban en el Señor con ayuno y oración (vers. 2). Aparentemente tenían razón para esperar alguna comunicación divina. La luz llegará a quienes esperan en el Señor. La expresión "los he llamado" es una indicación de que el Espíritu Santo ya les había revelado la esfera de su trabajo. En ese caso, la "separación" al sagrado llamamiento era solo el reconocimiento, por parte de los hermanos, de la designación divina. Primero viene el llamamiento por el Espíritu y luego la confirmación de la iglesia. De nada servirá la designación de los hombres si el Espíritu no nos aprueba (ver Gál. 1:1). Pero, salir en el servicio cristiano sin el reconocimiento de los hermanos no es bueno ni siquiera para un Pablo.

¡Formas parte del cuerpo de Cristo! ¡Todo lo que hagas será por y para la iglesia! Así, Dios es glorificado y tu ministerio es bendecido.

Oración: Señor, ayúdame a ser aprobado por ti y por mis hermanos.

Oración en la oscuridad

Pero a medianoche, orando Pablo y Silas, cantaban himnos a Dios;
y los presos los oían. Hechos 16:25.

Hechos capítulo 16 nos presenta la primera experiencia de oposición violenta que enfrenta el apóstol Pablo de parte de los gentiles (vers. 20-24). Toda la escena tiene un sello diferente en comparación con los anteriores enfrentamientos con los dignatarios judíos: ahora Pablo y Silas están en Europa. Los acusadores y los motivos de la acusación son nuevos. Antes, los judíos atacaban por delitos de religión. Ahora, los gentiles atacan por delitos contra la ley y el orden. Podemos notar la acusación infundada y la sentencia injusta (vers. 19-23). La escena pasa rápidamente de la sentencia de cárcel y el cepo a las condiciones psicológicas de Pablo y Silas: ¡estas aves podían cantar aun en una jaula oscura!

El trato del carcelero después de su conversión muestra lo que había descuidado al principio. Los presos no tenían comida. Sus heridas no habían sido curadas. Habían sido arrojados en una celda sucia, y puestos en una posición de tortura. ¡No fue de extrañar que no pudieran dormir! Pero lo que inhibe el sueño en la mayoría de los mortales enciende la confianza, la gratitud y la alabanza en los creyentes. Se sentían aun indignos de haber sido llamados a participar de los sufrimientos de Cristo, pero Dios les dio canciones en la noche.

Los siglos y los milenios de fe cristiana dan testimonio de que las canciones de la noche son las más sublimes del alma. Cuando podemos orar y alabar en medio de la prueba, el corazón y la mente tocan el Cielo. Nunca es más noble la fe cristiana que cuando triunfa sobre las circunstancias y pone una oración de alabanza en los labios. Si no fuera la fe la que actuara sino los sentidos, ante el dolor solo habría gemidos, quejas y más gemidos. Es la fe que se eleva en alas de la alabanza la fe que vence al mundo.

No se nos dice que los apóstoles oraron por su liberación. Pedro había sido puesto en libertad, pero Esteban y Santiago habían sido martirizados. Pablo y Silas no tenían ningún motivo para esperar un milagro, pero la gratitud es siempre un llamado a Dios. Y Dios respondió con un milagro (vers. 26).

¿Tienes gratitud en tu corazón aun en medio de la prueba?

Oración: Señor, que haya siempre en mí una oración de gratitud.

Oración del dadivoso

En todo os he enseñado que, trabajando así, se debe ayudar a los necesitados, y recordar las palabras del Señor Jesús, que dijo: Más bienaventurado es dar que recibir. Cuando hubo dicho estas cosas, se puso de rodillas, y oró con todos ellos. Hechos 20:35, 36.

¿Te alegra dar y darte?

Hechos 20:35 nos recuerda las palabras de Jesús: "Más bienaventurado es dar que recibir". Con este pensamiento, Pablo se puso de rodillas para orar con sus hermanos.

El dicho de Jesús es una bienaventuranza para los generosos. Es el legado feliz del "Varón de dolores" a todos los que practican la dadivosidad. Es una transcripción de su propia experiencia humana. Aquí está la sabiduría de este dicho: Dar tiene en sí mismo poder y superioridad. ¡Hay una alegría pura y divina en dar y darnos a nosotros mismos en lo que damos!

La generosidad parece ser inversamente proporcional a la riqueza. Se trata de una actitud mental, de un modo de ver y vivir la existencia. Mi experiencia me ha mostrado que la gente más pobre es la más rica en generosidad. Algunos, cuanto menos poseen, más dan. Parece imposible, pero no lo es. ¡Es la lógica del amor, que produce alegría! Por eso, ¡los más ricos no son necesariamente los más felices!

Si no confluye la alegría con el acto de dar, el que da no es bendecido. Si tú das bajo el peso de la obligación o de la rutina, si tu ofrenda en el templo, o todo lo que haces en tu vida secular, no tiene el poder de la piedad, entonces no es la clase de donación que Cristo bendijo.

Dar sin alegría, o por ostentación, es mucho peor que no dar. Pero, cuando el corazón está lleno del amor de Jesús, esa energía se expresa mediante un alegre acto de sacrificio. Negarse a uno mismo produce una profunda alegría interior, todo lo contrario de la codicia insaciable del egoísta.

Da con alegría de lo que tienes, ¡para que merezcas recibir lo que te falta!

En nuestro texto, la oración de Pablo se elevó después del dicho de Jesús. La oración es el fruto de la dadivosidad, y dar con alegría de corazón es la mejor oración (ver 1 Juan 3:17).

¡Bienaventurados los que pueden dar sin recordar, y recibir sin olvidar!

Oración: Señor, quiero dar sin recordar y recibir sin olvidar.

Oración bajo la tormenta

Habiendo dicho esto, tomó el pan y dio gracias a Dios en presencia de todos,
y partiéndolo, comenzó a comer. Hechos 27:35.

Nuestro capítulo comienza: "Entregaron a Pablo y a algunos otros presos a un centurión llamado Julio", para que los llevara en barco a Roma (Hech. 27:1), donde el apóstol comparecería ante el César.

El grupo zarpó en una pequeña embarcación de carga en Cesarea, y navegó costeando el Asia Menor. En Mira transbordaron a un gran barco de transporte de grano que se dirigía a la península itálica. El relato del viaje bajo la tormenta y el consecuente naufragio es electrizante (vers. 13-44).

Luego de interceder ante el centurión romano por la seguridad de los 276 pasajeros (vers. 24, 37), advirtiéndole de la cobarde intención de la tripulación de abandonar y dejar el barco a la deriva bajo la furia de la tormenta (vers. 30-32), hay una escena que dibuja el espíritu del apóstol. En la noche había sido el salvador de toda aquella gente que no sabía lo que realmente estaba pasando. Ahora que comienza a amanecer, y el momento decisivo para salvar la vida se acerca con las primeras luces de la mañana, él se convierte en consejero de los pasajeros y de la tripulación. Como un gran líder, sabía que un momento de intensa lucha estaba por venir, y que debían alimentarse para tener fuerzas y poder nadar hasta la costa en caso de que el barco naufragara.

Su religión no llevó a Pablo a hacer lo que quizá yo, como pastor, hubiera hecho: comenzar a hablar con la gente acerca de la salvación. Él sabía que Dios los salvaría (vers. 23, 24), y se preocupó antes por el cuerpo de los pasajeros. Les dijo: "Os ruego que comáis por vuestra salud" (vers. 34). Hambrientos, mojados, sin dormir, no estaban en condiciones de cruzar las olas, y lo primero que debían hacer era alimentarse. La religión de Pablo comenzaba por la preocupación por el cuerpo del prójimo (ver Sant. 2:16).

En medio de la tormenta, Pablo agradeció en oración. Y su fe fue contagiosa: Todos tenían "mejor ánimo" (Hech. 27:36).

Pronto, tú y yo afrontaremos la última tormenta antes del naufragio de este mundo. La fe y la oración de gratitud serán las armas con las que venceremos.

Oración: Señor, dame fe y fuerzas en medio de la tormenta.

Oración por un enfermo

Y aconteció que el padre de Publio estaba en cama, enfermo de fiebre... y entró Pablo a verle, y después de haber orado, le impuso las manos, y le sanó. Hechos 28:8.

Los náufragos llegaron nadando a la costa de la Isla de Malta. Todos se salvaron (Hech. 27:44). Hoy, esa bahía es conocida como la Bahía de San Pablo, en recuerdo del hombre que fue héroe de aquella aventura en el mar.

En el incidente del naufragio y del desembarco de Pablo en Malta, vemos la providencia de Dios en la vida del apóstol. Sigamos el relato. Los lugareños fueron sumamente atentos con los náufragos: "Encendiendo un fuego, nos recibieron a todos, a causa de la lluvia que caía, y del frío" (Hech. 28:1). Como el fuego empezó a extinguirse, Pablo fue a buscar ramas secas, y las tiró a la hoguera. En ese momento, una serpiente venenosa que huía del calor lo mordió. La mordida despertó las suspicacias de los lugareños: pensaron que un criminal como Pablo debía terminar muerto (vers. 3, 4). El hecho de que el apóstol sobreviviera despertó el espíritu supersticioso: pensaron que era "un dios" (vers. 6). Pero la vida de Pablo no dependía de las opiniones humanas. Estaba escondida en Cristo.

Por esa misma fe victoriosa en Cristo, Pablo sanó, sin que nadie le pidiera, al padre del gobernante de la isla, llamado Publio. Este había sido generoso con el apóstol, al grado de hospedarlo en su casa (vers. 7). Los cristianos son "como el rocío de Jehová, como las lluvias sobre la hierba, las cuales no esperan a varón, ni aguardan a hijos de hombres" (Miq. 5:7), sino que su bendición cae gratuitamente.

La manera de sanar de Pablo señala muy claramente su fuente divina y lo muestra como un canal del poder de Dios. Él ora, y luego pone sus manos sobre el enfermo. No hay palabras que le aseguren la curación. Pero Dios es invocado, y entonces su poder fluye a través de las manos del suplicante.

No somos más que canales de la bendición divina, tuberías por las cuales el agua de la vida es llevada a los labios sedientos. La oración precede y acompaña todo nuestro esfuerzo, para sanarnos y sanar a otros con el evangelio de Jesús.

Oración: Señor, que mi oración sea una fuente de salud y salvación.

Oración del Espíritu Santo – 1

De igual manera el Espíritu nos ayuda en nuestra debilidad; pues qué hemos de pedir como conviene, no lo sabemos, pero el Espíritu mismo intercede por nosotros con gemidos indecibles. Mas el que escudriña los corazones sabe cuál es la intención del Espíritu, porque conforme a la voluntad de Dios intercede por los santos. Romanos 8:26, 27.

Pentecostés es un signo transitorio de un don perpetuo.

Luego de leer acerca del derramamiento del Espíritu Santo sobre los primeros fieles cristianos, la pregunta surge: ¿Dónde están las brasas ardientes de aquel fuego divino? ¿Queda algo de aquel "viento" del Espíritu? ¿Dónde están los dones de sanidad, de lenguas, de profecía, concedidos a la iglesia naciente? El capítulo 8 de Romanos es la respuesta triunfal de Pablo a esta pregunta: el Espíritu de Dios habita en cada creyente como la fuente de su verdadera vida, y es el Espíritu de "adopción" (Rom. 8:15). El Espíritu testifica en nuestro corazón que hemos sido "adoptados" como hijos por Dios y, por lo tanto, somos coherederos con Cristo. Pero no solo nos adopta como hijos para que tengamos un Padre y lo alabemos (vers. 15), sino también "nos ayuda" (vers. 26). El Espíritu de Dios intercede por nosotros y "trabaja" con nosotros, asociado a nosotros. La intercesión del Espíritu no se realiza aparte de nosotros.

Por lo tanto, el Espíritu Santo no intercede por ti a la distancia. No está lejos, allá en el cielo; está a tu lado, lo sientes en tu corazón y en tu conciencia. La obra sacrificial de Cristo se realizó en la Tierra, y su obra intercesora se realiza a la diestra de Dios, en el cielo. Pero la obra del Espíritu Santo se realiza aquí, en tu corazón. ¡Qué consuelo para tus lágrimas derramadas cada día! ¡Qué bálsamo para tu corazón dolorido y fatigado por los golpes de la vida! ¡Qué poder tienes a tu disposición!

El Espíritu Santo no está lejos de ti. Hoy te dice: "Estoy aquí, en la puerta de tu alma. Ábreme, por favor" (ver Apoc. 3:20).

El Espíritu intercede por ti con "gemidos indecibles" (Rom. 8:26). ¡Bella experiencia espiritual que no puedes expresar en palabras humanas, pero que tu corazón comprende plenamente en oración secreta y profunda!

Oración: Espíritu Santo, habita hoy en mi corazón.

Oración del Espíritu Santo – 2

De igual manera el Espíritu nos ayuda en nuestra debilidad; pues qué hemos de pedir como conviene, no lo sabemos, pero el Espíritu mismo intercede por nosotros con gemidos indecibles. Mas el que escudriña los corazones sabe cuál es la intención del Espíritu, porque conforme a la voluntad de Dios intercede por los santos. Romanos 8:26, 27.

Nuestro capítulo nos habla de otra clase de gemidos, que provienen de lo más profundo de tu corazón, inspirados por el Espíritu Santo: "También nosotros mismos, que tenemos las primicias del Espíritu, nosotros también gemimos... esperando la adopción, la redención de nuestro cuerpo" (Rom. 8:23). Ese gemido por "la redención de nuestro cuerpo" tendrá más paciencia cuanta más esperanza albergue el corazón.

Esa redención del cuerpo, con todo lo que implica, es el deseo más supremo de tu alma, y tus oraciones diarias deben ser guiadas por esa pasión. Pero la llama de la esperanza se apaga fácilmente, como una vela al viento, por la fatiga de la vida, por nuestras mezquindades y limitaciones. Ni siquiera sabemos qué pedir, cómo orar. Por eso necesitamos orar por el Espíritu Santo, para que ruegue por nosotros.

Las palabras son pobres. Nuestro sufrimiento se expresa mejor en un sollozo y una lágrima que en palabras débiles. Encontramos el amor en la luz de una mirada, en un apretón de manos, no en las palabras vacías. Así también, el gemido del corazón por la redención es "indecible", no se expresa en palabras. Es un signo de la voz del Espíritu Santo en nuestra conciencia. El que escudriña el corazón conoce el significado de las oraciones no verbalizadas del Espíritu. Dios insufla en nosotros ese deseo por él, para luego satisfacerlo.

¡Que no te venza el sueño de la muerte! ¡Que tu oración mantenga encendida la lámpara de la esperanza (Mat. 25)! ¡Que tu corazón advierta que el Espíritu Santo lo está llamando! La verdad no descansa en una doctrina, sino en el corazón advertido por la conciencia santificada. Cuando lees la Palabra, la razón le dice al corazón: ¡ábrete!; porque a menos que se abra a la influencia del Espíritu, tu ser no tendrá pasión por Jesús, y las oraciones serán huecas, como "metal que resuena, o címbalo que retiñe" (1 Cor. 13:1).

Oración: Señor, enciende en mí la esperanza.

Oración por el bien de Israel

*Hermanos, ciertamente el anhelo de mi corazón, y mi oración
a Dios por Israel, es para salvación. Romanos 10:1.*

¿Te sientes un elegido?

El tema del capítulo 10 de Romanos es una extensión del capítulo anterior: la elección de Israel. El versículo 1 expresa el sentir más profundo del apóstol Pablo por su pueblo. Él era judío. Israel había sido elegido para llevar salvación al mundo. Pero fracasó en su misión. Tropezó con la Roca, que es Cristo Jesús (Rom. 9:33).

El mensaje de Pablo en estos capítulos de Romanos es claro: el plan de Dios es la salvación de "todo aquel que en él cree" (Juan 3:16). Las puertas están abiertas para todo aquel que quiera la salvación. Porque "al que a mí viene, no le echo fuera" (Juan 6:37). Si deseas la salvación, estás entre los elegidos. Los salvados atribuirán su salvación a la elección, pero los perdidos no podrán atribuir su perdición a la falta de elección. Hay libertad de elección. Pero ¿podemos estar orgullosos de haber sido elegidos? De ninguna manera, porque Dios eligió a toda la humanidad para la salvación. No nos eligió por nuestros méritos particulares.

Israel tropezó con Cristo porque se creyó superior a Cristo. Esto no significa que, como individuos, cada judío haya perdido la salvación. Por eso Pablo desea que cada judío alcance la salvación mediante Cristo.

¿Qué significa tropezar con Cristo? Elena de White lo expresa con claridad: "Una religión legal no puede nunca conducir las almas a Cristo, porque es una religión sin amor y sin Cristo. El ayuno o la oración motivados por un espíritu de justificación propia es abominación a Dios... La repetición de ceremonias religiosas, la humillación externa, el sacrificio imponente, proclaman que el que hace esas cosas se considera justo, con derecho al cielo, pero es todo un engaño. Nuestras propias obras no pueden nunca comprar la salvación —*DTG* 246.

La religión legalista ata con cintas coloridas de regalo la vida de los seres humanos, para impedirles que accedan a las cosas que quieren. Esa clase de religión nos convierte en murciélagos ciegos a la belleza radiante de la bondad, y en rocas insensibles a las penurias de la humanidad.

Ora cada día para no tropezar con Jesús.

Oración: Señor, no permitas que mi religión me engañe.

Oración para ser felices y pacientes

Gozosos en la esperanza; sufridos en la tribulación; constantes en la oración.
Romanos 12:12.

¿Cuáles son los deberes que yacen en tu corazón?

Los capítulos 1 al 11 de Romanos son una exposición teórica, brillante y profunda de la justificación por la fe. Desde el capítulo doce, Pablo presenta consejos sabios para vivir la fe.

Para Pablo, el crecimiento y la madurez de la vida espiritual se manifiestan en nuestra conducta para con los demás. Por eso, todo el resto de este capítulo está dedicado a inculcar los "deberes" de unos hacia otros. La fe siempre deviene en ética. "La fe, si no tiene obras, es muerta en sí misma" (Sant. 2:17). Las emociones y los sentimientos que despierta la fe tienen valor si mueven las ruedas de la vida. La fe no solo genera sentimientos y emociones cálidos, sino también el deseo de una vida de rectitud. Los hechos hablan de nuestra fe más que las palabras.

De los 21 versículos de Romanos 12 dedicados al comportamiento, el versículo 12 es el único que profundiza en los "deberes" que yacen en el fuero interno del creyente. Aquí, Pablo nos dice que nuestro cristianismo debe ser "gozoso, paciente y constante". El texto dice: "Gozosos en la esperanza; sufridos en la tribulación; constantes en la oración". Muchos de nosotros no creemos que sea un deber cristiano estar alegres. Creemos que es una cuestión de temperamento, y en parte una cuestión de circunstancias. Nos alegra que las cosas nos vayan bien. Pero ¿reconocemos el hecho de que si no estamos alegres no estamos cumpliendo con nuestro deber? "Estad siempre gozosos..." (1 Tes. 5:16-18). Quizá debamos cambiar el concepto que tenemos de la alegría, para llegar a comprender el verdadero gozo cristiano. La alegría en Jesús no es el crepitar de la "risa loca". Es la serena convicción de saber que Jesús está siempre con nosotros.

Si tu vida está llena de alegre esperanza, serás paciente. Los vientos pueden convertir la superficie apacible del océano en grandes olas, pero los vientos no destruyen el "submarino" que navega en las aguas profundas, donde se esconde el alma del cristiano.

¡Dichosa oración constante, secreta y profunda, que pone alegría y paciencia en nuestro corazón cada día! ¡Bendito refugio donde los vientos no llegan!

Oración: *Señor, me refugio en ti a través de la oración.*

Oración por los pastores

Pero os ruego, hermanos, por nuestro Señor Jesucristo y por el amor del Espíritu, que me ayudéis orando por mí a Dios. Romanos 15:30.

Nuestro texto de Romanos 15:30 constituye uno de los llamamientos a la oración más solemnes y serios en favor de un pastor en toda la Biblia. Pablo reconoció que enfrentaba peligros y que pasaba por un momento crítico de su ministerio. Estaba rodeado de enemigos. El apóstol tenía amplios motivos para pedir las oraciones de los hermanos. Los eventos que siguieron así lo demostraron. Aquí, pues, Pablo pidió oración "por nuestro Señor Jesucristo". Él era consciente de que todo lo que le sucediera estaría bajo el control de su Señor. Pidió a los creyentes en Roma y en Jerusalén que lo ayudaran con sus oraciones. Jesús es el Intercesor por cuyo medio llegas al Padre.

Luego dice "por el amor del Espíritu". El amor es el fruto del Espíritu que nos une no solo a Dios sino también a nuestros hermanos de fe (Gál. 5:22, 23).

A continuación, Pablo suplica: "que me ayudéis" (Rom. 15:30). El término griego traducido como ayudar es *sunagönízomai*, que significa "agonizar junto a mí". Las palabras "por mí" indican que Pablo estaba pidiendo oración por su protección personal, "para que sea librado de los rebeldes que están en Judea" (vers. 31).

Esta es la clase de oración que tú y yo necesitamos en este momento crítico de la historia. ¡Que la iglesia de Cristo eleve esta oración!

La oración, para el apóstol, era una verdadera e intensa lucha. No era un rezo mecánico. No era una tarea que podía hacerse liviana y apresuradamente. Era una obra que había que hacer con pasión, constancia, energía, paciencia, amor. En su hora crítica, Pablo se aferró a Dios y al amor de sus hermanos.

Las oraciones de los fieles fueron respondidas. La iglesia en Jerusalén recibió la ofrenda (vers. 31, 32), y Pablo fue "recreado"; es decir, alcanzó el reposo, la paz, al final de sus días. Por eso, dijo: "He peleado la buena batalla, he acabado la carrera, he guardado la fe. Por lo demás, me está guardada la corona de justicia" (2 Tim. 4:7, 8).

¡Preciosa oración, que me une con pasión a mis hermanos en la fe!

Oración: Señor, ruego por la fe de mis hermanos y mis pastores.

Oración por un "aguijón" – 1

*Me fue dado un aguijón en mi carne... para que no me enaltezca
sobremanera; respecto a lo cual tres veces he rogado al Señor,
que lo quite de mí. Y me ha dicho: Bástate mi gracia; porque mi poder
se perfecciona en la debilidad. 2 Corintios 12:7-9.*

Pablo pertenecía a ese gran ejército de mártires que, con los corazones sangrantes y con un "aguijón en la carne", trabajaba infatigablemente por la salvación de las personas. ¿Qué pudo haber padecido Pablo? No lo sabemos. El Registro Sagrado guarda silencio. Pero el término griego *skólops* significa algo más que una espinita en la punta de un dedo. *Skólops* era una "astilla metida dentro del cuerpo que nadie podía sacar".

El "aguijón" no era una metáfora: Pablo no se sentía aguijoneado por su tendencia al mal (Rom. 7:19-25), como afirman algunos comentadores bíblicos. La tendencia al mal no puede ser motivo de humildad y razón para glorificar a Dios (2 Cor. 12:9). Pablo vivía y realizaba su ministerio cargando un serio padecimiento físico; pero en su dolor, él se refugiaba en la oración.

¿Es el dolor físico peor que el mental? La respuesta es tan relativa como relativas son las experiencias humanas. Todo dolor físico es también dolor mental, y hay dolores mentales que afligen y llegan a matar al cuerpo.

Las súplicas de Pablo son un eco de Getsemaní. Allí, en aquel jardín, bajo la luna pascual, Jesús "suplicó tres veces" que pasara de él la copa. Y Pablo también pidió "tres veces" que Dios le quitara ese padecimiento físico que lo destruía. Pero el que oró en Getsemaní fue el "Varón de dolores", a quien Pablo dirigió su oración. La respuesta de Cristo fue: "Bástate mi gracia; porque mi poder se perfecciona en la debilidad"; y la conclusión del apóstol: "Por tanto, de buena gana me gloriaré más bien en mis debilidades, para que repose sobre mí el poder de Cristo" (vers. 9).

Puede que estés pasando un momento de mucho dolor en tu vida. ¡La oración es tu precioso refugio! Convierte tu debilidad en fortaleza: "Es nuestro privilegio abrir el corazón y permitir que los rayos de la presencia de Cristo entren en él" —*LO* 9.

Los cálidos y luminosos rayos de la presencia de Jesús pueden fortalecer tu alma y tu cuerpo.

Oración: Señor, dejo en tus manos mis dolores.

Oración por un "aguijón" – 2

*Me fue dado un aguijón en mi carne... para que no me enaltezca
sobremanera; respecto a lo cual tres veces he rogado al Señor,
que lo quite de mí. Y me ha dicho: Bástate mi gracia; porque mi poder
se perfecciona en la debilidad. 2 Corintios 12:7-9.*

La oración de Pablo nos ayuda a profundizar en las cualidades más excelsas de la oración. En primer lugar, la oración es el vaciamiento de todos nuestros deseos, de nuestras necesidades más profundas, de nuestros dolores, a nuestro Hermano, que también es nuestro Señor. Tú y yo tenemos diferentes motivos para hablar con Dios. Pero tú y yo podemos ir a Jesús como nuestro común Hermano.

La pregunta acerca de qué cosas puedo pedir a Dios y qué cosas no debo pedir es irrelevante. Expresa una noción egoísta y formal de la oración, como si la oración fuera un trámite para pedir cosas. "Orar es el acto de abrir nuestro corazón a Dios como a un amigo" —*LO* 8. Si abriéramos cada día, en cada momento del día, nuestro corazón a Dios, entonces, lo que llena nuestro corazón sería visto como un objeto apropiado de oración.

Nuestras oraciones son irreales porque no encajan con nuestras necesidades reales. Tenemos que conocer nuestras necesidades reales para que la oración tenga sentido. Y solo las conocemos cuando entramos en contacto en oración con Aquel que nos conoce (Gál. 4:9).

A veces creemos que Dios no responde nuestras oraciones. Aparentemente, solo digo *aparentemente*, no responde, porque no hemos pedido bien. Si oramos "hágase tu voluntad", con sinceridad y sin temor, Dios responde. Pablo pidió que se le quitara la carga. Dios no le quitó la carga, pero sí respondió su oración. La confianza del apóstol de que la voluntad de Dios era buena para él hizo que viera en el "aguijón" un motivo para gloriarse en Dios, no porque fuera masoquista, sino porque la carga se quita no cuando desaparece sino cuando aparece la fuerza para llevarla.

La mejor oración es "hágase tu voluntad". ¡Acepto, Señor, el camino, con espinas y cardos! Y la mejor respuesta de Dios es: "No te quitaré del mundo ni te libraré de la carga, porque ella te hará crecer, pero te daré poder para que la lleves".

Oración: *Señor, lléname de tu Espíritu, y sabré qué pedirte.*

Oración por un "aguijón" – 3

Me fue dado un aguijón en mi carne... para que no me enaltezca
sobremanera; respecto a lo cual tres veces he rogado al Señor,
que lo quite de mí. Y me ha dicho: Bástate mi gracia; porque mi poder
se perfecciona en la debilidad. 2 Corintios 12:7-9.

Hay dos maneras de aligerar una carga: una, disminuyendo su peso real; la otra, aumentando la fuerza del hombro que la lleva. Este último es el camino de Cristo cuando trata con nuestras cargas.

Dios no le dijo a Pablo que recibiría una cosa nueva. Cristo le concedió el "colirio de la fe" para que viera que ya tenía lo que necesitaba. La respuesta de Cristo no fue "Yo te daré más gracia", sino "Bástate mi gracia" (2 Cor. 12:9). La oración secreta y profunda trae al corazón afligido la gracia infinita de Dios. Si abres los ojos para ver todo lo que tienes, ¡verás que tu carga no es tan pesada!

Puede que estas palabras te resulten irreales. Muchos corazones cargan un peso casi insoportable. Quizá tú tienes un dolor lacerante, de toda la vida; quizá padezcas una enfermedad incurable; quizá creas que tu vida naufragó y que el sufrimiento que hoy llevas te acompañará hasta el polvo. ¡Y es posible que así sea! Pero la respuesta de Jesús es: "Mi gracia es suficiente para ti". Jesús es suficiente para enfrentar enfermedades, decepciones, pérdidas y aun la muerte. Todas las causas de tus dolores no desaparecen con palabras mágicas, pero bastan estas dos palabras: "mi gracia", para que puedas sobrellevarlas.

Desde la perspectiva humana, es imposible alimentar a una multitud con unos pocos panes y un par de peces. Pero Jesús dice: "Dame esos pocos panes y peces". El milagro de la gracia alcanza para que "todos coman" y tengas fuerzas para vivir.

Jesús dice: "Mi poder se perfecciona en la debilidad" (vers. 9). Dios trabaja con cañas rotas. Si alguien se concibe como una columna de hierro, Dios no puede hacer nada con él o por él. Hay que derribar la vana "seguridad", para que fluya su gracia como las aguas que bajan por la acción de la gravedad cuando la esclusa se abre.

¡Que nuestra voluntad armonice con la de Jesús (vers. 10)! De su súplica instintiva, Pablo pasa a la convicción: el "aguijón" es bueno, ¡porque me expone al poder de Cristo!

Oración: *Señor, ayúdame a llevar mis cargas.*

Oración de alabanza

Bendito sea el Dios y Padre de nuestro Señor Jesucristo, que nos bendijo con toda bendición espiritual en los lugares celestiales en Cristo. Efesios 1:3.

¿Alabas a Dios en las peores circunstancias?

Pablo escribió la Epístola a los Efesios desde la cárcel de Roma. Después de haber apelado al César haciendo uso de su derecho como ciudadano romano, Pablo fue enviado a la capital del Imperio, adonde llegó probablemente en la primavera del año 61 d.C. Allí estuvo preso dos años; y los eruditos afirman que esta epístola la escribió en el año 62. d.C.

Todo el capítulo 1 es un canto de alabanza, de gran hondura teológica. El apóstol eleva este canto como una oración a la Trinidad. Las tres personas de la Deidad están en la mente y el corazón de Pablo (vers. 3, 5 y 13), porque el centro de su vida era Dios; Jesús era el núcleo de sus oraciones.

El Nuevo Testamento registra 84 referencias directas a las oraciones de Pablo. ¡En ninguna de ellas hay un atisbo de egoísmo! ¡Todas las oraciones de Pablo son intercesoras!

¡Qué lección de vida! Cuánto aprendemos con Pablo respecto a qué tipo de oración agrada a Dios.

El centro de la verdadera oración no es lo que yo quiero tener. ¡Jesús es el centro! Él es importante para mí, no lo que yo quiero de él. Al fin de sus días, preso pero libre, Pablo agradece por la presencia de Cristo en su vida, no por las cosas recibidas de Dios.

Muchas oraciones están inspiradas en motivos erróneos. Yo puedo orar por otra persona porque temo perder su amistad. Puedo orar por el éxito en la causa de Dios porque tengo un puesto importante y la bendición divina fortalecerá mi influencia. Puedo pedir que Dios cubra un fracaso porque estoy avergonzado y no quiero escuchar los comentarios maliciosos de otros. Puedo orar por la conversión de una persona con la que convivo muchas horas para que mi vida sea más fácil. Puedo orar para que me vaya bien en la vida a fin de tener amigos que me reconozcan. Puedo orar para tener una pareja porque anhelo reconocimiento. Puedo orar para tener un hijo porque no quiero vivir solo cuando envejezca. ¡Y la lista es infinita!

Pero Pablo oraba por los otros porque Jesús era el centro de su vida.

Oración: Señor, ayúdame a adorarte solo por lo que tú eres.

Oración de gratitud

Bendito sea el Dios y Padre de nuestro Señor Jesucristo... en quien tenemos redención por su sangre, el perdón de pecados según las riquezas de su gracia.
Efesios 1:3, 7.

Hace unos días conversé con una chica de 17 años que a menudo se cortaba los brazos y las piernas. Esta criatura luchaba sola para mantenerse de pie en medio de una familia que la aborrecía. Su madre le decía que era lo peor que le había pasado en la vida, y su padre le decía que la odiaba.

¿Cómo escuchar el dolor de una joven aborrecida y decirle luego que Dios la ama? Ante su confesión, me fueron inútiles las credenciales pastorales. ¡Ella no sabía cómo ahogar su culpa! Luego de escucharla, estalló en mi cabeza el recuerdo de los cananeos que tres mil años atrás cumplían este mismo rito: se cortaban para frenar la ira de los dioses. ¡Era "su costumbre"! (1 Rey. 18:28). Todos los cultos paganos tienen este común denominador: sacrificarse hasta la sangre para saciar la ira de los dioses. Ahora yo tenía frente a mí a una chica que cumplía aquel mismo rito milenario. La naturaleza humana no cambia. Los dioses oscuros no cambian. El instinto humano pregunta qué hay que hacer para frenar la ira de los dioses. La ansiedad, la desesperación, la minusvalía, la angustia, el dolor nos lleva a sacrificarnos en el altar de los dioses antiguos, para calmar su ira, para agradarles. ¡Cuántas cosas malas hacemos contra nosotros mismos para agradar a quienes no les importamos!

¿Cómo hablarle de Jesús a quien se hería diariamente? Le dije que no necesitaba cortarse como para castigarse por lo mal que se sentía. Dios no le pedía ningún sacrificio. Dios ya había hecho ese sacrificio. ¡En esto consiste la verdad! ¡Dios proveyó el Cordero! Esta fue la gran enseñanza para Abraham. Ninguna religión que te pida algo para que Dios te acepte es la verdadera religión de Jesús. Él no te pide nada; solo pide tu corazón. Jesús hizo todo por ti. Tú no tienes nada que hacer para agradar a tu familia o a tus amigos. No tienes que flagelarte para buscar el favor de Dios. No tienes que arrepentirte de nada, ¡sino solo ir a él! Por eso, Pablo dice: "Bendito sea el Dios y Padre de nuestro Señor Jesucristo".

Oración: Gracias, Jesús, porque eres mi Sacrificio.

Oración por paz mental

Por nada estéis afanosos, sino sean conocidas vuestras peticiones delante de Dios en toda oración y ruego, con acción de gracias. Filipenses 4:6.

¿Te gusta recibir consejos?

Es fácil dar buenos consejos a una persona necesitada cuando estamos plenamente satisfechos. Pero ¿quién era aquel que le decía a la iglesia de Filipos "por nada estéis afanosos"? Era un prisionero de una cárcel romana. Cuando Roma afilaba sus garras, no solía soltar la presa sin derramar sangre.

Preso, el apóstol aguardaba su juicio, que lo conduciría a la muerte. Su futuro era oscuro e incierto. Fue este hombre, en la mayor crisis de su vida, el que les escribió a los hermanos en Filipos: "Por nada estéis afanosos (*merimnaó*)". El término original significa más que "ansioso". Es casi miedo. La ansiedad es una anticipación del miedo. Y todos la padecemos: algunos no duermen por temor a no tener las cosas que necesitan, y otros no duermen por temor a perder las cosas que tienen. Pero ¿alguien puede vivir sin preocuparse en este mundo? ¿Está acaso el apóstol negando la realidad?

Luego del consejo, Pablo introduce un pensamiento con la conjunción adversativa "sino", que indica contraposición o exclusión de dos ideas. Dice: "Sino sean conocidas vuestras peticiones delante de Dios en toda oración y ruego, con acción de gracias". Si tú no oras por todo, estarás preocupado por todo. Si oras por todo, no te preocuparás más de lo que es bueno para ti. Por lo tanto, tienes dos alternativas: oras por todo o estás ansioso por todo. Con cada amanecer, se abren dos sendas delante de ti para que camines por una de ellas: la de la ansiedad o la de la fe.

Si algo es lo suficientemente importante para ti como para generarte ansiedad, es lo suficientemente importante como para que se lo digas a Dios.

¿Eres amigo de Jesús? Tu instinto fraterno te hará contarle todo, hasta lo que creas más insignificante. Una nube de mosquitos puede envenenar a una persona tanto como la mordedura de una serpiente. Si no le cuentas a él las pequeñas cosas, tampoco le contarás las grandes. Una playa está compuesta por una cantidad infinita de granos de arena. Los años son solo una colección de segundos. Tu vida vale mucho, porque es la suma de todas las nimiedades.

¡Cuéntale todo a Jesús en oración!

Oración: *Señor, quiero contarte todo.*

Oración constante

Estad siempre gozosos. Orad sin cesar. Dad gracias en todo.
1 Tesalonicenses 5:16-18.

Estos tres preceptos son tres eslabones unidos fuertemente, que conforman la vida del creyente. Alegrarse, orar y dar gracias por todo es fácil decir cuando los vientos soplan a nuestro favor y la vida nos sonríe. Es fácil encender una antorcha en una noche sin viento. Pero mantenerla encendida se hace casi imposible cuando los vientos soplan contra la llama.

Seguramente te estarás preguntando si es posible vivir siempre en tal estado de éxtasis espiritual, cumpliendo "la voluntad de Dios" (1 Tes. 5:18). Pablo nos dice que no solo es posible, sino también es nuestro deber.

Por ahora, no te detengas a pensar en ese ideal. Mejor piensa en las tantas veces que cortas la relación con Cristo. Vemos que el primer eslabón está unido al tercero mediante el eslabón del medio. El gozo y la gratitud son posibles gracias al fuerte eslabón de la oración. La oración es aquel palo central de la carpa en torno del cual están atadas las cuerdas que despliegan la lona. Orar sin cesar es el principio del que dependen la gratitud y la alegría. No podemos ser verdaderamente felices y agradecidos sin una oración en el corazón.

Pero, finalmente, ¿es posible orar "sin cesar"? La respuesta a esta pregunta nos lleva a entender qué es la oración. Si Pablo nos dice que hagamos algo ininterrumpidamente, es porque es posible hacerlo en medio de la fatiga y el tráfago de la vida cotidiana. Orar no es simplemente conversar con Dios. Hay oraciones que jamás tendrán palabras. La más profunda y verdadera comunión con Dios es sin voz y sin palabras. Cuanto más comprendemos qué es la oración, más nos damos cuenta de que no depende de nuestra capacidad de expresión. La esencia de la oración es tener el corazón y la mente llenos de la presencia divina, y tener el hábito de decirle todo lo que está en el corazón. ¡Todo lo que nos ocurre! Tu verdadera oración es tu relación personal con Cristo.

Por eso, la pregunta *¿Cómo puedo orar sin cesar?* tiene una respuesta: No te preocupes por la posibilidad de lograr ese ideal, preocúpate de no cortar nunca tu relación con Jesús. Esto es "orar sin cesar".

Oración: Señor, que mi corazón siempre esté abierto ante ti.

Oración por los gobernantes

Se debe orar por los que gobiernan y por todas las autoridades...
Esto es bueno y agrada a Dios nuestro Salvador, pues él quiere que todos
se salven y lleguen a conocer la verdad. 1 Timoteo 2:2-4 (DHH).

¿Oras por el presidente de tu país?

La oración intercesora es poderosa. En nuestro texto, Pablo recomienda a su discípulo Timoteo y a la iglesia de Éfeso que hagan oraciones por los gobernantes, y aun que realicen acciones de gracias por ellos, para que tomen decisiones en favor de la dignidad humana, la paz, la prosperidad y el bien común.

Cuando nos elevemos por encima del ambiente político, que en estos días alcanza un alarmante nivel de toxicidad, estaremos en condiciones espirituales de orar por "toda la humanidad" (1 Tim. 2:1, DHH).

Cuando San Pablo escribió esta carta, ¿quién era el emperador? Nada menos que Nerón, un demente que vivía solamente para sus pasiones, un inepto para la investidura imperial, un personaje réprobo que fue culpado del incendio de Roma, que persiguió al cristianismo, y mandó a la hoguera y a las fieras a muchos cristianos. El mismo apóstol sería decapitado poco después por orden imperial. Por este personaje pide oración el santo evangelista.

En definitiva, todos los Gobiernos del mundo son susceptibles de encender la hoguera de la persecución contra cualquier minoría ante algo que ponga en riesgo la seguridad de la mayoría. ¡Todos los Gobiernos del mundo! Incluso los que se dicen cristianos, pues en realidad no existen Gobiernos cristianos, sino personas cristianas.

Puede ser que no te guste el Gobierno de tu país, y que tengas muchas razones para ello. Puede ser que tus gobernantes no sean virtuosos, sino vulgares oportunistas, trepadores y depredadores de la nación, pero hay que orar por ellos, y por "toda la humanidad" (1 Tim. 2:1, DHH), pues "todos formamos parte del gran tejido de la humanidad; todos somos miembros de una sola familia" —*LO* 292.

En esencia, en 1 Timoteo 2, Pablo nos está hablando acerca del poder de la oración intercesora. Orar por todos, y también por los que ejercen cargos de autoridad, finalmente nos bendice a todos. La oración intercesora siempre vuelve a nosotros con un caudal de bendiciones. Cuando oramos por otros, "nuestros propios corazones palpitarán bajo la vivificante influencia de la gracia de Dios" —*LO* 41.

Oración: Señor, bendice a los gobernantes de mi país.

Oración intercesora – 1

Doy gracias a Dios, al cual sirvo desde mis mayores con limpia conciencia, de que sin cesar me acuerdo de ti en mis oraciones noche y día. 2 Timoteo 1:3.

Es el año 67 y Pablo padece bajo el reinado de Nerón. Las condiciones de su cautiverio son tan adversas que el apóstol escribe que es tratado como un "malhechor" (2 Tim. 2:9). Dice que está sujeto con cadenas (2 Tim. 1:16), y que se aproxima su ejecución: "Yo ya estoy próximo a ser sacrificado, y el tiempo de mi partida está cercano" (2 Tim. 4:6).

A la gravedad de esta situación del apóstol se añade una gran tristeza, causada por el desamparo de Demas y el mal comportamiento de Alejandro el calderero (vers. 10, 14), y por verse olvidado de otros hermanos en circunstancias tan difíciles y angustiosas (vers. 16). Es probable que su salud ya estuviera quebrantada, y aun sufriera frío porque no tenía ropa abrigada (vers. 13). En esas circunstancias, Pablo ruega a Timoteo: "Procura venir pronto a verme" (vers. 9), y "procura venir antes del invierno" (vers. 21).

Timoteo es un joven ministro formado bajo el liderazgo y la instrucción de Pablo. El apóstol considera a Timoteo como un hijo, y se preocupa por él. Por eso, ora por él "noche y día" (2 Tim. 1:3). Había visto falsos maestros infiltrados en la iglesia, por eso utiliza sus últimas palabras para animar a Timoteo, y a todos los demás creyentes, a perseverar en la fe (2 Tim. 3:14) y a proclamar el evangelio de Cristo (2 Tim. 4:2).

Pero también, motivado por el afecto a su discípulo, Pablo expresa el deseo de verlo de nuevo, como un padre anhela ver a su hijo. Escribe: "Deseando verte, al acordarme de tus lágrimas, para llenarme de gozo; trayendo a la memoria la fe no fingida que hay en ti" (2 Tim. 1:4, 5). Sin embargo, mientras espera la visita de su "amado hijo", Pablo ora por él. Lo presenta ante Dios en permanente súplica por su bienestar y por su perseverancia en la fe.

¡Preciosa oración intercesora de Pablo, quien, olvidándose de sí en las peores circunstancias de su vida, ora por quien ama! Pablo entendía que nada en su vida tenía que ver con él, sino con Jesús y con sus amados.

La oración intercesora inspirada en un amor que se niega a sí mismo transforma la vida del que ora y de las personas por las que ora.

Oración: Jesús, ayúdame a entender que nada se trata de mí, sino de ti.

Oración intercesora – 2

Doy gracias a Dios, al cual sirvo desde mis mayores con limpia conciencia, de que sin cesar me acuerdo de ti en mis oraciones noche y día. 2 Timoteo 1:3.

¿Oras por otros que necesitan tus plegarias?

El apóstol Pablo intercede ante Dios por Timoteo. La oración intercesora hunde sus más profundas raíces en el Antiguo Testamento. Abraham, Moisés, David, Samuel, Ezequías, Elías, Jeremías, Ezequiel y Daniel fueron grandes intercesores ante Dios en favor de su pueblo. Ellos oraban con la mirada puesta en el Mesías venidero. Ellos fueron grandes hombres, pero hombres al fin. Pero, "cuando vino el cumplimiento del tiempo, Dios envió a su Hijo" (Gál. 4:4), para que llegara a ser nuestro único y perfecto Mediador (1 Tim. 2:5). Gracias a él, toda oración se convierte en oración mediada, puesto que es ofrecida a Dios por Cristo y por su medio. Gracias a Jesús, ahora podemos interceder en oración en favor de otras personas, pidiendo por ellas con el amor y la fe de Jesús.

El anciano apóstol está formando a Timoteo, un nuevo pastor, quien lo siguió en medio de la persecución. Cuando, en Listra, el apóstol fue apedreado y el joven lo presenció, el Espíritu de Dios lo motivó a participar en la gesta misionera y se unió al predicador. Ahora, el maestro está cautivo en Roma, esperando la ejecución, pero desde ahí sigue formando a su discípulo. En este texto le dice que está orando por él constantemente. El apóstol es perseverante en la oración. Mucho tiempo antes había exhortado a los tesalonicenses a practicar el mismo ejercicio piadoso: "Orad sin cesar" (1 Tes. 5:17). Ahora está orando "sin cesar" por Timoteo (2 Tim. 1:3).

La oración intercesora nos ennoblece, porque debilita nuestro natural egoísmo. Además, nos identifica con la obra intercesora de Cristo, quien intercede por nosotros en el Santuario celestial (Heb. 7:25), y con la obra del Espíritu Santo, quien "gime por nosotros" (Rom. 8:26).

Dile al Señor: "No abandones a los huérfanos, los pobres, los niños, las mujeres, los desesperados, los angustiados, los esclavos, los ancianos. Y particularmente, no abandones a los que te rechazan".

Cuando oras por otros, oras por ti. ¡Que hoy Dios ponga en ti un nombre por quien orar!

Oración: Señor, ¿por quién quieres que ore?

Oración por un amigo en desgracia

Tenga el Señor misericordia de la casa de Onesíforo, porque muchas veces me confortó, y no se avergonzó de mis cadenas, sino que cuando estuvo en Roma, me buscó solícitamente y me halló. 2 Timoteo 1:16, 17.

¿Tienes amigos en Cristo?

Al final de nuestra vida no nos acordaremos tanto de las palabras de nuestros enemigos como de los silencios de nuestros amigos en los momentos de desgracia.

Pablo estaba preso. Sabía que pronto iba a morir (2 Tim. 4:6). ¡Cuánto amor necesita el presidiario que espera la muerte! El apóstol había sido abandonado por Demas (vers. 10), pero Onesíforo no hizo silencio cuando el apóstol más necesitaba la palabra de un amigo (2 Tim. 1:16). Por eso, en nuestro texto, vemos a Pablo derramando su alma en intercesión por Onesíforo como noble ofrenda de gratitud.

Onesíforo había ayudado a Pablo y a Timoteo en Éfeso. Cuando supo que el apóstol estaba preso en Roma por causa del evangelio y de las intrigas de los judíos de Jerusalén, fue a visitarlo inmediatamente.

Identificarse con el cristianismo en esos tiempos era muy peligroso. Nerón odiaba a los cristianos. Cuando Roma fue quemada, los culpó para justificar la persecución. Muchos fueron ejecutados con gran crueldad. Pero Onesíforo se arriesgó por Pablo. El anciano apóstol declara que muchas veces fue consolado por este varón cristiano (vers. 17).

Aunque los cristianos eran llamados ateos, porque los romanos no veían ninguna representación gráfica de su Dios, y antropófagos, porque "comían la carne y la sangre del Mesías" (ver Juan 6:54), Onesíforo no se avergonzó del evangelio (ver Rom. 1:16), ni tampoco de las cadenas de Pablo. Manifestó gran devoción y amistad al apóstol, y lo atendió con esmero. A cambio, Pablo intercedió ante Dios por él y por su familia. Pidió gracia infinita para Onesíforo en el gran Día del Juicio.

Un verdadero amigo es aquel que entra en la morada de la soledad cuando todos los demás se van. La visita a su amigo en desgracia fue la mejor y más poderosa oración de Onesíforo, ¡y el testimonio más fiel de su amor por Cristo!

Oremos por nuestros dirigentes que están en peligro a causa del evangelio. Oremos los unos por los otros, como ofrenda de gratitud a Dios por los lazos de amistad en Jesucristo.

Oración: Señor, gracias por el amigo fiel.

Oración de alabanza por la Creación

Tú, oh Señor, en el principio fundaste la tierra, y los cielos son obra de tus manos. Ellos perecerán, mas tú permaneces; y todos ellos se envejecerán como una vestidura, y como un vestido los envolverás, y serán mudados; pero tú eres el mismo, y tus años no acabarán. Hebreos 1:10-12.

Hablando de la exaltación del Hijo, el autor de la Epístola a los Hebreos incluye una doxología en la que enaltece a Dios como Creador. Es interesante que cada vez que se exalta a Dios en la Biblia siempre se alude a su faceta creadora.

Dios instituyó el sábado como sello de su actividad creadora (ver Gén. 2:1-3). Cuando David escribió acerca de la posición privilegiada del hombre en la Tierra, se refirió a la magnificencia de la Creación (ver Sal. 8). En un canto antifonal, el salmista exalta su actividad creadora y la amalgama con su misericordia (Sal. 136:1-9). Cuando Job cuestionó a Dios a causa de sus calamidades, el Señor respondió a sus cuestionamientos con preguntas relacionadas con su poder creador y sustentador (ver Job 39-41). Y el mensaje del primer ángel del Apocalipsis llama a los hombres a adorar al Creador (ver Apoc. 14:6, 7).

En la carta a los Hebreos, el autor contrasta la caducidad de la Creación afectada por el pecado con la eternidad de Dios. También exalta al Hijo por encima de los ángeles, al grado que ordena a estos espíritus que lo adoren (Heb. 1:6).

Este capítulo es una exaltación de Jesús. Es un himno al Redentor, que con su propia sangre ha comprado a la humanidad. Es el descenso de la gloria plena a la humanidad necesitada, quebrantada y doliente, la *kenosis* del Eterno, quien se vació de la manifestación externa de su grandeza divina, pero no de su divinidad.

Junto con el autor de la Epístola a los Hebreos, exaltemos su grandeza manifestada en el despliegue de sus atributos comunicables, sobre todo su faceta creadora, ¡y alabemos a Dios por su amor redentor en Cristo!

Jesús, confío en ti porque "en el principio echaste los cimientos de la tierra y con tus manos formaste los cielos. Ellos dejarán de existir, pero tú permaneces para siempre. Ellos se desgastarán como ropa vieja... Pero tú siempre eres el mismo; tú vivirás para siempre" (Heb. 1:10-12, NTV).

Oración: Jesús, eres mi Creador, eres mi Dios. ¡Te adoro!

Oración en agonía

Y Cristo, en los días de su carne, ofreciendo ruegos y súplicas
con gran clamor y lágrimas al que le podía librar de la muerte,
fue oído a causa de su temor reverente. Hebreos 5:7.

Jesús oró con agonía, para librarnos de la agonía. Agonizar es morir un poco. Se dice que los cobardes mueren muchas veces, pero los valientes una sola vez. Y así es: Jesús agonizó y murió la "segunda muerte" (Apoc. 2:11) por los valientes que arrebatan el Reino de los cielos (Mat. 11:12). Ellos solo mueren la "primera muerte", porque Cristo murió por ellos "la segunda muerte".

Todos nos angustiamos, todos sufrimos. La vida es una lucha incansable. La existencia es dura para todos; y en algunos tramos es más dura para los que quieren vivir conforme a la voluntad divina. El profeta Daniel estuvo tres semanas en angustia, sin probar bocado ni bebida (Dan. 10:3), porque lo desvelaba su afán por conocer cuál sería la voluntad de Dios para su pueblo. Pero el ángel enviado por Dios, expresamente para revelarle el motivo de su oración perseverante, lo consoló y le dijo: "Muy amado, no temas; la paz sea contigo; esfuérzate y aliéntate" (vers. 19).

Nuestro texto es una pintura del Getsemaní relatado por los evangelios; solo que ellos no son tan explícitos acerca del clamor y las lágrimas ofrecidas en esta oración de Jesús. La oración de Jesús lo muestra como compañero de nuestras penas y súplicas, como modelo de obediencia y sumisión al Padre. "En los días de su carne", Cristo llevó todas nuestras tristezas con lágrimas, súplicas, en agonía, hasta la muerte, para salvarnos de la muerte (Heb. 5:7).

Jesús sufrió una clase de agonía que ningún ser humano jamás padecerá, porque él cargó con todos los pecados del mundo: todas las tristezas, todas las angustias. "Ciertamente llevó él nuestras enfermedades, y sufrió nuestros dolores... Herido fue por nuestras rebeliones, molido por nuestros pecados; el castigo de nuestra paz fue sobre él, y por su llaga fuimos nosotros curados" (Isa. 53:4, 5).

¿Hoy te sientes triste? Escucha nuevamente lo que le dijo el ángel a Daniel: "No te entristezcas, el Cielo vela tus lágrimas; tú eres de gran estima para el Señor. Ponte de pie y sigue adelante, porque Dios escucha tu oración a causa de tu temor reverente".

Oración: Jesús, gracias por agonizar por mí. Gracias por escucharme.

Oración para no caer de la gracia

Es verdad que ninguna disciplina al presente parece ser causa de gozo, sino de tristeza; pero después da fruto apacible de justicia a los que en ella han sido ejercitados. Por lo cual, levantad las manos caídas y las rodillas paralizadas.
Hebreos 12:11, 12.

"**S**iento que me estoy derrumbando, y no quiero", son las palabras de una persona que me acaba de escribir al celular. Necesita consuelo, ayuda, una luz en su camino.

Probablemente tú también clames: "¿Hasta cuándo, Señor, tengo que soportar esto?"

Nuestro texto puede pasar tan inadvertido como la luz de un faro encendido en un día soleado. Pero, tarde o temprano, la noche cae tempestuosamente, y entonces estos pensamientos del apóstol se tornan un haz luminoso, el faro en la noche que parpadea en el mar de la vida para ayudarnos a encontrar el puerto. Pocos textos son tan instructivos acerca del valor y el sentido de la "disciplina de Dios" para nuestra vida como lo es Hebreos 12.

Pablo nos habla de la prueba de la disciplina que nos depara la vida, y nos dice que podemos reaccionar de tres maneras: 1) *Menospreciarla* (vers. 5). Es como despreciar el medicamento que nos cura la enfermedad, porque no nos gusta. La prueba que disciplina puede ser tu mejor amiga, porque te madura para realizar los anhelos más profundos de tu corazón. 2) *Desmayar* (vers. 5). Puedo preguntar "¿Por qué a mí?", en vez de preguntar "¿Para qué, Señor?" La primera pregunta es inútil, la segunda nos torna proactivos, para aprender a extraer una enseñanza y darle un sentido a la prueba. 3) *Soportarla* (vers. 7). Encontrarle un significado para soportarla no se trata de una actitud masoquista, propia de algunos creyentes que se creen muy "piadosos" cuando sufren, como los faquires que caminan sobre trozos de vidrios. El que capta el sentido de la prueba la vive con esperanza, porque sabe que toda prueba "da fruto apacible de justicia a los que en ella han sido ejercitados" (vers. 11). ¿Cuál es ese fruto? Ser considerados hijos de Dios, porque Dios no disciplina a quien no es su hijo (vers. 8).

¿Cómo puede uno prepararse para el dolor? ¿Cómo "ejercitarse" en las pruebas? "Levantad las manos caídas y las rodillas paralizadas" (vers. 12). La relación diaria con Cristo, mediante la oración sincera y secreta, nos prepara para las noches sin luna.

Oración: Señor, ayúdame a aprender de las pruebas.

Oración por sabiduría

Y si alguno de vosotros tiene falta de sabiduría, pídala a Dios, el cual da a todos abundantemente y sin reproche, y le será dada. Santiago 1:5.

¿Qué entiendes por sabiduría? Si quieres ser sabio, aprende a interrogar razonablemente, a escuchar con atención, a responder serenamente, a informarte y a callar cuando no tengas nada que decir. Hasta el ignorante pasa por sabio cuando se calla la boca. Pero ¿esto es suficiente?

Santiago comienza su epístola hablando de las pruebas de la vida del creyente, y de la necesidad de la sabiduría divina "para que seáis perfectos y cabales, sin que os falte cosa alguna" (Sant. 1:2-4). ¿Que seamos perfectos sin que nos falte nada? ¿Habrá pensado bien Santiago antes de escribir esto? Para el apóstol, la perfección no es impecabilidad ni falta de defectos, sino madurez, plenitud, estado de completo.

Para Santiago, como para los escritores del Antiguo Testamento, la sabiduría era algo más profundo que la inteligencia, la habilidad, la sagacidad, y aun el sentido común. Para el apóstol, la sabiduría no descansa en el lecho del entendimiento humano, sino que proviene "de arriba". "El principio de la sabiduría es el temor de Jehová" (Prov. 1:7). Conozco gente muy sabia que no sabe leer ni escribir.

La sabiduría es conocer a Dios con un corazón vivo. Esta clase de sabiduría nos permite discernir con profundidad entre el bien y el mal, someter nuestras pasiones destructivas y edificar un carácter con poder para los tiempos de prueba. El conocimiento intelectual es nada en comparación con la sabiduría de Dios.

La sabiduría de Dios se expresa en la vida. La persona sabia se gobierna a sí misma, puede formar una familia íntegra, y siempre se sentirá "completa", aunque no tenga dinero ni aun instrucción.

La sabiduría se expresa en una religión práctica. Todo el capítulo 1 de Santiago habla de esto. Sabias son las obras de amor inspiradas por Cristo (vers. 19-27).

En medio de las pruebas, la oración nos da sabiduría: Nos permite alcanzar una visión clara y cierta de las cosas, tal como las ve Dios, para soportar la tormenta con paciencia.

No te preocupes por tus defectos de carácter, tanto como por entregar tu corazón plenamente a Cristo cada día. Él es la sabiduría de Dios, el conocimiento verdadero, el que te hace "perfecto y cabal" en todo (vers. 4).

Oración: Señor, dame tu sabiduría.

Oración errada

Codiciáis, y no tenéis; matáis y ardéis de envidia, y no podéis alcanzar; combatís y lucháis, pero no tenéis lo que deseáis, porque no pedís. Pedís, y no recibís, porque pedís mal, para gastar en vuestros deleites. Santiago 4:2, 3.

¿Por qué Dios no responde nuestras oraciones?

Hace un mes visité a una hermana de la iglesia en el hospital. Había sido diagnosticada con cáncer. Con lágrimas en los ojos, el esposo me pidió que orara por ella. Me dijo que si Dios le dio quince años más de vida a Ezequías, podía darle quince años más de vida a su esposa. Él quería que ella viera crecer a su nieto. Oré con él y con ella en el hospital, y luego en mi casa, y le pedí a Dios que le diera muchos años de vida. Pedí quince años. Pero Dios no le dio quince años, ni quince meses ni quince días. La hermana murió a los pocos días de mi visita.

¿Por qué Dios no respondió? ¿Acaso habíamos pedido algo equivocado? ¿Oramos sin fe?

A veces, la razón por la que no recibimos respuesta es porque pedimos mal (Sant. 4:3). Pedimos egoístamente, "para gastar en nuestros deleites". Los creyentes a quienes iba dirigido el consejo del apóstol eran imperfectos, como nosotros. Nuestras deudas con Dios no se saldan con palabras, sino con una relación auténtica con Cristo. El contenido de lo que pedimos dependerá de esa relación. Si no recibimos, es porque no estamos en Cristo. Codiciamos, envidiamos, peleamos.

Pero este no fue el caso de nuestra hermana en la fe.

En el décimo capítulo del libro de Daniel se nos dice que el ángel demoró en llegar con la respuesta de Dios al profeta, porque "el príncipe del reino de Persia se me opuso durante veintiún días" (Dan. 10:13). ¿A quién representa este príncipe? Es el mal, encarnado en el príncipe de este mundo. Somos actores secundarios de un conflicto cósmico espiritual entre el bien y el mal. Esa guerra, que también se libra en nuestro corazón, impide, por circunstancias que no podemos conocer, que lleguen las respuestas de Dios a nuestras oraciones. Pero el ángel le dijo a Daniel: "No temas. Eres muy amado" (vers. 11, 12).

¡Dios aún no ha terminado su obra en ti! ¡En el cielo tendrás todas las respuestas!

Oración: *Señor, ayúdame a confiar en ti siempre.*

Oración por el cónyuge

Vosotros, maridos, igualmente, vivid con ellas sabiamente, dando honor a la mujer como a vaso más frágil, y como a coherederas de la gracia de la vida, para que vuestras oraciones no tengan estorbo. 1 Pedro 3:7.

Mi suegra siempre me aconsejaba: "No se ponga el sol sobre tu enojo". Y yo le contestaba con la primera parte de ese texto bíblico: "Estoy enojado, pero sin pecar" (ver Efe. 4:26).

Hay sabiduría en el consejo bíblico. Si hay una relación en la que nuestras oraciones pueden verse tremendamente afectadas, es precisamente la relación matrimonial.

Respecto de la expresión "vaso más frágil" (1 Ped. 3:7), creo que las mujeres son más fuertes que los hombres. Son más resistentes al dolor de la vida, y tienen un instinto de supervivencia mucho más refinado. La vida las hizo así. Las obligó a fortalecerse para salvar a la humanidad de la extinción. ¿Qué sería de la civilización humana si los hombres tuviéramos que padecer un parto, cuando no soportamos un dolor de muelas durante cinco minutos? Las mujeres, generalmente sin nombres en la Biblia, han mostrado siempre tener menos miedo que los hombres, y ser más maduras emocionalmente. Educar a una hija como "vaso frágil" es prepararla para que crea que no tiene derechos. Es educarla para ser sometida. Por eso, interpreto la declaración de Pedro como una expresión de cariño y un compromiso de protección.

El consejo del apóstol vale tanto para el hombre como para la mujer: la oración diaria con el "coheredero de la gracia de la vida" pone amor en nuestro corazón hacia Dios y hacia nuestro cónyuge. Cristo es el centro; si con nuestra pareja estamos en lados opuestos, a medida que nos acercamos a Jesús nos acercamos a nuestro cónyuge. Esto es fácil decir, pero muchas veces es difícil vivirlo. Cuando tenemos problemas con nuestra pareja, no queremos orar. Siempre hace bien un ejercicio de introspección: mirarnos a nosotros mismos. Dice un proverbio egipcio: "Antes de poner en duda el buen juicio de tu cónyuge, fíjate con quién se ha casado".

El matrimonio es una barca frágil que lleva a dos personas por un mar tormentoso; si uno de los dos hace algún movimiento brusco en el timón, la barca puede hundirse.

En esta Navidad, ¡haz de Jesús el timonel de tu vida, de tu mantrimonio y de tu familia!

Oración: Señor, ayúdame a orar cada día con y por mi cónyuge.

Oración vigilante

Mas el fin de todas las cosas se acerca; sed, pues, sobrios, y velad en oración.
1 Pedro 4:7.

Siempre recuerdo la respuesta del Doctor en Filosofía Ángel Garrido Maturano a una pregunta que le hice a bocajarro. Entonces él era uno de los jóvenes investigadores más brillantes de la Argentina. Con muchos años menos que yo, dirigía mi tesis doctoral. La pregunta fue: "Usted ¿no se envanece, siendo tan joven, con tantos reconocimientos académicos?" La respuesta me sorprendió: "¿Cómo me voy a envanecer, si alguna vez he de morir?"

La conciencia de la muerte marca el sentido profundo de la vida. Pedro nos insta a la oración, precisamente porque "el fin de todas las cosas se acerca" (1 Ped. 4:7). Para quienes vivían en su tiempo, estas palabras sonaban a expectación inminente. ¡Pero fueron dichas hace casi dos mil años! A los fines del consejo de Pedro, las palabras son tan pertinentes ahora como lo fueron en su tiempo. Aún más pertinentes, porque ahora sí que el fin está a las puertas. Jesús volverá antes de lo que pensamos.

Tú y yo tenemos una expectación que late al ritmo de nuestro corazón: no sabemos cuándo hemos de morir. Por eso, Pedro nos exhorta a ser sobrios y a velar en oración. Recordar que no llevaremos nada de este mundo al cementerio barrerá muchas fantasías dirigidas a las posesiones, a las riquezas, y aun a las vanidades y los placeres del cuerpo. Pedro nos insta a ser sobrios, *sofronéo*, en griego; es decir "tener una mente sana", o "ejercer dominio propio". Si vemos claramente ante nosotros el amanecer del Día del Señor, esa visión nos ayudará a someter nuestras pasiones a la supremacía del Espíritu Santo. Esa disposición de ánimo nos conduce a velar en oración. Si vivimos "según la carne", nuestras oraciones se tornan huecas, y nuestro corazón rehuye el encuentro diario con Cristo.

Pero las exhortaciones de Pedro no se quedan ahí, porque, de lo contrario, nos convertimos en anacoretas. Hay una soberbia y un egoísmo latentes en el cultivo de la religión. Por eso, "ante todo, tened entre vosotros ferviente amor; porque el amor cubrirá multitud de pecados" (vers. 8).

He aquí la prueba última de la calidad de nuestra religión: el amor al hermano.

Oración: Señor, pon amor en mi corazón.

Oración y vigilia

He aquí, yo vengo como ladrón. Bienaventurado el que vela, y guarda sus ropas, para que no ande desnudo, y vean su vergüenza. Apocalipsis 16:15.

La historia se está consumando. Apocalipsis está cerrando el documento de la salvación, y su escritor, Juan, expresa la palabra del autor, el Espíritu Santo, quien advierte: "Yo vengo como ladrón" (Apoc. 16:15). Estas palabras son el eco de las propias palabras de Jesús: "Pero sabed esto, que si el padre de familia supiese a qué hora el ladrón habría de venir, velaría, y no dejaría minar su casa" (Mat. 24:43). La advertencia de Jesús se fundamenta en el hecho de que nadie sabe cuándo regresará, solo el Padre (vers. 36). Por lo tanto, tenemos que estar siempre preparados, en guardia permanente, esperando su inminente regreso.

¿Significa esto vivir con miedo, con una expectación rayana en la paranoia? De ninguna manera. Jesús dijo: "La paz os dejo, mi paz os doy; yo no os la doy como el mundo la da. No se turbe vuestro corazón, ni tenga miedo" (Juan 14:27).

Velar significa estar atento para responder cada día al llamamiento del Espíritu Santo en nuestro corazón. Velar significa renunciar al sueño de la noche. Velar es luchar por estar despierto, combatir el sueño de la resignación. La vida es un sueño en el que caemos todos los mortales, como cayeron las diez vírgenes de Mateo 25. Todos moriríamos durmiendo si no fuera que Alguien nos despierta del sueño de la vida. Por eso, el consejo de Jesús es sabio y tierno, como lo son todas sus palabras.

El poeta Antonio Machado capta el sentido profundo del consejo divino y lo expresa bellamente: "Yo amo a Jesús que nos dijo:/Cielo y tierra pasarán./Cuando cielo y tierra pasen,/mi palabra quedará./ ¿Cuál fue, Jesús, tu palabra?/ ¿Amor? ¿Perdón? ¿Caridad?/Todas tus palabras fueron/ una palabra: Velad".

Hoy, el Espíritu Santo toca la puerta de tu corazón. No importa cuán lejos te sientas de Dios, él está a tu lado. No importa cuán hondo hayas caído, Jesús te ama. No tengas miedo de nada de lo que te ocurra a ti ni de lo que está ocurriendo en el mundo. Jesús te dice: "Velad". Es decir: "Estad atento al llamado de mi Espíritu, permaneced despierto, para que haga mi obra en ti".

Oración: *Señor, despiértame del sueño de la vida.*

Oración como incienso dorado

Cuando hubo tomado el libro, los cuatro seres vivientes y los veinticuatro ancianos se postraron delante del Cordero; todos tenían arpas, y copas de oro llenas de incienso, que son las oraciones de los santos. Apocalipsis 5:8.

En visión profética, el apóstol Juan describe una de las tantas escenas de adoración al Hijo de Dios. La escena se ubica en el cielo, luego de la segunda venida de Cristo. Los que adoran al Cordero son los redimidos de todas las edades, alcanzados por la sangre derramada en la Cruz (ver Dan. 7:10). Todos tenían "copas de oro llenas de incienso, que son las oraciones de los santos" (Apoc. 5:8).

La descripción de Juan tiene el eco del Santuario terrenal descrito en el Antiguo Testamento: "Cuando en una visión le fue dado al apóstol Juan que viese el Templo de Dios en el cielo, contempló allí 'siete lámparas de fuego ardiendo delante del trono'. Vio un ángel que tenía 'en su mano un incensario de oro; y le fue dado mucho incienso, para que lo añadiese a las oraciones de todos los santos' " —*CS* 466, 467. El incienso, que representaba las oraciones de Israel, era parte esencial del culto a Dios. Ahora, las oraciones son parte esencial de la adoración al Cordero.

Ni la erudición, ni la inteligencia, ni la dialéctica depurada, ni la facilidad de expresión, ni la profundidad mental, ni las flores de la elocuencia ni la simpatía personal pueden sustituir la falta del fuego del Espíritu. La oración asciende mediante este fuego. Su llama le da alas, energía y aceptación. No hay incienso sin fuego, ni oración sin llama. La Biblia nos muestra cómo tus oraciones se elevan, para llegar al Trono de la gracia. "Suba mi oración delante de ti como el incienso, el don de mis manos como la ofrenda de la tarde" (Sal. 141:2).

No se necesita espiritualidad para predicar. Con buena memoria, conocimiento, arrojo y una buena biblioteca, se puede influir en las conciencias de los hombres. Pero la oración influye en Dios. La predicación sin oración tiene frutos temporales, pero la oración sincera tiene siempre consecuencias eternas.

"Y los redimidos participarán de este gozo, al contemplar entre los bienvenidos a aquellos a quienes ganaron para Cristo por sus oraciones, sus trabajos y sacrificios de amor" —*CS* 705.

Oración: Señor, que no se apague la llama de mi oración.

Oración del mártir

Clamaban a gran voz, diciendo: ¿Hasta cuándo, Señor, santo y verdadero,
no juzgas y vengas nuestra sangre en los que moran en la tierra?
Apocalipsis 6:10.

Los mártires del pasado no pueden orar. Están muertos. "Nunca más tendrán parte en todo lo que se hace debajo del sol" (Ecl. 9:6). Pero tal como Abel, el primer mártir, cuya sangre derramada clama a Dios desde la tierra (Gén. 4:10), la sangre de estos mártires también clama por justicia.

En el quinto sello del Apocalipsis, el testigo fiel se acuerda de los mártires, y declara que ellos claman por justicia. Se trata de una figura de lenguaje por la que Dios expresa que en su gobierno no cabe la impunidad, y que los asesinos de los mártires serán castigados. No son los muertos quienes oran.

Entre los mártires, hubo dos ancianos que dieron testimonio de Cristo con valor y entereza. El primero fue el anciano Policarpo, ministro de Esmirna, quien dijo al juez romano que lo juzgaba por el delito de ser cristiano: "Ochenta y seis años le he servido y nunca me ha hecho cosa perjudicial; ¿cómo puedo blasfemar a mi Rey, quien me ha salvado?" "Suavizaré tu espíritu con fuego", amenazó el romano. Y Policarpo replicó con una profecía siniestra. "Me amenazas con el fuego que quema solo por un momento, pero olvidáis el fuego del castigo eterno reservado para los impíos".[1]

El otro pastor fue Ignacio de Antioquía, quien dijo: "Ahora comienzo a ser un discípulo. Nada me importa de las cosas visibles o invisibles, para poder solo ganar a Cristo. ¡Que el fuego y la cruz, que manadas de bestias salvajes, que la rotura de los huesos y el desgarramiento de todo el cuerpo, y que toda la malicia del diablo vengan sobre mí; sea así, si solo puedo ganar a Cristo Jesús!"[2]

¡Dios vela por sus hijos que sufren injusticias a causa de la fe!

No tienes que ser mártir, ni procurar serlo, para obtener el favor de Dios. Pero, si vives tu fe con autenticidad, en algún momento encontrarás oposición. "Todos los que quieren vivir piadosamente en Cristo Jesús padecerán persecución" (2 Tim. 3:12).

¡Dios vela tus pequeños martirios diarios, que padeces por llevar tu cruz, en tu trabajo, en tu iglesia y, es posible, aun en tu familia!

Oración: Señor, dame la fe de los mártires.

---

[1] Alfredo Lerín, *500 ilustraciones* (El Paso, TX: Casa Bautista de Publicaciones, 2004), p. 236.
[2] John Foxe, *El libro de los mártires* (Barcelona, España: Editorial Clie, 1991), p. 29.

Oración de invitación

El Espíritu y la Esposa dicen: Ven. Y el que oye, diga: Ven. Y el que tiene sed,
venga; y el que quiera, tome del agua de la vida gratuitamente.
Apocalipsis 22:17.

A lo largo de este año, hemos visto que toda oración audible que pronun-
cian nuestros labios, y toda oración secreta y silenciosa que se eleva de lo
profundo del corazón, es la respuesta a la búsqueda previa que Dios hace a
nuestra vida. Desde el Génesis hasta el Apocalipsis, desde la caída de Adán
hasta la víspera de la redención final, Jesús nos busca y nos invita: "Yo estoy a
la puerta y llamo; si alguno oye mi voz y abre la puerta, entraré a él, y cenaré
con él, y él conmigo" (Apoc. 3:20).

Nuestra oración expresa nuevamente el llamado de Jesús a las puertas de
nuestro corazón, para que cuando vuelva en gloria y majestad, en las nubes de
los cielos (Mat. 25:31), traspongamos juntos las puertas de la ciudad de Dios.

El reloj del tiempo está marcando casi la medianoche de la historia de la
humanidad. El Espíritu y la Esposa nos están invitando a ir a Jesús, a calmar
nuestra sed en las cristalinas corrientes del Agua de vida (Apoc. 22:17). Pero
el Espíritu Santo y la iglesia, representada por la Esposa, también anhelan
involucrar en este ruego al que escucha la Palabra de vida: ¡a ti y a mí!

Tan importante es el advenimiento del Salvador que el Espíritu Santo, la
iglesia y el escritor del libro oran juntos por la parusía (vers. 20). Ellos quieren
que el que oye, es decir, tú y yo, oremos también por el acontecimiento más
glorioso de la historia, e invitemos a otros a que "tomen del agua de la vida
gratuitamente" (vers. 17).

¡Ya es casi medianoche!

Pronto estas palabras se harán realidad: "El gran conflicto ha terminado.
Ya no hay más pecado ni pecadores. Todo el universo está purificado. La
misma pulsación de armonía y de gozo late en toda la Creación. De Aquel
que todo lo creó manan vida, luz y contentamiento por toda la extensión del
espacio infinito. Desde el átomo más imperceptible hasta el mundo más vasto,
todas las cosas animadas e inanimadas declaran, en su belleza sin mácula y
en júbilo perfecto, que Dios es amor" —*CS* 737.

Oración: Señor, ven a mi corazón sediento.

Oración de esperanza

Ciertamente vengo en breve. Amén; sí, ven, Señor Jesús. Apocalipsis 22:20.

Q*uerido Jesús:*
Gracias por buscarnos sin que te hubiéramos buscado. Gracias por buscarnos antes de que te invoquemos. Gracias por cada día que nos diste de vida. Gracias por cada aliento de esperanza. Gracias, porque si hemos elevado una oración que ha subido a ti como incienso fragante ha sido por la obra intercesora del Espíritu Santo.

Hoy, en el último día del año, tu Espíritu una vez más nos llama, y nos invita con tiernas palabras que llenan nuestro corazón de esperanza: "Ven. Y el que tiene sed, venga; y el que quiera, tome del agua de la vida gratuitamente (Apoc. 22:17).

Hemos recorrido de tu mano un largo sendero de segundos, minutos, horas, semanas y meses. Cada momento tuvo el brillo de la eternidad, porque tu mirada nos hace eternos. Aunque nuestra vida pueda parecer insignificante ante los ojos humanos, sabemos que para ti es profundamente significativa.

Hemos derramado nuestra alma en cada una de las oraciones que elevaron los hombres y las mujeres del Sagrado Registro. Miles de millones de oraciones han sido elevadas ante ti por la humanidad, y ningún registro las conservó. ¡Cuántas son! Pero sabemos que tú tienes memoria de la oración humilde y sincera de ese hijo anónimo, cuyo nombre está escrito en el Libro del Cordero.

Nuestras oraciones han mostrado nuestros rostros humanos: débiles, sinceros, errantes, ignorantes, valientes, hipócritas, cobardes, sabios, sufrientes, alegres, contradictorios. ¡Pero tu rostro ha resplandecido en cada una de esas oraciones!

En este viaje del año que hoy termina, nuestra vida ha transitado caminos anchos, senderos angostos y desfiladeros. Hemos subido montañas, transitado por valles, y navegado en ríos anegados y océanos profundos. Pero siempre supimos que nos guiaba desde lo alto la Estrella de Belén. ¡Gracias, Jesús, porque has respondido nuestras oraciones: a veces, audiblemente; otras veces, con el silencio!

Hoy, Señor, llegamos al fin de un año, pero gracias a ti podemos esperar un nuevo amanecer. Nuestro corazón anhela el fin de este viaje de la vida, el fin del sufrimiento. Nuestros pies están sangrando. Queremos el amanecer eterno. Por eso, el clamor que se eleva desde lo más profundo del corazón de quienes hemos hecho este viaje juntos es: "¡Sí, ven, Señor Jesús!"

Bibliografía

Eco, Umberto. *El nombre de la rosa*. Barcelona, España: Editorial Lumen, 1982.

La Biblia Latinoamericana. Editorial San Pablo y Verbo Divino, 2004. Todos los derechos reservados.

MacLaren, Alexander, *MacLaren's Commentary (Expositions of Holy Scripture)*, Harrington, Delaware: Delmarva Publications, Inc., 2013.

Nichol, Francis D., editor. *Comentario bíblico adventista del séptimo día*, tomo 2, Mountain View, California: Pacific Press, 1980.

Nichol, Francis D., editor. *Comentario bíblico adventista del séptimo día*, tomo 3, Boise, Idaho: Pacific Press, 1984.

Nichol, Francis D., editor. *Comentario bíblico adventista del séptimo día*, tomo 7. Boise, Idaho: Pacific Press, 1990.

Pereyra, Mario, *Terapia de la esperanza. Cómo abrir los horizontes del futuro*. Montemorelos, México: Editorial de Montemorelos, 2012.

Santa Biblia. Dios habla hoy, tercera edición, Sociedades Bíblicas Unidas, 1966, 1970, 1979, 1983, 1996. Utilizado con permiso.

Santa Biblia. Nueva Traducción Viviente, Tyndale House Foundation, 2010. Todos los derechos reservados.

Santa Biblia. Nueva Versión Internacional NVI, 1986, 1999, 2015 por Biblica, Inc. Utilizado con permiso. Derechos reservados.

Santa Biblia. Traducción en Lenguaje Actual, Sociedades Bíblicas Unidas, 2000. Utilizado con permiso.

Stendal, Russell Martin. *The Jubilee Bible*. Abbotsford, Wisconsin: Life Sentence Publishing, 2010.

White, Elena G. de. *El camino a Cristo*. Nampa, Idaho: Pacific Press, 1993.

_____. *El conflicto de los siglos*. Mountain View, California: Pacific Press, 1954.

_____. *El Deseado de todas las gentes*. Mountain View, California: Pacific Press. 1955.

_____. *El evangelismo*. Miami, Florida: Inter-American Division Publishing Association, 1994.

_____. *El hogar cristiano*. Buenos Aires, Argentina: Asociación Casa Editora Sudamericana, 2007.

_____. *Los hechos de los apóstoles*. Mountain View, California: Pacific Press, 1957.

_____. *Historia de los patriarcas y profetas*. Mountain View, California: Pacific Press, 1954.

_____. *La educación*. Buenos Aires, Argentina: Asociación Casa Editora Sudamericana, 1998.

_____. *La maravillosa gracia de Dios*. Buenos Aires, Argentina: Asociación Casa Editora Sudamericana, 1973.

_____. *La oración*. Nampa, Idaho: Pacific Press, 2006.

_____. *El ministerio de curación*. Mountain View, California: Pacific Press, 1959.

_____. *Notas biográficas de Elena G. de White*. Miami, Florida: Inter-American Division Publishing Association, 1994.

_____. *Obreros evangélicos*. Buenos Aires, Argentina: Asociación Casa Editora Sudamericana, 1997.

_____. *Profetas y reyes*. Mountain View, California: Pacific Press, 1957.

LISTA DE LAS ORACIONES EN LA BIBLIA

Oraciones en el Antiguo Testamento

Génesis

4:26	Historia de la oración inicia
5:21-24	Oración y progreso espiritual
12, 13	Oración y el Altar
15	Oración por un heredero
16	Oración — el lenguaje de un llanto
17	Oración y Apocalipsis
18, 19	Oración por una ciudad malvada
20	Oración después un lapso
22	Oración de obediencia
24	Oración por una novia
25:19-23	Oración por una esposa estéril
26	Oración cambia cosas
28	Oración como promesa
32	Oración sobre un hermano injustamente tratado
39-41	Oración — el movimiento de un fuego oculto
45:5-8	Oración — el movimiento de un fuego oculto
48, 49	Oración por bendición sobre las tribus
50:20, 24	Oración — el movimiento de un fuego oculto

Éxodo

1, 2	Oración expresada como gruñido
3, 4	Oración como dialogo
5-7	Oración como queja
8-10	Oración en liga con la Omnipotencia
15	Oración como alabanza
17	Oración en peligro
22:22-24	Oración del necesitado
32	Oración por un retraso de un juicio merecido
32:9-14	Primera oración de Moisés por Israel
32:30-34	Segunda oración de Moisés
33:12-23	Tercera oración de Moisés
34	Oración y transfiguración

Levíticos

Ninguna	

Números

6:24-27	Oración como bendición
10:35, 36	Oración por preservación y protección
11:1, 2	Oración para la eliminación de juicio
11:10-35	Oración de un corazón desanimado
12	Oración de un hombre manso
14	Oración por mantener el honor divino
16	Oración por acción Divina en contra la rebelión
21	Oración por alivio de muerte

23, 24	Oración y profecía
27	Oración por un nuevo líder

Deuteronomio

3:23-29	Oración por una tarea privilegiada
4:7	Oración a quien está cerca
9:20, 26-29	Oración por la suspensión del juicio
21:6-9	Oración como bendición
26	Oración como acción de gracias
32, 33	Oración como canción

Josué

5:13-15	Oración como desafío
7	Oración que Dios no contesta
9:14	Oración descuidada con los resultados urgentes
10	Oración que produce un milagro

Jueces

1	Oración por dirección
4, 5	Oración en tiempos de guerra
6	Oración por señales
10:10-16	Oración en calamidad
11:30-40	Oración como una oferta
13	Oración por un niño no nacido
16:28-31	Oración frente a la muerte
20:23-28	Oración directamente contestada
21:2-3	Oración por una tribu perdida

Rut

Bendiciones	

1 Samuel

1	Oración sin palabras
2:1-10	Oración, profética en perspectiva
3	Oración en el Santuario
7	Oración por problemas nacionales
8	Oración por un rey
12	Oración como vindicación
14	Oración de un rey angustiado
15:11	Oración de un corazón afligido
16:1-12	Oración como una pequeña voz
17	Oración como el secreto de valentía
23	Oración como pregunta
28:7	Oración para oídos sordos
30	Oración por la restauración del botín de guerra

2 Samuel

2:1	Oración en cuanto a la posesión
5:19-25	Oración por señales de victoria
7:18-29	Oración por bendición sobre casa y reino

Oraciones en el Nuevo Testamento

Mateo

5:22-26	Oración y la necesidad de perdonar
6:5-7	Oración e hipocresía
6:9-13	Oración según enseñado por Cristo
6:12, 14, 15	Oración y la necesidad de perdonar
7:7-11	Oración según especificado por Cristo
8:1-4	Oración de un leproso
8:5-13	Oración de un Centurión
8:23-27	Oración en peligro
8:28-34	Oración de maniacos
9:18, 19	Oración de Jairo
9:20-22	Oración de la mujer enferma
9:27-31	Oración de 2 hombres ciegos
9:37-39	Oración para trabajadores
11:25-27	Oración de la gratitud de Cristo
14:23	Oración en un monte
14:28-30	Oración de Pedro en angustia
15:21-28	Oración de la mujer Cananea
17:14-21	Oración por el hijo lunático
18:19, 20	Oración en unidad
18:23-35	Oración en una parábola
20:20-28	Oración de una posición privilegiada
20:29-34	Oración por el saneamiento de la ceguera
21:18-22	Oración de fe
23:14, 25	Oración de pretensión
25:20, 22, 24	Oración de responsabilidad
26:26, 36-46	Oración de una voluntad resignada
26:36-46	Oración en Getsemaní
27:46, 50	Oración en el Calvario

Marcos

1:23-28, 32-34	Oración de un demonio
1:35	Oración después de un día lleno de gente
1:35	Oración — hábitos de Jesús
2:18; 9:29	Oración y ayuno
6:30-31	Oración después de un día difícil
6:41, 46	Oración — hábitos de Jesús
6:46	Oración sobre una montaña
7:31-37	Oración para el ciego y el mudo
10:17-22	Oración del joven rico

Lucas

1:8, 13; 67-80	Oración de Zacarías
1:46-55	Oración como Magnífico
2:10-20; 25-38	Oración como adoración
3:21, 22	Oración en su bautismo
3:21, 22	Oración en el portal de servicio
4:42	Oración después de un día lleno de gente
5:15-16	Oración como escape de popularidad
5:16	Oración como escape de popularidad
6:12, 13, 20, 28	Oración y los doce
9:18-31	Oración con los suyos
9:28, 29	Oración y transfiguración
10:21	Oración después de un éxito
11:1	Oración como hábito
11:1-4	Oración e hipocresía
11:5-13	Oración en forma de parábola
15:11-24, 29, 30	Oración del prodigo
16:22-31	Oración desde el infierno
17:12-19	Oración de diez leprosos
18:1-8	Oración en forma de parábola
18:9-14	Oración del fariseo y el publicano
22:31, 32	Oración por un discípulo rebelde
22:31, 32	Oración por la preservación de Pedro
22:39-46	Oración de agonía
22:39-46	Oración en Getsemaní
23:34-46	Oración desde la cruz
24:30, 50-53	Oración y el Señor resucitado

Juan

4:9, 15, 19, 28; 7:37-39; 14:16	Oración por el Espíritu
4:46-54	Oración de un funcional real
6:34	Oración por el Pan de vida
11:40-42	Oración para confirmación
11:41-42	Oración en una tumba
12:27, 28	Oración con un doble aspecto
12:27, 28	Oración de angustia
14:13-15; 15:16; 16:23-26	Oración como privilegio
17	Oración de oraciones
17	Oración del gran Sumo Sacerdote
18:1	Oración en Getsemaní

Hechos

1:13, 14	Oración en el aposento
1:15-26	Oración para un sucesor
2:42-47	Oración y adoración
3:1	Oración como observancia
4:23-31	Oración por valentía de testificar
6:4-7	Oración y el ministerio de la Palabra
7:55-60	Oración del primer mártir
8:9-25	Oración para Samaritanos y hechicero
9:5, 6, 11	Oración de un converso
9:36-43	Oración para Dorcas

GUÍA PARA EL AÑO BÍBLICO

ENERO

- ❏ 1   Gén. 1-3
- ❏ 2   Gén. 4-7
- ❏ 3   Gén. 8-11
- ❏ 4   Gén. 12-16
- ❏ 5   Gén. 17-19
- ❏ 6   Gén. 20-23
- ❏ 7   Gén. 24-25
- ❏ 8   Gén. 26-28
- ❏ 9   Gén. 29-30
- ❏ 10   Gén. 31-33
- ❏ 11   Gén. 34-36
- ❏ 12   Gén. 37-39
- ❏ 13   Gén. 40-42
- ❏ 14   Gén. 43-45
- ❏ 15   Gén. 46-47
- ❏ 16   Gén. 48-50
- ❏ 17   Éxo. 1-4
- ❏ 18   Éxo. 5-7
- ❏ 19   Éxo. 8-10
- ❏ 20   Éxo. 11-13
- ❏ 21   Éxo. 14-16
- ❏ 22   Éxo. 17-20
- ❏ 23   Éxo. 21-23
- ❏ 24   Éxo. 24-27
- ❏ 25   Éxo. 28-30
- ❏ 26   Éxo. 31-34
- ❏ 27   Éxo. 35-37
- ❏ 28   Éxo. 38-40
- ❏ 29   Lev. 1-4
- ❏ 30   Lev. 5-7
- ❏ 31   Lev. 8-11

FEBRERO

- ❏ 1   Lev. 12-14
- ❏ 2   Lev. 15-17
- ❏ 3   Lev. 18-20
- ❏ 4   Lev. 21-23
- ❏ 5   Lev. 24-25
- ❏ 6   Lev. 26-27
- ❏ 7   Núm. 1-2
- ❏ 8   Núm. 3-4
- ❏ 9   Núm. 5-6
- ❏ 10   Núm. 7-8
- ❏ 11   Núm. 9-11
- ❏ 12   Núm. 12-14
- ❏ 13   Núm. 15-17
- ❏ 14   Núm. 18-20
- ❏ 15   Núm. 21-23
- ❏ 16   Núm. 24-26
- ❏ 17   Núm. 27-30
- ❏ 18   Núm. 31-33
- ❏ 19   Núm. 34-36
- ❏ 20   Deut. 1-2
- ❏ 21   Deut. 3-4
- ❏ 22   Deut. 5-7
- ❏ 23   Deut. 8-11
- ❏ 24   Deut. 12-15
- ❏ 25   Deut. 16-19
- ❏ 26   Deut. 20-23
- ❏ 27   Deut. 24-27
- ❏ 28   Deut. 28-29

MARZO

- ❏ 1 Deut. 30-31
- ❏ 2 Deut. 32-34
- ❏ 3 Jos. 1-4
- ❏ 4 Jos. 5-7
- ❏ 5 Jos. 8-10
- ❏ 6 Jos. 11-14
- ❏ 7 Jos. 15-18
- ❏ 8 Jos. 19-21
- ❏ 9 Jos. 22-24
- ❏10 Juec. 1-3
- ❏11 Juec. 4-5
- ❏12 Juec. 6-8
- ❏13 Juec. 9-11
- ❏14 Juec. 12-15
- ❏15 Juec. 16-18
- ❏16 Juec. 19-21
- ❏17 Rut 1-4
- ❏18 1 Sam. 1-3
- ❏19 1 Sam. 4-7
- ❏20 1 Sam. 8-10
- ❏21 1 Sam. 11-13
- ❏22 1 Sam. 14-15
- ❏23 1 Sam. 16-17
- ❏24 1 Sam. 18-20
- ❏25 1 Sam. 21-24
- ❏26 1 Sam. 25-27
- ❏27 1 Sam. 28-31
- ❏28 2 Sam. 1-3
- ❏29 2 Sam. 4-7
- ❏30 2 Sam. 8-11
- ❏31 2 Sam. 12-13

ABRIL

- ❏ 1 2 Sam. 14-15
- ❏ 2 2 Sam. 16-18
- ❏ 3 2 Sam. 19-20
- ❏ 4 2 Sam. 21-22
- ❏ 5 2 Sam. 23-24
- ❏ 6 1 Rey. 1-2
- ❏ 7 1 Rey. 3-5
- ❏ 8 1 Rey. 6-7
- ❏ 9 1 Rey. 8-9
- ❏10 1 Rey. 10-12
- ❏11 1 Rey. 13-15
- ❏12 1 Rey. 16-18
- ❏13 1 Rey. 19-20
- ❏14 1 Rey. 21-22
- ❏15 2 Rey. 1-3
- ❏16 2 Rey. 4-5
- ❏17 2 Rey. 6-8
- ❏18 2 Rey. 9-11
- ❏19 2 Rey. 12-14
- ❏20 2 Rey. 15-17
- ❏21 2 Rey. 18-20
- ❏22 2 Rey. 21-23
- ❏23 2 Rey. 24-25
- ❏24 1 Crón. 1-2
- ❏25 1 Crón. 3-5
- ❏26 1 Crón. 6-7
- ❏27 1 Crón. 8-10
- ❏28 1 Crón. 11-13
- ❏29 1 Crón. 14-16
- ❏30 1 Crón. 17-20

MAYO

- [ ] 1   1 Crón. 21-23
- [ ] 2   1 Crón. 24-26
- [ ] 3   1 Crón. 27-29
- [ ] 4   2 Crón. 1-4
- [ ] 5   2 Crón. 5-7
- [ ] 6   2 Crón. 8-11
- [ ] 7   2 Crón. 12-16
- [ ] 8   2 Crón. 17-19
- [ ] 9   2 Crón. 20-22
- [ ] 10   2 Crón. 23-25
- [ ] 11   2 Crón.26-29
- [ ] 12   2 Crón. 30-32
- [ ] 13   2 Crón. 33-34
- [ ] 14   2 Crón. 35-36
- [ ] 15   Esd. 1-4
- [ ] 16   Esd. 5-7
- [ ] 17   Esd. 8-10
- [ ] 18   Neh. 1-4
- [ ] 19   Neh. 5-7
- [ ] 20   Neh. 8-10
- [ ] 21   Neh. 11-13
- [ ] 22   Est. 1-4
- [ ] 23   Est. 5-10
- [ ] 24   Job 1-4
- [ ] 25   Job 5-8
- [ ] 26   Job 9-12
- [ ] 27   Job 13-17
- [ ] 28   Job 18-21
- [ ] 29   Job 22-26
- [ ] 30   Job 27-30
- [ ] 31   Job 31-34

JUNIO

- [ ] 1   Job 35-38
- [ ] 2   Job 39-42
- [ ] 3   Sal. 1-7
- [ ] 4   Sal. 8-14
- [ ] 5   Sal. 15-18
- [ ] 6   Sal. 19-24
- [ ] 7   Sal. 25-30
- [ ] 8   Sal. 31-34
- [ ] 9   Sal. 35-37
- [ ] 10   Sal. 38-42
- [ ] 11   Sal. 43-48
- [ ] 12   Sal. 49-54
- [ ] 13   Sal. 55-60
- [ ] 14   Sal. 61-67
- [ ] 15   Sal. 68-71
- [ ] 16   Sal. 72-75
- [ ] 17   Sal. 76-78
- [ ] 18   Sal. 79-84
- [ ] 19   Sal. 85-89
- [ ] 20   Sal. 90-95
- [ ] 21   Sal. 96-102
- [ ] 22   Sal. 103-105
- [ ] 23   Sal. 106-108
- [ ] 24   Sal. 109-115
- [ ] 25   Sal. 116-118
- [ ] 26   Sal. 119
- [ ] 27   Sal. 120-131
- [ ] 28   Sal. 132-138
- [ ] 29   Sal. 139-144
- [ ] 30   Sal. 145-150

JULIO

- ❑ 1 Prov. 1-3
- ❑ 2 Prov. 4-7
- ❑ 3 Prov. 8-10
- ❑ 4 Prov. 11-13
- ❑ 5 Prov. 14-16
- ❑ 6 Prov. 17-19
- ❑ 7 Prov. 20-22
- ❑ 8 Prov. 23-25
- ❑ 9 Prov. 26-28
- ❑ 10 Prov. 29-31
- ❑ 11 Eccl. 1-4
- ❑ 12 Eccl. 5-8
- ❑ 13 Eccl. 9-12
- ❑ 14 Cant. 1-4
- ❑ 15 Cant. 5-8
- ❑ 16 Isa. 1-3
- ❑ 17 Isa. 4-6
- ❑ 18 Isa. 7-9
- ❑ 19 Isa. 10-13
- ❑ 20 Isa. 14-16
- ❑ 21 Isa. 17-21
- ❑ 22 Isa. 22-25
- ❑ 23 Isa. 26-28
- ❑ 24 Isa. 29-31
- ❑ 25 Isa. 32-34
- ❑ 26 Isa. 35-37
- ❑ 27 Isa. 38-40
- ❑ 28 Isa. 41-42
- ❑ 29 Isa. 43-44
- ❑ 30 Isa. 45-47
- ❑ 31 Isa. 48-50

AGOSTO

- ❑ 1 Isa. 51-53
- ❑ 2 Isa. 54-57
- ❑ 3 Isa. 58-60
- ❑ 4 Isa. 61-64
- ❑ 5 Isa. 65-66
- ❑ 6 Jer. 1-3
- ❑ 7 Jer. 4-5
- ❑ 8 Jer. 6-8
- ❑ 9 Jer. 9-11
- ❑ 10 Jer. 12-14
- ❑ 11 Jer. 15-17
- ❑ 12 Jer. 18-21
- ❑ 13 Jer. 22-23
- ❑ 14 Jer. 24-26
- ❑ 15 Jer. 27-29
- ❑ 16 Jer. 30-31
- ❑ 17 Jer. 32-34
- ❑ 18 Jer. 35-37
- ❑ 19 Jer. 38-41
- ❑ 20 Jer. 42-45
- ❑ 21 Jer. 46-48
- ❑ 22 Jer. 49
- ❑ 23 Jer. 50
- ❑ 24 Jer. 51-52
- ❑ 25 Lam. 1-2
- ❑ 26 Lam. 3-5
- ❑ 27 Eze. 1-4
- ❑ 28 Eze. 5-9
- ❑ 29 Eze. 10-13
- ❑ 30 Eze. 14-16
- ❑ 31 Eze. 17-19

SEPTIEMBRE		OCTUBRE	
❑ 1	Eze. 20-21	❑ 1	Zac. 1-6
❑ 2	Eze. 22-23	❑ 2	Zac. 7-10
❑ 3	Eze. 24-26	❑ 3	Zac. 11-14
❑ 4	Eze. 27-28	❑ 4	Mal. 1-4
❑ 5	Eze. 29-31	❑ 5	Mat. 1-4
❑ 6	Eze. 32-33	❑ 6	Mat. 5-7
❑ 7	Eze. 34-36	❑ 7	Mat. 8-9
❑ 8	Eze. 37-39	❑ 8	Mat. 10-12
❑ 9	Eze. 40-42	❑ 9	Mat. 13-14
❑ 10	Eze. 43-45	❑ 10	Mat. 15-17
❑ 11	Eze. 46-48	❑ 11	Mat. 18-20
❑ 12	Dan. 1-2	❑ 12	Mat. 21-22
❑ 13	Dan. 3-4	❑ 13	Mat. 23-24
❑ 14	Dan. 5-6	❑ 14	Mat. 25-26
❑ 15	Dan. 7-9	❑ 15	Mat. 27-28
❑ 16	Dan. 10-12	❑ 16	Mar. 1-3
❑ 17	Ose. 1-4	❑ 17	Mar. 4-6
❑ 18	Ose. 5-9	❑ 18	Mar. 7-9
❑ 19	Ose. 10-14	❑ 19	Mar. 10-13
❑ 20	Joel 1-3	❑ 20	Mar. 14-16
❑ 21	Amós 1-3	❑ 21	Luc. 1
❑ 22	Amós 4-6	❑ 22	Luc. 2-3
❑ 23	Amós 7-9	❑ 23	Luc. 4-5
❑ 24	Abdías y Jonás	❑ 24	Luc. 6-7
❑ 25	Miq. 1-4	❑ 25	Luc. 8-9
❑ 26	Miq. 5-7	❑ 26	Luc. 10-11
❑ 27	Nah. 1-3	❑ 27	Luc. 12-13
❑ 28	Hab. 1-3	❑ 28	Luc. 14-16
❑ 29	Sof. 1-3	❑ 29	Luc. 17-18
❑ 30	Hag. 1-2	❑ 30	Luc. 19-20
		❑ 31	Luc. 21-22

NOVIEMBRE

- ❑ 1   Luc. 23-24
- ❑ 2   Juan 1-3
- ❑ 3   Juan 4-5
- ❑ 4   Juan 6-7
- ❑ 5   Juan 8-9
- ❑ 6   Juan 10-11
- ❑ 7   Juan 12-13
- ❑ 8   Juan 14-15
- ❑ 9   Juan 16-17
- ❑ 10   Juan 18-19
- ❑ 11   Juan 20-21
- ❑ 12   Hech. 1-2
- ❑ 13   Hech. 3-4
- ❑ 14   Hech. 5-6
- ❑ 15   Hech. 7-8
- ❑ 16   Hech. 9-12
- ❑ 17   Hech. 13-16
- ❑ 18   Hech. 17-19
- ❑ 19   Hech. 20-23
- ❑ 20   Hech. 24-28
- ❑ 21   Rom. 1-3
- ❑ 22   Rom. 4-7
- ❑ 23   Rom. 8-10
- ❑ 24   Rom. 11-13
- ❑ 25   Rom. 14-16
- ❑ 26   1 Cor. 1-4
- ❑ 27   1 Cor. 5-9
- ❑ 28   1 Cor. 10-13
- ❑ 29   1 Cor. 14-16
- ❑ 30   2 Cor. 1-4

DICIEMBRE

- ❑ 1   2 Cor. 5-7
- ❑ 2   2 Cor. 8-10
- ❑ 3   2 Cor. 11-13
- ❑ 4   Gal. 1-3
- ❑ 5   Gal. 4-6
- ❑ 6   Efe. 1-3
- ❑ 7   Efe. 4-6
- ❑ 8   Fil. 1-4
- ❑ 9   Col. 1-4
- ❑ 10   1 Tes. 1-3
- ❑ 11   1 Tes. 4-5
- ❑ 12   2 Tes. 1-3
- ❑ 13   1 Tim. 1-6
- ❑ 14   2 Tim. 1-4
- ❑ 15   Tito & Filemón
- ❑ 16   Heb. 1-4
- ❑ 17   Heb. 5-7
- ❑ 18   Heb. 8-10
- ❑ 19   Heb. 11-13
- ❑ 20   Sant. 1-5
- ❑ 21   1 Ped. 1-5
- ❑ 22   2 Ped. 1-3
- ❑ 23   1 Juan 1-5
- ❑ 24   2 Juan, 3 Juan & Judas
- ❑ 25   Apoc. 1-3
- ❑ 26   Apoc. 4-7
- ❑ 27   Apoc. 8-12
- ❑ 28   Apoc. 13-16
- ❑ 29   Apoc. 17-19
- ❑ 30   Apoc. 20-22
- ❑ 31   Repaso